ISBN 978-0-428-29897-5
PIBN 11306514

1 MONTH OF
FREE
READING

at
www.ForgottenBooks.com

By purchasing this book you are eligible for one month membership to ForgottenBooks.com, giving you unlimited access to our entire collection of over 1,000,000 titles via our web site and mobile apps.

To claim your free month visit: www.forgottenbooks.com/free1306514

christlich - kirchlichen

Gesellschafts - Verfassung.

—— ✦ ——

Von

D. G. J. Planck,

Consistorial-Rath und Professor der Theologie zu Göttingen.

————————

Dritter Band.

————————

Hannover,

bey den Gebrüdern Hahn.

1 8 0 5.

Vorrede.

Mit dem dritten Bande dieser Geschichte
der kirchlichen Gesellschafts-Verfassung erhält zugleich der Leser den Anfang von der
Geschichte des eigentlichen Pabstthums in
der abendländischen Kirche, oder derjenigen
Form jener Verfassung, welche sich am tref-
fendsten durch diesen Nahmen bezeichnen
läßt. Weil es aber hier auch nur aus jenem Gesichts-Punkt, oder nur als eine be-

sondere

sondere Form der kirchlichen Gesellschafts-
Verfassung dargestellt werden sollte, so konnte die Geschichte noch auf die nehmliche Art
und Weise, und in der nehmlichen Ordnung,
wie in den früheren Perioden, behandelt werden: mithin ist es doch auch jetzt noch bloß
die Geschichte der kirchlichen Gesellschafts-
Verfassung überhaupt, die man in diesem
Bande durch eine neue Periode fortschreiten
sieht. Nur etwas eigenes glaubte ich jetzt
bey ihrer Behandlung anbringen zu müssen,
das mir die besondere Natur des Gegenstandes, auf den von jetzt an die Aufmerksamkeit des Lesers fixirt werden muß, zu
erfordern schien.

Ich fand es nehmlich schicklich und nöthig, bey dem Eintritt in jede der besondern
Perio-

Perioden, in welche die Geschichte des Pabstthums vertheilt werden muß, alles dasjenige in einem eigenen Abschnitt zusammen-
zufassen, was aus der übrigen Zeit-Geschichte darein eingreift, und damit in Verbindung steht. Unter der Aufschrift: Allgemeine Geschichte des Pontifikats, habe ich
dieß schon in dieser Periode vorangeschickt,
und werde es auch in jeder folgenden thun.
Vielleicht würde die Aufschrift: Aeußere
Geschichte des Pontifikats, noch bezeichnen-
der gewesen seyn: doch was der Leser darinn
bekommen sollte, dieß sollte nach meiner Absicht zunächst ein vorläufiger Abriß desjenigen seyn, was in einem bestimmten Zeitraum
unter dem Einfluß der äußeren Umstände, die
sich darinn vereinigten, also auch unter dem

* 4 Ein-

Einfluß ihres Zeitgeists einerseits aus dem
Pabstthum wurde, und andererseits durch
das Pabstthum gewürkt wurde; oder es
sollte ihm — mit andern Worten — dadurch bemerklicher gemacht werden, wie und
wo die Geschichte des Pabstthums in jeder
Periode in die sonstige Zeitgeschichte hinein
— und auch zuweilen aus dieser Zeitgeschichte
herausläuft. Was ich aber dabey abzweckte, und für die Leser zu gewinnen hoffte,
dieß möchte ich sie am liebsten aus der Würkung des Total-Eindrucks schließen lassen,
den es auf sie machen wird.

Bey dieser Einrichtung fand ich es indessen unmöglich, mit den zwey Bänden
auszureichen, die ich bey der ersten Anlage
dieses Werks für die besondere Geschichte des
Pabst-

Pabstthums ausgesetzt und bestimmt hatte;
daher mußte ich mich entschließen, meine
Materie so zu vertheilen, daß noch ein dritter damit ausgefüllt werden wird. Das
ganze Werk wird also erst mit dem fünften
Bande geschlossen werden, was vielleicht
eine Entschuldigung bedürfen, aber doch
auch eine mehrfache zulassen mag. Den
Vorwurf hoffe ich wenigstens nicht zu verdienen, daß ich es durch die Aufnahme von
allzuviel fremdartigen Stoff ungebührlich
ausgedehnt und vergrößert hätte, ja ich ge-
stehe selbst, daß ich mir heimlich schmeichle,
bey dem in diesem Bande behandelten Gegenstand ein eigenes kleines Lob dafür zu
verdienen, daß ich die Klippe, die dabey
dem Historiker am gefährlichsten ist, so glücklich vermieden, und mich niemahls aus der

Geschich-

Geschichte des Pabstthums in die Geschichte
der Päbste verirrt habe.

Göttingen, den 16. Jul. 1805.

D. G. J. Planck.

———

Anzei=

Anzeige des Innhalts.

***

Erste Abtheilung.

Geschichte des Pabstthums in der occidentalischen Kirche von der Mitte des neunten bis zu der Mitte des eilften Jahrhunderts.

Erster Abschnitt.

Allgemeine Geschichte des Pontifikats in diesem Zeitraum.

beson=

Erste Abtheilung.

Zweyter Abschnitt.

Veränderungen in dem Zustand der kirchlichen Gesellschaft von der Mitte des neunten bis in die Mitte des eilften Jahrhunderts.

I.

Veränderungen in den gegenseitigen Verhältnissen des Staats und der Kirche.

Erste

Erste Abtheilung.

Zweyter Abschnitt.

II.

Veränderungen, die in mehreren Einrichtungen und Verhält=
nissen der kirchlichen Gesellschaft selbst während dieses
Zeitraums vorgehen.

Planck's Kirchengesch. B. III.   * *   von

Erste

Erste Abtheilung.

Zweyter Abschnitt.

III.

Veränderungen in dem Zustand des größeren, aus mehreren vereinigten Gesellschaften erwachsenen Kirchen = Körpers und in den verschiedenen Formen seiner Verbindung.

konstitu=

Geschich-

Geschichte
des
Pabsthums
in
der occidentalischen Kirche.

Erste Abtheilung.

Von der Mitte des neunten bis zu der Mitte des eilften Jahrhunderts.

Erster Abschnitt.

Allgemeine Geschichte des Pontifikats in diesem Zeitraum.

Kap. I.

Einleitung in die Geschichte. Bestimmung ihres Gegenstandes und der Behandlung, die seine Beschaffenheit erfordert.

§. I.

Etwas nach der Mitte des neunten Jahrhunderts sieht man zuerst in den occidentalischen Kirchen das Gebäude des eigentlichen Pabstthums auf dem Fundament emporsteigen, das allerdings schon lange dazu gelegt war. Ein kirchlicher Supremat der römischen Bischöffe war hier schon seit einem Jahrhundert allgemein so weit anerkannt worden, daß man ihnen nicht nur den ersten Rang vor allen andern Bischöffen, sondern auch eine würkliche Superiorität über alle andere zugestand. Diese Superiorität war jedoch in der Ausübung noch

A 2 weni-

weniger als in der Theorie befestigt. Sie war
selbst in der Theorie so weit beschränkt, daß
ihnen keine weitere Gewalt als das Recht einer gewissen Ober = Aufsicht daraus zuwuchs,
nach welchem sie sich für die Erhaltung der
Ordnung, des Ansehens der Gesetze, und vorzüglich des Glaubens und der Lehre in der
ganzen Kirche zu verwenden befugt seyn sollten.
Es fehlte also noch manches daran, daß sie
mit dem gesammten Kirchen = Körper des Occidents nur in das Verhältniß gekommen wären,
in welchem nach der ältern Gesellschafts = Verfassung der Kirche ein Patriarch mit seinem
Sprengel oder ein Metropolit mit seiner Provinz stehen sollte. Noch weniger war jetzt
schon an jenem Verhältniß etwas ausgebildet,
durch das sie in der Folge als die Repräsentanten der allgemeinen Kirche auch mit dem
Staat und mit der weltlichen Macht in eine
so vielfach = neue Berührung kamen; aber von
dem angegebenen Zeitpunkt an sieht man sie
nicht nur selbst Anstalten machen, und unverkennbar planmäßige Anstalten machen, um in
dem einen und in dem andern Verhältniß etwas anders zu werden, als sie bisher waren;
son-

sondern ein Erfolg dieser Anstalten wird auch
schon hin und wieder bemerklich.

§. 2.

Wenn man aber sagt, daß die römischen
Bischöffe von jetzt an etwas anders wurden,
als sie bisher gewesen waren, so liegt darinn
noch nicht, daß sie jetzt schon in das volle
Pabst= Verhältniß auf einmahl eingetreten wä=
ren. Dieß volle Verhältniß trat nicht eher ein,
als bis es dahin gekommen war, daß der Rö=
mische Bischoff als Bischoff der ganzen Kirche
anerkannt, oder bis es ihm zugestanden wur=
de, daß er in Beziehung auf jede einzelne
Kirche würkliche Bischoffs=Rechte ausüben dür=
fe. Erst dadurch wurden sie Päbste im ei=
gentlichen Sinn; und damit stand es noch ein
Paar Jahrhunderte an: aber auf das deut=
lichste erkennt man in der Geschichte, daß sie
doch schon von jetzt an es zu werden strebten,
daß jetzt schon dieß bestimmte Ziel vor ihrem
Auge stand, und von jetzt an mit fester und
unverrückter Stätigkeit von ihnen verfolgt wur=
de: mithin darf doch die erste Eintritts=Pe=
riode ihrer neuen Existenz, oder die erste Ein=

tritts=

tritts-Periode des eigentlichen Pabstthums von diesem Zeitpunkt ausgeführt werden.

§. 3.

Dabey wird es aber Pflicht der Geschichte, die Stuffen-Gänge desto genauer zu beobachten, und desto sorgsamer zu markiren, durch welche die große Veränderung allmählig ausgebildet, und vollendet wurde. Sie kann dieß freylich nicht immer leicht finden; denn die Fortschritte dieser Ausbildung erfolgten zuweilen sehr unmerklich; und wurden selbst hin und wieder durch scheinbare, und auch durch würkliche Rückgänge gestört und unterbrochen. Noch schwüriger muß sie es mit unter finden, dasjenige, was Zufall und Umstände, was Glück und Kühnheit dabey thaten, von demjenigen abzusondern, was überlegende Weisheit planmäßig vorbereitete, oder speculirende Klugheit bedachtsam für ihre Zwecke benutzte, und dann bey diesem letzten wieder dasjenige zu unterscheiden, was der bloße Impuls einer selbstsüchtigen Leidenschaft, eines kleinlichten Ehrgeizes, eines herrschsüchtigen oder auch fanatischen Priester-Stolzes dabey that, und was

edle-

edleren Motiven, was dem Drang einer höheren Geistes-Thätigkeit, die sich mit dem mehr oder weniger hellen Bewußtseyn einer für das Ganze wohlthätigen Absicht ihren Würkungs-Kreis erweiterte, oder dem Drang des Selbst-gefühls einer größeren Kraft dabey zugeschrieben werden darf: Es läßt sich ja voraus nicht anders erwarten, als daß auch hier, wie bey jeder großen Veränderung, in welche Menschen eingriffen, die Beweggründe, wodurch sie sich dabey leiten ließen, von einer gemischten Natur waren; wenn sich aber nur die Geschichte durch kein Parthie-Interesse verführen läßt, sich ihren Gesichts-Punkt so zu rücken, daß sie bloß dasjenige erblicken kann, was sie zu sehen wünscht, so wird es ihr meistens möglich seyn, wenigstens dasjenige zu beobachten, was in der Mischung vorschlug. Dieß ist dann auch für ihren Zweck hinreichend, da sie doch immer mehr auf dasjenige, was sich veränderte, und auf die Würkungen, welche daraus entsprangen, als auf die Ursachen, welche die Veränderung herbeyführten, Rücksicht zu nehmen hat. Was hingegen den Stufen-Gang betrift, in welchem sie fortrückte,

so drängen sich wenigstens einige der Haupt=
Epochen, in denen sie die merklichsten Fort=
schritte machte, dem Beobachter von selbst auf.

§. 4.

Je sichtbärer aber diese große und letzte
Haupt = Veränderung in der kirchlichen Verfaf=
fung nur stuffenweise zu ihrer Vollendung em=
porstieg, desto mehr ist sie auch zu einer eige=
nen historischen Bearbeitung geeignet. Die Ent=
stehungs = und Bildungs = Geschichte des eigent=
lichen Pabstthums verdient zwar schon deswe=
gen besonders behandelt zu werden, weil es ja
von dem ersten Augenblick seines Entstehens an
das große Triebwerk alles Handelns und alles
Würkens in der Geschichte wurde. Das ganze
Streben des Zeit = Geists geht ja von diesem
Zeitpunkt an durch sechs Jahrhunderte hindurch
in den Kirchen und in den Staaten des christ=
lichen Occidents nur auf die Gründung, auf
die Erhaltung und auf die Zerstörung des
neuen Pabst = Reichs. Alles arbeitet nur für
oder wider die neue Herrschaft der Römischen
Bischöffe. Wenn also auch die Geschichte da=
von in die Geschichte der allgemeinen Kirche
einge=

eingewoben werden soll, so muß sie doch noth=
=wendig von dieser Zeit an zum leitenden Haupt=
=Gegenstand darinn gemacht werden. Doch ge=
setzt auch, daß es durch diesen Umstand wei=
ter nicht nothwendig würde, das Werden und
Entstehen, das Wachsen und Steigen, das
Sinken und Fallen des Pabstthums als Gegen=
stand einer eigenen Geschichte zu behandeln,
aber wo läßt sich ein Stoff finden, der schon
seiner Natur nach so dazu gemacht wäre, wie
dieser?

§. 5.

Es giebt keinen, und es kann schwehrlich ei=
nen geben, der mit voller historischer Wahrheit
dargestellt und mit strenger historischer Gerech=
tigkeit behandelt ein so lebhaftes Interesse erre=
gen und unterhalten könnte. Es giebt keinen,
und es kann schwehrlich einen geben, bey dem
schon das bloße Aufspühren der historischen
Wahrheit und die Ausübung der historischen
Gerechtigkeit selbst so viel anziehendes für den
Geist, für den Verstand und für das morali=
sche Gefühl des Beobachters hätte. Aber es
giebt auch nur wenige, bey denen sich mehr

histo=

historische Kunst anbringen, und würdiger anbringen ließe; mithin ist es auch ein mehrfa-
cher innerer Reitz, durch den man sich dazu
gedrungen fühlt. Dieser Stoff ist zugleich so
beschaffen, daß er in eben dem Verhältniß größer, wichtiger und einer eigenen Bearbeitung
würdiger erscheint, in welchem er reiner behandelt wird; denn die Geschichte des Pabstthums wird zuverlässig in eben dem Grade an-
ziehender, oder die Theilnahme, welche sie erregt, steigt in eben dem Verhältniß, in welchem der Haupt=Gegenstand davon sorgsamer
isolirt, und von allem fremdartigen geschieden
wird. Nur der klare, durch nichts gestörte
und durch nichts zerstreute Anblick der Veränderung, welche dabey ins Licht gesetzt werden
soll, kann das höchste Interesse erregen; daher
hat sich der Bearbeiter vor nichts sorgfältiger zu
hüten, als daß ihm nicht die Geschichte des
Pabstthums unter der Hand zur Geschichte der
Päbste wird.

§. 6.

Dabey läßt es jedoch die Natur der Sache
nicht nur zu, sondern sie macht es selbst nothwendig,

wendig, daß auch alles, was sich sonst in der
Verfassung der kirchlichen Gesellschaft in dem
Zeitraum umstellte und umbildete, den die Geschichte des eigentlichen Pabstthums ausfüllt,
darein eingeschlungen werden kann, und werden
muß. Die Veränderung, welche durch das
Aufkommen der neuen Pabst = Verhältnisse her=
beygeführt wurde, griff ja in alles ein, was
zu der Kirche gehörte, und mit der Kirche in
Verbindung stand. Davon allein floß ja die
Revolution aus, durch welche die ganze bis=
herige Lage der Kirche gegen den Staat nicht
nur verrückt, sondern gänzlich umgekehrt wur=
de. Dadurch allein wurde in den bisherigen
Verhältnissen der kirchlichen Diöcesan = und
Metropolitan = Verfassung so vieles aus sei=
nen Fugen gerissen. Selbst in der innersten
häuslichen Einrichtung jeder einzelnen Kirche
wurde der Einfluß des neuen Papal=Systems
vielfach bemerklich, ja schon von einzelnen kirch=
lichen Instituten der Kapitel=, der Stifts=,
der Kloster = Verfassung gab es keines, das
nicht eine neue Form und eine neue Bildung
dadurch erhalten hätte.

§. 7.

§. 7.

Unfehlbar kommt man also in der besonderen Geschichte des Pabstthums nicht nur an allem vorbey, was sonst die kirchliche Geschichte dieses Zeitraums nur irgend bemerkungswerthes hat, sondern man wird selbst durch jene zu allem bemerkungswerthen in dieser hingeführt. Es erscheint dann wohl nur in der Beziehung, worinn es mit jener steht. Es stellt sich nur von der Seite dar, nach welcher es zu der Einführung oder zu der Befestigung des Pabstthums etwas beytrug, oder ein Hinderniß dabey in den Weg warf, das erst beseitigt werden mußte, oder auch die Folge und Würkung davon wurde. Aber in diese Beziehungen gebracht verliehrt es nichts von demjenigen, wodurch es schon an sich für die Geschichte wichtig wird. Es erhält jetzt nur durch seine Stellung ein weiteres Interesse; daher muß es auch in dieser Stellung vortheilhafter sich ausnehmen; für das Ganze der Geschichte aber erwächst daraus der Haupt=Vortheil, daß dadurch Einheit hineingebracht wird.

§. 8.

§. 8.

Um es jedoch bemerklicher zu machen, daß
im Grunde auch diese Geschichte des eigentli=
chen Pabstthums nichts anders, als fortgesetzte
Geschichte der kirchlichen Gesellschafts=Verfas=
sung ist, so wird es eben so schicklich als thun=
lich seyn, an dem Ende einer jeden von den
besondern Perioden, in welche sie zerfällt,
oder bey dem Eintritt in jede neue eine To=
tal-Uebersicht von demjenigen zu geben, was
sich in dem Zeitraum, den die vorhergehende
einnahm, in irgend einem der Haupt=Zweige
jener Verfassung veränderte. Die Perioden
selbst aber, in welche sie zerfällt, werden
durch den Gang der Veränderung selbst, wel=
che den Haupt=Gegenstand der Geschichte aus=
macht, mit der schärfsten Genäuigkeit abge=
schnitten. Wenigstens wird es bey der ersten
dieser Perioden, in welche nun der Leser hin=
eingeführt werden soll, jedem höchst lebhaft
auffallen, warum sie nicht früher als von der
Mitte des neunten Jahrhunderts ausgeführt,
aber auch nur genau bis zu der Mitte des
eilften fortgeführt werden darf.

Kap. II.

Kap. II.

Zuſtand der Staaten, mit welchen die Römiſchen
Biſchöffe in Verbindung ſtanden, beſonders jener,
welche die fränkiſche Monarchie bildeten, in der
Mitte des neunten Jahrhunderts: Veränderun-
gen, welche in ihrer Verfaſſung vorgegangen wa-
ren. Einfluß, den ſie ſchon auf die Lage der
Römiſchen Biſchöffe gehabt hatten, und neues
Ziel, das ſie ihrem Ehrgeiz vorhalten.

§. 1.

Als im J. 858. Nicolaus I. [1]) nach dem
Tode Benedikts III. auf den Römiſchen Bi-
ſchoffs-Stuhl erhoben wurde, ſo hatte ſich zwar
der damahlige Haupt-Staat des chriſtlichen
Occidents, der fränkiſche Staat, ſchon wieder
um etwas aus der Verwirrung herausgewül-
den, in welche er unter der Regierung Ludwigs des Frommen durch die Schwäche von
die-

1) S. *Anaſtaſius* Vit. Nicol. I. - *Muratori* Scriptor.
rer. Ital. T. III. P. 2. p. 301.

diesem, und vorzüglich durch die verschiedenen
Theilungen, durch die er die Monarchie zerris-
sen hatte, und durch die darüber entstandenen
Unruhen, die auch einige Zeit nach seinem
Tode noch fortdauerten, gerathen war.

Ludwig II., dem sein Vater Lothar I. noch
vor seinem Tode die Kayser-Würde übergeben
hatte, wurde allgemein in dieser Würde als
das Haupt des Carolingischen Hauses anerkannt, und noch williger als rechtmäßiger Innhaber des Königreichs Italien anerkannt, das
man als unzertrennlich von der Kayser-Würde
ansah. Von den zwey andern noch lebenden
Söhnen Ludwigs des Frommen war Ludwig
der Deutsche seit dem Vertrag von Verdun
vom J. 843. in dem auf einige Zeit nicht mehr
gestörten Besitz der Länder geblieben, die damahls zu seinem ursprünglichen Bayrischen Erbgut geschlagen worden waren, und nun ein
neues Königreich von Deutschland bildeten: die
Reiche von Neustrien und Aquitanien nebst einem Theil von Burgund, und der spanischen
Mark oder Katalonien, machten hingegen den
von dieser Zeit an bis zum J. 858. auch nicht
mehr bestrittenen Antheil Carls des Kahlen
aus.

aus. Die übrigen Länder, welche ihrem ver=
storbenen Bruder, dem Kayser Lothar I. außer
Italien gehört hatten, waren unter seine zwey
jüngeren Söhne vertheilt worden, denn der
eine, Lothar, bekam den größeren Theil des
Landes zwischen dem Rhein und der Maas [2]),
und zwischen der Maas und der Schelde [3]),
das nun Lotharingen genannt wurde, Carl
aber, der jüngste, das Königreich der Provence
zu seinem Antheil, das aus der eigentlichen
Provence, dem Delphinat, und einem Theil
des transjuranischen Burgundiens zusammenge=
setzt war. Auch hatte man Gründe zu hoffen,
daß diese letzte Theilung keinen neuen Zwist
erregen würde [4]), da es erst im J. 847. durch
den Vertrag zu Mersen recht feyerlich festge=
setzt worden war; daß nach dem Tode eines
jeden

2) Das ehemalige Austrasien.

3) Auch noch den ganzen Strich Landes zwischen
der Maas und den Gebürgen, welche die
Schweiz von der Franche=Comté absondern.

4) Nur zwischen dem neuen Kayser Ludwig II.
und seinen Brudern hätte sie fast einen er=
regt, weil dieser mit der Theilung nicht zu=
frieden war.

jeden von den Söhnen Ludwigs seine Verlaſ-
ſenſchaft ſeinen Nachkommen bleiben ſollte.

§. 2.

Doch dieſer Zuſtand von ſcheinbarer Ordnung, die man wieder in das fränkiſche
Staats-Weſen gebracht hatte, war einerſeits
noch viel zu neu und zu wenig befeſtigt, als
daß man auf ſeine Dauer zählen konnte. Von
der Stimmung und Stellung, in welcher Ludwig von Deutſchland und Carl von Frankreich
gegen einander ſtanden, hatte man jeden Tag
einen neuen Ausbruch zu beſorgen, wozu es
auch nach dem Plane des erſten noch in dem
J. 858. kommen ſollte. Noch unſicherer war
die Stellung, in welche ihre Neffen, die Söhne des Kayſers Lothar, gegen ſie gekommen
waren; ließen es ſich aber ihre Oheime auch
nicht noch hintennach einfallen, ihnen von der
Erbſchaft ihres Vaters etwas abzunehmen, ſo
hatten ſie doch ſelbſt durch eine Clauſel in ihrem letzten brüderlichen Erb-Vergleich zu Mer-
ſen dafür geſorgt, daß es über jeder künftigen Theilung zu einem neuen Krieg kommen

konn-

konnte [5]). Auf der andern Seite hingegen war die innere Verwirrung und die innere Schwä=che noch viel bedenklicher, die in allen Thei=len der Monarchie und in allen Zweigen ihrer Staats = Verwaltung als Folge der bisherigen Unruhen zurückgeblieben war.

§. 3.

Die feine Einrichtung, durch welche Carl der Gr. und auch noch Ludwig I. [6]) die Einheit der Monarchie und damit ihre innere Kraft wie ihre äußere Stärke auf immer zu sichern gesucht hatten, die feine Einrichtung, nach welcher

5) Im Art. IX. des Vergleichs war die Clausel angehängt, daß die jüngeren Prinzen nur un=ter der Bedingung die väterlichen Besitzungen behalten dürften, "wenn sie sich gehorsam „gegen ihre Oheime erzeigen würden — si „ipsi nepotes patruis obedientes esse consense- „rint."

6) Nach seiner Charta divis. Imper. vom J. 817. Die Idee dieser Einrichtung hat kein Geschicht=forscher so treffend aufgefaßt und so schön entwickelt, als *Moreau* in seinem Discours XI. sur l'histoire de France und wieder Disc. XIII. T. X. p. 113. ff.

welcher alle Zweige des regierenden Hauses
immer denjenigen, dem die Kayser = Würde zu=
fiel, für das Oberhaupt der Familie und zu=
gleich für das Oberhaupt der ganzen Monar=
chie erkennen sollten, war schon völlig wieder
vernichtet. Wenigstens die Regenten von
Frankreich und Deutschland betrachteten sich be=
reits in allen Beziehungen als ganz unabhän=
gig von dem Kayser, und waren um so we=
niger geneigt, ihm irgend einen würklichen
Vorzug einzuräumen, je weniger sich in der
Lage, worinn er sich befand, seine wahre fast
allein auf Italien eingeschränkte, und in Ita=
lien selbst nur allzusehr von den Saracenen
oder von den Arabern gedrängte Macht mit
der ihrigen messen konnte. Auch seine Brüder
hielten sich bald durch das einmahl zerrissene
Band, das die Familie zusammenhalten sollte,
nicht mehr gebunden; aber wenn dadurch jeder
von ihnen in seinem Eigenthum von einer Sei=
te her unbeschränkter geworden zu seyn schien,
so hatte ihre würkliche Macht darüber in al=
len andern Beziehungen den merklichsten Abfall
erlitten.

§. 4.

Jeder von dieſen Regenten war auf die ſchmählichſte Art von den Großen ſeines Reichs abhängig geworden, deren Hülfe ſie in ihren bisherigen Kriegen mit einander gebraucht hatten. Das königliche Anſehen war ſo tief geſunken, daß es überall nicht nur von dem Einfluß der auf einem Reichstag vereinigten Stände, ſondern nur allzuoft ſchon von der Macht einzelner Großen überwogen wurde. Wollte es ein Monarch noch zuweilen behaupten, ſo war er gezwungen, ſich eine Parthie unter dieſen zu machen, und ſich jetzt von ſeinen Biſchöffen gegen die Herzoge und Grafen, jetzt von den Herzogen und Grafen gegen die Biſchöffe helfen zu laſſen; da er aber die Dienſte der einen ſo gut als die Dienſte der andern immer erkaufen mußte, ſo kam er zuletzt mit allen in ein immer nachtheilligeres Verhältniß hinein. Gelang es ihm jedoch nicht, ſie zu trennen, ſo mußte er ſich herablaſſen, auf einen mehr als gleichen Fuß mit ihnen zu unterhandeln; denn ſah ſich nicht Carl der Kahle auf der Verſammlung zu Verberie ſogar gezwungen, allen Großen ſeines Reichs die

freye

freye Wahl zu laffen, welchen von den Prin=
zen des Carolingifchen Haufes fie als ihren
Herrn erkennen wollten 7)? Aber bey diefen
Umftänden mußte auch bald jeder Schein von
Ordnung aus allen übrigen Zweigen der
Staats=Verfaffung verfchwinden, und zugleich
das ganze Reich in einen faft wehrlofen Zu=
ftand gegen äußere Feinde gerathen; auch hat=
te man von diefem letzten fchon feit dem J.
841. bey den faft jährlich wiederholten Einfäl=
len der Normänner, die immer weiter in das
Innere des Reichs dabey vordrangen 8), die
traurigften Erfahrungen gemacht, fo wie fich
die verderblichen Folgen des erften in taufend
Erfcheinungen zeigten.

§. 5.

7) "Et mandat vobis fenior vefter, quia fi aliquis
de vobis talis eft, cui fuus fenioratus non pla=
cer, et illi fimulat, ut ad alium feniorem me=
lius quam ad illum acaptare poffit, veniat ad
illum." Art. XIII.

8) Bis fie fich im J. 876. unter ihrem Anführer
Rollo in Frankreich feftfetzten.

§. 5.

Eine Erſcheinung war es jedoch vorzüglich, welche in allen beſonderen Staaten, die noch den großen Körper der fränkiſchen Monarchie zu bilden ſchienen, eine vorgegangene Haupt=Verrückung der urſprünglichen oder der von Carl dem Großen geordneten Verhältniſſe ihres Staats = Vereins ankündigte, und überall gleichförmig ankündigte. Die Kirche — dieß war dieſe Erſcheinung — hatte es dahin zu bringen gewußt, daß ihr jetzt ſchon eine gewiſſe Obermacht nicht nur in dem Staat, ſondern auch über den Staat eingeräumt worden war; denn die Biſchöffe waren in ihrem Charakter, als Repräſentanten der Kirche, die Richter und zwar die geſetzmäßig anerkannten Richter der Könige geworden. Sie hatten ſich bereits auch noch einige andere Rechte heraus=genommen, oder der weltlichen Macht noch mehr von demjenigen, was ſie bisher behaup=tet hatte, abgenommen 9); doch der weitere Zu=

---

9) Wie das höchſt wichtige Vorrecht, daß ſie über alle Verbrechen, welche gegen ihren Stand began=

Zuwachs von Gewalt, welche sie dadurch erhielten, wurde eigentlich nur durch das neue Verhältniß bedeutend, in das sie durch jenen Umstand gekommen waren, so wie ihnen vorzüglich dieß neue Verhältniß zu dem weiteren Zuwachs geholfen hatte.

§. 6.

Wie es dahin gekommen war? — ersieht man aus der Geschichte des Krieges, den Ludwig I. mit seinen drey älteren Söhnen zu führen hatte. Die Söhne glaubten den Vater auf keinem kürzeren und für sie selbst sichereren Wege vom Thron verdrängen zu können, als wenn sie ihn durch das Urtheil der Kirche im J. 833. der Regierung entsetzen ließen. Das Volk sollte dabey glauben, daß ihn Gott gerichtet habe, und das Volk glaubte es würklich, da es nicht nur seine Bischöffe, die sich sehr gern dazu brauchen ließen, ihm vorsagten,

begangen worden waren, selbst erkennen durften, welches sie schon von Ludwig I. sich hatten versichern lassen. S. Capit. Tribur. bey Baluz T. I. p. 625.

ten, sondern da sich auch der schwache Ludwig
selbst gerade so, als ob er es glaubte, dabey
zu benehmen schien [10]. Da er bald nach
seiner erlittenen Demüthigung durch zwey seiner Söhne, die mit dem dritten zerfallen waren, der Gewalt von diesem wieder entrissen,
und auf das neue wehrhaft gemacht wurde,
so hielt er es doch für nöthig, sich erst durch
die Kirche zum Wiederantritt der Regierung be-
rechtigen zu lassen, und erkannte eben damit
ihre richterliche Gewalt über Könige mehr als
nur stillschweigend an.

§. 7.

Aber zwey seiner Söhne, von denen der
eine selbst ihr so unpolitisch zu dieser neuen
Gewalt geholfen hatte, machten ja in der Folge die Erfahrung an sich selbst, wie fest sich
der Glaube daran durch jenen einzigen Vorgang der Nation, oder wenigstens den Bischöffen eingedrückt hatte. Im J. 843. sprach eine
Synode zu Achen das Absetzungs-Urtheil über
den

10) S. Acta exauctorationis Ludovici bey *du Chesne* T. II. p. 234.

den Kayser Lothar aus [11]), wie er es ehemahls über seinen Vater hatte aussprechen lassen, und im J. 858. brachte noch Ludwig der Deutsche eine Versammlung von Bischöffen zu Attigny unter dem Vorsitz des Erzbischoffs Wenilo von Sens zusammen, durch die er Carln den Kahlen von Frankreich der Regierung entsetzen ließ. Weder in dem einen noch in dem andern Fall kam zwar das Urtheil zur Vollziehung, weil in dem ersten Fall noch eine mächtige Parthie von den Großen, und in dem andern Fall selbst noch eine mächtige Parthie von Bischöffen auf der Seite des abgesetzten Regenten war. Als man jedoch auf dem Congreß zu Milly über die Caßation des Urtheils gegen den Kayser Lothar zur Sprache kam, so wagten es die Großen nicht, so wagten es selbst die Abgeordneten des Kaysers nicht, die Competenz der Instanz, welche das Urtheil gesprochen hatte, oder das Recht der Bischöffe dazu zu bezweifeln, sondern es wurde nur dagegen

gegen

---

11) S. *Nithard* de diſſenſione filiorum Ludovici Pii. L. IV. in dem Recueil des Hiſtoriens des Gautes et de France T. VII. p. 30.

gegen vorgebracht, daß es nicht, mit der gehörigen Förmlichkeit abgefaßt worden sey. Allein bey jener Gelegenheit hatten sich ja die Bischöffe nicht nur das Recht, den Kayser zu richten, nicht nur das Recht, ihn der Regierung zu entsetzen, sondern auch das Recht angemaßt, die Regierung wieder zu vergeben, und über die ihm abgenommenen Länder zu disponiren [12]. — und auch dagegen war von niemand eine Protestation eingelegt worden.

§. 8.

Dieß war der Zustand, in welchem sich das fränkische Staats = Wesen zu der Zeit befand,

[12]. Nach der Absetzung Lothars erklärten die Bischöffe seinen zwey Brudern, daß sie ihnen sein Reich nicht eher übertragen würden, bis sie vorher vor den Großen und vor dem Volk feyerlich versichert hätten, daß sie es nicht nach dem Beyspiel des gottlosen Lothars, sondern nach dem Willen und nach den Gesetzen Gottes regieren wollten. Diese Versicherung stellten sie auch aus, und nun erst sagte ihnen der vorsitzende Bischoff: "Wir
= ermah=

fand, da Nicolaus I. das Pontifikat antrat,
und unter diesem Zustande mußten nothwendig
auch damahls schon die Verhältnisse des Römischen Bischoffs zu den fränkischen Monarchen
und zu dem Kayser, im besondern etwas verrückt worden seyn. Wenn die Macht und das
Ansehen der Bischöffe überhaupt in dem Staat
gestiegen war, so mußte auch das seinige einen höchst bedeutenden Zuwachs erlangt haben, denn er war schon von Carl dem Großen als der erste und selbst als der Obere von
allen ausgezeichnet worden. Er kam eben dadurch mit allen den Regenten, unter welche
die Monarchie vertheilt worden war, in eine
nähere und häufigere Berührung, wobey er
doch nur unter demjenigen, dem Italien zugefallen war, oder unter dem Kayser als eigent-
licher Unterthan stand, und nur diesen für seinen Herrn zu erkennen hatte. Es mußte ihm
daher auch vielfach leichter als den übrigen
Bischöffen werden, sich in eine günstigere Lage
gegen sie hineinzurücken; doch selbst wenn er

auch

„ermahnen und befehlen euch aus göttlichem
„Ansehen, das Reich anzunehmen, und nach
„dem Willen Gottes zu regieren."

auch gar nicht dazu mitgewürkt hätte, so
müßte schon die veränderte Lage der übrigen
Bischöffe auch eine Veränderung der seinigen
nach sich ziehen. Diese fühlten es ja selbst,
daß sie sich nicht würden entbrechen können,
den Römischen Bischoff an die Spitze der Theo-
kratie zu stellen, in welche sie die fränkische
Staats = Verfassung umbilden wollten; daher
zogen sie ihn selbst bey dem ersten theokrati-
schen Gewalts = Actus zu, den sie bey der Absetzung des Kaysers Ludwigs I. ausübten [13]).

§. 9.

Allein es läßt sich nicht verkennen, daß die
Römischen Bischöffe selbst auch von dieser Zeit
an den Gedanken aufgefaßt hatten, die Verwirrung im fränkischen Staat zu der Vergrößerung ihrer Macht oder überhaupt zu keiner

Ver-

[13) Es war Gregor IV., den Lothar zu dieser
Absicht aus Italien mit sich brachte. Sein
Benehmen dabey wird am ausführlichsten von
dem gleichzeitigen Lebensbeschreiber des Abts
Wala erzählt, der selbst so viel Antheil dar-
an hatte. S. Vita Venerabilis Vallae in dem
Rec. des Histor. de France P. VI. p. 291.

Veränderung ihrer Stellung zu benutzen, und
daß sie schon die ganze Regierung Lothars I.
hindurch bey mehreren Gelegenheiten planmäßig
darnach handelten. Versuchte es doch schon
Sergius II. im J. 844., sich und den Römern
den Huldigungs=Eyd zu erspahren, den der
damahlige Prinz Ludwig, der nachherige Kay=
ser, im Nahmen seines Vaters von ihnen for=
derte, und zwar an der Spitze einer Armee
von ihnen forderte [14]); ja veränderte sich
selbst schon von dieser Zeit an der Römische
Canzley=Styl auf eine Art, die allein schon
die Annäherung einer neuen Epoche in der Ge=
schichte des Pontifikats ankündigen könnte.
Es wurde schon eigene von jetzt an [15]) im=
mer,

14) S. *Anastas.* in Vita Sergii II. *Muratori* Annal. T. V. p. 16.

15) Von Leo IV. an. Dieß bemerkt Garnier in
seinen Noten zu dem Liber diurnus Pontiff.
roman. p. 151. Auch findet sich nur in zwey
spätheren päbstlichen Schreiben eine Abwei=
chung von der neuen Regel, nehmlich in ei=
nem Brief des Pabsts Formosus, und in ei=
nem andern von Benedikt VII., allein der
erste

mer beobachtete Regel dieses Styls, daß in
allen ihren Briefen der Nahme der Person,
an welche sie gerichtet waren, dem ihrigen
nachgesetzt wurde; fast zu gleicher Zeit hörten
sie aber auch auf, die Titel Dominus und
Domina von irgend einer Person zu gebrauchen, und gaben dadurch am offensten den Entschluß zu erkennen, sich aus jedem Verhältniß,
das diese Titel ausdrückten, herauszusetzen.

§. 10.

Dazu bekamen sie aber auch noch mehr besondere Aufmunterungen von Seiten derjenigen,
mit denen sie bisher in einem solchen Verhältniß gestanden waren. Unter Ludwig dem
Frommen war ja auch schon der kayserliche
Canzley-Styl gegen sie viel respektvoller geworden [16]). In dem nehmlichen Jahr, da
Lud-

erste ist wahrscheinlich unächt, und bey dem
andern erklärt sich die Abweichung sehr leicht
aus einem besondern Umstand, der dabey eintrat.

16) Die Aufschrift eines Briefs von Carl dem
Gr. aus der Zeit, da er noch nicht Kayser
war,

Ludwig II. auf den Thron kam, machte man
zu Rom bey der Wahl Benedikts III. die Erfahrung, daß sich ein von den Römern gewähl-
ter Bischoff, der nur die mächtigere Parthie
in der Stadt auf seiner Seite habe, auch gegen den Willen des Kaysers und seiner Wahl-
Commissarien behaupten lasse. In den nächst-
folgenden Jahren zogen ihn wechselsweise Ludwig von Deutschland und Carl der Kahle von
Frankreich in ihre neuen Händel hinein, indem
jeder den andern bey ihm anklagte, und gewissermaßen sein Richter=Amt gegen den andern implorirte. Bey diesen Umständen hätte
ein

war, an Leo III. lautete folgendermaßen:
Carolus, gratia Dei, Rex Francorum et Longo-
bardorum, ac Patricius Romanus, Leoni Papae, perpetuam beatitudinis in Christo salutem.
Ein gemeinschaftlicher Brief Ludwigs I. und
seines Sohnes Lothar an Eugen II. trägt hingegen bereits die folgende Aufschrift: Sanctissi-
mo et reverendissimo Domino et in Christo Pa-
tri, Eugenio, summo Pontifici et universali Papae, Ludovicus et Lotharius, summa ordinante
providentia, Imperatores augusti, spiritales filii
vestri sempiternam in Christo salutem.

ein Römischer Bischoff mehr als ein Heiliger
seyn müssen, wenn er der Versuchung, sich
auch selbst etwas mehr herauszunehmen, hätte
wiederstehen sollen, da sie ihm so verführerisch
nahe gelegt wurde; aber diese Umstände zeich=
neten zugleich dem ersten nur etwas unterneh=
menden Pabst, der jetzt auf den Römischen
Stuhl kam, theils das Ziel, das er zu ver=
folgen hatte, theils den Weg vor, auf wel=
chem er hoffen konnte, es am leichtesten zu er=
reichen.

§. 11.

Sie mußten ihm den Entwurf eingeben,
jetzt zuerst die weltlichen Fürsten mehr daran
zu gewöhnen, und es dadurch unvermerkt zum
Grundsatz des allgemeinen Staats=Rechts al=
ler christlichen Länder zu machen, daß auch
sie in dem Oberhaupt der Kirche ihren Ober=
herrn zu respektiren hätten. Die Anstalten wa=
ren ja schon dazu gemacht, ihnen die Kirche
überhaupt als ihre Gebieterin vorzustellen, und
diese Anstalten hatten bereits trefflich gewürkt;
man konnte also sehr wahrscheinlich hoffen,
daß sie sich leichter würden dazu bringen las=
sen.

sen, diese Vorstellung auf das Oberhaupt der
Kirche zu übertragen; wenn aber dieß einmahl
erhalten war, so ließ sich noch gewisser voraussehen, daß die weitere Vergrößerung der
päbstlichen Macht und des päbstlichen Einflusses nach allen andern Seiten hin nur wenige
Schwürigkeiten mehr finden würde.

§. 12.

Dieß war wenigstens unverkennbar der Entwurf, nach welchem jetzt von Nicolaus I. an
noch mehrere seiner Nachfolger mit planmäßi-
ger Stätigkeit handelten. In den Handlungen
von Nicolaus selbst wird es aber am unver-
kennbarsten; nur darf man nicht voraussetzen,
daß sich schon das bestimmte Streben nach einer würklichen päbstlichen Universal=Monarchie
darinn erblicken lassen müßte. Man hat gar
nicht nöthig anzunehmen, daß er bey dem
Entschluß, sich eine gewisse Obergewalt über
die weltlichen Fürsten zu versichern, auch schon
die ganze Ausdehnung überschaut habe, zu der
sich diese Obergewalt erweitern lassen könnte,
wie wohl man durch alle diese Unternehmungen und besonders durch den Zusammenhang

seiner Unternehmungen Anlaß genug zu der Vermuthung bekommt, daß seine Politik einen sehr umfassenden Blick haben mochte.

§. 13.

Vor dem wükklichen Eintritt in die beson= dere Geschichte davon mag es indeſſen am schicklichsten seyn, auch noch bemerklich zu ma= chen, daß ein Römischer Bischoff, der sich um diese Zeit seinen Würkungs = Kreis etwas er= weitern wollte, auch von der Seite des einzi= gen Staats, auf den er noch außer dem frän= kischen Rücksicht nehmen mußte, keine große Hinderniſſe zu fürchten hatte. Dieser eine Staat war der engliſche; denn der größte Theil des chriſtlichen Spaniens ſtand immer noch unter der Herrschaft der Saracenen, also außer aller Berührung mit Rom; in England hingegen war indeſſen die alte gewohnte Ehr= furcht vor dem Stuhl des heiligen Petrus eher vermehrt als vermindert worden. Noch im J. 847. hatte hier der König Acthulf oder Ae= thelwolff denjenigen Theil des Landes ebenfalls dem heiligen Petrus zinsbar gemacht, der bis= her von der Peters = Steuer, die der König

Ina

Jna seinen Unterthanen angeblich aufgelegt hatte, frey geblieben war. Eben dieser König
aber schickte noch im J. 854. seinen Sohn Al-
fred mit einem großen Gefolge der edelsten
Engländer nach Rom, um ihm das Glück zu
verschaffen, daß er von dem Pabst Leo IV. mit
eigenen Händen gesalbt werden konnte. Der
Pabst hingegen ließ ihm noch ein größeres
Glück zu Theil werden, denn er adoptirte ihn
förmlich im Nahmen der Römischen Kirche,
und sicherte dadurch seinen Nachfolgern eine
weitere Gewalt über den künftigen König, bey
deren Ausübung man am wenigsten eine Protestation von seiner Seite zu besorgen hatte.

Kap. III.

Einmischung des Pabsts Nicolaus I. in die Ehe-
scheidungs-Sache des Königs Lothar von Lothringen. Erste Schritte, die er darinn vornimmt.

§. I.

Noch ehe Nicolaus das Pontifikat antrat,
hatte ihm schon das Glück die Gelegenheit be-

C 2   reitet,

reitet, bey welcher er zum erstenmahl die ei=
gentliche Pabst=Rolle mit einem fast gewiß
vorauszusehenden höchst glücklichen Erfolg spie=
len konnte. Es waren nehmlich die Ehe=Dis=
sidien des jungen Königs Lothar von Lothrin=
gen, welche ihm die Gelegenheit und zugleich
die stärkste Aufforderung dazu gaben; diese
Dissidien aber waren schon im J. 857. zu ih=
rem Ausbruch gekommen.

§. 2.

Dem jungen Regenten war seine Gemahlin
Teutberge, die Schwester des Herzogs Hubert,
eines mächtigen Dynasten in dem transjurani=
schen Burgundien, nach einem kurzen Ehestande
mit ihr sehr bald entleidet, weil ihn die Reize
eines andern Frauenzimmers, mit Nahmen
Walrade, gefesselt hatten. Nach den eigenen
Angaben Lothars, auf die er in der Folge sei=
ne Vertheidigung baute, hatte zwischen ihm
und Walraden schon eine ältere, in ihren frü=
heren Jahren entstandene und selbst von seinem
Vater gebilligte Liebe statt gefunden, die er
nur den politischen Gründen, welche seine Hey=
rath mit Teutbergen erzwangen, aufzuopfern
gend=

genöthigt würde.   Wenn man sich aber auch
geneigt fühlt, an die Geschichte dieser früheren
Liebe zu glauben, und selbst geneigt fühlt, etwas zur Entschuldigung Lothärs darinn zu finden, so muß man sich doch immer noch stärker durch die schändlichen Künste empört fühlen, durch welche jetzt die arme Teutberge wie-
derum ihrerseits Walraden aufgeopfert werden
sollte.   Um einen Vorwand zu der Scheidung
von ihr zu bekommen, ließ sie Lothar förmlich vor einem Gerichts-Hof von Bischöffen,
die er ernannt hatte, wegen eines infamiren-
den Verbrechens anklagen [1]), und zwang sie,
sich durch das Gottes-Gericht des siedenden
Wassers zu reinigen.   Da aber ihr Stell-Vertreter so glücklich war, die Probe zu bestehen, und sie also von den Bischöffen losgesprochen werden mußte, so fieng er sie nach
einem kurzen Zwischenraum mit einer noch wil-
deren Gewaltthätigkeit zu verfolgen an.   Indem er jetzt vorgab, daß bey dem Gottes-
Gericht ein Betrug gespielt worden sey, legte

er

---

[1]) Wegen eines vor ihrer Verheyrathung began-
genen Incests mit ihrem Bruder.

C 3

er es darauf an, sie so lange zu mißhandeln, bis sie sich ein eigenes Geständniß ihres Verbrechens abpressen ließe, und diese Mißhandlungen trieb er in der Gefangenschaft, in welcher er sie hielt, zu einem solchen Grad, daß sie selbst zuletzt das äußerste für ihr Leben befürchten zu müssen glaubte.

§. 3.

So hatten sich hier die Sachen theils vor theils nach der Wahl von Nicolaus gestellt, und so standen sie, als er wahrscheinlich noch im J. 859. [2]) von Teutbergen und ihren Freunden aufgefordert wurde, mit seinem Ansehen dazwischen zu treten [3]). Die Aufforderung hatte an sich nichts ungewöhnliches, denn es war ja ein Gegenstand, der für die Kognition der Kirche gehörte, es war die Trennung

oder

2) Nach der Erzählung Hincmars von Rheims war wenigstens das vorhin erzählte im J. 859. vorgefallen.

3) S. Nicolai I. ep. XXII. ad Episcopos Galliae bey Labbé T. VIII. p. 394. "Teutberga, schreibt der Pabst, multis vicibus Sedem apostolicam lacrimosis literis studuit appellare."

oder, Aufhebung einer Ehe, welche, dabey in
Streit kam, und es war eine Königin, welche seinen Beystand und seine Verwendung gegen die ungerechteste Unterdrückung dabey auf-
rief. Es war daher auch, ganz in der Ordnung, daß sich der Pabst keinen Augenblick
bedachte, in die Sache hineinzugehen, denn es
war auch gar nichts neues und ungewohntes,
daß sich die Päbste auf eine erhaltene Aufforderung in einen solchen Handel einmischten,
und selbst nichts neues und ungewohntes, daß
sie sich unaufgefordert um die Ehen und um
die Ehescheidungen der Könige bekümmerten. 4).
Außerdem mußte oder konnte ihn doch, in diesem Fall, noch der lebhafteste, durch den stärk-

sten

4) Es nahm daher auch kein Mensch Anstoß daran, oder fand dabey etwas gegen die Ordnung, da sich Nicolaus um die nehmliche
Zeit in die Ehe-Händel des Grafen Boso
einmischte, und in die halbe Welt herum
schrieb, daß man die entflohene Gemahlin
des Grafen, die berüchtigte Ingeltrude, nirgends aufnehmen sollte. S. seine Briefe des-
halb bey *Labbe* T. VIII. P. 439. 480.

C 4

sten Unwillen über die schändlichste Ungerechtigkeit dringender gemachte Wunsch, sich der unterdrückten Unschuld anzunehmen, in die Sache
hineinziehen — und zuverlässig war Nicolaus
auch dafür empfänglich genug — allein in der
ganz neuen Art, womit er sich dabey benahm,
und doch zugleich mit der bedachtsamsten Vorsicht benahm, wurde es auffallend sichtbar,
daß es wenigstens nicht diese Betrachtungen allein waren, welche dabey auf ihn würkten.

§. 4.

Man muß jedoch auch noch voraus wissen,
daß dabey mehrere andere Umstände zusammen-
kamen, welche den Pabst bestimmen konnten,
mit rascherer Entschlossenheit in die Sache hineinzugehen. Wenn auch ein Richter die völlige
Unschuld Teutbergens in Beziehung auf die
Infamie, die ihr der König zur Last gelegt
hatte, noch nicht für erwiesen ansehen durfte,
so hatte sie doch die allgemeine Volks-Stim-
me in ganz Frankreich und Lothringen schon
für schuldlos und mit dem lautesten Unwillen
über das Verfahren ihres Gemahls für schuld-

los

los- erklärt. Die Familie der gekränkten Königin hatte zugleich einen mächtigen Anhang,
der schon in Bereitschaft stand, sich mit offener Gewalt für sie zu verwenden, ja sie konnte selbst auf den Beystand des Königs von
Frankreich rechnen, dem ohnehin mit jedem
Vorwand zu einem Kriege mit seinem Neffen
immer gedient war. Dieser erklärte sich auch
bald so weit für Teutbergen, daß er ihr,
nachdem sie aus ihrer Gefangenschaft zu ent-
kommen gewußt hatte, einen Zuflucts-Ort in
seinen Staaten anwies; also durfte auch der
Pabst darauf zählen, daß seine Verwendung
für sie in jedem Fall von mehreren Seiten her
unterstützt, so wie er gewiß war, daß sie
fast allgemein gebilligt werden würde. Am
wenigsten hatte er dabey zu besorgen, daß
sich vielleicht der Kayser seines Bruders Lothar allzulebhaft annehmen, und daß er mit
diesem, der freylich in seiner Nähe war, in
eine Kollision darüber kommen könnte; denn
einerseits standen auch die zwey Brüder nicht
zum Besten mit einander, und andererseits
hatte Ludwig II. ihm selbst schon mehrere Beweise einer so respektvollen Ergebenheit gege-

C 5   ben

ben 5), daß er wohl etwas darauf wagen
durfte.

§. 5.

Doch gegen alle bedenkliche Folgen, welche
aus der Einmiſchung des Pabſts in dieſen
Handel entſpringen konnten, wurde er bald
noch auf eine andere Art geſichert, denn ehe
er noch auf die Aufforderung Teutbergens et=
was thun konnte, wurde er ja auch von ihrer
Gegen = Parthie ſelbſt hineingezogen. Lothar
hatte endlich durch gewaltſame Mittel von ſei=
ner Gemahlin ein vorgebliches Geſtändniß ih=
res Verbrechens erpreßt, das er ſogleich einer
Synode ſeiner Landes = Biſchöffe, die er zu
Achen im J. 860. verſammelte, vorlegen ließ.
Dieſe Biſchöffe, von denen die bedeutendſten,
nehmlich die zwey Erzbiſchöffe von Cöln und
von Trier notoriſch zu der Hof=Parthie, alſo
zu der Parthie Walradens und ſelbſt zu ih=
rer Familie gehörten, erkannten darauf ohne
weitere Unterſuchung, daß ſich Teutberge der
öffentlichen Kirchen = Buße unterwerfen müſſe,
und gaben zugleich dem König zu verſtehen,
daß

5) S. *Anaſtaſius* in dem Leben Nicolaus I.

daß er ohne Verletzung seines Gewissens nicht länger mit ihr leben könne [6]). Als sich aber das allgemeinste Volks-Geschrey darüber erhob, und als besonders in Frankreich, wohin die Königin bald darauf geflohen war, auch eine mächtige Parthie von Bischöffen dagegen auf= stand, an deren Spitze sich der Erzbischoff Hincmar von Rheims gestellt hatte [7]), so hiel= ten es die Richter Teutbergens und Lothar selbst für nöthig, sich einigermaßen gegen die Folgen zu verwahren, welche der Handel nach sich ziehen könnte. Sie gaben jetzt also selbst dem Pabst davon Nachricht, und suchten ihn zwar von der Legalität ihrer Proceduren in der Sache zu überzeugen, aber wagten es doch nicht, geradezu sich seine Beystimmung zu er= bitten; denn der König schrieb ihm, daß er bereit sey, den Proceß noch einmahl vor eine große Synode zu bringen, zu welcher alle Bi= schöffe der ganzen Monarchie berufen werden sollten [8]).

§. 6.

6) Concil. T. VIII. p. 696.

7) S. *Hincmari* Archiepiscopi de Divortio Lotharii regis, et Tetbergae reginae. Opp. T. I. p. 561.

8) S. Concil. *Labb.* T. VIII. p. 390. Auch die Bi=
schöffe

§. 6.

Damit sah es freylich aus, als ob Lothar und seine Bischöffe den Pabst nur abhalten wollten, sich in die Sache zu mischen, weil sie sich ja selbst zu einem andern ordnungs=mäßigen Wege erboten, auf welchem sie been=digt werden sollte. Auch die französischen Bi=schöffe, welche darauf bestanden [9], daß die=ser Weg eingeschlagen werden müsse, schienen sömit nicht daran gedacht zu haben, daß der Pabst selbst in der Sache sprechen sollte oder sprechen könnte, sondern wünschten bloß durch seine Dazwischenkunft zu bewürken, daß sie desto gewisser in jenen einzig=ordnungsmäßigen Gang gebracht werden sollte. Wenn daher Ni=colaus sogleich einen Schritt gethan hätte, aus dem es sich allzudeutlich hätte merken lassen, daß er sich selbst das Kognitions=Recht in dem Händel anmaßen wolle, so würden sie sich ohne Zweifel eben so sehr als Lothar und seine Bischöf=

schöffe schrieben an den Pabst, und ersuchten ihn, daß er nur die Gesandten ihres Königs abwarten möchte, die ihn von der ganzen Sache unterrichten würden. Eb. daf. p. 697.

9) S. *Hincmar.* Opp. T. I. p. 683.

Bischöffe gewundert haben; doch Lothar er‐
spahrte ihm auch hier die Nothwendigkeit, auf
eine besondere Wendung zu denken, denn er
that seinerseits einen neuen Schritt, der vol‐
lends alles gegen ihn in eine Stimmung
brachte, in welcher man auch die ungewohn‐
teste Procedur, die der Pabst vornehmen moch‐
te, mehr als zu entschuldigen geneigt war.

§. 7.

Auf das gewisseste überzeugt, daß das Ur‐
theil der großen Synode, auf welche die fran‐
zösischen Bischöffe drangen, gegen seine Wün‐
sche ausfallen würde, beschloß der König, ihr
durch eine Handlung zuvorzukommen, welche
die Freunde Teutbergens von der Fruchtlosig‐
keit aller weiteren Bewegungen zu ihrem Vor‐
theil überzeugen, und sie eben dadurch auch
von allen weiteren abhalten sollte. Die nehm‐
lichen Bischöffe [10], welche bereits gegen die
Königin gesprochen hatten, ließ er jetzt im
J. 862. noch einmahl zu Achen zusammenkom‐
men,

[10] Die Erzbischöffe von Cöln und Trier nebst
den Bischöffen von Metz, Verdun, Töngern,
Utrecht und Strasburg.

men, und sich durch einen Synodal-Schluß,
den sie hier abfaßten.[11]), nicht nur zu der
Trennung von ihr bevollmächtigen, sondern
auch förmlich zu einer neuen Heyrath ermahnen, worauf er sogleich Walraden als seine
Gemahlin erklärte, und sie auch öffentlich als
Königin anerkennen ließ [12]). Nach Rom
aber schickte er mit diesem Decret seiner Bischöffe eine eigene Gesandtschaft, welche den
Pabst ersuchen sollte, es durch sein Ansehen
zu bestätigen, und ohne Zweifel darauf instruirt war, von jedem Mittel, das ihr zu
einer glücklichen Ausrichtung ihres Auftrags
helfen konnte, Gebrauch zu machen.

§. 8.

Damit gestand schon der König dem Pabst
ein gewisses Recht, in der Sache mitzusprechen, wenn auch nicht gerade die eigentliche
richterliche Autorität zu, aber er gestand ihm
bald auch die letzte förmlich genug zu. Nicolaus ließ sich nehmlich auf keine Art zu der
Erklärung bewegen, die man ihm abschmeicheln
woll-

11) S. Concil. T. VIII. p. 742.
12) S. Annal. Bertin. ad ann: 862.

wollte, und zwar gewiß nicht blos deswegen,
weil er die überschöne ihm angebotene Gele=
genheit, auch über einen König den Richter
zu spielen, noch besser zu benutzen entschlossen
war, sondern zuverläſſig zugleich deswegen,
weil er ſich ſelbſt auch durch die Ungerechtig=
keit, an welcher er Antheil nehmen ſollte, em=
pört fühlte. Ohne Zweifel würde dieß letzte
auch ohne das erſte ſtark genug auf ihn ge=
wirkt haben; ja vielleicht würde ihn ſchon die
bloße Furcht vor dem allgemeinen Urtheil der
Welt, die ſich bereits ſo laut gegen Lothar
erklärt hatte, kräftig genug abgehalten haben,
ſeinen Wünſchen nachzugeben; aber aus ſeinem
folgenden Benehmen wird es doch gar zu ſicht=
bar, daß auch das erſte ſchon recht feſter Ent=
ſchluß bey ihm geworden war. Er entließ da=
her die Geſandten mit der ſehr bedachtſam ab=
gemeſſenen Antwort, daß er in dem Proceß
des Königs mit ſeiner Gemahlin nicht eher
ſprechen könne, bis er von allen Umſtänden
weiter unterrichtet ſey, jedoch ſogleich zwey
Legaten nach Lothringen ſchicken wolle, die zu
ſeiner beſſeren Belehrung die nöthigen Anſtal=
ten zu einer weiteren Unterſuchung des Han=

dels

dels machen sollten. Dieß schrieb er [13] auch an Lothar selbst, und dieser, — der sich, was der Pabst am besten wußte, in einer Lage befand [14], worinn ihm alles daran gelegen war, daß er sich nur jetzt noch nicht ganz bestimmt gegen ihn erklärte, — dieser mußte das Aussehen annehmen, als ob er völlig mit dieser Maaßregel zufrieden wäre. Er schickte selbst den Legaten die Versicherung entgegen, daß sie mit Ehrfurcht aufgenommen werden sollten, und schien damit auf das förmlichste in eine neue unter der Autorität des Pabsts anzustellende Revision seines Prozesses zu willigen.

§. 9.

13) S. *Labbé* Concil. T. VIII. p. 390.

14) Er mußte befürchten, daß Carl von Frankreich jeden Augenblick gegen ihn losbrechen würde, da dieser noch durch eine persönliche Kränkung auf das äußerste gegen ihn gereizt war, die er ihm durch die Aufnahme des Entführers seiner Tochter Judith, des Grafen Balduin, in seinen Staaten zugefügt hatte. Aber er hatte, wie aus dem Brief des Pabsts an ihn erhellt, auch selbst vorgeschlagen, daß der Pabst einen Legaten nach Lothringen schicken möchte.

§. 9.

Doch dieß ließ sich auch in keinem Fall ver=
meiden, sobald einmahl der König den Pabst
selbst aufgefordert hatte, sein Responsum in
der Sache zu geben; aber dabey konnte es
jetzt auch nur scheinen, als ob er den selbstge=
wählten Schieds = Richter in ihm erkennen
wollte, und der Pabst selbst nahm auch jetzt
noch das Ansehen an, als ob er bloß die Rolle
von diesem spielen wollte 15). Er vermied
wenigstens bey seinen ersten Schritten alles mit
sehr bedachtsamer Vorsicht, was nur einen zu
großen Schein von Neuheit oder Zudringlich=
keit haben konnte. Er instruirte nicht nur
seine

15) Dieß Ansehen gab er sich noch im J. 867.
in einem Brief an den König Carl von
Frankreich, in welchem er vorzüglich deswe=
gen darauf bestand, daß kein weiteres Ver=
fahren in der Sache statt finde — "quod
nos ex utraque parte, Theutberga et Lothario
provocati sumus judices — nec secundum sa=
cros Canones a judicibus, quos consensus com=
munis elegerit, liceat provocare. S. Labb.
Conc. T. VIII. p. 433.

seine Legaten, daß sie die Revision des Procesſes auf einer neuen Synode vornehmen, sondern er schrieb ihnen ausdrücklich vor, daß sie dabey auch die Biſchöffe von Frankreich [16] zuziehen müßten, und schien damit nur die Sache in den Gang einleiten zu wollen, auf welchen diese letzten schon längſt angetragen hatten. Er gab ihnen selbſt Briefe [17] an den König von Frankreich mit, worinn er ihn ersuchte, seine Biſchöffe dazu herzugeben und abzuordnen; zu gleicher Zeit aber ermahnte er ihn auch, jeden Entwurf zu einer bewaffneten Verwendung für die Rechte der Königin so lange aufzugeben, bis sich erſt abſehen ließe, was in dem ordnungsmäßigen Gange der Gerechtigkeit ausgerichtet werden könnte.

§. 10.

Durch diesen letzten Schritt, von welchem Nicolaus auch dem König von Lothringen

Nach-

---

16) Auch aus dem Gebiet Ludwigs des Deutſchen wollte er zwey Biſchöffe zugezogen haben. Die Inſtruktion des Pabſts für seine Legaten f. *Sirmond.* Conc. Gall. T. III. p. 198.

17) S. Recueil des Hiſtor. de France. T. VII. p. 386.

Nachricht gab, konnte er zugleich am gewissesten zu erhalten hoffen, daß sich dieser den
Gang, in welchen er die Sache einleiten wollte, gefallen ließ, denn er mußte sonst würklich einem neuen Angriff von Seiten Carls von
Frankreich entgegensehen, von dem er jetzt mehr
als jemahls zu fürchten hatte. Ohne Zweifel
war selbst von seiner Seite gleich Anfangs
darauf gerechnet gewesen, durch die Einmischung des Pabsts sowohl dieser als andern
nachtheiligen Folgen seiner Ehescheidung zuvorzukommen; allein nun kam es an den Tag,
daß er zugleich darauf gerechnet hatte, der
Sache eine andere Wendung geben zu können,
wodurch der Pabst selbst am meisten überrascht
wurde. Lothar nahm seine Legaten mit der
größten Ehrfurcht auf, denn er zählte darauf,
ihre Dienste erkaufen und damit auf dem kürzesten Wege zu seinem Ziel kommen zu können,
und in dieser Hoffnung sah er sich auch nicht
getäuscht. Die bestochenen Legaten [18] veranstalteten zwar ihrer Instruktion gemäß auf ei-

ner

18) S. Annal Bertin. ad ann. 863. Das Haupt der
Gesandtschaft war der Bischoff Rodoald von Porto.

D 2

ner Synode zu Metz im J. 863. [19]) eine neue Untersuchung des Handels, aber sie zogen weder die französischen, noch sonst andere als lothringische Bischöffe zu, sie behielten selbst die Briefe des Pabsts an den König von Frankreich und seine Bischöffe zurück, sie citirten nicht einmahl Teutbergen, sondern ließen sich bloß die Akten der letzten Synode zu Achen vorlegen, und bestätigten das Urtheil, das diese gesprochen hatte, oder erklärten wenigstens, daß sie ihr ganzes Verfahren in der Sache völlig ordnungsmäßig gefunden hätten [20]). Die zwey Erzbischöffe von Trier und Cöln aber reisten jetzt selbst nach Rom, um dem Pabst die Nachricht davon zu hinterbringen, weil man am lothringischen Hofe wahrscheinlich hoffte, daß sie die ersten Ausbrüche des päbstlichen Unwillens am würksamsten mäßigen, und vielleicht ganz unterdrücken könnten [21]).

19) Im Junius dieses Jahrs.

20) Dabey giebt wenigstens Anastasius im Leben von Nicolaus zu, daß sich die Legaten hätten betrugen lassen.

21) Nach den Annal. Bertin. hatten die Legaten selbst dazu gerathen.

Kap. IV.

Kap. IV.

Verfahren des Pabsts gegen die Bischöffe, die in
der Sache gesprochen hatten, wobey er sich über
alle bisherige Rechts-Formen hinwegsetzt.

§. I.

Diese Hoffnung würde auch schwehrlich ge=
täuscht worden seyn, wenn es — wie man
vielleicht am lothringischen Hofe ebenfalls
glaubte — Nicolaus bloß darum zu thun ge=
wesen wäre, einen Aktus von oberrichterlicher
Gewalt bey dieser Gelegenheit auszuüben. Es
war ihm ja doch damit schon gelungen, denn
die Sache war doch immer noch auf seinen
Ausspruch ausgesetzt worden; für den Aerger
aber, den er darüber empfinden mochte, daß
seine Legaten gegen sein Privat=Urtheil gespro=
chen hatten, könnte er schon einigen Ersatz in
dem Umstand finden, daß die zwey deutschen
Erzbischöffe selbst nach Rom kamen, um noch

D 3   seine

seine besondere Bestätigung nachzusuchen. Auf=
fallender als dadurch konnte es nicht erklärt
werden, wie viel Gewicht man darauf legte;
also konnte sich auch sein Stolz für hinreichend
befriedigt halten; allein daß es dem Pabst
bey diesem Vorfall noch um etwas größeres,
und zugleich würklich auch um Recht und Ge=
rechtigkeit zu thun war, dieß bewies sein gan=
zes folgendes Verfahren, und bewies es ge=
rade dadurch am stärksten, weil er sich über
alle bisherige Rechts=Formen dabey hinweg=
setzte.

§. 2.

So gern man nehmlich glauben mag, daß
Nicolaus auch jene Rücksichten nicht übersah,
die er in diesem Handel noch auf mehrere
Umstände, die er auf die Familie der gekränk=
ten Königin, auf den König von Frankreich
und seine Bischöffe, ja selbst auf die allge=
meine Volks=Stimme nehmen mußte, welche
sich so laut gegen Lothar erklärt hatte, so läßt
sich doch unmöglich annehmen, daß er zu den
starken und mehr als starken Schritten, die
er jetzt that, allein oder auch nur zunächst
durch

durch jene Rücksichten bestimmt wurde. Er
that ja viel mehr, als er um ihrgetwillen zu
thun nöthig hatte. Er begnügte sich nicht
bloß damit, die Verhandlungen der Synode
zu Metz und seiner Legaten zu mißbilligen,
wozu ihm schon allein die Unterlassung der
von ihm befohlnen Zuziehung französischer und
deutscher Bischöffe den scheinbarsten Vorwand
und den natürlichsten Grund geben konnte,
sondern er brachte die Sache sogleich vor eine
Römische Synode [1], kassirte auf dieser das
ganze Verfahren [2] der Versammlung zu Metz,

ent=

[1] Nach der eigenen Angabe des Pabsts wurde
die Synode nicht besonders um dieser Sache
willen von ihm versammelt, wie Calles in
Annal. eccl. Germ. T. III. p. 446. zu verstehen
giebt, sondern die Erzbischöffe waren gerade
zu der Zeit nach Rom gekommen, da die ge=
wöhnliche jährliche Provinzial=Synode daselbst
gehalten wurde — tempore Concilii — und
diese war es, vor welche er den Handel
brachte.

[2] "Synodum Metensem — in aeternum judicamus
esse cassatam, et cum Ephesino latrocinio repu-
tatam apostolica auctoritate in perpetuum sanci-

D 4

mus

entsetzte die zwey Erzbischöffe von Cöln und von Trier ihrer Aemter, kündigte allen andern Bischöffen, welche Antheil daran genommen hätten, das nehmliche Schicksal an, wenn sie nur die geringste Bewegung machen würden, sich gegen diesen Ausspruch des apostolischen Stuhls aufzulehnen ³), und machte diese Verfügungen allen Bischöffen des christlichen Occidents in einem Cirkular=Brief bekannt, der sich mit der heftigsten Invektive gegen den König von Lothringen eröffnete ⁴).

§. 3.

mus damnandam, nec vocari Synodum sed tanquam adulteris faventem prostibulum appellari decernimus.

3) Besonders — Si a sede beati Petri illis damnatis adhaerendo (nehmlich den abgesetzten Erzbischöffen) dissenserint. Auch forderte der Pabst von jedem eine schriftliche Versicherung seines Gehorsams, die er entweder selbst nach Rom bringen, oder — per missos ad nos legatos suos — einschicken müßte.

4) "Scelus — so eröffnete sich der Brief — quod Lotharius rex, si tamen rex veraciter dici possit, qui nullo salubri regimine corporis appeti-

§. 3.

Diese an sich schon unerhörte Art zu ver=
fahren wurde durch mehrere Umstände noch
auffallender gemacht. Wenn auch der Grund
einigen Schein hatte, aus welchem er das
Verfahren der Synode zu Metz ohne weitere
Untersuchung vorläufig kaſſirte [5], ja wenn
es auch nicht beyſpiellos geweſen wäre, daß
ſich ein Pabſt unterſtand, auf einer Römiſchen
Pro=

Fetitus refrenavit, ſed lubrica enervatione magis ipſius illicitis motibus cedit, in duabus foeminis commiſit, omnibus notum eſt. S. Epiſt.
Nicolai ad univerſos Epiſcopos. Conc. T, VIII.
p. 767.

[5] "Quia noſtrum praevenerunt judicium, et apo-
ſtolicae Sedis inſtituta temere violarunt. Es
ergiebt ſich daraus, daß der Pabſt die Sy=
node zu Metz bloß als eine Unterſuchungs=
Kommiſſion angeordnet, und ſich ſelbſt das
End=Urtheil vorbehalten hatte, wozu er ſich
immer befugt halten konnte, da ſich doch der
König ſelbſt an ihn gewandt hatte. Doch
dieß hatte er auch den deutſchen und galli=
ſchen Biſchöffen, die er auf der Synode ha=
ben wollte, ausdrücklich geſchrieben.

D 5

Provinzial = Synode das Absetzungs = Urtheil
über zwey deutsche Erzbischöffe zu erkennen,
so mußte schon das Rasche der Procedur eine
ganz eigene Würkung hervorbringen. Nach
den Akten der Synode scheint nicht einmahl
ein Kläger gegen die Erzbischöffe aufgetreten
zu seyn, denn wahrscheinlich hatten sie die
Reise nach Rom so schnell gemacht, daß ih=
nen nicht leicht ein Bericht von Seiten der
Königin und ihrer Freunde zuvorkommen konn=
te. Wenn aber auch der Pabst, was sich im=
mer noch annehmen läßt, bereits durch diese
von dem schändlichen Spiel unterrichtet war,
das man auf der Synode zu Metz getrieben
hatte, so wurde doch gar nichts gegen sie pro=
ducirt, sondern das Absetzungs = Urtheil der
Erzbischöffe allein dadurch motivirt, weil ja
aus ihren eigenen Berichten erhelle [6]), daß
sie den Instruktionen des Pabsts zuwider ge=
handelt, und seine Befehle verachtet hätten.
Wegen ihrem Verfahren gegen die Königin
wurde ihnen eigentlich bloß ein Mangel an
Billig=

6) "Scriptum super hoc propriis manibus offeren-
tes — et ore, proprio nihil se plus vel minus
egisse — confessi sunt."

Billigkeit zur Last gelegt [7]), um es ja nicht zweifelhaft zu lassen, daß ihre Widerspenstigkeit gegen die Verfügungen des heiligen Stuhls als das größte ihrer Verbrechen betrachtet werden müsse.

§. 4.

Je gewisser sich aber voraussehen ließ, daß diese Procedur recht allgemein eine höchst starke Sensation hervorbringen würde, desto eher darf man annehmen, daß sich auch der Pabst nicht bloß durch seine Hitze dazu hinreißen ließ, oder doch nicht ganz ohne Vorsicht und Ueberlegung hineingieng. Er mußte wenigstens wissen, was er damit abzweckte. Doch er wußte es sehr gewiß, denn er erklärte es ja auch offen genug. Unwille und Erbitterung über das schändliche Werk der Ungerechtigkeit und der Finsterniß, das man zu Metz angelegt hatte und jetzt von ihm vollendet haben wollte, trug ohne Zweifel zu seinem heftigeren Auffahren auch etwas bey. Man hat alle Ursache zu glauben, daß der Pabst Mensch genug und guter Mensch genug war, um dadurch

7) Aequitatis normam eos temerasse — invenimus.

durch auf das äußerſte empört zu werden;
aber wer kann zweifeln, daß er bey dieſer
Gelegenheit auch eben ſo gern den Oberherrn
über fremde Biſchöffe ſpielte, als das Rich=
ter=Amt über einen König verwaltete? Und
wenn man ihn erſt noch in mehreren Vorfällen
ſeiner Regierung auf eine ganz gleiche Art
handeln ſieht, die auf das unverkennbarſte den
angelegten Plan verräth, ſich gegen jene und
gegen dieſe, gegen die Biſchöffe wie gegen die
Könige in ein ganz neues Verhältniß hineinzu=
rücken, wer kann zweifeln, daß auch ſchon
ſein Verfahren bey dieſer Gelegenheit etwas
darnach berechnet war?

§. 5.

Dieß muß man jedoch vorzüglich deßwegen
annehmen, weil es einerſeits undenkbar iſt,
daß der Pabſt ſelbſt in der Hitze der gereizte=
ſten Leidenſchaft über die Schwürigkeiten hin=
wegſehen konnte, in welche ihn die Behaup=
tung ſeines kühnen Schrittes verwickeln mußte,
und weil man andererſeits ſo deutlich gewahr
wird, worauf er dabey ſeine Hoffnung wegen
der Möglichkeit der Behauptung vorzüglich
baute,

baute, und wie bedachtsam er selbst jenen Um=
ständen nachhalf. Je neuer und unerhörter es
war, daß ein Pabst sich herausnahm, zwey
fremde Erzbischöffe ohne weiteren Proceß durch
einen bloßen Machtspruch [8] ihrer Aemter zu
entsetzen; desto weniger ließ sich ja absehen,
wie der Machtspruch zur Völlziehung würde
gebracht werden können. Man konnte doch
nicht erwarten, daß sie ihn gutwillig respekti=
ren, und sich selbst als rechtmäßig abgesetzt
betrachten würden. Sie mußten daher dazu
gezwungen, und wenn das päbstliche Urtheil
in Kraft kommen sollte, auch würklich aus
ihren Bisthümern verdrängt werden. Dieß
ließ sich aber bloß durch die Dazwischenkunft
ihres Landesherrn, oder bloß dadurch erhal=
ten, wenn sich der ganze Klerus ihrer Diöce=
sen mit den benachbarten Bischöffen gegen sie
vereinigte, und wer konnte hoffen, daß es in
diesem Fall zu dem einen und zu dem andern
kommen würde? Hoffen ließ es sich wenig=
stens,

8) Er hatte selbst in seinem Brief den Ausdruck
gebraucht, daß er es "Spiritus Sancti judicio
et Beati Petri per nos auctoritate — gethan
habe.

stens nur dann, wenn man vorläufig auch, wie Nicolaus, berechnet hatte, was der allgemeine Unwille gegen den König, der Volks=Haß gegen Walraden, die Eifersucht gegen die Bischöffe, die an der Spitze der Hof=Parthey standen, oder vielleicht die Feigheit des Königs selbst, das Mitleid mit Teutbergen, der Einfluß ihrer Familie und andere Umstände in diesem Fall würken könnten; wenn aber, der Pabst auch nur an dieß alles gedacht hatte, ehe er zu dem raschen Schritt sich entschloß, so war es gewiß nicht bloß Leidenschaft, wodurch er sich dazu hinreißen ließ.

§. 6.

Doch am sichtbarsten wird dieß aus der Art, womit Nicolaus den kühnen Schritt behauptete, und aus der Festigkeit der Fassung, die er dem Widerstand, den er zu besiegen hatte, entgegensetzte. Er bedurfte zwar noch mehr Festigkeit dazu, als er voraus berechnet haben mochte, denn wahrscheinlich war er nur darauf gerüstet, dem Trotz der abgesetzten Bischöffe und den wilden Maaßregeln, auf welche der König von Lothringen im ersten Aer=

ger

ger verfallen konnte, mit der gehörigen Fassung zu begegnen. Allein der erste Sturm, den er zu bestehen hatte, kam von einer Seite her, von welcher er schwehrlich etwas befürchtet hatte, und kam mit einer Schnelligkeit, die es eben so unmöglich machte, daß er ihm ausweichen, als daß er Anstalten dagegen zu seiner Vertheidigung treffen konnte. Ohne sich mit ihm einzulassen, verließen die zwey beschimpften Erzbischöffe sogleich die Stadt Rom, wandten sich an den Kayser, der sich mit seiner Armee in einer nicht sehr großen Entfernung im Beneventanischen befand [9], forderten ihn auf, die Schmach zu rächen, die durch das insolente Verfahren des Pabsts der ganzen deutschen Kirche zugefügt worden sey, und würkten so stark auf den reizbaren Ludwig, daß er auf der Stelle den Marsch nach Rom antrat, um den Pabst zur Verantwortung zu ziehen.

§. 7.

Man kann nicht wohl angeben, was zunächst den sonst schwachen Monarchen bey dieser

---

9) S. Annal. Metenses ad ann. 864.

fer. Gelegenheit so schnell in Bewegung brach=
te. Die zwey Erzbischöffe, welche beyde zu
großen Häusern gehörten, mochten wohl auch,
vorher schon eine Parthie von Freunden und
Verwandten an dem kayserlichen Hofe gehabt
haben, die jetzt für sie sprachen und handel=
ten. Wahrscheinlich unterließen sie auch nicht,
dem Kayser das Verfahren des Pabsts als
höchst kränkend für die Ehre und für die
Rechte aller Regenten vorzustellen, wie und
wodurch sie aber auch auf ihn gewürkt haben
mochten, so ließ sich der Erfolg zuerst höchst
bedenklich für den Pabst an, denn der auf=
gebrachte Kayser [10]) schien es auf nichts ge=
ringeres als auf seine persönliche Demüthigung
anzulegen. Nicolaus mußte besorgen, daß die
Absicht des Kaysers, in dessen Gefolge sich
auch die zwey Erzbischöffe befanden, dahin ge=
richtet

10) Ille — erzählt der Verfasser der Bertinianischen Annalen — furore, se ipsum non ca-
piens, Romam ea intentione pergit, quatenus
aut Papa Romanus eosdem restitueret Episcopos,
aut hoc facere non volenti noxie quodammodo
manum immitteret." Annal. ad ann. 846. in
Scriptor. rer. Franc. T. VII. p. 84.

richtet sey, sich vor allen Dingen seiner Person zu versichern, weil er mit seinen Truppen in die Stadt einrückte, ohne erst eine Unterhandlung mit ihm angeknüpft zu haben.
Von einem bewaffneten Widerstand konnte dabey von seiner Seite nicht die Rede seyn; also blieb ihm nichts übrig [11], als den höheren Schutz des Himmels aufzufordern, und
zu versuchen, ob die Anstalten und Zurüstungen, die er dazu machte, nicht einen günstigen Eindruck auf den Kayser machen könnten.

Er

11) Nach einem Aktenstück, das *Muratori* in
Script. Ital. T. II. P. II. p. 135; zuerst bekannt
gemacht hat, trug der Pabst auf einer Versammlung, die er noch zusammenbrachte, zuerst darauf an, daß man den Kayser durch
Bitten zu gewinnen suchen, aber nur dahin
zu gewinnen suchen müßte, daß er von seinem Verlangen wegen der Restitution der
Erzbischöffe abstände, das ihm doch schlechter-
dings nicht bewilligt werden könnte. "Judica-
tum est nempe — sagte er — juste de illis,
et per Sedem Apostolicam, ubi totius judicii
summa potestas et autoritas — a quo nemo
est appellare, permissus."

Er flüchtete sich in die Peters = Kirche [12],
ordnete einen feyerlichen Buß = und Fast = Tag
für alle Einwohner der Stadt an, und er=
mahnte das ganze Volk, sich mit ihm zu dem
Gebet zu vereinigen, daß Gott dem Kayser
mildere Gesinnungen, Respekt vor der Kirche
und die gehörige Ehrfurcht gegen den apostoli=
schen Stuhl einflößen möchte.

§. 8.

Auf was aber Nicolaus dabey rechnen
mochte — denn er könnte immer auch im
Ernst auf den Schutz des Himmels gerechnet
haben — so wurde doch sein Glaube zuerst
einer harten Prüfung ausgesetzt. Die Anstal=
ten, die er getroffen hatte, hielten den Kay=
ser

12) Nach der Erzählung des Annalisten wäre der
Pabst erst nach der Ankunft des Kaysers in
der Stadt aus dem Lateranensischen Pallast
in die Peters = Kirche geflohen. Aber *Muratori*
Annal. T V. p 64. bemerkt dagegen, daß sich
nicht gut begreifen läßt, wie er jetzt noch hin=
einkommen konnte, da doch der Kayser auch
nach seiner Erzählung die Peters = Kirche zu=
erst eingeschlossen hatte.

ser keinen Augenblick auf, und der ganze religiöse Apparat, der vielleicht seine Truppen zurückschrecken sollte, schien auch bey diesen seine Würkung völlig zu verfehlen. Als sie sich der Peters-Kirche näherten, sahen sie noch mehrere Schaaren der Einwohner betend und singend gegen ihre Thore sich hinziehen; aber auf das erste Signal, das sie erhielten, sprengten sie die Reihen der heiligen Procession auseinander, verjagten die Geistlichen, von denen sie angeführt, entweihten selbst die Krucifixe, welche ihr vorgetragen wurden, und würden sich schwehrlich ein Bedenken daraus gemacht haben, auch die Kirche zu entweihen, um den Pabst herauszuholen, wenn sie nicht wahrscheinlich der Kayser selbst zurückgehalten hätte. Dieser hielt es nehmlich nicht für nöthig, es dazu kommen zu lassen, sondern begnügte sich, den Pabst in der Peters-Kirche einzuschließen, weil er damit seinen Zweck eben so gut zu erreichen hoffen konnte.

§. 9.

Doch nach dem Verlauf von zwey Tagen änderten sich die Umstände auf eine wunder-

bare

bare Art — wenn auch nicht gerade durch
ein Wunder — zum Vortheil des Pabsts.
Dem Kayser wurde hinterbracht, daß einer
seiner Soldaten, welcher den größten Antheil
an der Zerbrechung eines Krucifixes gehabt
hatte, das von den Römern für besonders
heilig gehalten wurde [13]), plötzlich gestorben
sey; und zu gleicher Zeit fühlte er sich selbst
von einem Fieber befallen, in welchem er ebenfalls ein göttliches Straf = Gericht erblickte,
das der Pabst über ihn herabgebetet habe.
Dieß sollte dann nach der Angabe der älteren
Erzähler auch sogleich seine Gesinnungen gegen
den Pabst anders gestimmt haben, was man
allerdings, so wie überhaupt das rein=histori-
sche in der Erzählung leicht glauben kann;
allein sollte man nicht dabey glauben dürfen,
daß doch der Pabst in dem Zwischenraum dieser zwey Tage zugleich auf eine andere Art
und durch andere Mittel auf den Kayser und
auf seine Umgebungen gewürkt haben könnte?

Eini=

13) Es war "Crux mirabilis et veneranda, in qua
sancta Helena lignum mirificae crucis posuit,
et sancto Petro maximo munere contulit." S.
Annal. Bertin. am a. O. p. 84.

Einige Vermuthungen darüber laſſen ſich doch
ſelbſt aus dem Wenigen ſchöpfen, was ſie von
dem Ausgang des Handels erzählen, denn
von dieſem weiß man nur ſo viel, daß der
Kayſer am dritten Tage ſeine Gemahlin Engelberge zu dem Pabſt ſchickte, und ihn durch
dieſe zu einer Zuſammenkunft einladen ließ,
daß er nach dieſer Zuſammenkunft ſogleich die
zwey abgeſetzten Erzbiſchöffe aus ſeinem Gefolge entfernte, und daß er nach dem Verfluß
weniger Tage ſelbſt wieder von Rom abzog,
wo er jedoch ſeinen Truppen Ausſchweifungen
geſtattet hatte 14), die von keiner großen Zer-
knirſchung über die göttlichen Strafgerichte
zeugten, durch welche er geſchreckt worden
ſeyn ſollte.

§. 10.

Was dann auch dabey vorgegangen ſeyn
möchte, ſo durfte jetzt Nicolaus ſehr wahrſcheinlich hoffen, daß es ihm nun weniger
ſchwehr werden möchte, die einmahl angenommene Rolle in dieſem Handel nicht nur gegen

die

14) S. Annal. Bertin. p. 86.

die Bischöffe, sondern auch gegen ihren König auszuspielen. Zwischen ihm und dem Kayser mußte ja wohl auch von der Haupt= Sache, nehmlich von der Ehescheidung seines Bruders gesprochen worden seyn, und der Erfolg be= wies, daß sich der Kayser würklich dazu ver= standen hatte, dem Pabst auch darinn freye Hand zu lassen. Es war daher in der Ord= nung, daß er jetzt noch fruchtloser und ent= schlossener dem weiteren Kampf mit dem einen und mit dem andern entgegengieng; aber bey diesem weiteren Kampf durfte er auch auf die günstige Einwürkung der anderen äußeren Um= stände zählen, auf deren Zwischenspiel ohne Zweifel bey seinem Entschluß gerechnet war.

Kap. V.

Kap. V.

Weitere Proceduren des Pabsts in dem Handel. Vollständiger Sieg, den er über die Bischöffe und über den König erhält. Umstände, die ihn dabey begünstigen.

§. I.

Die abgesetzten Erzbischöffe hatten noch vor ihrer Abreise von Rom eine Protestation [1] gegen

1) Der Erzbischoff Günther hatte seinem Bruder Hilduin den Auftrag gegeben, sie dem Pabst selbst zu insinuiren; da er aber keine Gelegenheit dazu bekommen konnte, so brach er gewaltsam in die Peters-Kirche ein, und legte sie auf das Grab des Apostels. Die Protestations-Schrift selbst haben die Verfasser der Bertinianischen und der Fuldischen Annalen uns aufbewahrt, doch in einer etwas verschiedenen Form. Aus den letzten hat sie Baronius ad ann. 863. nr. 27-30. eingerückt,

wobey

gegen das Verfahren des Pabsts in ihrer Sa=
che zurückgelassen, deren Innhalt und deren
Form den festesten Vorsatz von ihrer Seite an=
kündigte, seine Autorität niemahls zu respekti=
ren. In den stärksten Ausdrücken hatten sie
in dieser Schrift, welche eben dadurch ein
höchstwichtiges Dokument in der Pabst = Ge=
schichte geworden ist, die Gründe dargelegt,
die seinem gegen sie ausgesprochenen Urtheil in
den Augen der ganzen Welt jeden Schein von
rechtlicher Gültigkeit nehmen müßten, wobey
sie den entscheidendsten Nichtigkeits = Grund
darinn fanden, weil er es gewagt habe, dieß
Urtheil in seinem Nahmen und aus eigener
Machtvollkommenheit ohne Zuziehung anderer
Metropoliten und Bischöffe, als ihrer Pairs
auszusprechen 2). In noch stärkeren Ausdrük=
ken

wobey er aber der Meynung ist, daß sie nur
der Teufel selbst den Erzbischöffen diktirt ha=
ben könne.

2) "Quod absque Synodo et canonico examine —
absentibus aliis Metropolitanis et dioeçefanis
Coepifcopis et Confratribus noftris — tuo fo=
lius arbitrio et tyrannico furore, damnare nos=
met voluifti."

ken hatten sie aber der Welt auch die Absichten seines Verfahrens darinn aufgedeckt, daß kein anderes Ziel haben könne, als sich selbst zum Oberherrn aller Bischöffe zu machen, und seine bisherigen Brüder und Mitarbeiter im Dienst Gottes in ein wahres Knechts=Verhältniß gegen sich hinabzudrücken. Sie äußerten daher auch, daß sie jetzt für alle ihre Mitbischöffe sprechen und handeln zu müssen glaubten, indem sie ihm schließlich erklärten, und auch fortdauernd thätlich beweisen würden, daß sie sein Urtheil verachteten, sich um seinen Bann nichts bekümmerten, und ihn eben so von ihrer Gemeinschaft ausgeschlossen ansähen, wie er sie von der seinigen ausgeschlossen habe 3).

§. 2.

3) "Tuam maledictam sententiam nequaquam recipimus — immo cum omni coetu fraterno contemnimus atque abjicimus — te ipsum quoque — in nostram communionem recipere nolumus, contenti totius ecclesiae communione et fraterna societate, quam tu arroganter te superexaltans despicis. Quod tibi denuntiamus non nostrae tantum vilitatis personam adspicientes, sed omnem nostri ordinis universitatem,

E 5   cui

§. 2.

Sie hatten sich aber nicht bloß damit begnügt, diese Protestation auf dem Grabe des heil. Petrus niederzulegen, sondern der Erzbischoff Günther von Cöln sorgte auch dafür, daß sie die möglich=größte Publicität erhielt, indem er sie selbst in den Orient an den Patriarchen Photius von Konstantinopel schickte 4), der damahls schon mit Nicolaus in den großen Streit verwickelt war, welcher die fortdauernde Trennung der griechischen und der lateinischen Kirche nach sich zog. Dieser Schritt kündigte dem Pabst einen Gegner an, der selbst zum äußersten eben so fähig als entschlossen war; allein zu der Zeit, da er die Nachricht davon erhielt, war er auch schon von

cui vim inferre conaris, prae oculis habentes. Scies enim, nos non tuos esse, ut te jactas et extollis, Clericos, sed eos, quos ut fratres et Coepiscopos recognoscere, si elatio permitteret, debueras."

4) In den Bertinianischen Annalen findet sich auch der Brief, womit er sie an die deutschen Bischöffe herumschickte. S. 85.

von der Würkung unterrichtet worden, welche
seine Art zu verfahren in Lothringen und in
Frankreich hervorgebracht hatte, und diese
mußte ihn ungleich stärker aufmuntern, als
er durch die Nachricht von den Bewegungen
des wilden Erzbischoffs von Cöln geschreckt
werden konnte.

§. 3.

Der König Lothar sah sich nehmlich in diesem Augenblick zum Glück des Pabsts von allen
den andern Seiten her, wo seine Gemahlin
Teutberge Schutz gefunden hatte, so gedrängt,
daß er sich kaum noch zu retten wußte. Sein
Oheim, Carl der Kahle von Frankreich, bestand
nicht nur mit seinen Bischöffen fester als jemahls darauf, daß er seine ehebrecherische
Verbindung mit Walraden zerreißen und der
gekränkten Teutberge alle ihre Rechte wieder
geben müsse, sondern die Sache war auf das
neue auf einer großen Versammlung der Stände zu Tousy vorgekommen, wo der Entschluß
gefaßt worden war, daß er noch einmahl durch
eine Gesandtschaft an seine Pflicht erinnert
wer-

werden sollte [5]). Auch sein zweyter Oheim,
Ludwig der Deutsche, war diesem Schluß bey-
getreten, vielleicht nur in der Absicht, den
Einfall in Lothringen noch abzuwenden, den
Carl von Frankreich schon jetzt nur allzugern
unternommen hätte, aber eben dadurch hatte
er ihn im Fall seiner längeren Widersetzlichkeit
unabwendbarer gemacht. Doch zu der nehmlichen Zeit war Lothar auch mit seinem Bruder, dem Kayser, in eine höchstverwirrende
und gespannte Lage gekommen, denn nach dem
dazwischen hinein erfolgten Tode ihres jüngeren Bruders Carl, dem man aus der Provence ein eigenes Königreich gemacht hatte,
war Ludwig mit eben so unerwarteten als un-
gerechten [6]) Ansprüchen auf einen Theil seiner
Erbschaft aufgetreten, die er nur mit Gewalt
behaupten konnte, aber desto entschlossener mit
Gewalt behaupten zu wollen schien, je leichter

5) S. Capitula quae Ludovicus et Carolus Reges
   apud Tusfiacum populo annuntiaverunt XI.
   Kal. Mart 865 in *Baluz.* Capit. T. II. p. 201.

6) Ein gegenseitiger Erb = Vertrag hatte schon
   lange mit des Kaysers Vorwissen zwischen
   Carl und Lothar bestanden.

ter er es in dem gegenwärtigen Augenblick zu
können hoffte.[7]).

§. 4.

In diesen Umständen mußte Lothar höchst
lebhaft fühlen, daß er gerade dem Pabst am
wenigsten trotzen dürfe, denn es war mehr als
gewiß, daß er durch seine Dazwischenkunft je=
des der Ungewitter, die ihm drohten, zum
schnelleren und bedenklicheren Ausbruch zu
bringen im Stande war; es war gar nicht
unwahrscheinlich, daß er durch seine letzten
Verhandlungen mit dem Kayser zu Rom die
Gesinnungen von diesem schon etwas unge=
stimmt hatte, aber es war auch möglich, daß
er von dem schon Verdorbenen manches wieder
gut machen konnte, wenn ihm nur der Wille
dazu gemacht wurde. Ueber dasjenige, was
der König dabey thun müßte, bedurfte er auch
keinen weiteren Wink; daher schickte er so=
gleich eine Gesandtschaft nach Rom [8]), und
gab ihr ein Schreiben an den Pabst mit, des=
sen Abfassung seinen Canzler Kunst und Mühe
genug gekostet haben mochte.

§. 5.

7) S. Annal. Bertin. p. 8t.
8) Den Bischoff Ratold von Strasburg.

§. 5.

Der Brief [9]) war ſehr demüthig, ohne daß ſich doch der König ganz darin verleugnete. Er eröffnete ſich ſelbſt mit Beſchwerden darüber, daß der Pabſt ſich allzuleicht durch falſche Ausſtreuungen und Gerüchte gegen den König habe einnehmen laſſen, der doch ſeine Achtung für und ſelbſt ſeine Nachgiebigkeit gegen das Oberhaupt der Kirche ſchon ſo thätig erprobt habe. Er verbarg auch nicht ganz, daß ihm das neue Verfahren des Pabſts gegen ſeine Biſchöffe mehrfach aufgefallen ſey, und ließ nicht undeutlich die Hoffnung merken, daß ſein Unwille gegen ſie wohl noch ſich mildern könnte; aber dafür erklärte er ſich doch bereit, ſie ihm völlig aufzuopfern, er ſchien ſelbſt zu glauben, daß man dennoch die Gültigkeit des über ſie ausgeſprochenen Urtheils nicht bezweifeln könne, er ſprach ſelbſt mit Entſetzen von der Gottloſigkeit des Erzbiſchoffs von Cöln, der ſich erfrecht habe, dem päbſtlichen Bann zu trotzen, er bezeugte ſeine Bereitwilligkeit, von ſeiner Seite dazu mitzuwürken,

9) S. *Labbé* Conc. T. VIII. p. 409. Script. rer. Franc. T. VII. p. 567.

ten, daß für jetzt der päbstliche Ausspruch seine volle Kraft erhielte, und wollte sich nur
vorbehalten, daß er sich zu seiner Zeit durch
eine Fürbitte für einige der bestraften Bischöffe
verwenden dürfte. Dagegen ließ er sich über
seine eigene Angelegenheit desto kürzer aus 10);
doch äußerte er im allgemeinen, daß er noch
bereit sey, in seiner Heyraths = Sache den
Pabst als Richter zu erkennen, und erbot sich,
zu seiner Vertheidigung selbst nach Rom zu
kommen, sobald er seine Staaten ohne Gefahr
würde verlassen können.

§. 6.

Ohne Zweifel setzte der König bey dieser
neuen Unterhandlung, die er mit dem Pabst
anknüpfte, voraus, daß diesem am meisten
daran gelegen seyn müßte, vor der Hand nur
den kühnen Schritt zu behaupten, den er gegen die zwey Erzbischöffe gewagt hatte: und
darinn täuschte er sich auch gewiß nicht. Ni-

colaus

10) Der Brief ist aber auch nicht ganz auf uns
gekommen, und gerade in dem Abschnitt fehlt
einiges, in welchem Lothar von seiner eigenen Sache spricht.

olaus konnte sich nicht verhehlen, daß die Ehre
seines Stuhls, und das Ansehen des Pontifi=
kats auf eine weit bedenklichere Art ausgesetzt
werden würde, wenn ihm der gemachte Ver=
such, den Oberherrn über die Bischöffe zu
spielen, mißlänge, als sie in seinem Streit
mit dem König, wie dieser auch ausgehen
mochte, gefährdet werden konnten. Seine
Aufmerksamkeit war daher gewiß für jetzt am
gespanntesten auf jede Bewegung gerichtet, die
auf diesen Handel der Bischöffe Bezug hatte,
und wenn ihn von der einen Seite her das
Stillschweigen, das die französischen Bischöffe
dabey beobachteten, etwas beruhigte, so hat=
ten ihm sicherlich die Nachrichten schon mehr
als eine schlaflose Nacht gemacht, die ihm von
einer andern Seite her über die Sensation,
welche die Sache bey den deutschen Bischöf=
fen gemacht, und über den Entschluß zuge=
kommen waren, den sie in Gemeinschaft mit
ihrem Könige deßhalb gefaßt hatten. 11). Das
Schrei=

11) Der König und die Bischöffe beschlossen, an
   ihn zu schreiben, und thaten es auch würk=
   lich, denn man hat noch die Antworten von
   Nico=

Schreiben Lothars mußte ihm also höchst will=
kommen seyn, durch das er die Gewißheit er=
hielt, daß sein Absetzungs=Urtheil über die
zwey Erzbischöffe würklich zur Vollziehung
kommen würde: aber da sich ihm diese Gewiß=
heit bald darauf mit der Nachricht bestätigte,
daß sich der Erzbischoff von Trier bereits un=
terworfen habe 12); da zu gleicher Zeit die
Briefe der übrigen lothringischen Bischöffe 13)
an ihn einliefen, die sich wegen dem Antheil,

den

Nicolaus. S. *Nicolai* Epist. ad Ludovicum,
Germaniae Regem, ut desinat intercedere, pro
Theutgaldo et Gunthario. Concil. T. VIII.
p. 444. Ej. Epist. ad Episcopos Germaniae. eb.
das. p. 446.

12) Dieß hatte ihm schon Lothar geschrieben,
aber noch ausführlicher schrieb es ihm jetzt
der Bischoff Adventius von Metz in dem de=
müthigen Brief, worinn er ihn wegen seinem
Antheil an der Sache um Verzeihung bat.
S. *Sirmond* Conc. Gall. T. III. p. 241.

13) Außer dem Bischoff von Metz mußte wenig=
stens auch noch der Bischoff Franco von Ton=
gern an ihn geschrieben haben, denn die Ant=
wort des Pabsts an diesen ist noch vorhanden.

den sie an den Verhandlungen der Synode zu Metz gehabt hatten, seine Absolution demüthig erbaten, da mit diesen auch ein Schreiben des Königs von Frankreich einlief, der nur für einen dieser Bischöffe, für den Bischoff von Metz, eine Fürbitte einlegte [14]), und da er endlich noch dazu erfuhr, daß Lothar auch schon einen neuen Erzbischoff von Cöln ernannt habe [15]), so durfte er schon des völlig erkämpften Sieges sich freuen, der jetzt durch das längere fruchtlose Sträuben des wilden Günthers nur noch glänzender gemacht werden konnte.

§. 7.

Wenn aber der König von Lothringen jemahls die Hoffnung genährt hatte, daß sich nun der Pabst, dem er seine Bischöffe aufgeopfert

14) S. Sirmond Conc. Gall. T. III. p. 243.

15) Der neuernannte Erzbischoff hieß Hugo, und war ein naher Verwandter des Königs von Frankreich. Aber in der Folge erfuhr der Pabst, daß es dabey bloß darauf angelegt war, ihn zu täuschen, worüber er dann desto heftiger sich ausließ.

opfert hatte, aus Dankbarkeit dafür in seiner
eigenen Sache gefälliger erzeigen würde, so
konnte dieß nur daher kommen, weil er selbst
gar zu klein, und deßwegen gar zu unfähig
war, den Mann von edlerem Geist und feste-
rer Seele, der ihm gegenüber stand, zu messen und zu beurtheilen. Allerdings schien ihm
jetzt Nicolaus selbst die Hand zu bieten, um
ihn aus einigen der Verwicklungen, die ihn
drängten, herauszuhelfen; aber es war sicherlich nicht Dankbarkeit, was ihn dazu bewog,
ja nicht einmahl Mitleid — denn der König
war ihm gewiß durch keinen letzten Schritt
noch verächtlicher als vorher geworden — sondern er that es deßwegen, weil ihm selbst
damit gedient war. Er schickte sogleich einen
Legaten ab — den Bischoff Arsenius von Orta — der darauf instruirt war, zuerst an den
Höfen Carls von Frankreich und Ludwigs von
Deutschland einzusprechen, und diesen zwey
Fürsten anzukündigen, daß sie sich nicht weiter
in der Heyraths-Sache Lothars bemühen dürften, da sie nun ganz in die Hände des
Pabsts, in welche sie auch allein gehöre, gekommen sey. Dieß war auch der Haupt-Inn-

halt

halt des päbstlichen Schreibens, das ihnen
der Legat zu überbringen hatte, denn sie wurden darinn sehr dringend und selbst etwas ge-
bieterisch [16]) — aber allerdings im Nahmen
Gottes — von ihm ermahnt, jeden Gedanken
an eine bewaffnete Einmischung oder an einen
Einfall in das Gebiet ihres Neffen aufzugeben,
der sich zu der schuldigen Unterwürfigkeit gegen
die Befehle der Kirche und des heiligen Stuhls
erboten habe. Dem Legaten war daher auch
noch außerdem aufgetragen, zugleich an der
Ausgleichung der sonstigen Irrungen zwischen
den drey Fürsten, und an der Wiederherstellung
des allgemeinen Haus = Friedens in der Familie
zu

16) Das neue der päbstlichen Sprache in diesem
Schreiben fiel auch dem Verfasser der Berti=
nianischen Annalen auf, und veranlaßte ihn
zu der Bemerkung: es sey nicht "cum apostolica mansuetudine et consueta honorabilitate,
sicut Episcopi Romani consueverant Reges in
suis Epistolis honorare, sed cum malitiosa inter-
minatione" verfaßt gewesen. Pagi ad ann.
865. nr. 8. fand die Bemerkung ungegründet,
und berief sich auf den Brief des Pabsts
selbst, aber er berief sich auf einen ganz an=
dern Brief, als der Annalist gemeint hatte.

zu arbeiten; hingegen war er doch zugleich
bevollmächtigt, überall, wohin er kommen
würde, auf das bestimmteste zu erklären, daß
der Pabst selbst auf das festeste entschlossen
sey, sich nicht eher mit dem König von Lo=
thringen einzulassen, ja wenn er auch nach
Rom käme, ihn nicht eher vor sich zu lassen,
bis er die ehebrecherische Walrade von sich ge=
schafft haben würde.

§. 8.

Dieß war auch das erste, was der Legat
dem Könige selbst ankündigte, da er von
Frankfurt aus, wo er zuerst bey Ludwig dem
Deutschen seine Aufträge ausgerichtet hatte,
nach Lothringen kam. Er forderte ihm vor
allen Dingen das Versprechen ab, daß er
Walraden entlassen und seine Gemahlin Teut=
berge wieder zu sich nehmen wolle, indem er
ihm erklärte, daß er sonst über gar nichts
mit ihm handeln dürfe, weil der Pabst auf
seine Weigerung sogleich den Bann über ihn
aussprechen werde [17]). Da er aber voraus
gewiß

17) S. Annal. Bertin. ad ann. 865. p. 89.

F 3

gewiß seyn konnte, daß die Erklärung in der
Lage des Königs würken müßte, so hatte er
bereits wegen der Ausrichtung seiner weiteren
Aufträge das Nöthige eingeleitet. Sobald er
das geforderte Versprechen von Lothar erhalten
hatte, reiste er nach Frankreich, wo schon eine
große Versammlung der Stände und der Bischöffe zu Attigny [18]) veranstaltet war, auf
welcher zum Behuf des zwischen dem Oheim
und Neffen zu stiftenden Friedens über die Angelegenheiten des letzten traktirt werden sollte.
Hier wurde dann ausgemacht, daß die bisher
unter französischem Schutz gestandene Teutberge dem päbstlichen Legaten feyerlich übergeben
werden sollte, da sich dieser im Nahmen des
Pabsts dafür verbürgt hatte, daß sie in alle
ihre Rechte als Königin und als Gemahlin
Lothars wieder eingesetzt werden müsse. Mit
ihr reiste er hierauf in der Begleitung einer
ansehnlichen Deputation französischer Bischöffe,
die man ihm mitgab, nach Dousy, wo Lothar
mit seinem Hofe sich aufhielt, und in Gegenwart von diesem und den meisten Großen seines Reichs führte er dem Könige seine Gemahlin

18) Im Julius des J. 865.

mahlin wieder zu, aber in Gegenwart von
diesen mußte auch der König sechs Grafen und
sechs andere seiner Vasallen öffentlich in seine
Seele hinein schwören lassen, daß er sie im=
mer als seine rechtmäßige Gemahlin und als
Königin erkennen und behandeln wolle [19]).
Zu gleicher Zeit ließ sich der Legat Walraben
und die berüchtigte Ingeltrube von Lothar aus=
liefern, um beyde mit sich nach Rom zu neh=
men, wo ihnen der Pabst selbst die Buße,
der sie sich zu unterziehen hätten, vorschreiben
wollte.

§. 9.

Damit waren allerdings die Absichten des
Pabsts, so weit sein Stolz oder die Sorge für
die Ehre seines Stuhls dabey interessirt seyn
mochte, völlig erreicht, denn in Hinsicht auf
diese trug es jetzt wenig mehr aus, wie lange
seine Aussprüche, nachdem sie einmahl als

rechts=

[19) "Accipiet Theodbergam uxorem suam pro le-
gitima Matrona, et sic eam habebit sicut decet
Regem habere uxorem reginam." Annal. Bertin. p. 90.

rechtskräftig anerkannt waren, ihre Kraft behielten. In Ansehung der abgesetzten Bischöffe
behielten sie diese würklich, denn Nicolaus erlebte noch die Freude, daß der unbändige
Günther [20]) selbst nach Rom kam, um die
Aufhebung seines Urtheils zu sollicitiren, und
im Nothfall mit den Schätzen seiner Kirche,
die er gewaltsam geraubt hatte, zu erkaufen.
Lothar hingegen vergaß sogleich sein Wort und
seinen Schwur, sobald ihm nur der Legat,
der ihn geschreckt hatte, aus dem Gesicht
war. Der kleindenkende Sklave seiner Buhle-
rin, von welcher er sich nur durch Furcht
hatte

[20]) Der Annalist von Fuld läßt dieß noch im
nehmlichen Jahr — und nach seiner Rechnung sogar im J. 863. geschehen. S. Annal.
Fuld. am a. O. p. 171. Nach den Bertinianischen waren Günther und Theutgaud auch
schon im November 864. nach Rom gekommen, um auf einer Synode, welche der Pabst
versammelt hatte, die Aufhebung ihres Urtheils zu betreiben; wenn aber auch dieß
würklich geschehen seyn mochte, so weiß man
doch gewiß, daß Günther kurz vor dem Tode von Nicolaus zum drittenmahl nach Rom
kam.

hatte wegreißen lassen, schickte ihr Boten nach, welche sie auf dem Wege dem Legaten [21]) wieder wegstahlen, der sie nach Rom geleiten sollte. Da er aber nicht zweifeln konnte, daß man zu Rom die Nachricht von ihrer Rück= kehr nach Lothringen bald erfahren würde, so veranlaßte er nun die arme Teutberge — man kann leicht errathen, durch welche Mittel? — daß sie selbst an den Pabst schreiben, und ihn um die Trennung ihrer Ehe, und um die Er= laubniß, in ein Kloster zu gehen, bitten muß= te. Dieß mußte den allgemeinen Unwillen

fast

21) Der arme Legat kam mit den Weibern, die man ihm mitgegeben hatte, übel zurecht. Ingeltrude war ihm noch in Deutschland ent= flohen, und Walrade entwischte ihm noch, nachdem er sie bereits über die Alpen bis Pavia gebracht hatte. Dafür sprach er noch unterwegs den Bann über beyde aus, und gab allen Bischöffen in Deutschland, Frank= reich und Lothringen davon Nachricht. S. Annal. Metens. et Regino ad ann. 866. *Arse=* *nii* Ep. Ostens. epistola generalis. *Labb.* Conc. T. VIII. p. 439.

F 5

faſt noch in einem höheren Grad gegen den
König reizen, als ſeine bisherigen Schritte;
aber wenn es dem Pabſt nur um die Behaup=
tung ſeines Anſehens bey dem Handel zu thun
war, ſo konnte er immer glauben, daß ſchon
genug für dieſes geſchehen ſey. War doch
auch der König ſelbſt ſchon würklich gezwun=
gen worden, ſich ihm zu unterwerfen, und
ſogar gezwungen worden, ſeine oberrichterliche
Gewalt recht förmlich zu agnoſciren! ja die
Art ſelbſt, womit er ſich jetzt dem Druck die=
ſer Gewalt wieder zu entziehen verſuchte, ent=
hielt ſie nicht eine neue Anerkennung ſeines An=
ſehens, denn worauf war ſie anders, als auf
eine Täuſchung des Richters, den er fürchtete,
angelegt?

§. 10.

Zu der Ehre von Nicolaus muß es jedoch
noch einmahl bemerklich gemacht werden, daß
es ihm würklich bey dieſer Gelegenheit nicht
allein um die Behauptung ſeines Anſehens,
ſondern auch — und vielleicht gleich angele=
gen — um die Behauptung des Rechts zu
thun war. Darüber läßt vorzüglich einer der
nenen

neuen Schritte, die er jetzt that, keinen Zwei=
fel zurück. Er sprach über Walraden auf die
feyerlichste Art den Bann aus, und gab dem
König schon dadurch zu erkennen, daß er nie=
mahls hoffen dürfe, seine Einwilligung zu ei=
ner Heyrath mit ihr zu erhalten. Aber zu
gleicher Zeit wieß er Teutbergen mit ihrem Ge=
such wegen einer Scheidung auf das bestimm=
teste ab, indem er sie in einem langen Brief
belehrte [22], daß es Pflicht und Ehre von
ihr forderte, jeden Gedanken daran aufzugeben,
da er selbst in keinem Fall anders als nur
unter einer Bedingung darein willigen könnte,
zu der sich Lothar schwehrlich verstehen wür=
de [23]. Dabey erinnerte er diesen selbst mit
drohendem Ernst an seine beschworne Ver=
pflichtung [24], befahl zugleich den lothringi=
schen Bischöffen, ihm zu berichten [25], wie
sich ihr König gegen seine Gemahlin verhalte,

wieß

---

22) S. *Labb.* Conc. T. VIII. p. 425. Scriptor. rer.
  Franc. T. VII. p. 414.

23) Unter der Bedingung, daß er selbst ehelos
  bleiben müßte.

24) *Labb.* Conc. T. VIII. p. 434.

25) Eb. das. p. 428.

wies ein neues Erbieten von ihm, sich persön=
lich in Rom zu stellen, mit verachtendem Un=
willen ab [26]), kündigte endlich öffentlich an,
daß er das letzte Zwangs=Mittel des Bannes
gegen ihn gebrauchen würde [27]), und würde
es höchst wahrscheinlich würklich gethan haben,
wenn ihn nicht sein Tod, der schon im J. 867.
erfolgte, daran verhindert hätte [28]).

§. 11.

26) Am stärksten äußerte er sich darüber in ei=
nem Brief an Ludwig den Deutschen in Script.
rer. Franc. T. VII. p. 428. und Hontheims Hist.
Trevir. T. I. Praef. p. XLIV.

27) "Cavendum est tibi — schrieb er an Lo=
thar — ne cum pellice tua Valrada, quae a
nobis excommunicata est, pari mucrone percel=
laris sententiae et pro unius mulieris passione
et brevissimi temporis desiderio vinctus et obli=
gatus ad sulfureos foetores et ad perenne tra=
haris exitium.

28) Auch der Umstand mußte ihn abhalten, daß
sich doch Lothar hütete, öffentlich mit Wal=
raden zu leben. In einem Brief vom J.
866. konnte ihm daher Lothar noch schreiben:
"Si quis vobis hoc dixit, quod ego cum Wal=
rada in aliquo loco conversatus fuerim, aut

post=

§. 11.

Hätte aber auch Nicolaus für gut gefunden, oder wäre er durch die Umstände bestimmt worden, jetzt einige Nachgiebigkeit gegen die Leidenschaft und gegen die Wünsche des Königs zu äußern, so wäre doch der Zuwachs von Macht und Ansehen unvermindert geblieben, den er dem Pontifikat durch sein Benehmen in dieser Angelegenheit verschafft hatte. Sein persönlicher Charakter hätte vielleicht bey seinen Zeitgenossen und bey der Nachwelt etwas dadurch verliehren mögen; doch das neue Verhältniß selbst wäre nicht mehr dadurch verrückt worden, in das er bey diesem Handel den Römischen Stuhl nicht nur gegen alle andere Bischoffs=Stühle, sondern auch gegen alle

postquam ab Italia reversa est, ullum mutuum congressum tactum vel visum inter nos habuerimus, penitus mentitum est. S. Script. rer. Franc. T. VII. p. 569. Auch der Bischoff Adventius von Metz mußte dieß an den Pabst schreiben — S. *Baron.* ad ann 866. nr. 29. — aber der König selbst schrieb ihm ja dabey so demüthig, daß er es auch deßwegen nicht zu dem äußersten mit ihm kommen lassen konnte.

alle Throne der weltlichen Fürsten zu stellen
gewußt hatte, denn es war allzuallgemein und
allzufeyerlich anerkannt worden.

§. 12.

Jetzt deckt sich aber auch wohl von selbst
auf, daß und in wie fern mit diesem neuen
Verhältniß eine neue Epoche in der Pabst=Ge=
schichte — und eben damit auch in der Kir=
chen= wie in der Staaten=Geschichte des Oc=
cidents beginnt. Die Päbste waren ja durch
diesen Vorfall etwas ganz anderes — und
zwar in einer gedoppelten Beziehung etwas
ganz anderes geworden, als sie vorher gewe=
sen waren. Es war jetzt ein Beyspiel gege=
ben, daß auch Könige, wenigstens in allen
Sachen, worüber der Kirche das Kognitions=
Recht gehörte, unter ihrer Gerichtsbarkeit
ständen, und ihre Gewalt respektiren müß=
ten [29]). Es war zugleich ein Beyspiel gege=
ben,

29) Daß dieß die Könige vorher nicht glaubten,
hatten sie oft genug bewiesen, und selbst Lo=
thar gab es in seinem demüthigen Brief an
den Pabst vom J. 864. zu verstehen, denn
er

ben, daß auch alle Bischöffe ohne Ausnahme
in dem Pabst ihren unumschränkten Oberherrn
und den Richter erkennen müßten, der bey dem
Ver-

er rechnete es sich darinn als eigenes Verdienst um den Römischen Stuhl und um die
Kirche an "quod nihil regiae nostrae dignitati
favens, sed quasi unus ex vilioribus personis,
sacerdotalibus monitis paruerit. Daß es aber
auch die Bischöffe vorher nicht allgemein
glaubten, ersieht man aus einer der sieben
Fragen, welche die lothringischen Bischöffe im
J. 862. dem Erzbischoff Hincmar wegen dem
Handel vorlegten, denn die sechste unter diesen Fragen lautete folgendermaßen: "Quid
sentiendum de hoc, quod dicunt aliqui sapien-
tes, quia iste Princeps rex est, et nullorum
legibus vel judiciis subjacet, nisi solius Dei —
et a suis Episcopis non potest excommunicari
ita ab aliis non potest judicari." Doch muß
auch gesagt werden, daß schon Hincmar antwortete: Haec vox non est catholici christiani
sed nimium blasphemi! und ausführlich bewies,
daß auch Könige unter der Gerichtsbarkeit
der Kirche ständen, weil Christus ganz ohne
Ausnahme zu den Priestern gesagt habe:
Wer euch höret, der höret mich. S. Hincmari Opp. T. I. p. 694.

Verfahren gegen sie an keine Formen gebunden
sey; und gegen das eine war gar keine, ge=
gen das andere aber nur von der Parthie,
die sich dabey gekränkt fühlte, eine Protesta=
tion eingelegt worden. Dadurch wurde das
eine so neu als das andere; denn waren auch,
vorher schon Fälle vorgekommen, in denen sich
die Päbste eine richterliche Gewalt über Könige
angemaßt hatten, so war es doch nie oder
nur unter einem starken Widerspruch zu ihrer
würklichen Ausübung gekommen, und hatten
sie auch vorher noch öfter von einer Oberherr=
schaft über alle Bischöffe, die ihnen zustehe,
gesprochen, so war es doch immer dabey von
ihnen selbst anerkannt worden, daß man nur
ihre kanonische, durch Gesetze, und Verhält=
nisse und hierarchische Formen beschränkte Ober=
herrschaft zu respektiren verbunden sey.

§. 13.

Durch die Art aber, mit welcher, und
durch die Umstände, unter welchen die neuen
Beyspiele jetzt aufgestellt worden waren, hatte
auch alles, was dabey dem Pabst eingeräumt
wurde, wenigstens diejenige Gültigkeit erhal=
ten,

ten, welche jedem angemaßten Recht aus der freyen Einwilligung derjenigen, welche dadurch beschwert werden, zuwächst. Von dem Regenten, den Nicolaus vor seinen Richterstuhl gefordert hatte, war seine Kompetenz mehrfach anerkannt worden, von den zwey fremden, in gar keinem Verhältniß mit ihm stehenden Erzbischöffen, die durch einen so neuen Machtspruch ihrer Aemter von ihm entsetzt worden waren, hatte sich wenigstens einer dem Machtspruch unterworfen, und alle ihre Mitbischöffe hatten dazu geschwiegen, oder sich nur durch Fürbitten für sie verwandt [30]). Die Mitkönige Lothars aber

---

30) Und zwar in einer Sprache, durch welche sie sein Recht dazu auf das bestimmteste anerkannten. In dem Brief, in welchem der Bischoff Adventius von Metz für sich selbst und den Erzbischoff von Trier um Verzeihung bat, nannte er den Pabst Papam universalem, und sprach von einem excellentissimo Apostolatu vestro, ja selbst von einer dignitate Majestatis vestrae. Doch eben dieser Adventius richtete ja die Aufschrift eines andern Briefes an ihn an den Sanctissimum Perbeatissimum et

aber hatten in seinem Fall nicht einmahl dieß
gethan, sondern selbst zum Theil noch den
Pabst zu seinem Verfahren [31]) gegen ihn auf=
gemuntert. Wenn nun im nächstvorkommen=
den ähnlichen Fall ein Pabst auf eine ähnliche
Art handeln wollte, durfte und konnte er nicht
mehr als scheinbar behaupten, daß man sein
Befugniß dazu bereits anerkannt habe?

§. 14.

Aus diesen beschriebenen Umständen, unter
denen die neuen Beyspiele gegeben wurden,
legt es sich aber — was die Geschichte nie
unbemerkt lassen sollte — auch höchst sichtbar
dar, was eigentlich den Päbsten den neuen
Zuwachs von Macht, den sie erhielten, in die
Hände spielte. Wirft man nur einen Blick
auf diesen Zuwachs selbst, so kann man es
unter dem Erstaunen über das Ungeheure da=
von

Angelicum Dominum Nicolaum, S. *Baron.* ad
ann. 866. nr. 29.

31) Nicolaus konnte selbst im J. 867. Carln von
Frankreich erinnern, quod ipse hanc causam
sedi apostolica retulerit. Conc. *Labb.* T. VIII.
p. 431.

von kaum begreiflich finden, wie es in diesem
Zeitalter und wie es von ihrer bisherigen Lage
aus möglich war, daß sie dazu kamen; aber
das Unbegreifliche der Veränderung verschwin=
det, sobald man das Auge auf die Veranlas=
sung richtet, durch welche sie herbeygeführt
wurde. Man hat nicht einmahl nöthig anzu=
nehmen, daß das Zeitalter durch die Dekrete
des falschen Isidors schon vorbereitet gewesen
sey, denn diese Veranlassung konnte auch
ohne Vorbereitung würken. Es war ja nichts
anders, was die Zeitgenossen von Nicolaus
so geneigt machte, ihm die neue Gewalt, die
er sich herausnahm, zu lassen, als die höchst
lebhafte Empfindung, welche sie in diesem Au=
genblick von dem Wohlthätigen der neuen Ge=
walt hatten. Sie ließen ihn eine Macht aus=
üben, die sich noch kein Pabst angemaßt hat=
te, weil er sie in einer höchst gerechten Sache,
weil er sie zum Schutz der wehrlosen Unschuld
gegen einen übermüthigen Unterdrücker und zur
Vertheidigung des Rechts gegen die freche
Willkühr gebrauchte. Man stieß sich nicht an
dem Insolenten seiner Handelsweise, weil man
das Gerechte und das Edelmüthige davon leb=

G 2　　　　　hafter

hafter fühlte, und zu gleicher Zeit im allge=
meinen Unwillen gegen Lothar und seine erkauf=
te Gehülfen allgemein fühlte, daß es für das
Beste der Menschheit sehr zuträglich seyn wür=
de, wenn es noch irgendwo in dieser Welt
eine Macht gäbe, vor der sich auch Könige,
die sich über alle göttliche und menschliche Ge=
setze erhaben glaubten, zu fürchten hätten.
Dieß Gefühl war aber gewiß in dem vorlie=
genden Fall stark genug aufgereizt worden,
daß es die Würkung höchst natürlich hervor=
bringen konnte.

§. 15.

Doch dieser Gang der Sache zeigt sich ja
in der ganzen Geschichte des Vorfalls so sicht=
bar, daß man fast zu glauben geneigt wird,
auch Nicolaus selbst möchte in diesem Handel
bloß nach dem reinen Antrieb des edelsten
Rechts = Gefühls gehandelt haben, und nur
durch seinen Eifer für die Sache der gekränk=
ten Unschuld oder durch seinen Unwillen über
die freche Bosheit ihrer Verfolger ohne das
Selbst = Bewußtseyn einer ehrgeizigen Absicht
über die Grenzen seiner Verhältnisse etwas hin=
aus=

ausgeriſſen worden ſeyn. Wäre auch Nico=
laus nur aus ſeiner Handlungs=Weiſe in die=
ſem einzigen Vorfall der Nachwelt bekannt ge=
worden, ſo dürfte ſich die Geſchichte ſelbſt
dem Glauben hingeben, durch den ſie ſich
ebenfalls alle ſeine Schritte dabey recht gut —
und gerade die raſcheſten am beſten erklären
könnte: allein nach demjenigen, was ſie
ſonſt von ihm weiß, darf ſie freylich nicht
daran denken, denn in andern ſeiner Handlun=
gen ſtellt ſich ihr der plänmäßig höher ſtre=
bende Pabſt, der ſich einen größeren Würs
kungs=Kreis ſchaffen wollte, allzuſichtbar dar,
als daß ſie ihn nicht auch in dieſer erblicken
müßte.

G 3   Kap. VI.

Kap. VI.

Streitsache des französischen Bischoffs Rothad von Soissons. Verfahren des Pabsts darinn.

§. I.

So stellt er sich aber vorzüglich in einem zweyten Haupt = Ereigniß seines Pontifikats, nehmlich in den Händeln dar, in welche er zu der nehmlichen Zeit, da er noch seinen Streit mit Lothar durchzukämpfen hatte, auch mit den französischen Bischöffen und besonders mit dem Erzbischoff Hincmar von Rheims aus mehreren zum Theil selbst gemachten oder genommenen Veranlassungen verwickelt wurde. In diesen Händeln fand er sogar für gut, das Ziel, das er erreichen wollte, viel offener und unverdeckter voraussehen zu lassen; es wurde auch offener und unverdeckter um dieß Ziel mit ihm gestritten; daher wurde auch der Ausgang des Streits durch seine Folgen

fast

fast noch wichtiger für das Pontifikat, als dasjenige, was in der Sache Lothars erkämpft worden war.

§. 2.

Die Veranlassung zu dem ersten Handel, gab der Erzbischoff Hincmar von Rheims, einer der feinsten und gelehrtesten, aber auch der thätigsten, unruhigsten und ehrgeizigsten Prälaten des Zeitalters, durch das allzurasche, vielleicht würklich tyrannische und ungerechte Verfahren, das er sich gegen einen seiner Diöcesan=Bischöffe, Rothad von Soissons, erlaubte.

Aus einer nicht genau bekannten Ursache [1] hatte er ihn nehmlich im J. 861. auf einer Synode zu Soissons von seinem Amt suspendirt, und es unverdeckt genug darauf angelegt,

---

[1] In den Bertinianischen Annalen ad ann. 861. wird nur überhaupt erzählt: "Hincmarus Rothadum regulis ecclefiasticis obedire nolentem episcopali privat communione, donec obediat. Der Verfasser der Annalen gehörte aber gar nicht unter die Freunde Rothads.

legt, daß er im folgenden Jahr auf einer
größeren Versammlung, die zu Pistres in Ge=
genwart des Königs gehalten wurde 2), sei=
nes Amts völlig entsetzt werden sollte. Wahr=
scheinlich würde dieß auch jetzt schon erfolgt
seyn, da der König dem Ansehen nach eben
so ungünstig gegen Rothad gesinnt war 3),
als sein Erzbischoff; weil es aber der Bischoff
unter diesen Umständen voraussah, so appellir=
te er an den Pabst, und nöthigte dadurch sei=
nen Gegner zu einem Aufschub, wiewohl er
ihn zu gleicher Zeit noch mehr gegen sich auf=
brachte.

§. 3.

Da nehmlich die Synode die Appellation
respektiren zu müssen glaubte, und der König
auch schon darauf dem Bischoff erlaubt hatte,
nach Rom zu reisen und seine Sache dem
Pabst

2) S. Annal. Bertin. ad ann. 862.

3) Dieß verhehlte er auch selbst in den Briefen
nicht, die er an den Pabst in der Sache
schrieb, daher durfte sich der Pabst wohl er=
lauben, auch in seinem Urtheil es einfließen
zu lassen. S. Concil. T. VIII. p. 790.

Pabst vorzulegen, so mußte auch Hincmar scheinbar darein willigen, nahm sich aber wahrscheinlich sogleich vor, den Handel, wo möglich, noch in einen andern Gang einzuleiten. Wenigstens bey dem Gang, in den er ihn jetzt einleitete, kann man sich dieser Vermuthung kaum erwehren. Unter dem Vorwand, daß Rothad seine Appellation an den Pabst zurückgenommen, und sich selbst eigene Richter unter seinen Mitbischöffen ausgewählt habe [4], ließ er ihm durch den König die

Reise

4) Nach der eigenen, aber etwas dunkeln Erzählung Hincmars in seinem Brief an den Pabst Opp. T. II. p. 253. hatte Rothad seine Appellation nichts weniger als ausdrücklich zurückgenommen. Wenn hingegen der Erzählung Rothads in seinem Libello proclamationis, Conc. T. VIII. p. 786. geglaubt werden dürfte, so hätte sich Hincmar einen gar zu elenden Vorwand zu dem Vorgeben gemacht. Es ist also wahrscheinlich, daß Rothad doch irgend einen Schritt that, der als eine bedingte Zurücknahme der Appellation erklärt — jedoch nur erklärt werden konnte. Dieß giebt auch *Marca* zu. L. VII. c. 24. p. 1090.

Reise nach Rom in dem Augenblick, da er
sie anzutreten im Begriff stand, verbieten,
forderte ihn im J. 863. vor eine neue Synode
zu Soissons, und ließ von dieser, ungeachtet
seiner erklärten Beharrlichkeit bey der ergriffe-
nen Appellation und seiner darauf gegründeten
Weigerung, sich vor der Synode einzulassen,
das Urtheil seiner Absetzung in Gegenwart des
Königs beschließen. Auf einer Synode zu
Senlis [5] wurde dieß im nehmlichen Jahr noch
einmahl bestätigt, Rothad selbst aber in ein
Klöster = Gefängniß eingesperrt, um ihm die
Reise nach Rom, — und vielleicht auch die
unmittelbare Kommunikation mit dem Pabst —
unmöglicher zu machen.

§. 4.

[5] Nach Baronius ad ann. 863. nr. 69. wäre die
Synode im Junius gehalten worden, nach
Dupin Nouv. Bibl. T. VII. p. 27. wäre hingegen
die erste Handlung gegen Rothad auf diesem
Concilio Sylvanectensi vorgenommen worden,
auf dem er auch seine Appellation eingelegt
haben soll. Auch Sirmond glaubte dieß,
aber Natalis Alex. hat Hist. eccl. Sec. IX. et X.
Differt. VI. den Grund des Irrthums aufgedeckt.

§. 4.

In diesem Verfahren Hincmars sticht dann wohl das Leidenschaftliche so stark hervor, daß man sich schwerlich entbrechen kann, die Gerechtigkeit davon etwas zu bezweifeln. Zu diesen Zweifeln bekommt man auch noch Anläß genug durch die Beschaffenheit der Anklagen gegen Rothad, die sich in Hincmars Schriften finden, denn sie laufen fast bloß in allgemeinen Beschuldigungen zusammen, aus denen sich höchstens schließen läßt, daß es der Mann mit seinem Amt nicht sehr genau nehmen mochte [6]; und freylich kein Bischoff, wie sie

---

[6] Hincmar brachte gegen ihn vor, daß er einen Priester seiner Diöcese ungerechterweise abgesetzt, mehrere von den Gütern seiner Kirche veräußert, und selbst einmahl einen goldnen Kelch versetzt habe. Opp. T. II. p. 251. Das schlimmste, was er im allgemeinen gegen ihn vorbrachte, lief bloß darauf hinaus, daß er sein Bisthum vorzüglich dazu benutzt habe, um sich gute Tage zu machen, und dieß mag man glaublich genug finden. Hingegen muß man auch gestehen, daß Rothad in seinem libello procl. p. 788. die Thatsache, worauf Hinc-

sie der Apostel Paulus gewünscht hatte, aber
doch auch kein schlimmerer war, als man sie
damahls in jedem Metropoliten = Sprengel zu
Dutzenden fand. Will man jedoch annehmen,
daß Hincmar den Synoden, vor welche die
Sache gebracht wurde, doch nothwendig auch
einige besondere Verbrechen des Mannes de=
nuncirt und versichert haben mußte, die das
über ihn gefällte Urtheil eben so gerecht als
gesetzmäßig machen konnten, so kann man dieß,
da die Akten dieser Synoden für uns verloh=
ren sind, niemand verwehren; aber dabey las=
sen sich doch die mehrfachen Irregularitäten,
die in dem Verfahren gegen ihn statt fanden,
weder verkennen noch entschuldigen. Fielen sie
ja selbst den benachbarten lothringischen Bi=
schöffen so widrig auf, daß sie sich ohne wei=

tere

Hincmar seine erste besondere Anklage grün=
dete, in ein für diesen sehr ungünstiges Licht
stellte, und wenn er es eben daselbst als die
Haupt = Ursache von dem Groll seines Erzbi=
schoffs gegen ihn angab, weil er sich nicht
tief genug vor ihm geschmiegt habe, so wird
auch dieß durch den Charakter Hincmars
glaublich genug.

tere Veranlassung verpflichtet hielten, ihre
Brüder in Frankreich aufmerksam darauf zu
machen 7).

§. 5.

Durch wie viel stärkere Gründe mußte sich
aber nicht der Pabst bey diesem Gang der
Sache zur Einmischung darein gedrungen füh=
len? Das Irregulaire des Verfahrens mußte
auch ihm die Gerechtigkeit des Verfahrens
mehrfach zweifelhaft machen. Er sah sich selbst
dabey aufgerufen, als Beschützer eines Unter=
drückten dazwischen zu treten 8); und er sah
noch)

7) Sie schrieben deßwegen an die Bischöffe, die
zu Senlis das Urtheil über Rothad gespro=
chen hatten. S. den Brief Conc. T. VIII. p.
763. Aber diese lothringischen Bischöffe wa=
ren die nehmlichen, gegen deren Verfahren
in der Sache Teütbergens und Lothars sich
Hincmar und seine Mitbischöffe schon so stark
erklärt hatten, und dieß war es ohne Zwei=
fel, was sie am stärksten reizte, sich jetzt
auch in diesen Händel einzumischen.

8) Auch ihn hatten ja die lothringischen Bischöffe
dazu aufgefordert, denn sie hatten ihm we=
nigstens

noch dazu, daß man seine Dazwischenkunft: fürchtete, denn er mußte ja sehen, wie eifrig man sich bemühte, sie zu verhindern. Es war also mehr als natürlich, daß er würklich dazwischen trat: daher dürfte man auch nicht einmahl vermuthen, daß irgend etwas anders, als das reine Gefühl der Pflicht und des Rechts ihn dazu bewog, wenn er nur nicht so viel mehr gethan hätte, als ihm dieser Beweggrund abdrängen konnte.

§. 6.

Die französischen Bischöffe hatten für gut gefunden, ihm selbst von ihrer Synode zu Senlis aus von dem Verfahren gegen Rothad Nachricht zu geben [9]), da sie sich leicht vorstellen konnten, daß es doch bald genug auf andern

nigstens Nachricht von demjenigen gegeben, was man mit Rothad in Frankreich vorgenommen hatte, und eine Nachricht konnte unter diesen Umständen nichts anders als eine Aufforderung für ihn seyn.

9) Der Bischoff Odo von Beauvais war selbst von ihnen mit Briefen von Hincmar und von der Synode nach Rom geschickt worden.

andern Wegen zu seiner Kenntniß kommen wür=
de. Sie durften ihm daher auch nicht ver=
schweigen, daß Rothad an ihn appellirt habe,
und führten nur dabey an, daß die Appella=
tion von ihm selbst wieder deserirt [10]) und
eben dadurch kraftlos geworden sey. Länger
aber hielten sie sich bey der Bitte auf, daß
er doch ihr Urtheil durch seine Autorität be=
stätigen möchte; denn sie hofften ohne Zweifel,
durch diese Bitte den Unwillen am gewissesten
besänftigen zu können, den die von ihnen ver=
worfene Appellation Rothads bey ihm erregt
haben möchte. Der Pabst hingegen überführte
sie sogleich, daß sie bey dieser Hoffnung ihn
selbst und seinen Charakter höchst unrichtig be=
urtheilt hatten.

§. 7.

10) Sie führten auch an, wenigstens Hincmar
in seinem angeführten Brief an den Pabst,
daß sich Rothad zuerst nach dem von dem
Könige erhaltenen Versprechen einer reichen
Abtey das Urtheil seiner Absetzung habe ge=
fallen, und nur durch das Aufhetzen der lo=
thringischen Bischöffe zu der Reassumtion sei=
ner Appellation habe bewegen lassen. Rothad
aber erklärte dieß für völlig falsch.

§. 7.

Er antwortete [11]) den französischen Bi=
schöffen, daß sie zwar sehr wohl daran gethan
hätten, die Sache an ihn zu bringen, daß er
aber seinerseits nicht begreife, wie sie nur er=
warten könnten, daß er nach ihren Wünschen
darinn verfahren sollte. Ihr Urtheil über Ro=
thad könne ja gar keine gesetzmäßige Kraft ha=
ben, da sie nach der von ihm eingelegten Ap=
pellation nicht mehr befugt gewesen seyen, es
zu sprechen. Wenn er aber darauf auch keine
Rücksicht nehmen wollte, so könne er doch kein
Verdammungs = Urtheil bestätigen, ohne den
Unglücklichen, den es treffen sollte, gehört zu
haben, und am wenigsten könne er sich in die=
sem Fall dazu entschließen, da ihn so manche
Umstände vermuthen ließen [12]), daß auch ir=
gend etwas Menschliches — und vielleicht sehr
viel Menschliches — sich dabei eingemischt
habe. Also müsse er darauf bestehen, daß es
Rothad,

---

11) S. Concil. T. VIII. p. 413 - 419.

12) Er verhehlte ihnen nicht, daß er auch auf
die Nachrichten Rücksicht nehmen musse, die
er von ihren Nachbarn, den lothringischen
Bischöffen, bekommen habe. p. 414.

Rothad, der einmahl an den Römischen Stuhl appellirt habe, frey gelassen werden müsse, seinen Proceß in Rom zu führen, wozu sie auch ihrerseits Deputirte abzuschicken und zu instruiren hätten [13], oder darauf bestehen, daß er nicht nur sogleich aus seinem Gefängniß entlassen, sondern auch in sein Amt wieder eingesetzt werden müsse. Dieß schrieb er auch an ihren König, Carl den Kahlen [14], und dieß schrieb er noch stärker an den Erzbischoff von Rheims [15]: da man ihn aber läng

[13] "Praecipimus, ut Rothadum ad suam causam in nostra Apostolica praesentia peragendam — statim Romam dirigatis — tum vero duo vel tres vestrum pariter veniant."

[14] Die Briefe an den König s. Conc. T. VIII. p. 403. 409. 412.

[15] Dem Erzbischoff hatte er schon früher geschrieben, noch ehe der Bischoff Odo nach Rom gekommen war. Er wußte damahls nur erst, daß Rothad suspendirt, aber noch nicht, daß er würklich abgesetzt war. Deßwegen schrieb er jetzt an Hincmar, daß er ihn entweder in sein Amt wieder einsetzen, oder

länger, als er gehofft hatte, auf eine Antwort warten ließ, so kündigte er ihnen an,
daß er gegen den Erzbischoff und alle seine
Provinzial=Bischöffe ein Suspensions=Decret
erlassen würde, wenn er nicht innerhalb dreißig Tagen auf seine Verfügungen wegen Rothads ihre Paritions=Anzeige erhielte.

§. 8.

Diese Verfügungen ließen sich auch würklich nach den Grundsätzen des bisher anerkannten und auch in Gallien angenommenen Kir-
chen=Rechts vollkommen rechtfertigen. Hincmar selbst räumte es in seiner Antwort an den
Pabst ein [16], daß die Sardicensische Synode
jedem

nach dreißig Tagen mit seinen Anklägern nach
Rom schicken sollte. Diesen ersten Brief des
Pabsts an Hincmar s. T. VIII. p 408. Als
er hernach die Nachricht von der würklichen
Absetzung Rothads erhielt, so schrieb er noch
zwey Briefe an den Erzbischoff, eb. das. p.
406. 423., in denen er, wie in dem Brief
an die Bischöffe, und nur etwas stärker, darauf drang, daß Rothad nach Rom geschickt
werden müsse.

[16] *Hincmar.* Opp. T. II. p. 244-264.

jedem Bischoff das Recht zugestanden habe,
von dem Urtheil seines Metropoliten oder einer Synode an den Römischen Stuhl zu appelliren, ja er hatte es mit seinen Mitbischöffen schon thätlich eingeräumt, da sie zuerst
die Appellation Rothads selbst für rechtskräftig
erkannt hatten [17]). Ihrem Vorgeben, daß
Rothad der Appellation wieder entsagt habe,
war hingegen der Pabst nicht verbunden, ohne
weitere Untersuchung zu glauben, da es Rothad selbst auf das bestimmteste leugnete [18]).

aber

17) Dieser einzige Umstand stößt alle die Gründe
um, durch welche Börner in seinem Tractat.
de provocatione ad Sedem romanam p. 260. beweisen wollte, daß der Pabst schon bey seinen
ersten Schritten in diesem Handel widerrechtlich verfahren sey.

18) Er hätte deßwegen auch nicht nöthig gehabt,
sich auf die Behauptung der französischen Bischöffe einzulassen, daß Rothad, nachdem er
einmahl eigene Richter gewählt habe, nach
den kayserlichen Gesetzen die Appellation an
den Römischen Stuhl nicht mehr habe reassu-
miren können. Eben dieß leugnete ja Rothad, daß er eigene Richter gewählt und die

Appel-

aber um dieſes letzten Umſtands willen konnte
er auch mit völligem Recht darauf beſtehen,
daß ſie nach dem wörtlichen Innhalt des Sar=
dicenſiſchen Canons ihr Urtheil über Rothad
nicht hätten vollziehen dürfen [19]); daher die=
ſer vor allen Dingen reſtituirt werden müſſe.
Wenn er dabey zu äußern ſchien, daß ſich
eine untere Inſtanz nicht einmahl erlauben ſoll=
te, die würkliche Zurücknahme einer ſchon ein=
gelegten Appellation an eine höhere zuzulaſ=
ſen [20]), ſo möchte dieſer Rechts = Grundſatz
etwas Neues haben, und wenn er an Hinc=
mar ſchrieb [21]), daß er ſelbſt, wenn Rothad
nicht

Appellation dadurch deſerirt habe: doch fand
Nicolaus für gut, ihnen in ſeinem Brief
weitläuftig darzuthun, daß hier eine Beru=
fung auf die kayſerlichen Geſetze und auf das
bürgerliche Recht ſehr am unrechten Ort ſey.
a. O. p. 415.

19) Eb. daſ. p. 416.

20) Erſt bey einer ſpätheren Gelegenheit ließ er
ſich dieß entfallen, nach der Reſtitution Ro=
thads. Eb. daſ. p. 790.

21) "Debuerat ſane Beatitudo tua, etiam ſi Ro-
thadus nunquam appellaſſet, judicium ſanctae
ſedis praeſtolari." Eb. daſ. p. 407.

nicht appellirt hätte, das Urtheil des apostolischen Stuhls hätte erwarten sollen, so hätte dieser allerdings selbst in dem nur gelegenheitlich hingeworfenen Wink schon etwas Bedenkliches finden können: doch daß er selbst das Gewicht der Hauptgründe höchst lebhaft fühlte, welche der Pabst gegen ihr Verfahren urgirt hatte, dieß wird gerade aus der Vertheidigung am sichtbarsten, in die er sich darauf einließ.

§. 9.

So sorgsam auch diese Vertheidigung ausstudirt und ausgesponnen war, so drehte sie sich doch allein um die Behauptung herum, daß die letzte Synode zu Soissons völlig gesetzmäßig der zuerst eingelegten Appellation ungeachtet gegen Rothab habe verfahren können, weil nach der ausdrücklichen Bestimmung eines allgemein angenommenen afrikanischen Canons [22] von selbstgewählten Richtern keine Provokation zulässig sey. Zwar gab sich Hincmar

22) Concil. African. c. 89.

H 3

mat das Anſehen [23]), als ob er auch die An=
wendbarkeit der ſärdicenſiſchen Canonen in dem
vorliegenden Fall und die Zuläſſigkeit der von
Rothab eingelegten Appellation überhaupt be=
zwei=

23) Er that dieß mit einer Wendung, welche
fein genug war. "Abſit a nobis ut privilegium primae et ſummae ſedis Romanae tam
parvi pendamus, ut controverſiás et jurgia tam
ſuperioris quam inferioris ordinis, quae ſacro-
rum Conciliorum Canones — in Synodis pro-
vincialibus a Metropolita praecipiunt terminari,
ad veſtram ſummam autoritatem fatigandam du-
camus. At ſi forte de Epiſcopis cauſa nata
fuerit — et ob id in provinciali examine ne-
queat definiri, ad divinum Oraculum, id eſt
apoſtolicam ſedem nobis eſt confugiendum. Si
etiam in majoribus cauſis ab Epiſcopo ad elec-
torum judicium non fuerit provocatum, — et
in tali cauſa idem Epiſcopus fuerit judicatus et
ſede ſua dejectus — et appellaverit ad Epiſco-
pum romanae ecclesiae. — Si juſtum ille pu-
taverit, ut renovetur examen, ſcribendum eſt
ab his, qui cauſam examinarunt poſt judicium
epiſcopale eidem ſummo Pontifici, et ad illius
diſpoſitionem ſecundum ſeptimum Concilii Sar-
dicenſis Canonem examen renovabitur." *Hincm.*
Opp. T. II. p. 248.

zweifeln könnte. Er deutete wenigstens sehr
stark darauf hin, daß das Verfahren des
Pabsts selbst nach diesen Canonen, auf die er
sich allein berufen könne, nicht ganz regulär
sey; allein er räumte doch ein, daß die Sy=
node zu Sardika Provokationen der Bischöffe
an den Römischen Stuhl in gewissen Fällen
gesetzmäßig gemacht habe, und kam immer
darauf zurück, daß Rothad hintennach auf
selbstgewählte Richter kompromittirt, und da=
mit die Appellation auf eine solche Art dese=
rirt habe, wodurch ihm ihre Reassumtion nach
dem bestimmtesten Innhalt anderer Gesetze un=
möglich geworden sey. Dieß war aber gerade
die Thatsache, die Rothad leugnete, und die
also auch der Pabst als noch unerwiesen an=
nehmen durfte; daher könnte sich Hincmar un=
möglich verbergen, daß der Haupt = Grund
seiner Vertheidigung höchst schwankend sey.
Doch er verbarg es auch nicht, denn er gab
sie ja gewissermaßen selbst auf. Er erklärte
sich ja dennoch am Ende zu der Vollziehung
der päbstlichen Verfügungen bereitwillig. Er
wollte es gern geschehen lassen, daß Rothad
nach Rom geschickt, und die ganze Sache dem

H 4 Pabst

Pabſt überlaſſen werden möchte. — Er fertigte
ſelbſt Deputirte dazu ab, die jedoch, wie er
ſagte, nicht als Ankläger Rothads, ſondern
nur als Vertheidiger ſeines bisherigen Verfahrens auftreten ſollten. Aber er bot ſeine ganze Feinheit und Geſchicklichkeit auf, um den
Pabſt zu bewegen, daß er doch wenigſtens
das Abſetzungs = Urtheil über Rothad beſtätigen, er bot alle Künſte der Politik und der
Beredſamkeit auf, um ihn zu überreden, daß
ſich durch dieſe Auskunft alles am beſten vereinigen ließe, was er bey dieſem Handel ſeiner
Ehre, der Gerechtigkeit und auch dem Mitleid gegen Rothad ſchuldig zu ſeyn glauben
könnte [24]), und dadurch verrieth er am deut-
lichſten, daß er ſelbſt ſehr zufrieden mit dem
Gang ſeyn würde, in welchen der Pabſt den
Handel eingeleitet haben wollte, wenn er ſich
nur auf dieſe Art endigte.

§. 10.

---

24) Er verſicherte unter anderem auch dem Pabſt,
    daß dem abgeſetzten Rothad ein reichlicher
    Unterhalt ausgeſetzt, und alles, was er nur
    ſelbſt für ihn verlangen würde, bewilligt wer-
    den ſollte. p. 256.

§. 10.

Aber nicht nur Hincmar, sondern auch alle
seine Mitbischöffe, und selbst der König gaben
die Vertheidigung ihres bisherigen Verfahrens
auf. Die Nachgiebigkeit der übrigen Bischöffe
möchte zwar nicht viel beweisen, denn wahrscheinlich hatten sie in der ganzen Sache nur
auf den Impuls ihres Erzbischoffs gehandelt,
und aus der Haltung von diesem selbst wird
es am sichtbarsten, wie fremd damahls schon
den französischen Bischöffen der Gedanke geworden war, daß dem Pabst ein Recht abgesprochen werden könne, das ihm die Gesetze
der älteren Kirche ausdrücklich eingeräumt hatten. Bey dem König hingegen trat weder
das eine, noch das andere ein, denn die Könige konnten es nicht so bald als die Bischöffe
vergessen haben, daß sie ehemahls, und noch
gar nicht lange her, ihre Bischöffe, ohne den
Pabst zu fragen, hatten absetzen können; der
thätige Antheil aber, den er selbst an dem
Verfahren gegen Rothad nahm, mußte es
wohl der ganzen Welt aufdecken, daß er nicht
bloß um Hincmars willen, und nicht bloß
durch Hincmar, sondern noch durch irgend

H 5   eine

eine persönliche Leidenschaft dabey interessirt
war. Weiß man doch, daß er selbst mehr=
mahls an den Pabst schrieb, und sogar durch
die Königin, seine Gemahlin, schreiben
ließ [25]), um ihn gegen Rothad einzuneh=
men [26]), und dadurch zu bewürken, daß er
die Sache ruhen lassen sollte. Dennoch aber
gab auch der König zuletzt so weit nach, daß
er Rothad im J. 864. würklich nach Rom
schickte, und dieß kündigte am deutlichsten an,
daß er es nicht möglich fand, die Schritte,
die er mit seinen Bischöffen gethan hatte oder
seine Bischöffe hatte thun lassen, mit einer
rechtlich = guten Art gegen den Pabst zu be=
haupten.

§. 11.

Dafür mußte dann freylich der erste
Schritt, den jetzt der Pabst in der ihm über=

laße=

---

25) S. Nicolai Ep. ad Hermintrudem Reginam,
 Conc. T. VIII. p. 422.

26) Wie stark der König selbst gegen Rothad ge=
 schrieben haben mußte, erhellt aus dem an
 ihn gerichteten Brief des Pabsts eb. das.
 p. 406.

laſſenen Sache that, den König und ſeine Biſchöffe deſto empfindlicher kränken; denn das
ſcheinbar Härte davon veranlaßte ja, daß er
ſelbſt ſchon mehrmahls von der Geſchichte in
ein falſches Licht geſtellt würde. Dieſer
Schritt beſtand darinn, daß er vor jeder weiteren Unterſuchung den Biſchoff Rothad in ſein
Amt wieder einſetzte, und das darüber erlaſ-
ſene Decret 27) öffentlich publiciren ließ; aber
ſo kränkend dieß auch für ſeine Richter in
Frankreich ſeyn mochte, ſo läßt ſich doch leicht
zeigen, daß das Verfahren eben ſo ordnungsmäßig als konſequent war, ſobald man überhaupt ſein Befugniß, den Handel nach Rom
zu ziehen, anerkannt hatte. Er hatte es ja
Hincmärn und ſeinen Mitbiſchöffen geſchrieben,
daß ſie ſelbſt, und daß ſie zuerſt ihren Colle-
gen wieder in ſein Amt einſetzen müßten, weil
ihr Urtheil über ihn nach der von ihm eingelegten Appellation nicht eher ſeine Kraft erhal-

ten

27) S. Sermo Nicolai Papae, quem de Rothadi
causa ex ambone fecit in Miſſa d. 23. Dec. 864.
Conc. T. VIII. p. 789. Epiſtola Nicolai ad Cle-
rum et plebem eccleſiae romanae de reſtitutione
Rothadi. eb. daſ, p. 791.

ten könne, bis es von der höheren Instanz,
an die er sich gewandt habe, bestätigt worden
sey. Er konnte sich dabey nicht nur auf die
allgemeinsten Grundsätze des Rechts und der
Billigkeit, sondern auf ein ausdrückliches Ge=
setz der Sardicensischen Synode berufen, die
in einem eigenen Canon nahmentlich verordnet
hatte, daß das Absetzungs=Urtheil über einen
Bischoff, der an den Pabst appellirt habe,
nicht eher als nach einer neuen von diesem an=
geordneten Untersuchung vollzogen werden dür=
fe. Wenn er also die Sache Rothads unter
dem Vorwand oder unter dem Titel der einge=
legten Appellation vor sein Tribunal ziehen
wollte, so mußte er auch auf seiner vorläufi=
gen Restitution bestehen, und da sich die fran=
zösischen Bischöffe nicht dazu entschließen woll=
ten, was blieb ihm übrig, als es selbst zu
thun.

§. 12.

Doch der Pabst konnte ja sogar vorgeben,
und sehr scheinbar vorgeben, daß er selbst da=
bey noch die höchste Schonung gegen die fran=
zösischen Bischöffe bewiesen, und das Aeußerste
gethan habe, um ihnen die Demüthigung,

wel=

welche sie in der Restitution Rothads sehen
möchten, zu ersparen. Rothad war nehmlich
allein nach Rom gekommen, weil die Abgeordneten des Königs und der Bischöffe für gut
gefunden hatten, unter dem Vorwand der ihnen von dem Kayser verweigerten Päffe nach
Frankreich zurückzukehren 28). In dem Proceß selbst konnte somit in der Abwesenheit der
einen Parthie weiter nichts als die Restitution Rothads vorgenommen werden, welche
der Pabst ohnehin auch in der Anwesenheit der
Appellaten der Ordnung nach zuerst hätte
vornehmen müssen. Allein er wartete damit
noch sechs volle Monathe, und that den
nothwendigen Schritt nicht eher 29), bis er
aus

28) Nach den Bertinianischen Annalen ad ann.
864. hatte ihnen der Kayser würklich die Päffe
verweigert. Rothad hingegen war unter dem
Vorwand einer Krankheit in Besançon liegen
geblieben, und hatte hernach durch den König Lothar den Paß, den er bedurfte, für
sich auswürken lassen.

29) Im Junius war Rothad nach Rom gekommen, und sein Restitutions = Decret wurde
am Abend vor dem Christtag publicirt.

aus dem fortdauernden Ausbleiben seiner Gegner den Verdacht schöpfen mußte, daß es diese, absichtlich darauf angelegt haben möchten,
die Entscheidung des Handels wo nicht ganz
zu eludiren, doch so lange als möglich aufzuhalten [30]). Eine längere Zögerung würde jetzt
in Beziehung auf Rothad schreiend ungerecht
geworden seyn; aber selbst jetzt erklärte ja der
Pabst noch ausdrücklich, daß sein Restitutions-
Decret weder das Ansehen noch die Würkung
einer Definitiv-Sentenz haben sollte, denn er
stellte es den französischen Bischöffen [31]) immer noch frey, den Proceß in dem Wege, in
den er durch die Appellation eingeleitet sey,
weiter zu verfolgen.

30) Diesen Verdacht äußerte er auch sehr stark
    in dem Schreiben, mit welchem er dem Kö-
    nig das Decret zuschickte. Conc. T. VIII. p 793.
31) "Unum e duobus — schrieb er an Hinc-
    mar — sibi fraternitas tua eligat, ut sive ea,
    quae de Rothado disposuimus, adimpleat —
    sive Romam coram nobis — cum ipso conflic-
    tum sumtura, properare matuiet." eb. das. p.
    797. Aber das nehmliche schrieb er auch den
    französischen Bischöffen p. 804.

Kap. VII.

Kap. VII.

Neue Grundsätze, welche Nicolaus bey dieser Gelegenheit aufstellt. Tendenz dieser Grundsätze.

§. I.

So weit möchte sich demnach das Verfahren
von Nicolaus nicht nur entschuldigen, sondern
auch als völlig legal, und selbst als höchst
gerecht darstellen lassen; aber nur desto mehr
wird man jetzt durch die Form, die er seinem
Verfahren gab, durch die ganze Haltung, die
er dabey annahm, und durch die Grundsätze,
die er dabey aufstellte, überrascht, denn diese
waren es, welche das Erstaunen der französischen Bischöffe in einem viel höheren Grad, als
seine Proceduren selbst, ihren Unwillen erregen mußten. Der Pabst führte in der Anrede
an die Versammlung, in welcher er das Restitutions = Decret Rothads zuerst publicirte,
zwey Ursachen an, welche das Verfahren der

fran=

französischen Bischöffe bey der Absetzung ihres
Mitbruders ganz illegal, und folglich seine
Cassation nothwendig gemacht hätten; und die
erste dieser Ursachen fand er darinn, weil Ro=
thad von einer Synode verurtheilt worden
sey [1], die eigentlich ohne Vorwissen und die
Dazwischenkunft des Pabsts gar nicht hätte
berufen werden dürfen; die andere aber sollte
darinn liegen, weil die Absetzung eines Bi=
schoffs überhaupt unter die wichtigeren Gegen=
stände — causas majores — gehöre, welche
durch Observanz und Gesetze dem Römischen
Stuhl allein vorbehalten seyen [2]. Dieß letzte
gab er auch in dem Schreiben, womit er den
französischen Bischöffen das Decret zuschickte,
als den Haupt=Grund an, aus welchem die
unheilbarste Nullität ihres Verfahrens erwach=
se: zur Begründung des schönen Grundes aber
berief er sich nur im Allgemeinen auf die vor=
han=

---

1) "Facto Concilio generali, quod sine praecepto
Sedis Apostolicae nulli fas est vocandi, eum dam-
naverunt." S. Sermo Nicolai I. p. 790.

2) "Quia sacra statuta et veneranda decreta episcoporum causas, ut pote majora negotia nostrae definiendas censurae mandarunt."

handenen Decrete seiner Vorgänger, worinn es
als ganz ungezweifelt vorausgesetzt sey.

§. 2.

Die Neuheit dieser Grundsätze hätte wohl
immer schon an sich das allgemeinste Aufsehen
erregen müssen, denn der eine war so uner=
hört, als der andere. So lange die Kirche
existirte, hatte noch Niemand daran gedacht,
daß das Konvokations=Recht einer grüßeren,
aus den Bischöffen mehrerer Provinzen oder
aus allen Bischöffen eines Reichs bestehenden
Synode den Päbsten allein zustehen könne;
denn wiewohl sie zuweilen die Veranstaltung
solcher Versammlungen mittelbar veranlaßt,
und besonders im fränkischen Reich mehrmahls
veranlaßt hatten, so war es doch bey den
Hunderten, welche hier wie in allen andern
Staaten ganz ohne ihre Veranlassung gehalten
worden waren, niemahls einem Menschen in
den Sinn gekommen, daß man sich erst ihre
Erlaubniß dazu erbitten müsse. Eben so we=
nig hatte man bis jetzt noch davon gewußt,
daß dem Römischen Stuhl das ausschließende
Kognitions=Recht über alle causas episcopales

zukomme, oder daß dieſe unter den ihm reſer=
virten cauſis majoribus begriffen ſeyen, denn
nach dem Geiſt und nach dem Buchſtaben des
allgemein angenommenen und bisher beſtande=
nen Kirchen = Rechts war es immer als erſtes
und natürlichſtes Vorrecht der Metropoliten,
ja gewiſſermaßen als der Haupt=Zweck ihres
Daſeyns anerkannt worden, daß ſie in allen
Klageſachen gegen Biſchöffe und in allen Pro=
ceßſachen ihrer Biſchöffe die erſte Inſtanz vor=
ſtellen müßten.

§. 3.

Doch ſelbſt das Neue dieſer Grundſätze
müßte man bald über den für jedes Auge ſo
ſichtbaren Folgen vergeſſen, die davon ausfloſ=
ſen. Wem konnte es denn verborgen bleiben,
daß die Metropolitan=Verbindung ſo gut als
völlig zerriſſen war, ſobald alles, was die
Biſchöffe angieng, dem Pabſt allein reſervirt
wurde? und daß es zugleich um die ganze
Autonomie jeder einzelnen National=Kirche ge=
ſchehen war, ſobald es anerkannt wurde, daß
ihre Biſchöffe ſich niemahls ohne die Erlaub=
niß des Pabſts verſammlen, und nur unter
der

der Autorität von diesem etwas Gültiges gemeinschaftlich beschließen könnten? Wem aber
konnte es auch verborgen bleiben, was der
Pabst dabey gewinnen mußte? also zweifelhaft
bleiben, worauf es angelegt war?

§. 4.

Das dadurch erregte allgemeine Aufsehen
mußte indessen noch größer werden, je deutlicher man dabey wahrnahm, daß es von Seiten des Pabsts abgezweckt war. Er bedurfte
ja die neuen Grundsätze gar nicht zu der
Rechtfertigung seines Verfahrens. Er konnte
das Rechtmäßige und das Legale der von ihm
verfügten Restitution des abgesetzten Rothads
aus dem bisherigen allgemein anerkannten
Rechts-Gebrauch in Appellations-Fällen hinreichend beweisen. Er schränkte sich auch in
den Briefen, womit er dem König von Frankreich und dem Erzbischoff Hincmar das Decret
zuschickte [3]), bloß darauf ein, und nur in
seiner Rede bey der Publikation des Decrets
und

_____

3) S. Epist. Nicolai ad Carolum Calvum. Conc.
T. I. p. 791 ad Hincmarum p. 795.

J 2

und in seinem Schreiben an die sämmtlichen
französischen Bischöffe *) brachte er die neuen
Grundsätze an. Es konnte ihm also nur dar=
um zu thun seyn, sie überhaupt in die Welt
und in Cirkulation zu bringen; aber es mußte
ihm sehr angelegen darum zu thun seyn, weil
er eine Gelegenheit dazu benutzte, die ihn
sonst gar nicht darauf bringen konnte.

§. 5.

Doch das größte Erstaunen und noch mehr
als nur Erstaunen mußte erst bey den franzö=
sischen und bey allen andern Bischöffen die Art
erwecken, womit der Pabst die neuen Grund=
sätze vertheidigte. Er hatte sich dabey auf
mehrere Decrete seiner Vorgänger berufen; die
französischen Bischöffe aber schrieben ihm so=
gleich 6), daß diejenige Sammlung päbstlicher
Decre=

4) Epist. ad universos Episcopos Galliae. eb. das.
   p. 797.

6) Diesen Brief hat man nicht mehr, so wie
   auch mehrere Briefe Hincmars in diesem Han=
   del nicht mehr auf uns gekommen sind.
   Aber in dem Schreiben des Päbsts heißt es
   aus=

Decrete, welche sie bisher als kirchliche Rechts=
Quelle anerkannt hätten, kein Decret dieses
Innhalts in sich fasse, und nun ließ sich der
Pabst in seiner Antwort ausführlich darauf
ein, – ihnen zu beweisen, daß die von ihm an=
geführten Decrete auch von ihrer für sie ver=
bindenden Rechts=Kraft durch diesen Umstand
gar nichts verliehren könnten. Er räumte ein,
daß sie in den wenigsten Exemplarien der in
Frankreich am häufigsten gebrauchten Gesetz=
Sammlung, des Dionysischen Codex, sich fin=
den möchten, aber suchte sie durch eine ächt=
päbstliche Logik zu überzeugen, daß dieser Um=
stand weiter nichts austrage. Wenn sie be=
haupten wollten [7] — schrieb er ihnen — daß
jene

ausdrücklich p. 799.: "Aliqui vestrum scripse-
runt." Man könnte am wahrscheinlichsten ver=
muthen, daß dieß Hincmar war, der viel=
leicht sogleich nach der erhaltenen Rede des
Pabsts geschrieben hatte; nur möchte man es
dann doppelt befremdend finden, daß der
Pabst in seinem Schreiben an ihn gar nichts
davon berührte.

[7] "Si ideo non esse admittendas epistolas decreta-

les

jene Decrete ſie nichts angiengen, weil ſie nicht
in den Dionyſiſchen Codex eingerückt ſeyen,
ſo möchten ſie eben ſo gut auch alle Bücher
des Alten und des Neuen Teſtaments verwer=
fen, weil ſie ſeines Wiſſens eben ſo wenig in
dem Codex ſich fänden. Doch — ſetzte er
ſpottend hinzu — vielleicht nehmen einige von
euch die Bücher des Alten und Neuen Teſta=
ments nur deßwegen an, weil ſich in eurer
Sammlung ein Decret von Innocenz I. findet,
worinn ihre Annahme allen Gläubigen befohlen
iſt; allein in dieſem Fall können ſie auch nicht
ohne die äußerſte Inkonſequenz ſich weigern,
alle Decrete der Päbſte ohne Ausnahme für
verbindend zu erkennen, denn in der nehmlichen
Sammlung findet ſich ja auch eines von dem
heiligen Leo, worinn wörtlich darauf gedrun=
gen wird, daß man bey Verluſt der Seelig=

keit

les priſcorum Pontificum dicunt, quia in codice Canonum non habentur adſcriptae — nec
ipſas divinas ſcripturas V. aut N. T. jam recipimus, ſi ipſos duxerimus audiendos: etenim
neutrum horum in Codice eccleſiaſticorum Canonum habetur inſertum." p 799.

keit allen Decreten des apostolischen Stuhls
gehorchen müsse.

§. 6.

Bey dieser Art zu schließen hätte zwar der
Pabst in dem vorliegenden Fall leicht in eine
Verlegenheit kommen können, auf die er
schwehrlich gefaßt war. Die Decrete, welche
er von den französischen Bischöffen als verbindend erkannt haben wollte, gehörten ohne Zweifel unter die Fabrikate des falschen Isidors [8].
Sie hätten ihm also antworten mögen, daß
sie vorher von der Aechtheit eines Gesetzes
überzeugt seyn müßten, ehe sie sich dadurch
gebunden halten könnten, und dadurch würde
er

[8] Der Grund, aus welchem es Baronius ad
ann. 865. nr. 7. bezweifeln wollte, ist höchst
seltsam, denn er läuft bloß darauf hinaus,
daß der Pabst viel mehrere Decrete aus der
falschen Sammlung hätte anführen können,
wenn er Gebrauch davon hätte machen wollen. Indessen sagt doch Baronius selbst nur:
Consulto *visus est* abstinuisse Nicolaus, a falsa
collectione.

er genöthigt worden seyn, etwas genauer an=
zugeben, wo er dann die Decrete gefunden ha=
be? Doch allzuschwehr hätte es ihm wohl
nicht werden können, ihnen durch die nehm=
liche Logik, wovon er schon eine Probe gege=
ben hatte, auch die Aechtheit der Decrete zu
beweisen; wenn er es aber nicht gekonnt hät=
te, so würde er doch gewiß sehr zufrieden ge=
wesen seyn, wenn sie ihm auch nur stillschwei=
gend den Grundsatz eingeräumt hätten, daß
man ohne Ausnahme alle Decrete des Römi=
schen Stuhls für verbindend erkennen müsse.

§. 7.

Man mag daher immer auch vermuthen,
daß es ihm bey dieser Gelegenheit eben so sehr
darum zu thun war, jenen Grundsatz in seiner
uneingeschränkten Allgemeinheit, als jene zwey
besondere Decrete in das Kirchen=Recht des
Zeitalters hineinzubringen. Es ist kein Zwei=
fel, daß ihm auch die letzten, daß ihm be=
sonders das Decret, durch das alle causae
episcopales dem Pabst vorbehalten wurden,
wichtig genug erschien, um einen Versuch, ob
es nicht in die Praxis eingeführt werden könn=
te?

te? zu verdienen. Nur hat man nicht nöthig, und ist auch nicht berechtigt, dabey anzuneh= men, daß Nicolaus selbst von der Unächtheit der Decrete überzeugt, das Werk des Betrugs nur zum Vortheil seines Stuhls habe benutzen wollen.

§. 8.

Die Voraussetzung wird nicht nur durch seinen Charakter, sondern sie wird noch durch andere Umstände höchst unnatürlich, wenn man nicht zugleich voraussetzt, daß die ganze fal= sche Waare in Rom selbst fabricirt worden sey. Dieß letzte ist mehr als unwahrscheinlich; aber es ist mehr als wahrscheinlich, daß um diese Zeit Exemplare der falschen Decretalen auch nach Rom gekommen, und hier in die Hände des Pabsts, der ohnehin auch Gelehr= ter seyn wollte, gekommen seyn konnten. Es ist mehr als glaublich, daß sie ihm höchst willkommen waren, weil er das ganze Pabst= Ideal darinn ausgedrückt fand, das schon vor= her in seiner Seele lag, und wenn es ihm auch befremdend schien, daß man so lange nichts davon gewußt haben sollte, was war

J 5   in

in dieser Lage natürlicher, als daß er, freylich durch ein geheimes Interesse bestochen,
aber doch ehrlich, oder im Ernst — glaubte,
was er wünschte? Je lebhafter er sich dachte,
wie schön es um das Pontifikat, und auch —
denn in der Seele eines Pabsts konnte leicht
das eine mit dem andern zusammenfließen —
und auch um die Kirche stehen würde, wenn
alles in die Ordnung käme, die in den neu
entdeckten Decretalen vorgeschrieben sey, desto
weniger zweifelte er, daß sie würklich von den
alten Päbsten, denen sie zugeschrieben waren,
herrühren müßten. Aber gerade darüber gieng
auch der größere Gedanke heller in seiner Seele auf, wie viel mehr es austragen müßte,
wenn es überhaupt als leitender und als allgemeiner Grundsatz aufgestellt würde, daß alle
Decrete der Päbste, aus welcher Zeit sie auch
herrühren möchten, für die ganze Kirche verbindende Gesetz-Kraft hätten 9).

§. 9.

9) Dieß gab Nicolaus schon bey einem früheren
Vorfall zu erkennen, der zugleich höchst wahrscheinlich vermuthen läßt, daß um diese Zeit
die falschen Decrete auch in Rom, wie in
Gal-

§. 9.

Dieß war es, was Nicolaus bey dieser Gelegenheit einleiten wollte und einleiten zu können hoffte, denn nur diese Absicht konnte ihn zu einigen der Schritte, die er dabey that, und

Gallien bekannter geworden seyn mochten. Gegen das J. 860. schrieb ihm der Erzbischoff Wenilo von Sens, daß er nicht wisse, was er mit einem seiner Bischöffe, der närrisch geworden sey, mit dem Bischoff Hermann von Nevers, anfangen solle; denn es sey unmöglich, daß man dem Mann sein Amt länger lassen könne, und doch habe er gehört, daß der Pabst Melchiades ein Decret gemacht habe, ne quis unquam Pontifex sine consensu romani Pontificis deponeretur. Er ersuchte dabey Nicolaum, ihm dieß Decret in extenso zu schicken, wenn man es in Rom hätte, damit er sich darnach richten könnte: Nicolaus aber hütete sich wohlbedächtlich in seiner Antwort, von dem besondern Decret etwas zu erwähnen, sondern machte nur dem Erzbischoff einen großen Lobspruch darüber, daß er alle Aussprüche des Römischen Stuhls anzunehmen bereit sey. S. *Labbé* T. VIII. p. 511. 512.

und zu der ganzen Handlungs = Weise bestim=
-men, welche er annahm, aber dieß war es
auch, was jetzt würklich durch ihn eingeleitet
wurde. Der König von Frankreich, der Erz=
bischoff von Rheims und alle seine Mitbischöffe
ließen es würklich ohne weitere Protestation
geschehen, daß sein Außspruch in der Sache
vollzogen, und der von ihnen abgesetzte Ro=
thad durch den Legaten, mit dem er ihn nach
Frankreich zurückschickte [10]), recht feyerlich in
sein Bisthum wieder eingeführt wurde. Wohl
kam es ihnen dabey nicht in den Sinn, auch
die Grundsätze als gültig oder unbestreitbar
zu erkennen, durch welche er seinen Spruch
motivirt hatte. Sie bewiesen ja noch in der
Folge, daß es ihnen nicht an Einwendungen
dagegen fehlte [11]). Sie schwiegen jetzt bloß
deß=

10) Es war der Bischoff Arsenius von Orta,
der zugleich in der Angelegenheit Teutbergens
nach Lothringen zu reisen hatte, aber auch
an die Könige von Ost = und Westfranken ac=
creditirt war. S. Annal. Bertin. ad ann. 865.

11) Dieß bewieß besonders Hincmar in einem
andern Handel, wo er noch einmahl darüber
zu streiten hatte.

deßwegen, weil sie es eben so wie ihr König
in der damahligen Lage nicht räthlich fanden,
oder weil es ihr König nicht räthlich fand,
sich mit dem entschlossenen Pabst, den man
sonst brauchen konnte, gerade jetzt abzu-
werfen. Sie waren also weit entfernt, ihm
einzuräumen, daß seine neu = entdeckten alten
Decrete eine allgemeine Gesetzkraft hätten, und
daß ihm wirklich ihnen zufolge das Konvoka-
tions = Recht aller größeren Synoden und das
Kognitions = Recht in allen caussis Episcoporum ausschließend zustehe. Sie waren noch
weiter entfernt, ihm einzuräumen, daß alle
Decrete der Päbste ohne Ausnahme als allgemeine Gesetze für die Kirche erkannt werden
müßten. Allein dem Pabst konnten sie doch
nicht verwehren, aus ihrem Stillschweigen eine
Anerkennung heraus zu erklären, und wozu
sich dieß benutzen ließ, erfuhren sie mehrmahls
in der Folge.

§. 10.

Doch wenn auch Nicolaus den französischen
Bischöffen keine förmliche Anerkennung seiner
neuen isidorischen Grundsätze abzwingen konnte,

so

preßte er ihnen doch durch die Haltung, die er
gegen sie annahm, er preßte selbst Hincmarn von
Rheims mehrere, höchst bestimmte, wenn schon
nur allgemeine Geständnisse [12]) der Superiorität des Römischen Stuhls ab, die gerade
jetzt zur gelegensten Zeit kamen. Er brachte
sie zugleich, was noch mehr austrug, in die
Gewohnheit hinein, den Pabst als ihren Oberen nicht nur sprechen zu hören, sondern auch
handeln zu sehen, ja er erweckte sogar schon
in ihrer Seele eine dunkle Ahndung, daß seine
Superiorität wohlthätig für sie selbst und in
eben dem Verhältniß wohlthätiger für sie werden könnte, in welchem mehr würkliche Macht
damit verknüpft würde, und dadurch erhielt
er bey einer andern Gelegenheit, daß sie selbst

noch

12) Wie z. B. das folgende: "Omnes scimus tam
seniores quam juniores, nostras ecclesias subjec-
tas esse sedi Romanae, et nos Episcopos in Primatu Petri subjectos esse romano Pontifici. S.
Opp. T. II. p. 251. Auch erkannte ja Hincmar in diesem Brief ausdrücklich, daß dem
Pabst das ausschließende Richter=Amt über
alle Metropoliten zustehe. p. 248.

noch sein prätendirtes ausschließendes Richter-
Amt über sie gewissermaßen anerkannten.

§. 11.

Bey diesem anderen Vorfall, der zwischen
die Händel Rothads hineinkam, schien er sie
bloß in der so eben erwähnten Gewohnheit,
mehr befestigen zu wollen, denn außer der
Begierde, den Erzbischoff Hincmar noch etwas
weiter zu necken, konnte er keine andere Absicht dabey haben, so wie er auch sonst gar
kein Interesse dabey hatte. Die Sache betraf
bloß einige Presbyter, welche Hincmar aus
dem Klerus geworfen hatte [13]; weil sie von
dem Erzbischoff Ebbo von Rheims nach seiner
Absetzung, also zu einer Zeit ordinirt worden
wären, da er nach den bestimmtesten Kirchen-
Gesetzen keinen bischöfflichen Actus mehr verrichten konnte. Das Verfahren Hincmars war
daher völlig in der Ordnung, deßwegen hatte
es auch der Vorgänger von Nicolaus, Benedikt

---

13) Dieß war im J. 853. auf einer Synode zu
Soissons geschehen, oder wenigstens von die-
ser Synode bestätigt worden. S. Concilior.
T. VIII. p. 84. *Flodoard.* Hist. Rhem. L. III. c. 2.

dikt III., an den die Sache gebracht worden war [14]), und Nicolaus selbst zuerst bestätigt [15]; auf einmahl aber brachte er im J. 866. den Handel wieder in Bewegung, indem er jetzt erst erfahren zu haben vorgab, daß die Berichte, welche Hincmar darüber nach Rom geschickt habe, nicht ganz der Wahrheit gemäß seyen. Aus diesem Grund bestand er jetzt darauf, daß Hincmar und seine Mitbischöffe, welche auf einer Synode die Absetzung der Presbyter beschlossen hatten, sie ohne weiteres restituiren, oder die Sache noch einmahl auf einer größeren Synode untersuchen mußten [16]), und nahm dabey eine so starke Sprache an, daß die dadurch geschreckten französischen Bischöffe die ganze Sache seinem Ermessen überließen, und sich auf das demüthigste bereit erklärten, das Restitutions = Urtheil, das

14) Hincmar selbst hatte sie auch schon an Leo IV. gebracht, an den aber auch die abgesetzten Presbyter schon rekurrirten.

15) Im J. 863. S. *Baronius* ad h. a. n. 64.

16) S. *Epistola* Nicolai ad Herardum Archiep. Turonens. Conc. T. VIII. p. 814. und an Hincmar p. 808.

das er selbst fällen würde, zu respektiren [17].
Bey dieser Gelegenheit geschah es aber, daß
sie in einem an ihn erlaffenen Synodal=
Schreiben [18] ihn selbst auf das dringendste
erfuch=

17) S. Synodica epist. totius Concilii Sueffionenf.
ad Papam. eb. daf. p. 832.

18) Der Pabst war sehr unzufrieden darüber,
daß die Synode das Verfahren in der Sache
der Presbyter hatte vertheidigen wollen, und
schrieb nun zurück, daß man ihm einen ge=
nauen Bericht darüber erstatten solle, wie es
mit der Absetzung des Erzbischoffs Ebbo und
mit der Ernennung Hincmars an seine Stelle
zugegangen sey, weil doch in der Streitsache
der Presbyter das meiste davon abhänge. eb.
daf. p. 843. Dieser Bericht wurde dann im
folgenden J. 867. auf einer Synode zu
Troyes aufgesetzt, und am Schluß davon
brachten sie die Bitte an — "Exoramus ma-
gnificam vestram beatitudinem, ut innovata
constitutione decernatis — ut nec vestris nec
futuris temporibus, praeter consultum romani
Pontificis quilibet Episcoporum de gradu suo deji-
ciatur, sicut sanctorum antecessorum vestrorum
multiplicibus decretis jam stabilitum est." S.

ersuchten, wenigstens für die Zukunft solche
Einrichtungen zu treffen, daß kein Erzbischoff
und kein Bischoff ohne Einwilligung des Pabsts
seines Amts mehr entsetzt werden könnte.

§. 12.

Nun enthielt zwar auch dieß noch keine
Anerkennung des ausschließenden von dem Pabst
prätendirten Kognitions = Rechts in allen bi=
schöfflichen Sachen, und es sollte auch keine
enthalten; allein es enthielt doch die Anerken=
nung eines mehrfach neuen Verhältnisses, in
welchem sich die Bischöffe gegen den Pabst
und den Pabst gegen sich erblickten; es ent=
hielt die sehr bestimmte Anerkennung des
schützenden Oberen, den sie sich gern und
freudig in ihm gefallen lassen wollten; den
schützenden Oberen mußten sie aber doch
nothwendig auch als würklichen, mit wah-
rer Macht ausgerüsteten gelten lassen. Nico=
laus hatte es also dahin gebracht, daß we=
nigstens ein Zug von dem in seiner eigenen
Seele ausgebildeten Pabst=Ideal auch von sei=

nem

Epist. Synod. Conc. Tricassini ad Nicol. eb. daf.
p. 870. 875.

nem Zeitalter würklich aufgefaßt werden war;
aber es war ihm nicht bloß zufällig gelungen,
sondern aus seiner Handlungs = Weise bey den
erzählten Vorfällen geht es unverkennbar her=
vor, daß er es planmäßig darauf angelegt
hatte [19], und deßwegen vorzüglich muß eine
neue Epoche in der Geschichte des Pabstthums
von seiner Regierung ausgeführt werden.
Nicht eher als bis dieser eine Zug des Ideals
aufgefaßt war, konnten die übrigen realisirt
werden; sobald hingegen jenes geschehen war,
so ließ sich sicher darauf rechnen, daß die
Realisirung der übrigen in die Länge nicht
ausbleiben könnte, und nur der frühere oder
spätere Erfolg hieng noch von einer günsti=
gen oder ungünstigen Einwürkung der äußeren
Umstände ab.

Kap. VIII.

[19] Dieß erkannte man auch schon in diesem und
      in dem nächstfolgenden Zeitalter selbst, wie
      aus dem Elias = Nahmen, den man ihm jetzt
      schon beylegte, und aus der Charakter = Schil=
      derung erhellt, die sich bey Regino und in
      den Annalen von Metz von ihm findet. "Post

Kap. VIII.

Hadrian II., der Nachfolger Nicolaus I., weniger glücklich als sein Vorgänger im Streit mit den Königen.

§. I.

Schon der nächste Nachfolger von Nicolaus, der neue Pabst Hadrian II., machte wenigstens eine starke Erfahrung davon, daß man die Mitwürkung der letzten noch nicht entbehren könne; denn dieser Hadrian verlohr dem Ansehen nach fast alles wieder, was Nicolaus für den Römischen Stuhl gewonnen hatte, und verlohr es — was noch schlimmer war — im Streit mit den nehmlichen Menschen wieder,

B. Gregorium, nullus Praesul in romana urbe illi videtur aequiparandus. Regibus et tyrannis imperavit, eisque, ac si Dominus esset terrarum orbis, auctoritate praefuit. S. Scriptor. rer. Franc. T. VII. p. 192.

der, gegen welche es Nicolaus gewonnen hatte. Dieß kam aber bloß daher, weil Hadrian
eben so, wie sein Vorgänger sprechen, und handeln wollte, ohne auf die veränderten Umstände Rücksicht zu nehmen, unter denen höchst
wahrscheinlich der weisere Nicolaus, wo nicht
anders gehandelt, doch anders gesprochen haben würde. Der alte Mann [1] übertrieb auf
diese Art die Rolle seines Vorgängers, wozu
er sich, wie es scheint, vorzüglich dadurch
verführen ließ, weil man ihm in Rom selbst
gar nicht zutraute [2], daß er sie nur würde
fortspielen können.

§. 2.

1) Er war zu der Zeit seiner Wahl schon fünf-
und siebzig Jahre alt, hätte aber schon bey
zwey früheren Wahlen das Pontifikat erhalten
können, wenn er gewollt hätte. S. *Guiliel-
mus* in Vita Hadriani II.

2) Spuhren dieses Mißtrauens, das man zu
Rom selbst in den neuen Pabst setzte, findet
man genug in dem Brief, den der Biblio-
thekar Anastasius nach seiner Wahl an den
Erzbischoff Ado von Vienne schrieb. S. Concil. T. VIII. p. 567. Wie wenig Kraft man
ihm zutraute, oder wie wenig man sich vor

K 3   ihm

§. 2.

Aus dem wichtigsten Handel, den er noch von seinem Vorgänger geerbt hatte, aus dem Ehe=Handel des Königs von Lothringen, kam er zwar glücklicherweise noch mit Ehren heraus. Der König schien es sich fest in den Kopf gesetzt zu haben, daß ihm der neue Pabst zu der völligen Erreichung seiner Absichten, nehmlich zu seiner Heyrath mit Walraden helfen müßte. Er ließ daher zuerst durch diese

. . . . und

. . . .

ihm fürchtete, erhellt aber noch mehr aus einem höchst tragischen Vorfall, der sich im ersten Jahr seiner Regierung in seiner eigenen Familie ereignete. Hadrian war vor seinem Eintritt in den Klerus verheyrathet gewesen, und seine ehemahlige Gemählin lebte noch, wie eine Tochter, die aus ihrer Ehe entsprungen war. Diese Tochter entführte einer der Römischen Großen, Eleutherius, im J. 868. mit Gewalt, und heyrathete sie, gegen den Willen des Pabsts; da sie ihm aber durch den Kayser, der auf die Bitte des Pabsts dazwischen trat, wieder entrissen werden sollte, so ermordete sie der wilde Räuber selbst und ihre Mutter dazu. S. Annal. Bertin. ad ann. 868.

und für biese um bie Aufhebung des Bannes,
unter bem sie stand, unterhandeln, und kam
hernach, sobald dieß Hinderniß weggeräumt
war [3]), selbst nach Italien, um ihm das weitere, was er von ihm verlangte, persönlich
abzuschmeicheln, oder allenfalls mit der Hülfe
seines Bruders, des Kaysers, abzupreffen.
Um des Kaysers willen sah sich auch Hadrian
genöthigt, ihm hier etwas weiter entgegen zu
kommen, als er sonst vielleicht gethan haben
würde, denn er konnte es selbst auf sein Au-
drängen nicht vermeiden, seiner Aussöhnung
mit ihm die größte Feyerlichkeit einer religiösen Handlung zu geben, woburch sie zugleich
die größte Publicität erhalten mußte [4]). Durch
sein Benehmen babey erklärte jedoch Hadrian
sehr bestimmt, daß er auf das festeste entschlossen sey, niemahls seine Einwilligung zu
der Scheibung des Königs von Teutbergen
zu

---

3) S. Adriani II. Epist. ad Walradam bey *Labbé*
T VIII. p. 913.

4) Dieß geschah in dem Kloster zu Munte-Caf-
sino bey einer feyerlichen Messe. S. Annal.
Bertin. ad ann. 869.

zu geben, so wie er es auch schon Teutbergen
selbst erklärt hatte, die ihn eben so wie seinen Vorgänger darum hatte bitten müssen [5]:
allein die Beharrlichkeit bey diesem Entschluß
hätte ihn wahrscheinlich mehr als seinen Vorgänger kosten mögen, wenn ihm nicht der
Tod des Königs, der im J. 869. auf seiner
Rückreise erfolgte, aus der Noth geholfen
hätte.

§. 3.

Doch gerade dadurch bereitete ihm das
Glück eine weit verwirrendere Lage, durch die
sich vielleicht selbst die Klugheit seines Vorgängers nur mit einem außerordentlichen Aufwand
von Kraft hätte durchwinden oder durchschla-
gen können.

Sobald die Nachricht von Lothars Tode
nach Frankreich gekommen war, fiel Carl der
Kahle

---

5) Teutberge war dazu gebracht worden, daß sie
ebenfalls selbst nach Rom reiste, und jetzt den
Pabst unter dem Vorwand ihrer Kränklichkeit
um die Scheidung von Lothar ersuchte. S.
Adriani Ep. ad Lotharium Regem. eb. das.
p. 911.

Kahle in seine Länder ein, ließ sich zu Metz
von einer Parthie der lothringischen Großen
und Bischöffe, die schon vorher von ihm gewonnen waren, zum König von Lothringen ernennen und krönen *), und kündigte damit der
ganzen Welt an, daß er die ganze Erbschaft
sich zuzueignen, und weder dem Bruder des
Verstorbenen, dem Kayser, noch seinem eigenen Bruder, Ludwig von Deutschland, etwas
davon zu lassen gesonnen sey.

§. 4.

Dabey konnte der Pabst, und zwar nicht
nur um des Kaysers, sondern schon um der
Rolle willen, welche sein Vorgänger angenommen hatte, unmöglich stillschweigend zusehen.
In der Sache Teutbergens hatte dieser der
Welt laut gesagt, daß jeder Pabst von Gott
selbst zum Beschützer der von den Gewaltigen
der

6) S. Capitula Caroli Calvi per Adventium Metensem Ep. — annuntiata publice, quando Carolus Metis coronatus est in regno Lotharii in
Hincmar. Opp. T. I. p. 742. und *Balus.* Capitul. T. II. p. 215.

K 5

der Erde unterdrückten Unschuld und zum Rä-
cher der von den Königen verletzten Gerechtigkeit berufen sey, weil er ihm gleichsam für
jedes öffentliche nicht gehinderte Unrecht stehen müsse. In der Eroberung Lothringens
durch den König von Frankreich sah aber die
ganze Welt eine noch schreyendere Ungerechtigkeit und ein frecheres Trotzen auf Gewalt gegen Recht, als in dem Verfahren Lothars gegen seine Gemahlin; was mußte sie also von
jenem Beruf, an den sie so gern zu glauben
angefangen hatte, oder was mußte sie von
dem neuen Pabst denken, wenn er keine Bewegung machte, dem neuen Unrecht in den
Weg zu treten? Dazu kam noch, daß schon
Nicolaus Carln von Frankreich wegen seiner
räuberischen Absichten auf fremdes Eigenthum
mehrmahls gewarnt, und selbst mehr als einmahl seine Habsucht, die gar zu gern etwas
von Lothringen abreißen wollte, durch den
Ernst seiner Drohungen zurückgeschreckt hatte.
Aber wenn auch dieß nicht auf Hadrian gewürkt hätte, oder wie es auch auf ihn würken mochte, so ließ ihn ja der Kayser nicht
erst an dasjenige denken, was er bey diesem

Vor-

Vorfall um der Ehre des Pontifikats willen zu
thun habe. Für den Kayser wurde es noth=
wendig, daß der Pabst dazwischen sprechen,
und mit äußerstem Nachdruck dazwischen spre=
chen mußte, denn Ludwig konnte nicht hoffen,
durch die Macht, die er aufzubringen im
Stande war, sein Recht gegen den König von
Frankreich zu behaupten: dem Kayser aber,
durfte der Pabst nichts verweigern, weil er
fast völlig in seiner Gewalt war.

§. 5.

Hadrian stand daher sogleich gegen den Kö=
nig auf, und stand würklich mit einem Nach=
druck oder mit einem Anstand gegen ihn auf,
den Nicolaus selbst nicht gebietender hätte an=
nehmen können. Er erließ zuerst eine Ermah=
nung [7]) an die Großen von Lothringen, daß
sie freudig und willig sich jetzt dem Kayser
übergeben sollten, dem [8]) sowohl nach der
Ver=

7) Hadriani Ep. ad Proceres Regni Lotharii bey
   Labbé T. VIII. p. 916.

8) "Quoniam ipsi et paterno et hæreditario jure,
   secundum legem et rationem hoc regnum de=
   betur."

Verordnung seines Vaters, als nach dem
Recht der Erbschaft die Krone von Lothringen
allein gehöre. Dabey kündigte er aber zugleich
jedem den Bann an 9), der pflichtvergessen
genug seyn würde, sich mit Verachtung der
Befehle des apostolischen Stuhls zu einer andern Parthie zu schlagen, und kündigte eben
so bestimmt voraus an, daß er seine aposto-
lische Straf-Gewalt auch sogleich gegen jeden
Tyrannen gebrauchen würde ¹²), der sich er-
kühnen möchte, gegen den jetzt erklärten Willen Gottes und des heiligen Petrus in das
Königreich einzufallen.

§. 6.

Zu gleicher Zeit schickte er eine eigene Gesandtschaft nach Frankreich mit besonderen Briefen

9) "Quem ex vobis — apostolicae sedis monitis
spretis — ad aliam partem se conferre, cogno-
verimus — velut infidelem anathematis vinculo
alligare curabimus."

10) "Quod sane regnum etiam si tyrannus aliquis
contra divinam et apostolicam voluntatem inva-
dere praesumserit, apostolicae sine mora sustine-
bit ultionis censuram."

fen [11]) an die Großen und an die Bischöffe
des Reichs, worinn er auch diese, und nah=
mentlich Hincmarn von Rheims auf das drin=
gendste aufforderte, daß sie sich jedem gegen
Lothringen gerichteten Unternehmen ihres Kö=
nigs mit vereinigten Kräften widersetzen soll=
ten. Er gebrauchte zwar dabey die mildernde
Wendung, als ob er nicht glaubte, daß der
König selbst einen so verruchten Anschlag fas=
sen — sondern äußerte nur die Besorgniß,
daß gottlose Räthe und niedrige Schmeichler
seinen Ehrgeitz dazu reizen könnten; aber nur
desto bestimmter erklärte er auch ihnen, daß
jeder [12]), wer es auch seyn möchte, der
Lothringen antastete, es mit ihm, mit dem
heili=

11) Hadriani Ep. ad Proceres regni Caroli Calvi
eb. das. p. 918. ad Episcopos in regno Caroli
p. 920. ad Hincmarum p. 921.

12) "Ille manum apostolicae Sedis cum piissimo
Principe, Imperatore, fortiter esse comperiat,
et arma nostra illi validissima munimina confe-
rentia, summo agonotheta nobis concertante,
et beatorum apostolorum principum intercessione
cooperante, praeparata sine cunctatione praeno-
scat." Ep. ad Proceres p. 919.

heiligen Petrus, ja mit Gott selbst zu thun haben, und jeder, der dem Räuber dazu helfen würde, aus der Kirche ausgeschlossen, und dem Teufel übergeben werden sollte [13]).

§. 7.

Diese Dehortatorien des Pabsts kamen jedoch zu spät, denn als seine Gesandte nach Frankreich kamen [14]), hatte sich Carl bereits die Lothringische Krone zu Metz aufsetzen lassen. Auch hofften jetzt diese Gesandten gewiß selbst nicht, daß sie ihn würden bewegen können, sie auf die Ermahnungen des Pabsts wieder abzulegen, so trotzig sie auch diese Ermahnungen an ihn brachten; allein das schlimmste Zeichen für den Erfolg ihrer Mission

13) "Si quisquam vestrum hujus diabolicae seditionis auctorem sectatus fuerit, vel ei quoquo modo in rapinis concupiscenti favorem contulerit, anathematis vinculis innodabitur — et diabolo — deputabitur." Eb. daf. auch in dem Brief an Hincmar p. 921.

14) Sie waren im September von Rom abgereist, und den 9. September hatte sich Carl krönen lassen.

sion war dieß, daß sich weder der König, noch die Stände von Lothringen, noch die französischen Bischöffe und Großen über den Gegenstand davon mit ihnen einließen. Von dem König erhielten sie, wie es scheint, bloß die kalte Antwort, daß er die Vermittlung des Pabsts bey einer Unterhandlung mit dem Kayser nicht verschmähen würde [15]), durch welche der Ausbruch eines Krieges zwischen ihnen verhindert werden könnte. Die Großen von Frankreich und Lothringen hielten es hingegen für das Beste, von seinen Aufträgen gar keine Notiz zu nehmen, ja selbst Hincmar von Rheims ließ das Schreiben unbeantwortet, das er besonders an ihn gerichtet hatte.

§. 8.

Damit war es mehr als gewiß, daß der König auch die Drohungen des Pabsts verachten zu können glaubte; und nun blieb Hadrian,

15) Der König versprach dabey, wie aus dem neuen Schreiben des Pabsts an ihn erhellt, daß er zu seiner Zeit dem Pabst selbst antworten würde, und fertigte also die Gesandten bloß mündlich ab.

brian, wenn die Ehre des Pontifikats gerettet
werden sollte, weiter nichts übrig, als sie entweder auf der Stelle zu vollziehen, oder so
schnell als möglich eine Unterhandlung einzuleiten, durch welche für das gekränkte Recht
des Kaysers, für das er zu kämpfen unternommen hatte, wenigstens eine scheinbare Genugthuung ausgemittelt werden konnte. Bey
der unbedachtsamen Bestimmtheit, womit er
diese Rechte des Kaysers anerkannt und seine
Drohungen gegen alle ausgesprochen hatte, die
sich unterstehen würden, sie zu kränken, bot
sich ihm keine andere Auskunft an. Bey der
Lage der Umstände, bey der Macht des Königs, der sich schon in Lothringen befestigt
hatte, und bey der Schwäche des Kaysers
zeichnete auch die Klugheit die anwendbarste
Auskunft deutlich genug aus: allein der alte
Mann, vielleicht zu gut, um der Politik und
den Umständen etwas von der Gerechtigkeit
aufzuopfern, und doch zu schwach, sie mit
Nachdruck zu behaupten, that weder das eine
noch das andere, sondern das unweiseste, was
sich thun ließ.

§. 9.

§. 9.

Hadrian fertigte eine neue Gesandtschaft
mit neuen Briefen an den König, an die Gro=
ßen und an die Bischöffe von Frankreich und
Lothringen ab [16]), beschwehrte sich bitterlich
bey den letzten über die Verachtung, welche
sie gegen seine ersten Befehle gezeigt hätten,
hielt dem ersten noch einmahl eine Straf=Pre=
digt — und in der That eine sehr gründli=
che — über das empörende Unrecht, das er
seinem Neffen, dem Kayser, zugefügt habe,
und drohte allen zusammen, daß er im Fall
ihrer längeren Widersetzlichkeit — selbst nach
Lothringen kommen, und sie zur Strafe ziehen
würde [17]). Dabey instruirte er zwar seine
Gesand=

---

16) Epist. Hadriani ad Carolum Calvum. Labbé
T. VIII. p. 922. ad Episcopos in regno Caroli
p. 924. ad Hincmarum p. 925. ad Proceres Regni Caroli p. 926.

17) "Deo juvante — schrieb er an den König —
partes istas ipsi nosmet petemus, et quod nostri est ministerii, penitus peragemus." "Sci-
tote — schrieb er hingegen den Bischöffen —
quod statim ferventissimo zelo justitiae ducti in

Gesandten, sich auch an den Hof des Königs
Ludwig von Deutschland zu begeben; anstatt
aber diesen aufzufordern, daß er seine Macht
mit der Macht des Kaysers vereinigen sollte,
um dem übermüthigen und übermächtigen Carl
das geraubte Lothringen wieder zu entreißen,
begnügte er sich damit, ihn ebenfalls wissen
zu lassen [18]), daß er selbst zu kommen entschlossen sey.

§. 10.

Wahrscheinlich dachte Hadrian dabey an die
Reise, die ehemahls Gregor IV. unter den
Händeln Ludwigs des Frommen mit seinen
Söhnen nach Frankreich unternommen, und an
die Würkung, welche sie hervorgebracht hatte;
aber wie konnte er sich möglicherweise verbergen, daß er sich in einer ganz andern Lage
befand, und mit einem ganz andern Gegner

als

partes illas penetrabimus, et in contemtores
monitionum nostrarum dignam dabimus ultio-
nem."

18) S. Hadriani Ep. ad Ludovicum Regem Germaniae. p. 927. ad Episcopos in reguo Ludovici.
p. 929.

als Gregor zu thun hatte? Doch er konnte
schwehrlich im Ernst daran denken, denn sonst
hätte er wenigstens fühlen müssen, daß er
nicht voraus davon sprechen dürfe; also war
die Ankündigung von seiner Seite selbst nur
als leere Drohung gemeint, und was konnte
ihm die leere weitere Drohung eintragen, als
daß sie den Schimpf noch auffallender machte,
den er sich schon durch seine erste nicht-geachtete
und nicht vollzogene zugezogen hatte? Dieß
war auch allein der Erfolg, der herauskam.
Der König von Frankreich, der von dem
machtlosen Kayser nichts zu befürchten hatte,
eilte nur, sich von der einzigen Seite her
sicher zu stellen, von welcher er noch in dem
ruhigen Besitz seines neuen Erwerbes gestört
werden konnte. Er verglich [19]) sich mit seinem Bruder, Ludwig von Deutschland, über
die Ansprüche, die er, wenigstens mit eben so
vielem Recht, als er selbst, auf die Erbschaft
Lothars machen konnte, gab ihm einen Theil
von

_____

19) S. Divisio regni Lotharii inter Carolum et
Ludovicum reges. Annal. Bertin. ad ann. 870.
Baluz. Capitul. T. II. p. 221.

von Lothringen ab, und bekümmerte ſich jetzt deſto weniger um den Pabſt, da er gewiß war, daß er ihm auch die Reiſe nach Frankreich, wenn er ja dazu Luſt bekäme, unmöglich machen könnte. Auch die zweyte Geſandtſchaft Hadrians ließ er daher ohne Antwort [20] abziehen, hingegen der Erzbiſchoff Hincmar ſchickte ihm unter ſeinem Nahmen eine zurück, die ihn ſchwerlich noch eine andere wünſchen ließ.

§. 11.

Mit bewundernswürdiger Kunſt ſchlüpfte Hincmar in dieſem Schreiben [21] an den Pabſt über den Punkt hinweg, der am ſchwürigſten zu behandeln war, denn er erklärte mit einer ſehr feinen Wendung voraus, daß er ſich nicht für fähig halte, über das Verfahren ſeines Königs bey der Beſitzergreifung von Lothringen, und über die Gerechtigkeit ſeiner Anſprüche zu urtheilen [22]), alſo auch keinen Beruf füh-

20) S. *Aimon* L. V. c. 26. 27.

21) S. Opp. T. II. 689.

22) Er führte zwar die Gründe an, aus denen
der

fühle, das eine oder die andere zu vertheidi=
gen. Aber mit einer noch feineren Wendung
machte er es sich möglich, dem Pabst die
stärksten und bittersten Wahrheiten über das
Unbefugte seiner Einmischung in die ganze
Sache zu sagen, indem er sich das Ansehen
gab; ihm bloß berichten zu müssen, wie sich
die Großen und die Stände von Lothringen
darüber erklärt hätten. Er habe ihnen —
schrieb der Erzbischoff — alle die Vorstellun=
gen gemacht, die ihnen der Pabst an das Herz
gelegt haben wollte; doch hätten sie nicht be=
greifen können, wie ein Römischer Bischoff
darauf komme, durch Bannflüche und Ana=
theme über ein Königreich disponiren zu wol=
len. Als er sie aber daran erinnert habe,
daß

der König seine Ansprüche auf Lothringen
herleite, aber bemerkte auch dabey, daß er
sich von Anfang an kein Urtheil darüber an=
gemaßt, und deßwegen auch die Aufträge des
Pabsts, so viel es ihm möglich gewesen sey,
durch Gegen=Vorstellungen an den König und
an die Stände von Lothringen ausgerichtet
habe. p. 690. 691.

L 3

daß doch Christus selbst dem heil. Petrus und seinen Nachfolgern, wie den übrigen Aposteln die Schlüssel des Himmelreichs und die Gewalt, zu binden und zu lösen, übergeben habe, so hätten sie ihm gar höhnisch geantwortet, daß dann der Pabst und die Bischöffe auch hingehen, mit ihren Schlüsseln des Himmelreichs das Reich gegen die Normänner vertheidigen und zusehen sollten, wie weit sie ohne ihren Beystand kommen würden. Wenn sie hingegen selbst fühlen müßten, daß sie ihre Hülfe bedürften, und wenn der Pabst nicht Bischoff und König zugleich seyn könne, so sollte er sich auch nach dem Beyspiel seiner Vorgänger allein um die Kirche und nicht um den Staat bekümmern, und am wenigsten von ihnen verlangen, daß sie ihre Krone einem von ihnen entfernten Fürsten geben sollten, auf dessen Schutz sie niemahls bey dem plötzlichen Anfall eines Feindes zählen könnten [23]).

§. 12.

23) Wegen des ihnen von ihm gedrohten Bannes setzte er in ihrem Nahmen noch die folgende starke Stelle hinzu: "Si aliquis Episcopus aliquem christianum, contra legem excommuni-

§. 12.

In seinem eigenen Nahmen ließ sich Hincmar bloß darüber aus, wie befremdend es
ihm gewesen sey, daß ihn der Pabst unter der
Androhung des Bannes aufgefordert habe,
sich von der Gemeinschaft mit seinem Könige
loszusagen, und ihn also selbst als unter dem
Bann stehend zu betrachten, wenn er sein
Vorhaben wegen Lothringens nicht aufgeben
würde. Mit sehr starken Farben schilderte er
das Ungebührliche dieser Aufforderung nach
mehre-

municat, sibi ipsi potestatem ligandi tollit;
nulli autem vitam aeternam potest tollere, si
sua ipsi peccata eam non tollunt. Et non con-
venit uni Episcopo dicere, ut Christianum, qui
non est incorrigibilis, non propter propria cri-
mina, sed pro terreno regno alicui tollendo
vel acquirendo nomine christianitatis debeat pri-
vare, et cum Diabolo collocare, — propterea
si Dominus Apostolicus pacem vult quaerere,
sic pacem quaerat, ut non simul rixas moveat,
quia nos nunquam credemus, ut aliter ad regnum Dei venire non possimus, si illum, quem
ipse commendat, terrenum regem non habuerimus. p. 695. 696.

L 4

mehreren Beziehungen, und sehr ernsthaft
führte er dem Pabst das Bedenkliche zu Ge-
müth, das schon mit einem allzuraschen Gebrauch des Bannes überhaupt, noch mehr aber
mit seiner besonderen Anwendung gegen Könige
verbunden sey. Alles dieß aber mußte Hadrian stillschweigend hinnehmen, denn zu der
Zeit, da er den Brief des Erzbischoffs erhielt,
war es bereits entschieden, daß jeder weitere
Versuch, die Rechte des Kaysers auf Lothringen gegen die Könige von West- und Ostfran-
ken zu vertheidigen, das päbstliche Ansehen
nur auf eine ganz nutzlose Art aussetzen würde,

Kap. IX.

Kap. IX.

Gleiches Unglück Hadrians in einem Streit mit
den französischen Bischöffen.

§. I.

Doch der Pabst mußte noch mehr stillschwei=
gend hinnehmen, denn um eben diese Zeit war
er mit dem König von Frankreich und seinen
Bischöffen noch in ein Paar andere Fehden ver=
wickelt worden, die ihm noch empfindlichere
Kränkungen zuzogen. In die eine davon,
die aus den Händeln des jüngern Bischoffs
Hincmar von Laon erwuchs, hatte man ihn
freylich mit einer Art hineingezogen, die ihm
das Ausweichen unmöglich machte; dafür ist
es aber fast unbegreiflich, wie er sich in die
andere hineinziehen ließ, wenn er nicht viel=
leicht hoffte, daß ihm in der Haupt=Fehde
wegen Lothringens einige Vortheile daraus zu=
wachsen könnten.

L 5   §. 2.

§. 2.

Einer von den Söhnen Carls des Kahlen, der Prinz Carlmann, war wegen erregter Unruhen von seinem Vater gefangen gesetzt worden. Es gehörte zwar zu der Haus=Ordnung in den Familien der beyden noch lebenden Söhne des frommen Ludwigs, oder vielleicht zu dem Fluch, der darauf ruhte, daß fast alle ihre Kinder der Reihe nach gegen sie aufstanden; der Prinz Carlmann aber hatte es schon mehr als einmahl gethan, und sich dabey durch das Rohe seines Charakters und das Wilde seiner Ausschweifungen auch der Nation eben so verhaßt als verächtlich gemacht. Dieß war desto vollständiger geschehen, weil er zum geistlichen Stand gehörte, bereits als Diakonus ordinirt, und mit einigen der reichsten Beneficien des Königreichs ausgestattet war; gerade davon nahm jedoch der Pabst einen Vorwand her, sich jetzt für seine Befreyung zu verwenden. Durch die zweyte Gesandtschaft, die er wegen Lothringens nach Frankreich schickte, ließ er bey dem König auch darauf antragen, daß der Prinz seiner Gefangenschaft entlassen werden müsse, und auf

diese

diese Fürbitte gab ihm der König würklich die
Freyheit wieder, weil er für den Pabst gern
etwas thun wollte, das ihn nicht zu viel kostete. Carlmann aber sah sich nicht sobald in
Freyheit, so entfloh er von dem Hofe seines
Vaters, stellte sich an die Spitze einer Räu-
ber-Bande, die er gesammelt hatte; streifte
mit dieser im Lande umher, und reizte überall
das Volk zum offenen Aufruhr auf 1). Da
er sich hingegen nach einer kurzen Zeit in Gefahr sah, wieder in die Hände des Königs
zu fallen, der auch die Bischöffe aufgeboten
hatte, den Bann über ihn auszusprechen, so
begieng er die schaamlose Niederträchtigkeit,
den Pabst förmlich als Richter aufzufordern,
und der Pabst ließ sich — der Himmel weiß,
durch welchen Beweggrund — zu der Thorheit verleiten, daß er die Appellation nicht
nur annahm, sondern auch die Sache recht
eifrig verfolgte.

§. 3.

Er begnügte sich nicht damit, dem König
einen Straf-Brief zu schicken, der in den un-
anstän-

1) S. Annal. Bertin. ad ann. 870.

anständigsten Ausdrücken ²) abgefaßt war, und den gemessenen Befehl erhielt, daß er sogleich seinem Sohn alle ihm entzogene Würden und Aemter wiedergeben, und ihn so lange im ungestörten Besitz davon lassen sollte, bis eine neue päbstliche Gesandtschaft in Frankreich eintreffen, und ihre gegenseitigen Beschwerden untersuchen und schlichten würde. In einem eigenen an die Bischöffe des Reichs ³) gerichteten Schreiben untersagte er zugleich diesen, daß sie sich nicht unterstehen sollten, den Bann über den Prinzen auszusprechen, den weltlichen Ständen aber kündigte er in einem andern ⁴) den zeitlichen und ewigen Fluch des

schreck=

2) S. *Labbé* Conc. T. VIII. p. 929. Der Brief fieng folgendermaßen an: "Inter caetera excessuum tuorum, quibus aliena usurpando invasisse crederis, illud quoque tibi objicitur, quod etiam bestiarum feritatem excedens contra propria viscera, id est, contra Carolomannum genitum tuum saevire, minime verearis."

3) *Labb.* T. VIII. p. 931.

4) Eb. daf. p. 930. "Alioquin, quisquis vestrum contra Carolomannum castra moverit, arma sustulerit, vel laesionis exercitia praeparaverit, non

solum

schrecklichsten Bannes an, mit dem sie selbst belegt werden sollten, wenn sie auf den Befehl oder ohne den Befehl ihres Königs die Waffen gegen den Prinzen ergreifen, oder auf irgend eine Art etwas zu seiner Unterdrückung beytragen würden.

§. 4.

Dieß Benehmen von Seiten des Pabsts hatte dann natürlich nur die Folge, die sich unter den damahligen Umständen untrüglich voraussehen ließ, daß das päbstliche Ansehen auf die schmählichste Art prostituirt wurde. Weder der König, noch die Stände, noch die Bischöffe würdigten ihn nur einer Antwort. Aber die Bischöffe [5]) sprachen den Bann über

den

solum excommunicationis nexibus innodabitur, verum etiam vinculo anathematis obligatus in gehenna cum Diabolo deputabitur."

[5]) Nur die Bischöffe der Provinz von Sens, denn nur von diesen hatte es der König verlangt, weil der Prinz Diakonus der Kirche von Meaur war. Aber über seine Anhänger sprachen auch alle andere Bischöffe des Reichs den Bann aus.

den Prinzen würklich aus, der König nöthigte
ihn bald darauf, das Reich zu verlassen, und
einen Zuflucht=Ort in Deutschland zu suchen;
und die Stände verdammten ihn zum Tode,
da er doch nach einiger Zeit in die Hände
seines Vaters gefallen, und von diesem vor
ihre Versammlung gestellt worden war. An
den Pabst wurde gar nicht dabey gedacht,
denn zuverlässig geschah nicht einmahl dieß um
seinetwillen, daß der König dem zum Tode
verurtheilten Prinzen bloß die Augen ausste=
chen, und ihn lebenslänglich einsperren ließ [6]).

§. 5.

Aber dabey wurde doch im Grunde nur
jenes neue Ansehen, das sich die Päbste erst
seit so kurzer Zeit auch in weltlichen Sachen
angemaßt — es wurde nur zunächst jene neue
oberrichterliche Gewalt prostituirt, welche sich
erst Nicolaus auch über die Könige heraus=
genommen hatte; hingegen bey einer andern
Fehde, in welche Hadrian zu gleicher Zeit
mit den französischen Bischöffen und ihrem Kö=
nig

6) In das Kloster zu Corbie. Annal. Bertin. ad
aun. 873.

nig verwickelt würde, unter den Händeln Hincmars von Laon, erfuhr er ja noch die Kränkung dazu, daß man ihm auch in seinem
kirchlichen Verhältniß dasjenige wieder streitig
machte, was man erst seinem Vorgänger eingeräumt hatte.

§. 6.

Der Bischoff von Laon [7]), ein Neffe Hincmars von Rheims, hatte sich schon in den
Jahren 868. und 869. den Unwillen seines
Königs, seines Metropoliten und seiner Mitbischöffe durch mehrere Handlungen zugezogen,
durch welche sie alle zwar nicht auf gleiche
Art, aber doch in gleichem Grade gegen ihn
erbittert worden waren [8]). Den König, mit
welchem er wegen einiger Güter und Lehen
seiner Kirche in Streit gerathen war, hatte er
durch

7) Das Leben des Mannes s. in der Hist. liter.
de la France T. V. p. 522-527.

8) Die speziellere Geschichte der Händel Hincmars ist von Schröckh in seiner Kirchen-Ge-
schichte Th. XXII. S. 176-192. noch genauer
aus den Quellen erzählt, als von *du Pin* in
Nov. Biblioth. T. VII. p. 39-52.

durch die insolenteste und frechste Gewaltthä=
tigkeit gereizt, womit er sich selbst in den Be=
sitz der streitigen Stücke zu setzen versuchte.
Der alte Hincmar aber, der ihn zuerst in dem
Streit mit dem König unterstützt hatte, war
an seiner empfindlichsten Seite von ihm ange=
griffen worden, denn er hatte seine Metropo=
liten = Rechte mit dem beleidigendsten Ueber=
muth, und zwar auf mehr als eine Art an=
getastet. Er sagte ihm in das Gesicht, daß
ihm sein Metropoliten = Verhältniß keine rich=
terliche Gewalt über ihn gebe, weil er als
Bischoff nur von dem Pabst gerichtet werden
könne. Er erinnerte ihn mit Bitterkeit daran,
daß ja der vorige Pabst zwey seiner Urtheile
kassirt habe, und gab sich dabey — was
für den Erzbischoff am kränkendsten seyn moch=
te — das Ansehen, als ob er ihn erst be=
lehren müßte, was in der Kirche Rechtens
sey [9]). Da er aber im J. 869. vor eine
Synö=

---

9) S. Hincmari Laudunens. ad Remensem ep. in
Hincmars Opp. T. II. p. 335. ferner ein zwey=
ter Brief von ihm p 340. nebst seinen Ex-
cerptis ex Epistolis Romanor. Pontif. p. 347.
und

Synode zu Werberie gefordert wurde, so appellirte er auch würklich an den Pabst, und bestand darauf, daß nach dieser Appellation kein Urtheil über ihn, gefällt werden dürfe. [10]).

§. 7.

Schwerlich konnte Hincmarn etwas schmerzhafteres begegnen [11]), als daß er eine solche Behandlung von einem Neffen erfahren mußte, der ihm alles zu danken hatte; daher war es schon deßwegen sehr natürlich, daß er sich bey der Demüthigung, die er ihm dafür zudachte, über

und einer Collectio altera ex antiquis epistolis Romanor. Pontiff. p. 355-376.

10) S. Acta Concilii apud Vermeriam habiti ap. *Labb.* T. VIII. p. 1527.

11) Er konnte sich daher auch nicht enthalten, seinen Unwillen gegen ihn sogleich in einer großen Schrift auszugießen, die ein für die Geschichte sehr schätzbares Document ist, da sie zugleich die Aeußerungen Hincmars über die falschen Decretalen enthält. S. Opusculum LV. Capitulorum adversus Hincmarum Laudunens. Opp. T. II. p. 377-593.

über alle andere Rücksichten hinwegsetzte; doch über die Rücksichten, die auf den Pabst zu nehmen waren, würde er sich wahrscheinlich auch in jedem andern ähnlichen Fall hinweggesetzt haben. In Beziehung auf diesen mochte ihm sogar eine Gelegenheit willkommen seyn, wobey er die Fehler, die er in dem Handel mit Rothad begangen hatte, wieder gut machen, und gerade diese Gelegenheit am willkommensten seyn, weil er sie dabey in einem scheinbar ordnungsmäßigeren Gang und fast mit der gewissen Aussicht eines glücklichen Erfolgs gut machen konnte. Einerseits war nehmlich doch der neue Vorfall, wobey sich eine Appellation an den Pabst unwürksam machen ließ, nicht ganz gleich mit dem Fall Rothads, denn über diesen war doch schon ein Urtheil gesprochen worden, von welchem er appellirte; der Bischoff von Laon aber bestand darauf [12]), daß seine Sache in der ersten Instanz

12) Er bestand selbst mit einer Insolenz darauf, die von ganz neuer Art war. Da er nehmlich voraussah, daß man auf der Synode, von welcher er gerichtet werden sollte, seine Pro-

ſtanz an den Pabſt kommen müſſe. Anderers
ſeits wußte Hincmar, daß er es nicht mehr
mit Nicolaus zu thun habe. Er durfte ſiches
rer auf die Unterſtützung ſeiner Mit-Biſchöffe
rechnen, die ſchon lange gewünſcht hatten,
daß der Stolz und der Uebermuth ſeines Néf=
fen gedemüthigt werden möchte. Er glaubte
noch ſicherer auf die Unterſtützung des Königs
rechnen zu dürfen, der deſto heftiger gegen
ihn aufgebracht war, je mehr er ihn einſt
mit Wohlthaten überhäuft hatte: alſo verei=
nigte ſich alles, ihn zum raſcheren Handeln
in dieſer Sache aufzumuntern; und die Auf=
munterung würkte auch trefflich.

§. 8.

Provocation nicht zulaſſen würde, ſo ließ er
vorher den Klerus ſeines ganzen Sprengels
zuſammenkommen, und nahm allen Geiſtli=
chen einen Eyd ab, daß ſie in dem Fall,
wenn er nach Rom zu reiſen verhindert oder
gar gefangen gehalten würde, den Gottes=
dienſt in der ganzen Diöceſe ſtill ſtehen laſſen
ſollten, bis ſie ihn wieder in ihrer Mitte
ſehen, oder von dem Pabſt ſelbſt weitere
Befehle erhalten würden. S. *Labbé* T. VIII.
p. 1793.

M 2

§. 8.

Da der König dazwischen hinein Lothringen in Besitz zu nehmen hatte, so war die Sache des Bischoffs von Laon auf die nächste Versammlung ausgesetzt worden, die im J. 870. zu Attigny zu Stande kam. Auf dieser Versammlung schien er sich auch etwas schmiegen zu wollen, denn er erbot sich zu einem Vergleich mit seinem Metropoliten [13], und ersuchte den König, daß er in dem besonderen Streit, den er wegen einiger Güter mit ihm hatte, weltliche Commissarien ernennen möchte, deren Ausspruch er sich unterwerfen wolle. Er inhärirte jedoch dabey immer noch seiner Appellation an den Pabst, und da er durch sein letztes Erbieten gegen den König alle seine Mitbischöffe [14] nur noch mehr erbittert, den

[13] Er wollte schriftlich versprechen, die Vorrechte seines Metropoliten in Zukunft zu respektiren, jedoch nur so weit als die Gesetze der Kirche und die Decrete des apostolischen Stuhls es vorschrieben. S. Annal. Bertin. ad ann. 870.

[14] Sie warfen ihm vor, daß er dadurch die Rechte

den König aber nicht besänftigt hatte, so fand
er auf der größeren Synode zu Doucy, auf
welcher jetzt im J. 871. [15]) die Sache geen=
digt werden sollte, alle Gemüther noch ungün=
stiger als vorher gegen sich gestimmt. Der
König selbst trat hier in Person gegen ihn auf,
und klagte ihn als eydbrüchigen Verräther we=
gen Ungehorsams und Aufruhrs an. Nach
dem König erhob sich der alte Hincmar, und
las der Versammlung ein langes Klag=Libell
gegen ihn vor. Auf die Einwendungen, die
er

Rechte des ganzen geistlichen Standes verra=
then hätte, und der alte Hincmar hatte um
so mehr Ursache, sich darüber zu ärgern, da
er ihn zuerst bey der Behauptung, daß ein
Bischoff vor kein weltliches Gericht gestellt
werden könne, eifrigst unterstützt hatte. S.
Hincmari Ep. ad Carolum Calv. Opp. T. II.
p. 316. und seine Admonitio extemporalis ad
Regem bey *Labbé* T. VIII. p. 1762.

15) Die vollständigen Akten dieser Synode gab
zuerst der Jesuit Ludw. Cellot im J. 1658.
zu Paris mit Erläuterungen heraus, und so
nahm sie *Labbé* in seine Sammlung T. VIII.
p. 1539-1844. auf.

M 3

er gegen seinen Metropoliten vorbrachte, stand
der König wieder auf, und erbot sich mit
mehreren Großen, darauf zu schwören, daß
alle von ihm angeführten Thatsachen [16] falsch
seyen. Als er endlich abermahls darauf drang,
daß seine Ankläger mit ihm nach Rom reisen
müßten, weil er an den Pabst appellirt habe,
so bewies man ihm, daß keine Rücksicht dar=
auf genommen werden dürfe, weil nach dem
Innhalt der bestimmtesten Kirchen = Gesetze die
Sache eines Bischoffs zuerst in seiner Provinz
ausgemacht werden müsse [17], und mit der
lauten Beystimmung der ganzen Synode sprach
nun

16) Er gab nehmlich vor, daß der Metropolit
   nicht sein Richter seyn könne, weil er dem
   König zu seiner Gefangennehmung gerathen
   habe, und die Falschheit dieser Angabe be=
   schwor der König mit mehreren Großen und
   Bischöffen. p. 1641.

17) Man bewies es ihm auch aus einem eige=
   nen Schreiben Hadrians, das er producirte,
   und worihn zwar dieser seinen Entschluß,
   nach Rom zu reisen, gebilligt, ihn aber doch
   dabey ermahnt hatte, seinem Metropoliten
   alle kanonische Unterwürfigkeit zu erzeigen.
   S. AA. p. 1641.

nun Hincmar feyerlich das Absetzungs = Urtheil
über ihn aus, wobey er nur dem Pabst die
Rechte vorbehielt 18), welche ihm die Sardi=
censischen Canonen in Sachen der Bischöffe ein=
geräumt hätten.

§. 9.

Was mit diesem letzten gemeynt war, er=
klärten die französischen Bischöffe beim Pabst
selbst in einem Schreiben, das man im Nah=
men der Synode 19) an ihn erließ. Sie er=
suchten ihn darinn, sich aus den mitgeschickten
Akten von den Verbrechen des Bischoffs von
Laon selbst zu belehren, worinn er gewiß
Gründe genug finden würde, das Urtheil,
das sie über ihn hätten fällen müssen, zu be=
stätigen. Wenn er aber gegen ihre Erwar=
tung

---

18) "Reservato per omnia juris prvilegio Domini
et Patris noftri, — quod illi facri Sardicenfes
Canônes decreverunt, et — Innocentius, Boni-
facius, Leo ejusdem facrae Sedis Pontifices ex
iftis facris Canonibus promulgaverunt." p. 1652.
19) Epift. fynodalis ad Hadrianum. eb. daf, f.
1652.

lung dennoch für gut fände, von dem Recht
Gebrauch zu machen, das ihm die Sardicen=
sischen Canonen einräumten, und eine neue Un=
tersuchung der Sache anzuordnen, so möchte
er auch ganz bey der Vorschrift dieser Cano=
nen bleiben, und die neue Untersuchung ent=
weder einigen Bischöffen aus den benachbarten
Ländern auftragen, oder Abgeordnete nach
Frankreich schicken, welche sie in Gemeinschaft
mit ihnen vornehmen könnten. Würde er sich
hingegen herausnehmen, ihr Urtheil vorläufig
für unkräftig zu erklären, und den abgesetzten
Bischoff noch vor der Revision seines Processes
zu restituiren, so müßten sie ihm erklären,
daß sie das Recht der französischen Kirche,
ihre Bischöffe selbst zu richten, niemahls gut=
willig aufgeben würden 20).

§. 10.

20) "Quia usque ad nostra tempora nulla patrum
definitione hoc ecclesiis Gallicanis et Belgicis
est derogatum, praesertim quia decreta Nicae=
na tam inferioris gradus Clericos, quam Episco=
pos ipsos, sicut Africanum scribit Concilium,
suis Metropolitanis aptissime commiserunt." p.
1656.

§. 10.

Dieß hieß dem Pabst unumwunden erklärt, daß man ihm höchstens das Recht einer Appel-lations = Instanz in Sachen der Bischöffe [21]), daß man ihm dabey nicht einmahl das Befug-niß, die Processe nach Rom zu ziehen, sondern höchstens das Recht zugestehe, judices in par-tibus zu ernennen, oder eine neue Untersu-chungs = Commission an Ort und Stelle anzu-ordnen, und daß man also in Frankreich noch viel weniger den neuen Rechts = Grundsatz aner-kenne, nach welchem alle bischöffliche Sachen ausschließend dem Römischen Stuhl reservirt seyn sollten. Darinn lag dann auch, daß man in Frankreich den Decreten und Decreta-len der Päbste, auf welche sich Nicolaus in dem Handel Rothads zur Behauptung des neuen Grundsatzes berufen hatte, keine Gesetz-Kraft zugestehe, und ohne Zweifel war es Hincmars Absicht, daß man dieß zu Rom zu-erst

21) Daß man dem Pabst dieß Recht jetzt gar nicht absprechen wollte, hat *Natal. Alex.* am ausführlichsten bewiesen. Hist. eccl. Sec. IX. et X. Dissert. VIII.

erst darinn finden sollte; da aber der Pabst
keine Notiz davon nehmen wollte, so ließ man
sich die Mühe nicht verdrießen, es ihm noch
viel stärker zu erklären.

§. 11.

Hadrian war nehmlich so unbedachtsam,
in dem so vielfach unähnlichen Fall und unter
den so sehr veränderten Umständen dennoch die
ganze Rolle seines Vorgängers in der Sache
Rothads nachspielen zu wollen. Er bezeugte
daher der Synode [22] in seiner Antwort nicht
wenig Unwillen darüber, daß sie es gewagt
habe, über den Bischoff von Laon, seiner eingelegten Appellation an den Römischen Stuhl
ungeachtet, das Absetzungs = Urtheil würklich
auszusprechen, und stellte sich nur deßwegen
geneigt, ihr die dafür verdiente weitere Ahndung zu erlassen, weil sie doch in ihrem Urtheil dem heiligen apostolischen Stuhl seine
Rechte ausdrücklich reservirt habe; hingegen
bestand er desto nachdrücklicher darauf, daß
nun Hincmar mit einem oder mit mehreren
                                        aus

---

22) S. Epist. Hadriani ad Episcopos Synodi Ducia-
censis. *Labb.* T. VIII. p. 932.

aus ihrer Mitte nach Rom geschickt werden müsse, damit er selbst in der Sache entscheiden könne, wozu er die von ihnen eingeschickten einseitigen Akten noch nicht hinreichend finde. Eben dieß schrieb er auch an den König in einer gleich gebieterischen Sprache [23], und nun beschloß endlich dieser, unter seinem Nahmen einmahl zu antworten, und dabey gelegenheitlich alles mit ihm abzuthun, was er noch von der lothringischen Sache und von der Sache des Prinzen Carlmanns her gut bey ihm stehen hatte. Der alte Hincmar erhielt den Auftrag, im Nahmen des Königs zu schreiben, und richtete ihn musterhaft aus.

§. 12.

Jedes Wort in dem Brief [24] schien nur für die Absicht ausgesucht, aber höchst sorgsam

23) "Nos — schrieb er hier unter anderem —, in depositione illius, quam diu vivimus, nullatenus consentiemus, nisi veniente ipso ad nostram praesentiam, causa depositionis ejus nostro fuerit examine diligenter inquisita et finita." Ep. Hadr. ad Carol. eb. daf, p. 935.

24) S. *Hincmari* Opp. T. II. p. 701-716.

ſam ausgeſucht, um dem Pabſt die Tugend
der Demuth recht nachdrücklich einzuſchärfen.
Er müſſe wohl — wurde ihm darinn geſagt
— nicht viel in ſeinem Leben mit Königen
geſprochen haben, weil er gar nicht zu wiſſen
ſcheine, welche Sprache er gegen ſie zu führen
habe. Ganz neue Unverſchämtheit ſey es wenigſtens, daß ein Pabſt gegen einen König von
Frankreich den Ausdruck: befehlen, zu gebrauchen wage, aber noch größere Unverſchämtheit, daß er in einer Sache zu befehlen
wage, in welche er ſich ohne die offenbarſte
Verletzung aller göttlichen und menſchlichen,
aller geiſtlichen und weltlichen Geſetze gar nicht
einmiſchen könne. Zwar berufe ſich der
Schreiber ſeines Briefs auch auf Geſetze und
Decrete; allein das Decret müßte in der Hölle
erfunden ſeyn, das einen König verpflichten
wolle, einen in ſeinem Reich nach Urtheil und
Recht verdammten und ſeiner Verbrechen über-
wieſenen Mann erſt noch nach Rom zu ſchik-
ken. Auf jeden Fall möge er aber einerſeits
wiſſen ²⁵), daß ein König von Frankreich
nie-

25) "Proinde — neceſſarium eſt vobis ſcribere,
quod

niemahls in dem Verhältniß des Statthalters
oder des bloßen Schirm = Vogts, sondern im=
mer in dem Verhältniß des wahren Landes=
herrn gegen seine Bischöffe gestanden, und an=
dererseits sich erinnern lassen, daß auch ein
Römischer Bischoff, wie jeder andere in der
Welt, den Verordnungen der Kirche und den
Gesetzen der Kayser und Könige zu gehorchen
verbunden sey. Zuletzt wurde er noch gewarnt,
daß er an den König und an die Bischöffe
und Großen der Nation keine ähnliche Briefe
mehr schicken möchte, weil man sonst leicht
gereizt werden könnte, die Verachtung, wo=
mit man sie und ihre Ueberbringer aufnähme,
auf eine für ihn noch empfindlichere Art zu
äußern.

§. 13.

quod reges Francorum ex regio genere nati,
non Episcoporum vicedomini, sed terrae domini
hactenus fuimus computati, et ut Leo et Ro=
mana Synodus scribit, Reges et Imperatores,
quos terris divina potentia praecepit praeesse,
jus distinguendorum negotiorum Episcopis juxta
divalia constituta permiserunt, non autem Epi=
scoporum villici extiterunt." p. 706.

§. 13.

Dieſer neue Ton, den man gegen den Pabſt annahm, würkte aber ſo vollſtändig, daß man es wahrſcheinlich in Frankreich ſehr bedauerte, ihn nicht früher angenommen zu haben. Hadrian beeilte ſich, dem König zu antworten, um, wie er ſagte, ſeine Wunden durch das Oel des Troſtes zu heilen [26], und dieß Oel des Troſtes goß er ihm durch reichliche Lobſprüche über ſeine Weisheit, Frömmigkeit und andere Regenten = Tugenden, und noch kräftiger durch das Verſprechen ein [27), daß

26) "Et quidem, quia quaſi tumores et læſiones veſtras palpitare ſenſimus, has oleo conſolationis per dulciſſimum melos caritatis, et ſanctas dilectionis unguentum fovere, lenire, et ad ſanitatem perducere, optamus" Ep. Hadr. ad Carol. *Labb.* T. VIII. p. 937.

27) Confitemur vobis devovendo et noteſcimus affirmando, quod — ſi ſuperſtes fuerit veſtra nobilitas Imperatori, vita nobis comite, ſi dederit quispiam nobis multorum modiorum auri cumulum, nunquam acquieſcemus, expoſcemus aut ſponte ſuſcipiemus alium in regnum et imperium romanum, niſi te ipſum." Hadrian

ſagt

daß nach dem Absterben des Kaysers, das
man als nahe zu erwarten hatte, die Kaysers
Krone auf kein anderes Haupt, als auf das
seinige, kommen sollte. In der Sache Hinc=
mars müßte er freylich darauf beharren, daß
er nach Rom geschickt werden müsse; hingegen
versprach er doch jetzt voraus, daß er in kei=
nem Fall vor dem Ausgang der neuen Unter=
suchung von ihm restituirt, und daß auch diese
selbst den Gesetzen gemäß entweder eigenen
Commissarien an Ort und Stelle von ihm auf=
getragen, oder in Beyseyn seiner Legaten in
der Provinz selbst vorgenommen werden sollte.
Dadurch sollte offenbar bloß der Schein einer
Anmaßung noch gerettet werden, die sich selbst
nicht durchsetzen ließ; aber Hadrian wurde
es nicht einmahl so gut, nur den Schein zu
retten, denn er starb im nehmlichen Jahr,
872., ehe man sich noch in Frankreich bedacht
hatte,

sagt darüber Baronius, habe sich in seiner
Antwort sehr weislich nach dem Pythagorischen
Spruch: Man soll nicht mit dem Schwerdt
in das Feuer schlagen: und nach der Beob=
achtung des Königs Salomo gerichtet, daß
eine gelinde Antwort den Zorn breche.

hatte, was man allenfalls ihm zu Gefallen
noch thun könnte.

§. 14.

Damit schien allerdings der ganze Gewinn
wieder verlohren, den der Vorgänger Hadrians sowohl in seinem Pabst = Verhältniß
gegen die Könige, als gegen die Bischöffe er-
rungen hatte, denn seine Ansprüche auf eine
oberrichterliche Gewalt über die weltlichen Fürsten waren durch die allerthätlichste Protestation wieder für nichtig und ungültig erklärt,
und gegen den Haupt = Grundsatz des neuen
isidorischen Kirchen = Rechts, das er einzuführen versucht hatte, war ein eben so kräftiger
und mit gleichem Nachdruck behaupteter Widerspruch erhoben worden. Die ganze französi-
sische Kirche hatte laut erklärt, daß sie das
Princip nicht anerkenne, nach welchem alle
causae episcopales dem Pabst ausschließend
vorbehalten, und damit das Richter = Amt über
alle Bischöffe dem Pabst vorbehalten seyn sollte, und der gemachte neue Versuch, sie zu
seiner Annahme zu zwingen, war gänzlich fehl-
geschlagen. Dieß trug aber desto mehr aus,

da

da die französischen Bischöffe zu gleicher Zeit
den Grund umgestürzt hatten, auf den man
es päbstlicherseits hatte bauen wollen.

§. 15.

Dieser Grund war das Ansehen der falschen Decretalen, der wieder die Voraussetzung
zur Unterlage hatte, daß allen päbstlichen Decreten und Aussprüchen ohne Ausnahme eine
für die ganze Kirche verbindende Gesetzkraft
zukommen müsse. Diese Voraussetzung tastete
aber der Erzbischoff Hincmar mit eben so kühner als fester Hand an, und verdarb dadurch
dem Römischen Hofe an den Planen, die er
vielleicht auf die ersten gebaut hatte, weit
mehr, als er auf jede andere Art hätte thun
können. Er sprach jenen falschen Decreten,
auf welche ihn der Bischoff von Laon verwie-
sen hatte, nicht deßwegen ihre Kraft ab, weil
sie handgreiflich erdichtet und unterschoben
seyen [28]), sondern weil ihnen andere Erfordernisse

---

28) Es verräth sich vielfach, daß doch auch
   Hincmar an Betrug und Verfälschung dabey
   dachte, nur wußte er nicht, auf wen er sei-

dernisse zu dem Charakter kirchlicher Gesetze
fehlten. Er bewies zuerst, daß nicht alle
Decretalen und Briefe der Päbste, und nicht
alles, was in Briefen der Päbste stehe, sondern nur dasjenige, was darinn aus den
Canonen und Decreten der älteren anerkannten
Concilien ausgezogen, oder diesen gemäß sey,
eine verbindende Gesetz = Kraft für die Kirche
haben könne 29). Er drang überhaupt darauf, als auf eine eigene Rechts = Regel, daß
man auch außer dem Fall einer scheinbaren
Collision einen großen Unterschied zwischen den
Cano-

nen Verdacht dabey werfen sollte. Aber in
seiner Schedula expostulationis, adverf Hincmarum Laudun. die er auf der Synode zu
Doucy vorlas, machte er es, ja Cap. XII. auch
zu einem eigenen Klag = Punkt gegen diesen,
"quod in sua decretorum collectione sanctorum
„patrum dicta sensusque corruperit.

29) Er bewies dieß im besondern gegen jenen
Ausspruch Leo des Gr., auf den sich schon
Nicolaus berufen hatte, nach welchem man
verpflichtet seyn sollte, allen Verordnungen
der Päbste zu gehorchen. S. Hincm. Capitul.
adv. Hincmar. Laud. c. 10. p. 413.

Canonen und Verordnungen der ökumenischen
Concilien, und zwischen den Briefen der Heiligen, auch der Römischen Bischöffe, machen
müsse 30); und nun zeigte er im besondern,
daß in den neu = producirten Decretalen und
Kapiteln der alten Päbste manches vorkomme,
das mit den anerkanntesten Gesetzen im Widerspruch stehe, und zum Theil ausdrücklich
durch diese verändert und abgeschafft worden
sey 31).

§. 16.

Durch diese Wendung wurde der Widerspruch Hincmars gegen die falschen Decrete
ungleich bedenklicher und gefährlicher, als der

voll=

30) S. Cap. 25. p. 481.

31) S. Cap 20 p. 451. Cap. 24. p. 475. Er zeigt
dieß hier besonders von den sogenannten Ca-
pitulis Angilramni, welche bey dieser Gelegenheit zum Vorschein gekommen, und offenbar
aus den falschen Decreten — vielleicht, nach
der Vermuthung Spittlers Gesch. des kan.
Rechts p. 271. durch Hincmar von Laon selbst
— ausgezogen waren.

N 2

vollständigste Beweiß ihrer Unächtheit, den er hätte führen mögen, hätte werden können: das schlimmste dabey war aber noch dieß, daß der Erzbischoff den Haupt = Zweck, um dessen Erreichung es dabey den Päbsten zu thun war, so richtig durchschaut hatte, und ihm so bestimmt entgegen arbeitete. Er wisse recht gut, sagte er dem Pabst und sagte er seinem Neffen in das Gesicht, daß es darauf angelegt sey, alle Bischöffe dem Römischen Stuhl unmittelbar zu unterwerfen [32]). Auch waren alle seine Bewegungen nur dafür berechnet, es zu verhindern; und war es ihm nicht würklich bey dieser Gelegenheit recht vollständig gelungen?

Doch so schlimm dieß aussah, so traten doch dabey, was man nicht übersehen darf, auch einige günstige Zeichen ein, die wenigstens der Hoffnung Raum ließen, daß dasjenige, was unter Hadrians Regierung verlohren schien,

---

32) "Bona hora! — schrieb er an seinen Neffen — Tantum laborasti, ut nemini esses subjectus, nisi apostolicae Sedis Pontifici; et nullus te judicare potest, nisi Apostolica sedes!" Opp. T. II. p. 476.

schien, von einem glücklicheren Nachfolger leicht wieder gewonnen werden könnte.

§. 17.

So hatten freylich einmahl weder die Stände von Lothringen bey der Vergebung ihrer Krone, noch der König von Frankreich bey ihrer Annahme, von einer oberrichterlichen Gewalt des Pabsts dem Ansehen nach etwas wissen wollen, aber die schriftliche Protestation, welche sie ihm durch den Erzbischoff von Rheims dagegen schicken ließen, war doch so gefaßt, daß ihm eine solche Gewalt auch nicht ausdrücklich dadurch abgesprochen wurde. Man ließ es höchst deutlich durchscheinen, daß man ihm sehr gern das Recht, in der Sache mitzusprechen, zugestanden haben würde, wenn er nur so, wie man wünschte, darinn gesprochen hätte. Die französischen Bischöffe bezeugten ihm auch ihren Unwillen und ihr Erstaunen nur darüber, daß er ihren König wegen noch nicht erwiesener Verbrechen mit dem Bann bedroht habe [33]; also räumten sie eben damit

[33] Die Drohung — ließen sie ihm durch Hincmar

damit ein, daß sich seine Gewalt zu binden und zu lösen, oder sein Richter=Amt, allerdings auch über Könige erstrecke, denn sie behaupteten bloß, daß er im vorliegenden Fall keinen gerechten Gebrauch davon gemacht habe.

§. 18.

Noch mehr Glückliches kam bey dem Unglück zusammen, das Hadrian in der Sache des jungen Hincmars von Laon hatte. Wenn sich dabey der ältere Hincmar zu der Vertheidigung seiner Metropoliten = Rechte gegen den neuen Rechts=Grundsatz, daß alle bischöffliche Sachen dem Römischen Stuhl ausschließend vorbehalten seyen, und gegen die falschen Decrete

mar schreiben — sey deßwegen vorzüglich eben so unzeitig als unbefugt, "quoniam ille „se perjurum esse denegat, se invasorem alte- „rius et non ad se pertinentis regni diffitetur, „se tyrannum non esse confirmat, se haereti- „cum et schismaticum non esse confitetur, — „sed secundum leges et canones praesens in „judicio, aut ad objecta respondere, aut de „objectis convinci, se non refugere, dicit." S. *Hincm.* Opp. T. II. p. 694.

crete erklärte, auf deren Autorität er gebaut werden sollte, so setzte er jeder Exception dagegen fast immer eine Erklärung an die Seite, welche die bestimmteste und feyerlichste Anerkennung der sonstigen Rechte des Römischen Supremats, oder doch dieses Supremats im allgemeinen in sich hielt [34]). Jede Wendung in seinen Briefen an den Pabst war mit höchst ängstlicher Sorgfalt abgemessen, um dasjenige, was er ihm noch lassen wollte, zu verwahren, und zugleich war es unverkennbar, daß es ihm bey diesen Wendungen nicht bloß darum zu thun war, das Unangenehme, das er ihm sonst zu sagen hatte, zu mildern, sondern daß sie seine wahrste Gesinnung ausdrückten und ausdrücken sollten. Es war unverkennbar, daß Hincmar in allem Ernst ein Uebergewicht von Macht in die Hände des Pabsts gelegt haben wollte, weil er sehr richtig berechnet hatte, daß der mächtigere Pabst auch für die Bischöffe in mehreren Beziehungen

gen

34) S. eb. daf. p 697. Auch in dem Straf-Brief an den jungen Hincmar p. 403. und in den Akten der Synode zu Doucy p. 1657.

N 4

gen brauchbarer werden könnte. — Auch in den
Briefen [35], die er in dem Nahmen seines Königs an ihn zu schreiben hatte, brachte er höchst
bedachtsam mehrere solcher Wendungen an; in
jenem Schreiben aber, das er im Nahmen der
Synode zu Doucy an ihn erließ, faßte er ja
selbst ihre Protestation gegen das neu angemaßt-
te päbstliche Cognitions=Recht in allen bischöfflichen Sachen in solche Ausdrücke, welche ihm
voraus ankündigten, daß man sich doch keinen
weiteren Widerstand gegen die Schritte, die
er

35) S. eb. das. p. 704. 716. Einige dieser Wendungen fielen auch *Moreau* so stark auf, daß
er sich nicht entbrechen konnte, die Bemerkung dabey zu machen: "A cette epoque le
Clergé defendoit mieux ses propres droits, que
ceux de son Souverain." Discours sur l'hist. de
France T. XI. p. 329. Aber zu dem starken
Brief, den Hincmar im Nahmen des Königs
im J. 872. an ihn aufsetzte, verfertigte er
ja noch das Concept zu einer Beylage, worinn ihm der König eigenhändig schreiben
mußte, daß das Unangenehme, was er ihm
in seinem officiellen Brief habe sagen müssen,
nicht sogar böse gemeynt sey. *Hincm.* Opp.
T. II. p. 716.

er allenfalls thun möchte, erlauben würde.
Er selbst — schrieb er ihm — und seine
Mitbischöffe könnten es nicht anders als ge=
setzwidrig finden, wenn er jener neuen Anma=
ßung zufolge das von ihnen ausgesprochene
Absetzungs = Urtheil des jungen Hincmars wie=
der umstoßen würde; aber er wagte es nicht,
ihm zu sagen, daß sie in diesem Falln seinen
Ausspruch nicht respektiren, sondern er schrieb
ihm bloß, daß sie sich alsdann um den resti=
tuirten Bischoff auch nicht mehr bekümmern,
und für keines seiner Verbrechen weiter ver=
antwortlich halten würden [36].

§. 19.

Was hingegen Hincmar unter diesen Hän=
deln gegen die Gesetz = Kraft der falschen De=
cretalen und der päbstlichen Decretalen über=
haupt

[36] "Ita in postmodum nulla de eo judicia de-
cernemus, vel quamcumque proclamationem
apud quemcunque faciemus. Vivat sibi sicut
vult. Egimus enim de illo pro modulo nostro."
S. Epist. Synod. ad Hadrian. Papam am a. D.
p. 1658.

haupt geäußert hatte, dieß konnte für den
Gebrauch, den man etwa zu Rom noch wei=
ter davon machen wollte, schon Deßwegen nicht
so sehr nachtheilig werden, weil es doch von
ihm nur seinem Neffen, aber nicht dem Pabst
selbst entgegengesetzt worden war. Man hatte
also nicht nöthig, zu Rom davon Notiz zu
nehmen, und durfte sich um so weniger da=
durch abhalten lassen, auch aus den falschen
Decreten hin und wieder etwas anzubringen,
da doch Hincmar ihre Aechtheit nicht bestrit=
ten hatte. Hadrian trug daher kein Bedenken,
selbst in seinem Antwortschreiben an die Sy=
node zu Doucy wieder eine von den falschen
Decretalen aus Gelegenheit einer andern An=
frage, die man an ihn gebracht hatte, zu ci=
tiren. Die französischen Bischöffe hatten auf
der Welt nichts dagegen, weil die Entschei=
dung, die der Pabst durch das Citat unter=
stützte, ihren Wünschen gemäß war [37]), und
das=

37) Sie hatten auf die Versetzung eines Bi=
schoffs an ein anderes Bisthum bey ihm an=
getragen, und er bewies ihnen darauf aus
einer falschen Decretale des Pabsts Anterus,
daß

dadurch erhielt man doch zu Rom den deutlichsten Fingerzeig über den Weg, auf dem
man allmählig den ganzen neu = entdeckten
Schatz in Cirkulation und in Ansehen bringen
könnte.

§. 20.

Die stärkste Aufmunterung mußte aber ein
Nachfolger Hadrians dadurch erhalten, weil
es aus allen diesen Zeichen so sichtbar hervorgieng, wie viel sich auf die allgemeinere Stimmung des Zeitgeists rechnen und wie leicht sich
diese benutzen ließ? Unter der Regierung von
Nicolaus war es bereits bemerkbar worden,
daß diejenigen Menschen = Klassen, welche allein
zum politischen Handeln kamen, dieß heißt,
die Großen und die Bischöffe, schon überall
angefangen hatten, in dem Pontifikat ein Institut, aus welchem sie selbst Vortheile ziehen,
und in dem Römischen Bischoff ein Wesen zu
erblicken, das sie für sich selbst nützlich machen könnten. Die meisten Vorfälle aus der
Regie-

daß solche Translationen in besondern Fällen
allerdings erlaubt seyen. S. Epist. Adriani
ad Synod. Duciac. *Labbé* T. VIII. P. 932.

Regierung Hadrians, so ungleichartig sie sonst aussahen, bewiesen nur, daß diese Ansicht indessen noch allgemeiner, noch klarer, und noch fester geworden war; gewisser aber ließ sich nichts voraussehen, als daß in die Länge das Pontifikat am meisten dabey gewinnen mußte.

Doch davon machte schon der nächste Nachfolger Hadrians eine Erfahrung, die für die seinigen jede weitere Aufmunterung überflüssig machte.

Kap. X.

Kap. X.

Glückliches Haupt=Ereigniß, das unter Hadrians
Nachfolger, Johann VIII., für das Pontifikat
eintritt. Der Pabst bekommt Gelegenheit,
über das Kayserthum zu disponiren.

§. 1.

Unter der Regierung des neuen Pabsts Johanns VIII. trat zum erstenmahl der äußere
Umstand ein, aus dem die Päbste noch mehrmahls in der Folge so unermeßliche Vortheile
zogen, bloß weil man dabey ihre Dienste
brauchen zu können glaubte. Durch den Tod
des Kaysers Ludwig II., der im J. 875. erfolgte, wurde das Königreich von Italien mit
dem Kayserthum erledigt, und durch die Hülfe
des Pabsts gelang es Carl dem Kahlen von
Frankreich, seinen Bruder, Ludwig den Deutschen, von dem einen und von dem andern zu
verdrängen, wiewohl dieser auf das Königreich

reich wenigstens gleiche, und auf das Kayserthum, als der ältere Bruder, noch gegründe-
tere Ansprüche hatte [x]).

§. 2.

Es ist schon erwähnt worden, daß bereits
Hadrian dem König von Frankreich versprochen
hatte, ihm bey der nächsten Erledigung zu
dem Kayserthum zu verhelfen; ja man hat
selbst Gründe zu der Vermuthung, daß auch
schon zwischen Nicolaus und Carl ein geheimer
Traktat darüber geschlossen war. Wenigstens
berief sich Johann in der Folge [2]) einmahl
darauf, daß schon Nicolaus wegen der dem
König von Frankreich zu ertheilenden Kayser-
Kröne eine göttliche Offenbarung bekommen habe;

1) Nach der Erzählung eines gleichzeitigen
Schriftstellers, des Presbyter Andreas in
seiner Chronik bey *Menken* T. l. c. 100., hätten auch die italiänischen Stände deßwegen
zuerst beyden Brüdern das Königreich gemeinschaftlich übertragen wollen.

2) Auf einer Römischen Synode im J. 877.
S. Acta Synodi Rom. de confirmatione Caroli
Imper. in *Baluz.* Capit. T. II. p. 251.

be; also war es doch in jedem Fall zu Rom
schon voraus beschlossen, daß er sie erhalten
sollte. Daß aber auch Johann bey dem Antheil, den er an der würklichen Ausführung
hatte, nur nach diesem voraus gefaßten Entschluß, und nicht bloß nach dem Drang der
Umstände handelte, dieß kann gar nicht bezweifelt werden.

§. 3.

Es ist erwiesen, daß der Pabst selbst in
den König drang [3], daß er so schnell als
möglich nach Rom kommen sollte, um die
Kayser = Krone aus seinen Händen zu empfan-
gen, nachdem dieser unmittelbar vorher einen
Vergleich mit dem Sohne seines Bruders, dem
Prinzen Carlmann, beschworen hatte, durch
welchen er sich anheischig machte, Italien so-
gleich mit seiner Armee zu verlassen, und die
Entscheidung ihrer beyderseitigen Ansprüche auf
Italien und auf das Kayserthum auf eine
Versammlung ihrer Stände auszusetzen [4].

Dieß

3) S. Annal. Bertin. ad ann. 875. Auch Baronius gesteht es ad ann. 875. nr. 7.
4) S. Annal. Fuldens. ad ann. 875.

Dieß konnte Johann, nicht unbekannt seyn;
mithin entscheidet es fast schon allein für die
zwischen ihm und dem König schon vorher ge-
troffene Verabredung; denn außerdem könnte
man nur annehmen, der Pabst habe vorausge-
sehen, daß der König sich um den beschwornen
Vertrag nichts bekümmern, mit seiner Armee
nach Rom eilen, und ihn mit Gewalt nöthigen würde, ihm die Kayser-Krone aufzusetzen,
wobey ihm dann die Klugheit gerathen hätte,
ihm lieber selbst anzubieten, was ihm doch
nicht verweigert werden konnte. Möchte sich
aber auch dieß von einer Seite her noch so
wahrscheinlich annehmen lassen — denn dem
König ließ sich freylich der Bruch eines Ey-
des, wobey er etwas gewinnen konnte, leicht
genug zutrauen — so geht es doch aus dem
folgenden Benehmen des neuen Kaysers und
des Pabsts noch viel sichtbarer hervor, daß
sich einer des andern schon vorher versichert
haben mußte.

§. 4.

Am Weyhnachts-Fest des J. 875. erhielt
der König würklich die Kayser-Krone aus Johanns

hanns Händen, und vergalt ihm diesen Dienst
nicht nur durch unermeßliche Geschenke 5),
die er ihm und dem heiligen Petrus machte,
vergalt ihm den Dienst nicht nur durch die
äußerste Gefälligkeit, die er nun sein ganzes
übriges Leben hindurch gegen alle seine Wünsche bewies, sondern bezahlte ihn noch unendlich höher dadurch, indem er den Pabst, ohne
dagegen zu protestiren, öffentlich erklären ließ,
daß niemand als der Römische Stuhl über
die Kayser=Krone zu disponiren habe. Carl
erkannte damit, und er erkannte es in der
That mehr als nur stillschweigend, daß er
dem Pabst allein seine neue Würde schuldig
sey; dazu würde sich aber seine Politik, die
sonst ihren Vortheil so gut verstand, sicherlich
niemahls verstanden haben, wenn sie es möglich gefunden hätte, die Dienste des Pabsts
dabey zu erzwingen oder zu entbehren.

§. 5.

Wenn der Angabe eines älteren Schriftstellers 6), der vielleicht noch in dieß Zeitalter
ge-

5) S. Annal. Fuld. ad ann. 875.

6) Eutropius Presbyter, Verfasser einer Schrift

Planck's Kirchengesch. B. III.　　D　　von

gehört, ganz zu trauen wäre, so würde oh=
nehin für den vorher zwischen dem Pabst und
dem Kayser geschlossenen Kontrakt gar kein
weiterer Beweis nöthig seyn. Der Presbyter
Eutropius erzählt, daß der Kayser bey seiner
Krönung dem Pabst die Oberherrschaft über
die Stadt Rom feyerlich abgetreten, auch so=
gleich die Kayserlichen Richter aus der Stadt
entfernt, und ihm noch dazu die Herzogthü=
mer Benevent und Spolet nebst der Samni=
schen Provinz und Calabrien geschenkt, den
Römern aber für die Zukunft das uneinge=
schränkteste Recht der Pabst=Wahl eingeräumt
habe. In dieser Nachricht ist jedoch einiges
erweislich falsch, wodurch auch das übrige
höchst zweifelhaft wird 7); wenn man aber
auch

von den Rechten der Kayser im Römischen
Reich, bey Goldast De Monarch. Imper. T.
I. p. 8. Nach Baronius und andern sollte
er zu Anfang des zehnten Jahrhunderts ge=
lebt haben, Pagi aber fand sehr starke
Gründe zu der Vermuthung, daß die Schrift
erst nach dem J. 1016. geschrieben seyn dürf=
te. Crit in Annal. T. III. p. 766.

7) Erwiesen falsch ist die Schenkung von Bene=
vent,

auch nur etwas davon als wahr annimmt, so kann man es doch gewiß dem neuen Kayser nicht zutrauen, daß er dem Pabst auch nur eines dieser Opfer aus reiner Dankbarkeit ganz freywillig gebracht habe.

§. 6.

Doch wie es sich auch damit verhalten mochte, so läßt das Benehmen des Pabsts dabey keinen Zweifel darüber übrig, daß man zu Rom voraus auf den Vortheil, den man sich dabey machen könnte, speculirt hatte. Durch die Art und Weise, womit Carl der Große und seine zwey nächsten Nachfolger über die

vent, Samnium und Calabrien, denn höchstens mag es wahr seyn, daß der neue Kayser dem Pabst Capua überließ. Die Zweifel gegen die auch von Marca angenommene Ueberlassung der Oberherrschaft über die Stadt Rom hat Bünau in seiner deutschen Kayser- und Reichshistor. Th. III. p 642. nach Pagi am stärksten ins Licht gesetzt S. *Marca de Concord. Sac. et imp* L. III. c. II.

die Kayſer=Krone diſponirt hatten, war man
daran gewöhnt worden, ſie als Erbgut des
Aelteſten in der Familie anzuſehen, der zu=
gleich dadurch als das Haupt der Familie
ausgezeichnet werden ſollte: den Päbſten war
aber bisher bey der jedesmahligen Deſignation
eines neuen Kayſers gerade am wenigſten, und
in der That noch weniger als den übrigen
Biſchöffen und Großen der Monarchie über=
laſſen worden. Man begreift daher kaum,
wie ſie nur den Gedanken auffaſſen konnten,
ſich einmahl das Anſehen zu geben, als ob ſie
durch die ihnen überlaſſene Ceremonie der Krö=
nung das Kayſerthum ſelbſt zu vergeben hät=
ten. Man darf eben deßwegen in dem Um=
ſtand, daß ſie ihn würklich auffaßten, den
erſten ganz unzweydeutigen Beweis eines plan=
mäßigen Emporſtrebens von ihrer Seite fin=
den, aber man darf dabey faſt eben ſo gewiß
annehmen, daß, ſich doch der Gedanke nicht
eher als unter der Regierung Ludwigs II. in
ihrer Seele völlig entwickelte. Er konnte ſich
ihnen nicht eher aufdrängen, bis ſie wenig=
ſtens eine Möglichkeit vor ſich ſahen, der un=
erhörten und ungeheuern Anmaßung auch eini=
gen

gen Schein zu geben, und dazu zeigte sich keine frühere Aussicht.

§. 7.

In den letzten Jahren Ludwigs ließ sich aber untrüglich voraussehen, daß es nach seinem Tode zu einem Streit über das Kayserthum und über das Königreich von Italien kommen würde, denn er hinterließ keinen Sohn, und von dem habsüchtigen Carl von Frankreich war es gewiß, daß er sich wenigstens zu keiner ehrlichen Theilung mit seinem Bruder verstehen würde. Es ließ sich höchstwahrscheinlich dabey hoffen, daß vielleicht der Ausgang des Streits über das ohnehin untheilbare Käyserthum von der Entscheidung des Pabsts durch die Krönung abhängig gemacht werden könnte, also schien es möglich zu werden, daß man der Welt von der Gewalt des Pabsts, über die Kayser=Krone zu disponiren, einen thätlichen Beweis geben konnte. Nun war es natürlich genug, daß man den Gedanken zu Rom auffaßte, und desto natürlicher, da es sich die fränkischen Bischöffe schon seit einiger Zeit hatten einfallen lassen,

O 3   daß

daß sie ihre Könige machen könnten; aber nun
begnügte man sich hier auch nicht bloß mit
dem Auffassen des Gedankens, sondern leitete
sogleich seine Ausführung mit recht bedachtsamer Ueberlegung ein.

§. 8.

Ohne Zweifel hatten die Ansprüche Ludwigs des Deutschen auf die Kayser = Krone den
größeren Schein. [8] der Rechtlichkeit, mithin
würde es auch höchst gerecht geschienen haben,
wenn der Pabst erklärt hätte, daß er sie nur
diesem aufzusetzen bereit sey. Dabey hätte
man zwar immer zu Rom hoffen dürfen,
daß Ludwig in der pflichtmäßigen Erklärung
dennoch einen sehr wichtigen Dienst, der ihm
gelei-

8) Sie würden einen noch größeren Schein gehabt haben, wenn die Angabe eines andern
gleichzeitigen Schriftstellers, des Abts Berard,
gegründet wäre, nach welcher der verstorbe-
ne Kayser dem ältesten Sohn Ludwigs des
Deutschen, dem Prinzen Carlmann, ausdrücklich seine Länder in seinem Testament
vermacht haben sollte. S. Chronicon Casau-
riense in Dacherys Spicil. T. II. p. 937.

geleistet wurde, erkennen und sich auch dank-
bar genug dafür beweisen würde, denn die
Konkurrenz seines Bruders, konnte entweder
ganz dadurch verhindert, oder am würksamsten vereitelt werden; aber gerade damit würde
der höhere Zweck verfehlt worden seyn, den
man zu Rom seit einiger Zeit ins Auge gefaßt hatte. Wäre Ludwig von dem Pabst begünstigt worden, so würde der Mitwelt und
der Nachwelt nur das Gerechte und das
Pflichtmäßige seines Verfahrens aufgefallen
seyn. Man würde geglaubt haben, daß er
diesem die Kayser-Krone nur deßwegen, weil
sie ihm von Rechtswegen gehörte, bestimmt,
und sie Carln von Frankreich nur deßwegen,
weil sie ihm nicht gehörte, verweigert habe;
wenn er sie aber umgekehrt diesem aufsetzte,
und jenem verweigerte, so mußte wohl die
Welt auf die Vorstellung geleitet werden, daß
es in seiner Macht stehen müsse, willkührlich
darüber zu disponiren, und dadurch ließ sich
so viel gewinnen, daß es schon der Mühe
werth war, sich über das Recht etwas hin-
wegzusetzen.

§. 9.

§. 9.

Dieß war es ohne Zweifel, was nicht erſt Johann VIII., ſondern ſchon ſeine zwey nächſten Vorgänger zu dem Entſchluß beſtimmte, bey dem Eintritt des vorauszuſehenden Falls die Wünſche des Königs von Frankreich zu begünſtigen, und deßwegen ſelbſt zuerſt dieſe Wünſche bey ihm zu reitzen. Mochten ſie immer dabey auch darauf rechnen, daß doch der thätigere und gewandtere Carl ſeine weniger gerechten Anſprüche wahrſcheinlicher gegen den redlicheren aber etwas unbeholfenen Ludwig, als dieſer ſeine gerechteren gegen ihn behaupten würde. Mochten ſie noch gewiſſer darauf zählen, daß der König von Frankreich die Begünſtigung ſeiner weniger gerechten Anſprüche auch theurer als Ludwig die Begünſtigung ſeiner gerechteren bezahlen würde; aber von ihrer Seite war es doch vorzüglich nur darauf angelegt, der Welt einmahl ein Beyſpiel zu geben, daß der Pabſt einen Kayſer ernennen könne; und dieß war es auch, was Johann ſelbſt bey der Sache am meiſten heraushob.

§. 10.

§. 10.

Es ist unmöglich in den verschiedenen Formen und Wendungen, in welchen es jetzt der
Pabst bey jeder Gelegenheit wiederholte, daß
der neue Kayser nur ihm die Krone zu danken
habe, das Absichtliche zu verkennen; was konnte er aber für eine Absicht dabey haben, als
die Welt darauf aufmerksam, und es ihr allmählig zur gewohnten Vorstellung zu machen,
daß es nur dem Pabst zustehe, Kayser zu
machen? So schrieb er im J. 876. den Bischöffen, die unter der Herrschaft Ludwigs
des Deutschen standen, daß sie ihren Herrn
sogleich bewegen sollten, seine Armee aus den
west = fränkischen Provinzen, in welche er eingefallen war, zurückzuziehen, weil Carl durch
ein Privilegium des apostolischen Stuhls zur
Kayserwürde erhoben worden sey [9]. In dem
nehmlichen Brief brauchte er die Formel, daß
ihm das Kayserthum als eine besondere göttliche Wohlthat durch den Dienst des Pabsts
zu Theil geworden sey, wiewohl der Teufel
seine ganze Arglist aufgeboten habe, um ihn
davon

9) S. *Labb.* Conc. T. IX. p. 222. 223.

D 5

davon zu verdrängen. Eben so warnte er auch in einem eigenen Brief die weltlichen Stände des ost = fränkischen Reichs, daß sie sich nicht durch den Teufel verführen lassen sollten, wider die Kirche und wider Gott zu streiten [10]), durch welche Carl zum Kayser erwählt worden sey. Bey einer andern Gelegenheit aber wollte er ihm durch die Auflegung seiner Hände die kayserliche Würde ertheilt haben [11]).

§. II.

Aber zu diesen Aeußerungen schwieg nicht nur der neue Kayser, sondern er gab selbst auf mehr als eine Art seine Beystimmung dazu, denn er erkannte selbst bey mehr als einer Gelegenheit das Verhältniß des Oberen, in das sich dadurch der Pabst gegen ihn stellte.

Eine

---

10) Eb. daf. p. 228. "Neque enim contra Carolum est murmur vestrum, sed contra Dominum, cujus est regnum, et cui voluerit, ipse dat illud."

11) "Carolus — per impositionem manuum nostrarum dignitatem imperialem adeptus est." In einer Urkunde bey *Martene* und *Durand* Collect. ampliss. T. I. p. 200.

Eine solche Anerkennung lag schon darinn, indem er ihm die Huldigung erließ, welche bisher jedem Kayser von dem Pabst und von den Römern geleistet worden war. Er gestattete hernach, daß auf der großen Versammlung zu Pavia, auf welcher er sich nach seiner Krönung zu Rom von den Ständen des italischen Reichs als König erkennen ließ, in das Huldigungs = Instrument die Formel eingerückt werden durfte: "sie hätten ihn deßwegen zu ihrem Beschützer und Herrn gewählt, weil ihn der Pabst durch das Urtheil des heiligen Geistes auf den kayserlichen Thron erhoben habe" 12). Aber er veranlaßte sogar, daß ihm die Stände seiner eigenen bisherigen Erbländer, die er nach seiner Zurückkunft aus Italien auf einer Synode zu Pontion in Champagne versammelte, eine neue Huldigungs = Urkunde auch für sich ausstellen 13), und zwar, wie ausdrücklich darinn gesagt wurde, deßwegen ausstellen mußten, weil ihn der Pabst zum Kayser gewählt habe.

Ja

12) S. *Baluz* T. II. p. 237. *Labbé* T. IX. p. 283.
13) S. *Confirmatio Cisalpinorum* apud Pontiguonem — bey *Labbé* T. IX. p. 284.

Ja er fand es nicht erniedrigend, ſich ſelbſt ſeinen Biſchöffen bey einem beſondern Antrag, den er ihnen bey dieſer Gelegenheit zu machen hatte, als den Geſchäftsträger und Delegirten des Pabſts vorzuſtellen.

§. 12.

Doch dabey handelte Carl nur, wie er immer gehandelt hatte. Es hatte ihn nie etwas gekoſtet, jede Rückſicht der Ehre einem für reell gehaltenen Vortheil aufzuopfern, und es hatte ſeiner Politik noch weniger gekoſtet, einen gegenwärtigen Vortheil durch die Verzichtleiſtung auf noch ſo viele künftige zu erkaufen, weil er ſich immer vorbehielt, die Verzichtleiſtung zu ſeiner Zeit wieder zurück- und auch die künftigen, ſobald ſie für ihn erreichbar wurden, mitzunehmen. Er bedachte ſich daher keinen Augenblick, auch das Kayſerthum als ein Geſchenk aus den Händen des Pabſts anzunehmen, und eben damit ſein Diſpoſitions = Recht darüber zu agnosciren, weil er ſonſt auf keinem andern rechtlichen Wege dazu gelangen konnte. Davon ſtellte er ſich auch fortdauernd überzeugt, ſo lange

es

es ihm nützlich werden konnte, die Vorstellung
zu unterhalten; und in diesem Fall blieb er
noch eine geraume Zeit nach seiner Krönung,
denn auch die Söhne seines Bruders, der
vielleicht zu seinem Glück im J. 876. gestorben
war, setzten noch den Krieg mit ihm fort,
und in diesem Kriege wurde er selbst durch
eine verlohrne Schlacht [14]) in eine höchst be=
denkliche Lage gebracht. Das Glück des
Pabsts aber ließ Carln keine Zeit, dasjenige,
was er ihm eingeräumt hatte, wieder zurück=
zunehmen, denn im J. 877. starb er selbst
noch während dem Kriege.

§. 13.

Damit war aber für den Römischen Stuhl
etwas höchst beträchtliches gewonnen, wiewohl
man gewiß zu Rom selbst nicht glaubte, daß
er das Dispositions = Recht über das Kayser=
thum

14) S. Annal. Fuldens. ad ann. 876. Die Lage
des Kaysers wurde desto bedenklicher, weil
zu der nehmlichen Zeit die Normänner unter
ihrem tapfern Anführer Rollo auf das neue
in Frankreich eingefallen waren, und fast das
ganze Neustrien erobert hatten.

thum oder das Ernennungs = Recht zu der Kay=
serwürde selbst schon würklich und auf immer
damit gewonnen habe. Durch einen einzigen
Vorgang konnte das Zeitalter noch nicht an
die Vorstellung gewöhnt werden, daß die Wahl
eines Kaysers von dem Pabst abhänge, da
es ohnehin noch der Menschen so viele gab,
die ein Interesse dabey hatten, es zu bestrei=
ten. Ludwig von Deutschland und seine Söhne
protestirten nicht nur auf das stärkste dagegen,
sondern selbst mehrere französische Bischöffe,
und unter ihnen auch Hincmar von Rheims,
schienen es zuerst nur schwer begreifen zu kön=
nen [15]), wie ihr König durch den Pabst zu
der Kayser = Krone gekommen sey. Aber für
das Volk hatte doch schon der eine Vorgang
etwas imponirendes. Er hatte für das Volk
desto mehr imponirendes, je lauter und fre=
cher man ihm dabey vorsagte, daß eigentlich
Gott selbst durch den Pabst den Kayser ge=
macht habe. Dadurch aber, daß auch der
neue Kayser selbst es anerkannt hatte, bekam
man wenigstens ein Recht, die neue Sprache
in dem päbstlichen Canzley = Styl fortzuführen.

Es

15) S. Opp. T. II. p. 157.

Es ließ sich zugleich voraussehen, daß schwerlich von einem der nächsten Kayser eine allzu starke Protestation dagegen eingelegt werden dürfte, und wenn die Anmaßung einmahl ein Jahrhundert alt geworden war, so war sie gewiß auch durch den allgemeineren Volks-Glauben geheiligt.

Kap. XI.

Versuche Johanns VIII., noch einen zweyten Kayser zu machen, die jedoch nicht ganz gelingen. Sonstige Vortheile, die er dem Pontifikat durch andere Unternehmungen verschafft.

§. I.

Doch es fehlte ja wenig, so wäre es Johann VIII. gelungen, die Anmaßung während seiner Regierung zum zweytenmahl zu realisiren; wenigstens gelang es ihm unter sehr erschwerenden Umständen, sie ungekränkt und unverletzt auf seine Nachfolger herabzubringen.

Bey

Bey dem Tode Carls des Kahlen ſchienen die Umſtände bereits entſchieden zu haben, wem das Kayſerthum und das Königreich von Italien zufallen ſollte. An ſeinen Sohn, den neuen König von Frankreich, Ludwig den Stammler, konnte gar nicht gedacht werden; denn er war dem Leib und dem Geiſt nach ſo ſchwach, daß ſchon die Behauptung ſeines weſt=fränkiſchen Erbguts über ſeine Kräfte gieng. Aber der älteſte von den Söhnen Ludwigs des Deutſchen, der Prinz Carlmann, ſtand da=mahls ſchon mit einer Armee in Ober=Italien, fand hier nach dem Tode des Kayſers keine Macht mehr, die ſich ihm widerſetzen konnte, und ſetzte daher ungehindert ſeinen Zug bis Pavia fort, wo er von den Ständen des ita=liſchen Reichs einſtimmig als König erkannt wurde [1]. Wenn er alſo die Kayſer=Krone noch dazu verlangte, ſo konnte ſie ihm ſchwer=lich verweigert werden; allein er ſelbſt machte es doch dem Pabſt möglich, daß er noch mit ihm darüber handeln konnte.

§. 2.

[1] S. Annal. Fuldenſ. ad ann. 877.

§. 2.

Wie auch Carlmann gegen Johann gesinnt seyn mochte, so mußte er doch fühlen, daß es für jeden König von Italien, der nicht beständig im Lande bleiben konnte, höchst wichtig sey, mit dem Pabst auf einem friedlichen Fuß zu stehen, weil es nur allzusehr in der Macht von diesem stand, durch seinen Einfluß auf so viele Großen des Landes und durch seinen Einfluß auf die Römer zu jeder Zeit Unruhen anzurichten. Er hielt es daher der Klugheit gemäß, dem Pabst durch eine Gesandtschaft von Pavia aus melden zu lassen, daß er das Königreich von Italien in Besitz genommen habe, und jetzt nächstens nach Rom kommen würde, aber auch zugleich ankündigen zu lassen, daß er die Römische Kirche und den Stuhl des heiligen Petrus weit mehr, als irgend einer seiner Vorgänger zu erhöhen entschlossen sey. Der Pabst hingegen schickte diese Gesandtschaft mit der Antwort zurück, daß der König in kurzer Zeit eine andere von ihm erhalten, und durch diese näher erfahren würde, wozu er sich vorher noch gegen die Römische Kirche und gegen ihren Beschützer,

P   den

den heiligen Petrus, verbindlich zu machen habe [2]).

§. 3.

Schwerlich mochte wohl Johann dabey hoffen, daß sich Carlmann in seiner damahligen Lage dazu verstehen würde, ihm die Kayser=Krone allzutheuer zu bezahlen; er durfte aber doch auch nicht befürchten, daß er nach dieser Botschaft die ganze Unterhandlung sogleich abbrechen würde, und dann war sein Haupt=Zweck schon erreicht. Wenn der Prinz jetzt noch mit ihm handelte, so räumte er eben damit auch ein, daß sich das Kayserthum nur durch den Pabst erhalten lasse: indessen verlohr der letzte doch auch nichts dabey, daß es jetzt nicht dazu kam. Der neue König von Italien sah sich gezwungen, nach Deutschland zurückzueilen, wo mehrere Umstände seine Gegenwart dringend nothwendig machten, und wurde hernach durch die Gemüths=Krankheit, die bey ihm zum Ausbruch kam, an einem neuen Zuge nach Italien auf immer verhindert. Damit öffnete

[2] S. Joannis VIII. Epist. ad Carolomannum Regem bey *Labbe* T. IX. p. 50.

öffnete sich für die politischen Künste des
Pabsts ein neuer Spielraum, durch den er
sich selbst zu der Anlage eines höchst kühnen
Planes verführen ließ, der den Bestand der
neuen Verhältnisse, in welche das Pontifikat
zu dem Kayserthum gekommen war, am gewissesten auf einige Zeit sichern konnte.

§. 4.

Johann beschloß, einen Kayser zu machen,
der es sich selbst niemahls sollte verläugnen können, daß er allein von ihm gemacht sey, und
daher auch von der ganzen Welt als sein
Geschöpf anerkannt werden müßte. Er wählte
sich dazu den Grafen Boso aus, den Carl der
Kahle nach seiner Gelangung zum Kayserthum
als den Bruder seiner Gemahlin, der Königin Richilde, zum Herzog von Pavia und zu
seinem Statthalter in Italien gemacht hatte,
und schwerlich hätte er nach allen möglichen
Rücksichten glücklicher wählen können. Der
Graf selbst konnte nicht daran denken, daß
die Kayser-Krone auf einem andern Wege,
als durch die Ernennung des Pabsts für ihn

erreich-

erreichbar ſey. Es ließ ſich zugleich darauf
zählen, daß er auch als Kaiſer den Beyſtand
und die Unterſtützung des Pabſts immer be=
dürfen, alſo immer abhängig von dieſem blei=
ben müßte; aber auf der einen Seite hatte er
doch Ehrgeiz, Verſchlagenheit und Unterneh=
mungs=Geiſt genug, um die Plane des Pabſts
zu unterſtützen, und auf der andern Seite
vereinigten ſich gerade bey ihm mehrere Um=
ſtände, die wenigſtens die Möglichkeit einer
glücklichen Ausführung des Projekts erwarten
ließen. Boſo hatte die Prinzeſſin Irmengart,
die Tochter des verſtorbenen Kaiſers Ludwigs
II., zur Gemahlin; daher durfte für ihn auf
den ganzen ſehr mächtigen Einfluß gerechnet
werden, den ihre Mutter, die verwitwete
Kaiſerin Engelberge, immer noch in Italien
behauptete. Er hatte ſelbſt große Verbindun=
gen ſowohl in Italien, als in Frankreich; al=
ſo ließ ſich immer hoffen, daß eine Parthie
für ihn gewonnen werden könnte, die ſich einſt
auch ſtark genug fühlen dürfte, ihn auf dem
Thron zu erhalten. Dieß war es dann, wor=
auf der Pabſt vom J. 878. an mit eifriger
Betriebſamkeit, wenn ſchon meiſtens im Ver=
borge=

borgenen 3), hinarbeitete; aber Menschen und
Umstände arbeiteten dem Entwurf von so vielen
andern Seiten und so mächtig entgegen, daß
am Ende dennoch die Ausführung fehlschlug.
Nach dem Tode des Königs Carlmann bekam
der jüngste von den Söhnen Ludwigs des
Deutschen, Carl der Dicke, auf einige Zeit
das ganze väterliche Stammgut zusammen,
und erhielt dadurch so viel scheinbare Stärke,
daß es auch keine der Partheyen in Italien
zu dem offenen Kampf mit ihm kommen zu
lassen wagte. Im J. 881. mußte sich also
der Pabst sehr gegen seinen Willen entschließen

3) Doch ließ er es gelegenheitlich auch deutlich
   genug merken, denn er schrieb der Kayserin
   Engelberge, daß er Boso und ihre Tochter
   auch zu seinen Kindern angenommen, und
   nicht ruhen wolle, bis er sie zu einer höheren Würde erhoben habe. *Labbé* T. IX. p. 76.
   Das nehmliche schrieb er aber auch dem König von Deutschland, Carl dem Dicken, mit
   dem Zusatz, daß alle diejenigen, die ihn angreifen würden, in den Bann verfallen sollten. eb. das. p. 189.

fen [4]), ihm auch die Kayser-Krone aufzusetz-
zen; doch mußte er einerseits auch dabey noch
die Würde der freyen unerzwungenen Handlung zu behaupten, und auf einer andern
Seite gelang es ihm, seinem Grafen Boso
wenigstens zu einer Königs-Krone zu verhelfen, die er ihm von den Bischöffen der Provence und des transjuranischen Burgundiens
aufsetzen ließ [5]).

§. 5.

Nach diesem kann es nicht befremdend seyn,
wenn sich in der Geschichte Johanns wenigere
Ereignisse finden, wobey er sich in seinem
kirchlichen Pabst-Verhältniß auf eine besondere
Art auszeichnen konnte. In den Reichen,
wel-

4) Im J. 879. hatte er sich schon in den Besitz
von Italien gesetzt. S. Annal. Bertin. ad h. a.
Nach eben diesen Annalen wäre seine Kayser-
Krönung in das J. 880. gefallen; Muratori
hat es aber wahrscheinlicher gemacht, daß sie
erst im folgenden von Regino angegebenen
J. 881. Statt fand. Annal. T. V. p. 149.

5) S. Concilium Mantalense, in quo regis nomen
Bosoni ab Episcopis regni Arelatensis delatum
est. Labbé Conc. T. IX. p. 331.

welche zu der fränkischen Monarchie gehörten,
hatte man weder Zeit noch Luſt, an kirchliche
Angelegenheiten zu denken, denn das Streben
aller Biſchöffe, wie das Streben aller andern
Stände, gieng hier nur dahin, die Verwirrung
zu ihrem Vortheil zu benutzen, die der Re-
genten-Wechſel nach ſich gezogen hatte. In
Italien ſelbſt hatte der Pabſt noch außerdem
beſtändig mit Unruhen zu kämpfen, welche
ihm theils die Saracenen oder die Araber
durch ihre Annäherung gegen den Kirchen-
Staat, theils die verſchiedenen Factionen machten, in welche ſich die Großen des Landes
vertheilt hatten. Durch eine von dieſen wurde er ſelbſt zuletzt ermordet; daher kam es
hier ſchon vorher zuweilen dazu, daß man
auch vor ſeiner geiſtlichen Gewalt nur wenig
Reſpekt zeigte, wenn er ſie hin und wieder
gegen das Intereſſe dieſer Factionen gebrauchen wollte. So ſprach er über die Herzoge
von Neapel und Spolet wie über den Markgrafen Adelbert von Toscana den Bann aus;
aber der Bann blieb würkungslos [6]). So
ſprach

[6] Nur der Bann über den Herzog Sergius

sprach er selbst über den Erzbischoff von May=
land den Bann und das Urtheil seiner Abse=
tzung aus; aber die Mayländer behielten ih=
ren Erzbischoff, und am Ende mußte er, um
die Ehre des Pontifikats zu retten, sich selbst
mit ihm aussöhnen *), da er es unmöglich
fand, sein Urtheil in Kraft zu setzen.

§. 6.

Dieß kam jedoch daher, weil bey allen
diesen Gelegenheiten Parthie = Verhältnisse mit
kirchlichen und amtlichen in Streit kamen,
wobey die ersten immer gewaltsam behauptet
wurden: daher konnte auch kein dauernder
Nachtheil daraus entspringen. Man wußte
und sagte sichs gewöhnlich selbst, daß man
bey solchen Gelegenheiten gesetz= und ordnungs=
widrig

von Neapel wurde sehr kräftig, denn der da=
mahlige Bischoff Athanas von Neapel nahm
ihn gefangen, ließ ihm die Augen ausstechen,
und schickte ihn nach Rom. S. Joannis Ep.
ad Athanasium et Neapolitanos. *Labbe* T. IX.
p. 52. 53.

*) S. Joannis Ep. ad Ansbertum Archiep. Medio-
lanens. eb. das. p. 185.

widrig gehandelt habe, entschuldigte sich hintennach mit dem außerordentlichen Drang der
Umstände, und beschied sich dabey selbst, daß
man unter andern Umständen keine Konsequenz
daraus machen, oder kein Beyspiel davon her-
nehmen dürfe. Das Pontifikat selbst verlohr
also wenig oder nichts dabey; hingegen war
ja Johann so glücklich, den westfränkischen
Bischöffen während seiner Regierung noch etwas abzugewinnen, auf das er selbst einen
sehr hohen Werth zu setzen schien.

§. 7.

Im J. 876. gab er seinen Legaten, welche
den neuen Kayser Carl den Kahlen bey seiner
Rückreise aus Italien nach Frankreich zu be-
gleiten hatten, ein Decret an die westfränkischen Bischöffe mit, durch welches der Erzbischoff Ansegis von Sens zum Primaten der
gallischen und germanischen Kirchen, die unter
der Herrschaft des Kaysers standen, und zum
päbstlichen Vikar in diesen Kirchen ernannt
wurde. Der Staat des neuen Primaten, oder
das Patent, durch welches seine Privilegien

P 5   und

und Verhältnisse, bestimmt wurden [8]), war fast ganz von demjenigen abkopirt, das ehemahls die Bischöffe von Arles von den ältesten Päbsten bekommen hatten, daher mußte auch der Umstand die stärkste Sensation auf die gallischen Bischöffe machen, daß sich der Pabst damit herausnahm, die alten Rechte einer Kirche nach seiner Willkühr an eine andere zu übertragen. Da sich hingegen der Pabst eben so scheinbar darauf berufen konnte, daß die alten Rechte der Kirche zu Arles als erloschen, als daß die neuen, die er dem Erzbischoff von Sens ertheilt habe, als persönliche Rechte betrachtet werden müßten, so würden sie mit ihrem Widerspruch dagegen nicht weit gereicht haben, wenn sie ihn nicht noch

[8] "Ut five in evocanda Synodo five in aliis negotiis exercendis per Gallias et Germanias apoftolica vice fruatur, et decreta fedis apostolicae per ipfam epifcopis manifefta efficiantur, et rurfus, quae gefta fuerunt, ejus relatione Apoftolicae Sedi pandantur, et majora negotia et difficiliora quaecunque fuggeftione ipfius a Sede apoftolica disponenda quaerantur. S. Acta Synodi Pontignonenfis bey *Labbé* T. IX. p. 281.

noch durch andere Gründe, unterstützt hätten. Aber an diesen fehlte es ihnen auch nicht, und fehlte ihnen noch weniger an dem guten Willen, Gebrauch davon zu machen.

§. 8.

Es war der Erzbischoff Hincmar von Rheims, der sich ein sehr angelegenes Geschäft daraus machte, seine Mitbischöffe zum Widerspruch ⁹) dagegen aufzureizen, und dabey in ihrem Nahmen das Wort führte; denn Hincmar glaubte, daß seine eigenen Rechte dadurch gefährdet würden. Seiner Behauptung nach waren die Rechte des kirchlichen Primats und des päbstlichen Vicariats in dem neuen fränkischen Gallien schon von dem Pabst Hormisdas unter dem ersten fränkisch = christlichen König dem heiligen Remigius und seinen Nachfolgern, in dem Bisthum zu Rheims verliehen worden. Er hatte es sich auch Mü-

he

---

9) Die Gründe dazu faßte er auch in der Folge in einer eigenen Schrift zusammen: Ad Episcopos de Jure Metropolitanorum. Cum de Primatu Ansegisi ageretur. *Hincm.* Opp. T. II, p. 719.

he genug kosten lassen, von Benedikt III. ein neues Diplom — und Schmeicheleyen genug kosten lassen, um von Nicolaus und Hadrian eine besondere Bestätigung des neuen Diploms darüber auszuwürken; mithin konnte ihm die Ernennung eines neuen Primaten in der Person des Erzbischoffs von Sens am wenigsten gleichgültig seyn. Sollte es nehmlich mehr als ein bloßer Titel seyn, der Ansegis dabey verliehen wurde, so kam es ja heraus, daß ihn auch Hincmar in Zukunft als seinen Obe-ren betrachten mußte, denn seine Primats- und Vikariats-Rechte sollten sich über das ganze Gallien und Germanien erstrecken. In dem Privilegio der Bischöffe von Rheims stand aber ausdrücklich, daß sie niemand als dem Pabst unterworfen seyn sollten, mithin schloß Hincmar, daß die Aufstellung eines neuen Primaten gegen sein Privilegium, und eben deßwegen illegal und nichtig sey, weil schon die Nicäische Synode ausdrücklich verboten habe, daß keiner Kirche von ihren alten herge-brachten Rechten etwas genommen werden dürfe.

§. 2.

10) Er

§. 9.

Dieß war wenigstens der Haupt-Grund, auf welchem Hincmar seine Exceptionen dagegen baute, und wahrhaftig auch kein sehr nothfester Grund, da er doch selbst dabey einräumte, daß auch seine Kirche zu Rheims ihr Privilegium nur von dem Römischen Stuhl erhalten habe, und auch selbst die Rechte des Primats als abhängig von dem päbstlichen Vikariat anerkannte. Doch so leicht er es dadurch den päbstlichen Legaten machte, seine Einwendungen als nichtig darzustellen, so setzte er es doch durch sein Ansehen und durch seinen Einfluß durch, daß sich alle gallischen Bischöffe einstimmig weigerten, den neuen Primaten zu erkennen, als er ihnen auf der Synode zu Pontion selbst durch ihren Herrn, den neuen Kayser, in diesem Charakter vorgestellt wurde [10]). Nur mit Mühe und durch einen Machtspruch konnte es dieser erzwingen, daß sie

---

[10]) Er erhielt nur die Antwort von ihnen, "quod servato singulis Metropolitis jure privilegii secundum sacros canones — Domino Joanni Papae vellent obedire." S. Acta, Syn. Pont. am a. O.

sie ihn unter einer förmlichen Verwahrung ihrer Rechte den ersten Platz einnehmen ließen,
da er um der Ehre des Pabsts willen wenigstens darauf bestehen zu müssen glaubte: alle
die weiteren Vorstellungen waren hingegen
fruchtlos verschwendet, wodurch er ihnen eine
bestimmte [11]) Acceptation des päbstlichen Decrets abzuschmeicheln und abzunöthigen versuchte.

§. 10.

Hätte nun der Pabst bey der Sache bloß
die Absicht gehabt, den Erzbischoff Ansegis
persönlich zu begünstigen, so war es freylich
nicht der Mühe werth oder nicht der Klugheit
gemäß, sie weiter zu treiben, da der neue
Kayser in diesem Augenblick seine Bischöffe
nothwendig schonen mußte. Wahrscheinlich ließ
ihm auch Carl durch seine Legaten darüber
einen

[11]) Auf sein nochmahliges Andringen, daß sie
den Befehl des Pabsts respektiren sollten,
antworteten sie zuletzt nur, "quod sicut sui
antecessores ipsius antecessoribus regulariter obediverint, ita et ipsi vellent obedire." eb. das.
p. 86.

einen Wink geben, denn Johann schien sie jetzt
würklich ruhen lassen zu wollen; allein aus
der Art und Weise, womit er sie nach eini=
ger Zeit wieder aufnahm, legten sich einige
weitere Zwecke, die er dabey erreichen wollte,
sehr sichtbar dar. Aus den Erfahrungen sei=
nes Vorgängers Hadrians hatte sich Johann
allem Ansehen nach die Lehre herausgezogen,
daß man mit den französischen Bischöffen einen
kleinen Umweg nehmen müsse, um sie in die
Verhältnisse des neuen Isidorischen Kirchen=
Rechts unmerklich hineinzubringen. Er ur=
theilte richtig, daß sie sich viel weniger sträu=
ben würden, wenn sie nur bey der Ausübung
der neuen Reservat=Rechte, die es dem Römi=
schen Stuhl einräumte, noch etwas von den
alten gewohnten Formen erblicken dürften; da=
her beschloß er, die fast ganz vergessenen Ver=
hältnisse eines päbstlichen Vicariats wieder un=
ter ihnen in das Leben einzuführen. Vermuth=
lich behielt er sich dabey vor, einen weiteren
Gebrauch davon zu machen, als man ehe=
mahls gekannt hatte, indem er hoffte, daß
auch manches neue unter dem Nahmen des
alten unbeobachtet durchgehen könnte: in An=

segis

segis aber glaubte er das schickliche Werkzeug dazu gefunden zu haben, da es außer Hincmar unter den französischen Bischöffen keinen gab, der an Kenntnissen und Talenten, wie an Geist und Einfluß ihm gleich kam.

§. II.

Der Widerstand, den sie ihm entgegensetzten, und besonders der Widerstand Hincmars, mußte jedoch den Pabst bald überzeugen, daß die Ausführung seines Planes am meisten dadurch erschwert werden würde, wenn er auf der Wahl von Ansegis bestehen wollte; daher beschloß er weislich, sie stillschweigend zurückzunehmen, und nur die Sache selbst, um die es ihm zu thun war, einzuleiten. Ohne von Ansegis etwas weiter zu erwähnen, schickte er nach dem Verfluß einiger Zeit dem Bischoff Rostagnus von Arles das Vicariats = Diplom [12]), machte es zugleich in einem eigenen Schrei-

12) S. *Labbé* T. IX. p. 77. Die Gründe, aus welchen *Natalis Alexander* die Briefe Johanns an den Bischoff von Arles in dieser Sache für unächt, und die ganze Verhandlung

Schreiben den gallischen Bischöffen bekannt,
daß er ihn zu seinem Stell-Vertreter in den
gallischen Kirchen ernannt habe, und erreichte
nun würklich seinen Zweck. Die französischen
Bischöffe, denen jetzt die Einwendung abge=
schnitten war, daß die älteren Rechte einer
andern Kirche dadurch verletzt würden, leg=
ten, so viel man weiß, keine Protestation da=
gegen ein. Auch findet sich keine Spuhr,
daß von Hincmar eine Einrede geschehen wäre;
hingegen findet man sogleich, daß das Anse=
hen und der Einfluß des Bischoffs von Arles
durch seinen neuen Charakter bedeutend genug
wurde, daß er dem Pabst bey der Ausfüh=
rung seines Projekts, dem Grafen Boso die
Krone des Arelatensischen Königreichs zu ver=
schaffen, die wichtigsten Dienste leisten könn=
te [13]). Indessen fand Johann keine Gelegen=
heit mehr, seinen neuen Vikar zu etwas wei=
terem in Frankreich zu benutzen, und unter

der

lung für erdichtet hält, kann man schwerlich
für entscheidend halten. S. Hist. eccl. Sec
IX. et X. c. I. T. VI. p. 192.

13) S. *Muratori* Annal. T. V. p. 141.

der Verwirrung der bürgerlichen Unruhen, welche hier bald darauf eintraten, kam auch diese Einrichtung wieder aus ihrem Gang.

§. 12.

Jetzt mochte es übrigens mit der neuen Einrichtung auch deßwegen leichter gegangen seyn, weil sie der Pabst auf einer Reise, die er im J. 878. nach Frankreich machte, persönlich eingeleitet hatte. Johann war vielleicht mehr als Nicolaus der Mann dazu, sich persönlichen Respekt zu verschaffen, denn er war noch fester und furchtloser, als dieser. Er gab auch auf dieser Reise mehrere Beweise davon, die ihm einen hohen Grad von Achtung verschaffen mußten. Außer diesem aber wandte er noch einen besonderen Kunstgriff an, um den Bischöffen noch mehr als nur Achtung abzuzwingen, dessen Würkung bey ihrer damahligen allgemeinen Stimmung unfehlbar war. Dadurch zeichnet sich zugleich seine Politik oder sein Charakter noch auf eine sehr bemerkungswerthe Art aus.

§. 13.

§. 13.

Johann affektirte nehmlich oder er zeigte bey jeder Gelegenheit eben so viel unverstellten Eifer für die Würde des Episkopats im allgemeinen, als für das Ansehen des Pontifikats im besondern. So wie er dieß letzte selbst über das kayserliche Ansehen zu erheben strebte, so erklärte er es auch öffentlich als seine Absicht, alle Bischöffe von der weltlichen Macht wenigstens unabhängig zu machen. Er trug zu diesem Ende auf den Synoden, auf denen er selbst präsidirte, besonders auf einer Synode zu Ravenna [14]) vom J. 877. und auf einer andern zu Troyes, die er im folgenden Jahr während seiner Anwesenheit in Frankreich veranstaltete, auf mehrere Decrete an, worüber die Bischöffe selbst erstaunen mochten, weil sie ihnen Vorrechte und Privilegien [15]) vindicirten, in deren Besitz sie sich bisher

14) S. Acta Concilii Ravennens. *Labbé* T. IX. p. 300 Tricassini II. p. 307

15) Daß sie z. B. vor kein weltliches Gericht gezogen werden, daß niemand Geschenke und Abgaben von ihnen fordern, und daß nicht

Q 2 nur

bisher kaum hineinzuträumen gewagt hätten. Die Würkung, welche dieß bey ihnen hervorbrachte, mußte aber desto größer seyn, da seit einiger Zeit das Verlangen, ihren bisherigen Stand-Punkt in der Gesellschaft etwas höher hinaufzurücken, so viel allgemeiner und dringender unter ihnen erwacht war. Noch nie war es ihnen wenigstens mit so klarem Selbstbewußtseyn vor der Seele gestanden, wohin sie es bringen müßten, und vielleicht bringen könnten, um auch der Würklichkeit nach den ersten Stand in jedem Staat zu bilden, als gerade in diesem Augenblick. Noch nie hatten es zugleich die französischen und die deutschen Bischöffe so lebhaft gefühlt, wie entscheidend und kritisch der gegenwärtige Augenblick dabey werden könnte? wie mußte ihnen also ein Pabst erscheinen, der ihnen gerade jetzt die Hand bot, und zwar eine so starke Hand bot [16]), um sie mit sich emporzuheben?

§. 14.

nur alle Kleriker, Mönche und Nonnen, sondern auch alle Witwen und Waysen ausschließend unter ihrer Gerichtsbarkeit stehen sollten.

16) Eine höchst merkwürdige Aufforderung zu dem

§. 14.

Dieß war es, wodurch vielleicht Johann VIII. während seiner Regierung am meisten für das Pontifikat gewann, denn dieß war es zunächst, wodurch sich das Ansehen des Pontifikats so befestigte, daß ihm nun selbst eine sehr lange Reihe theils unwürdiger, theils unbedeutender und thatenloser Päbste nicht viel schaden konnte, welche jetzt unter den Unruhen, die Italien über ein halbes Jahrhundert hindurch zerrütteten, nach einander auf den Römischen Stuhl kamen, und ihn zum Theil auf die unglaublichste Art schändeten.

Kap. XII.

dem Ergreifen der Hand, die er ihnen dazu böt, hatte er schon im J. 876. an die deutschen Bischöffe gelangen lassen, denn der berühmte Brief, worinn er sie in diesem Jahr ermahnte, sich ihrem König, Ludwig dem Deutschen, zu widersetzen, der in die Länder des neuen Kaysers eingefallen war, enthielt unter andrem die folgende Stelle: "Quid est quaeso, Quod Christi vice in ecclesia fungi-

Q 3 mur,

Kap. XII.

Politische Verwirrung in dem Zustand von Italien und von Rom vom Tode Johanns VIII. bis zum J 962., in welchem die Kayser=Krone wieder auf das Haupt eines deutschen Königs, Otto I., kommt. Päbste dieses Zeitraums.

§. I.

Wahrscheinlich noch vor dem gewaltsamen Tode Johanns, der zu Ende des J. 882. erfolgte, hatte sich bereits eine mächtige Parthie in Italien gebildet, die mit dem Entwurf umgieng, sich der fränkisch = deutschen Oberherrschaft zu entziehen, und die Krone des itali-

mur, si pro Christo contra principum insolentiam non luctamur? praesertim cum secuudum Apostolum non sit nobis colluctatio cum carne et sanguine, sed adversus principes et potestates. Quid est, quod dicimur Episcopi? — si quos docere debuimus, sequi contendimus."
S. *Labbé* Concil. T. IX. p. 224.

italischen Reichs, nebst der Kayser=Krone einem
von den eingebohrnen Großen des Landes auf=
zusetzen. Unter der schwachen Regierung Carls
des Dicken bekam man Aufmunterungen ge=
nug zu der Anlage eines solchen Entwurfs,
so, wie man auch Muße genug bekam, seine
Ausführung vorzubereiten. Der Einfluß, den
die Parthie, welche ihn begünstigte, auf die
Wahlen der zwey nächsten Päbste, Marins I.
und Hadrians III., hatte, der schon im J.
884. auf Marin folgte, läßt zugleich sehr
wahrscheinlich vermuthen, daß beyde recht ge=
flissentlich dazu ausgesucht seyn mochten, das
Projekt zu befördern, und diese Vermuthung
würde völlige Gewißheit seyn, wenn sich die
Aechtheit einer Konstitution erweisen ließe [1])
welche Hadrian III. wegen der künftigen Be=
setzung des Kayserthums im ersten Jahr seines
Pontia=

1) Nach dieser Konstitution sollte das Kayser=
thum und das Königreich von Italien in Zu=
kunft nur einem gebohrnen Italiener verlie=
hen werden. Muratori hat es aber Annal. T.
V. p. 164. sehr zweifelhaft gemacht, ob man
sie Hadrian zuschreiben darf.

Pontifikats gemacht haben soll. Doch zur völligen Ausführung kam es erst nach der Absetzung Carls des Dicken durch die Stände von Deutschland, und nach seinem im J. 888 erfolgten Tode; aber jetzt zeigte sich auch erst ein erschwerender Umstand dabey, von dem man wohl nicht so viel Unheil befürchtet haben mochte, als er würklich nach sich zog.

§. 2.

Jene Parthie, durch welche der Plan zu der Befreyung Italiens von der fremden Herrschaft angelegt worden war, hatte sich auch schon den künftigen Beherrscher des Landes ausersehen. Dieß war der Herzog Wido oder Guido von Spolet [2]), für den sie indessen, oder der indessen durch sie zunächst für sich selbst gearbeitet hatte; so wie sie aber jetzt für ihn nach der erledigten Krone von Italien griff, so trat in der Person des mächtigen Herzogs Berengar von Friaul ein Nebenbuhler gegen ihn auf, der gleiche Ansprüche darauf

____

2) Der jedoch nach Muratori aus einem französischen Geschlecht abstammte. Annal. T. V. p. 182.

auf machte, und von einem gleich starken Anhang unterſtützt zu werden ſchien. Darüber kam es zu einem inneren Kriege in Italien ſelbſt, der für das Land deſto unglücklicher wurde, je mehr er ſich bey dem abwechſelnden Glück der Partheyen in die Länge zog.

§. 3.

Im Anfang des Kampfs ſchien der Beytritt des Pabſts zu der Parthie des Herzogs von Spolet das Uebergewicht ſehr entſchieden auf die Seite von dieſer zu neigen. Der Einfluß des neuen Pabſts Stephans V., der im J. 885. auf Hadrian III. gefolgt war, bewürkte es vorzüglich, daß Guido im J. 890. als König von Italien erkannt wurde [3]). Im folgenden J. 891. ſetzte er ihm auch die Kay-

[3) Stephan hatte den Herzog Guido noch bey Lebzeiten des Kayſers Carls des Dicken eben ſo wie ehemahls Johann VIII. den Herzog Boſon als Sohn adoptirt. S. *Flodoard.* Hiſt. eccl. Rhemenſ. L. IV. c. 1. Daß er ihn aber zum Kayſer gekrönt habe, erzählt nur *Luitprand.* L. I. c. 6.

Q 5

Kayser-Krone auf, und befestigte dadurch seine Macht und sein Ansehen in einem solchen
Grad, daß er schon den Nachfolger Stephans,
den neuen Pabst Formosus 4), im J. 894.
nöthigen konnte, auch seinem Sohn Lambrecht
das Kayserthum zu versichern. Dieß schlug
jedoch zu seinem Nachtheil aus, denn Formosus, den der neue ihm so nahe Kayser allzusehr seine Uebermacht fühlen ließ, hatte schon
insgeheim den deutschen König Arnulf aufgefordert 5), daß er nach Italien kommen, und
das ihm zugehörige Königreich in Besitz nehmen

4) Gewählt nach Stephans Tode im J. 891.
Er war vorher Bischoff von Porto gewesen,
und hatte schon unter Johann VIII. Plane
gemacht, sich selbst auf den päbstlichen Stuhl
zu schwingen. Dafür war er von Johann
mit dem gräßlichsten Bannfluch belegt, s.
Labb. T. IX. p. 232. von Marin I. aber restituirt worden. Baronius hat ihn auch sehr
in Schutz genommen, jedoch dabey als den
eifrigsten Anhänger des Kaysers Guido vorgestellt.

5) S. Annal. Fuldens. ad ann. 893. Vergl. *Muratori* Annal. T. V. p. 193.

men sollte, und Arnulf, den zugleich Berengar aus Eifersucht gegen Guido mit seiner ganzen Macht unterstützte, war schon im J. 895. [6]) so glücklich, ihn zu verdrängen, und empfieng auch unter der lauten Beystimmung der Römer noch in diesem Jahr die Kayser-Krone aus den Händen des Pabsts.

§. 4.

Doch die erneuerte deutsche Herrschaft dauerte nicht länger, als bis Arnulf wieder nach Deutschland zurückgekehrt war, denn schon im J. 897. trat Lambert wieder als Kayser auf, und wurde auch von dem neuen Pabst Stephan VI. [7]), und von den Römern anerkannt.

Sein

6) Schon im J. 894. hatte er sich zum König von Italien erklären lassen, war aber genöthigt worden, nach Deutschland zurückzueilen. Im folgenden Jahr kam er wieder, und schlug nun Lambert, der sich ihm auf seinem Zuge nach Rom widersetzen wollte.

7) Nach dem Tode von Formosus im J. 896. wurde Bonifaz VI. gewählt, der aber nur 15. Tage regierte. Auf Bonifaz folgte Stephan VI.

Sein Tod hingegen, der schon im J. 898. erfolgte, führte einen neuen Wechsel herbey. Nun tritt der Herzog Berengar mit seinen Ansprüchen wieder auf: seine Feinde hingegen rufen den Burgundischen König Ludwig herbey, durch den er geschlagen und zur Flucht nach Deutschland gezwungen wird. Die Kayser-Krone kommt jetzt auf das Haupt Ludwigs, dem sie von dem neuen Pabst Benedikt IV. im J. 903. aufgesetzt wird; aber im J. 905. kommt Berengar mit einer mächtigen Verstärkung aus Deutschland, zwingt Ludwig, seinerseits in die Provence zurückzufliehen, und bleibt jetzt nicht nur im Besitz des italischen Königreichs, sondern erhält auch im J. 916. von dem Pabst Johann X. die Kayser-Krone dazu.

§. 5.

8) Zwischen Stephan VI., der im J. 897. von einer der Volks-Partheyen in Rom überfallen und strangulirt wurde, und Benedikt IV. folgten drey Päbste auf einander, Romanus, Theodor II. und Johann IX. Aber Romanus überlebte seine Wahl nur vier Monathe, und Theodor nur zwanzig Tage. Johann IX. starb im J. 900.

§. 5.

Diese letzte Wendung des Glücks wurde jedoch zunächst durch eine Veränderung einge= leitet, die schon etwas früher in Rom selbst eingetreten war, und späther noch zu weiteren führte, aber am gewissesten zum Umsturz und zum Untergang des Pontifikats zu führen schien.

Noch in den letzten Jahren des Kaysers Lambrecht hatte sich unter den Römischen Gro= ßen eine Koalition formirt, die sich mit der Herrschaft über ihre Stadt und über die Rö= mer begnügen zu wollen schien. An der Spit= ze der neuen Faction stand der Markgraf Adel= bert von Toscana, und eine mit ihm verbun= dene Römische Dame, mit Nahmen Theodora, die wieder mit einigen der ersten und mäch= tigsten Familien der Stadt in Verbindung stand, und durch ihre zwey Töchter, die be= rufene jüngere Theodora, und die noch mehr berüchtigte Marozia, immer mehrere hineinzog. Zuerst zogen sie aber einen gewissen Sergius, einen Römer aus einem großen Hause, der zu= gleich zum Klerus gehörte, hinein, denn ihr Plan gieng dahin, sich zuerst einen Pabst zu

schaffen,

schaffen, den sie zu der Ausführung ihres
weiteren Entwurfs brauchen könnten, und da=
zu hatten sie sich diesen Sergius ausersehen,
oder dazu hatte er sich ihnen wahrscheinlicher
selbst angeboten. Schon im J. 898. machte
man daher einen Versuch, seine Wahl zum
Pontifikat zu erzwingen [9]); der Versuch miß=
lang aber, weil die Macht der Parthie noch
nicht genug befestigt war. Sergius wurde
sogar aus der Stadt gejagt, hingegen im J.
904. war sein Anhang stark genug, ihn im
Triumph zurückzubringen [10]), und nicht nur
auf den päbstlichen Stuhl zu erheben, son=
dern auch auf dem eroberten Stuhl zu be=
haupten.

§. 6.

Dieser Sergius III. war aber zugleich ei=
ner der schändlichsten Menschen, der selbst von
diesem

9) S. Luitprand L. I. c. 9. Luitprand giebt
aber dabey ein falsches Jahr an.

10) Im J. 903 war nach Benedikts IV. Tode
Leo V. gewählt worden. Nach zwey Mona=
then nahm ihn ein Presbyter, Christoph, ge=
fangen,

diesem rohen Zeitalter mit Schrecken und Abscheu als ein Ungeheuer angestaunt wurde. Wild und grausam, und wollüstig bis zum Viehischen spottete er nicht nur aller Gesetze der Religion, der Sittlichkeit und der Ehrbarkeit, sondern selbst aller Gesetze des priesterlichen und des gemeinsten Anstands, befliß sich eigentlich, seine Laster recht öffentlich zu begehen, und, als ob er das Pontifikat absichtlich schänden wollte, alle seine Verbrechen dem Anblick der ganzen Welt auszustellen. Gerade durch diesen Charakter wurde er jedoch für seine Parthie desto brauchbarer, denn die Dauer ihrer Herrschaft über Rom konnte nur durch eine entschiedene Uebermacht, und diese nur durch eine Gewalt gesichert werden, für welche die Religion so wenig heiliges als die Gerechtigkeit hatte. Dazu war Sergius der Mann, denn so wenig er sich scheute, in einem öffentlichen Concubinat mit

Maro-

fangen, und setzte sich selbst auf den päbstlichen Stuhl, von welchem ihn Sergius im folgenden Jahr auf eine gleiche Art herabzog.

Marozien zu leben [11]), ſo wenig trug er
auch Bedenken, alle Schätze der Römiſchen
Kirche ſeiner Parthie preis zu geben, ſo weit
es zu ihrer Unterſtützung nöthig war. Da
er zugleich alle Plätze, mit denen einiger Einfluß verbunden war, nur mit ihren Kreaturen
beſetzte, und ihr auch das Caſtell, das die
Stadt beherrſchte, oder die Engels-Burg eingeräumt hatte, ſo reichte ſeine ſiebenjährige
Regierung völlig dazu hin, ihr ein Uebergewicht zu verſchaffen, durch das ſie jetzt nach
ſei-

11) S. *Luitprand* De Rebus Impp. et Reg. L. II.
c. 13. Muratori hat freylich mit einem ſehr
großen Aufwand hiſtoriſcher Gelehrſamkeit be-
wieſen, daß man ſich nicht auf alle einzelne
Angaben dieſes faſt gleichzeitigen Geſchicht-
ſchreibers verlaſſen darf, aber dadurch kann
zu dem Auge einer billigen Kritik ſeine
Glaubwürdigkeit im Ganzen nur wenig verliehren. Auch läßt ſich nicht abſehen, warum
er gerade bey Sergius eine ſo böſe Zunge
gehabt haben ſollte, wie Muratori ihm zu-
ſchreibt: T. V. p. 267. Doch möchte von einigen der Vorwürfe, die er ihm ſonſt noch,
und beſonders S. 302. 393. macht, immer etwas an ihm hängen bleiben.

(Randnotiz, linke Spalte, teilweise abgeschnitten)
wenig trug er
der Römischen
geben, so weit
tig war. Da
ren einiger Ein-
ihren Kreaturen
stellt, daß die
ze-s-Burg ein
ne siebenjährige
hr ein Ueberge-
s sie jetzt nach
seit-

cp. et Reg. L. II.
h mit einem sehr
Gelehrsamkeit be-
auf alle einzelne
junge Geschich-
te dadurch kann
en Kritik seine
zu wenig ver-
ziehen, warum
so diese Zunge
Noratort ihm zu-
te mögte von ei-
n sonst noch,
immer et-

seinem Tode sich selbst behaupten konnte. Sie war selbst schon mächtig genug geworden, um sich im Nothfall ohne die Hülfe eines Pabsts behaupten zu können, doch fand sie es ihrem Vortheil gemäß, das Pontifikat noch mit ihren Kreaturen besetzen zu lassen, da sie den Gang jeder Pabst-Wahl so leicht leiten konnte. So ließ sie dann im J. 911. Anastasius III. auf Sergius folgen. Im J. 913. ernannte sie nach dem Tode von Anastasius Landus I. zu seinem Nachfolger, und im J. 914. stieg Johann X. durch ihren Einfluß aus dem Bette Theodorens auf den heiligen Stuhl.

§. 7.

Bey diesem Johann 12) mochte sie indessen einen Mißgriff gethan haben, dessen Folgen sehr gefährlich für sie werden konnten. Er war, wie es schien, nur eine Kreatur der Weiber, die zu der Parthie gehörten, aber
hatte

12) Durch den Einfluß von Theodoren war er im J. 905. Erzbischoff von Ravenna geworden, und wurde also von Ravenna aus nach Rom versetzt.

Planck's Kirchengesch. B. III. R

hatte nicht Lust, ein Sklave der Parthie zu
werden, so wie er auch nicht zu dem Fami-
lien-Bund, durch den sie zusammenhieng, gehören mochte. Vielleicht hatte er sich selbst
an Theodoren nur in der Absicht angeschlossen,
um sich durch sie heben zu lassen; sobald er
aber stand, wo er stehen wollte, so arbeitete
er darauf hin, sich allmählig von ihrem Einfluß oder doch von dem Einfluß ihrer Umgebungen unabhängig zu machen. Aus dem Erfolg und aus den sonstigen Proben von Selbstständigkeit und Entschlossenheit, welche Johann bey mehreren Veranlassungen zeigte, hat
man wenigstens Ursache zu vermuthen, daß
er damit umgieng, die Aristokratie des Adels
und der Barone wieder zu sprengen, welche
die Toscanische Parthie in der Stadt organi-
sirt hatte, oder es doch dahin zu bringen,
daß auch sie in dem Pabst ihr Oberhaupt und
nicht bloß ihr Werkzeug sehen sollte. Es ist
wahrscheinlich, daß er auch deßwegen sich näher an Berengar anschloß, und ihn selbst im
J. 916. zum Kayser krönte, um sich im
Nothfall dabey von ihm helfen zu lassen;
aber da Berengar im J. 924. im Kriege mit
dem

dem Burgundischen König Rudolf das Leben verlohr, so wurde Johann nur desto gewisser das Opfer seines Entwurfs, der allerdings ohne fremde Hülfe nicht mehr ausführbar war. Im J. 928. ließ ihn die Toscanische Parthie ermorden [13]), und behauptete von jetzt an ganz öffentlich die Herrschaft über Rom, da sie durch die Heyrath Maroziens mit dem Markgrafen Guido von Toscana das Band, das sie zusammenhielt, noch mehr befestigt hatte. Auch sorgte sie jetzt dafür, das Pontifikat in sicherere Hände zu bringen, denn sie machte den eigenen Sohn von Marozien unter dem Nahmen Johann XI. zum Pabst [14]).

§. 8.

Eine Bewegung, welche nicht lange darauf unter ihr selbst einen Riß drohte, wurde mit glei=

13) S. *Luitprand* L. III. c. 10. 12.

14) Im J. 931. Leo VI. und Stephan VII. kamen noch dazwischen. Vielleicht auch Marin II., aber die Chronologie dieser Päbste ist sehr verwirrt.

gleichem Glück für ſie unſchädlich gemacht.
Im J. 932. hatte Marozia nach dem Tode ihres zweyten Gemahls den Markgrafen Hugo
von Provence geheyrathet, der ſchon im J.
926. den burgundiſchen König Rudolf wieder
um die italiäniſche Krone gebracht hatte. Damit glaubte dann Hugo zu dem Königreich von
Italien auch die Herrſchaft über die Stadt
Rom erheyrathet zu haben, und ließ es ſelbſt
die Häupter der Parthie, welche ſie bisher
mit Marozien getheilt hatten, ſehr deutlich
merken. Aber dieſe vereinigte ſich ſogleich unter der Anführung des jungen Alberichs, eines andern Sohns von Marozien, ernannte
dieſen zum Patricius oder zum Fürſten von
Rom, jagte Hugo aus der Stadt, und zwang
ihm ſelbſt im J. 936. einen Vergleich ab,
durch den er der Herrſchaft über die Stadt
entſagen, und ſie Alberich überlaſſen mußte.
Auch befeſtigte ſich jetzt dieſer ſo ſehr in ihrem
Beſitz, daß er ſie bey ſeinem Tode im J.
954. noch ſeinem Sohn Octavian übertragen
konnte. Doch war damahls bereits im Zuſtand von Italien die Veränderung eingetreten,
die bald auch in Rom eine neue Ordnung der
Dinge

Dinge herbeyführte, oder vielmehr die alte
wieder herstellte.

§. 9.

Im J. 946. hatte nehmlich Hugo die italiänische Krone seinem Sohn Lothar übergeben,
und sich in ein Kloster zurückgezogen; gegen
den neuen jungen Regenten war aber sogleich
der Markgraf Berengar von Jvrea, ein Enkel
des älteren Berengars von Friaul, aufgestan-
den, der ihn bald aus der Welt schaffte [15],
und sich darauf mit seinem Sohn Adelbert
im J. 950. zum König von Italien krönen
ließ. Um sich den ruhigeren Besitz der so
schändlich gewonnenen Krone zu versichern,
wollte er die junge Wittwe Lothars nöthigen,
seinem Sohn Adelbert ihre Hand zu geben;
diese fand hingegen Mittel, den König von
Deutschland, den tapfern Otto I., zu ihrer
Hülfe herbeyzurufen, worauf sie dann diesem
im J. 951. als ihrem Befreyer selbst ihre
Hand

15) Nach der allgemeinen Sage des Zeitalters
durch Gift. S. *Frodoard.* in Chron. ad ann.
950.

Hand reichte, und zugleich alle ihre Ansprüche
an die Erbschaft Lothars in die seinige legte.
Schon im folgenden J. 952. sah sich auch Berengar gezwungen, einen Frieden von Otto zu
erbitten, wobey er das italiänische Königreich
als ein Lehen von ihm annehmen mußte; Otto
aber begnügte sich vorläufig damit desto gerner, da er wohl voraussah, daß es ihm jetzt
nicht leicht an einer Veranlassung fehlen könnte, sich zu einer gelegeneren Zeit weiter in die
Angelegenheiten von Italien einzumischen.

§. 10.

Schwerlich hatte er jedoch darauf gerechnet, daß die nächste Veranlassung dazu von
Rom aus an ihn gebracht werden würde, denn
hier war im J. 956. ein Umstand eingetreten,
durch den es noch unwahrscheinlicher wurde,
als es vorher gewesen war.

Der Pabst Agapet [16]), dessen Tod in dieß
Jahr hineinfiel, hatte die ganze Zeit seines
Pontifikats hindurch seine Gewalt nur nach
dem Willen Alberichs ausüben, und überhaupt
in Rom selbst nicht mehr ausüben dürfen, als
ihm

16) Er war im J. 946. gewählt worden.

ihm Alberich gestattete. In den letzten Jahren mochte er aber einige Zeichen von Ungeduld darüber geäußert, und selbst einige Bewegungen, sich von der Gewalt des Patricius zu emancipiren, gemacht haben, denn man faßte sogar den Verdacht gegen ihn, daß er wohl zu dem Zuge, den Otto nach Italien unternommen hatte, insgeheim mitgewürkt haben könnte.[17]). Daraus zog sich die aristokratische Parthie in der Stadt auf das neue die Lehre, daß sie sich auf keinen Pabst ganz sicher verlaßen könne, deßen Intereße nicht ganz mit dem ihrigen verschlungen sey, und faßte zugleich einen Entschluß, in welchem sich ihr Geist und ihr Charakter am bestimmtesten aussprach. Nach dem Tode Agapets ließ sie den jungen erst achtzehnjährigen Octavian selbst zu seinem Nachfolger im Pontifikat unter dem Nahmen Johann XII. ernennen[18]), und setzte ihm somit zu der Römischen Fürstenkrone auch die päbstliche Tiare auf.

§. II.

17) S. *Baronius* ad ann. 950. nr. 2.
18) S. *Luitprand* L. VI. c. 6.

R 4

§. II.

– – Durch diesen außerordentlichen Schritt konnte jedoch nur die Macht der Parthie in Rom selbst verstärkt werden; hingegen außer Rom wuchs ihr keiner weitere zu; vielmehr ist es sehr wahrscheinlich, daß er ihr zunächst einen neuen äußeren Feind zuzog. Der König Berengar, der überhaupt nach dem Abzuge Otto's auf eine höchst wilde Art den Tyrannen in Italien spielte, bezeugte sich bald auch sehr feindseelig gegen den neuen Fürst = Bischoff von Rom. Von den Gütern und Patrimonien der Römischen Kirche schrieb er nach seiner Willkühr Kontributionen aus, eignete sich auch wohl ganze Stücke, die ihm gelegen waren, zu, und suchte noch andere Gelegenheiten zu Händeln mit dem Pabst, deren Absicht sich nur allzuleicht errathen ließ; Offenbar sollten sie allmählig einen offenen Krieg mit den Römischen Dynasten herbeyführen, durch den er sich der Stadt zu bemächtigen, und auch die Römer unter seine Herrschaft zu bringen hoffte, die jetzt am wahrscheinlichsten ihrer bisherigen müde geworden seyn möchten. – Daß dieß letzte würklich der Fall war, wußte wahrscheins scheinlich die bisher herrschende Parthie in der Stadt noch gewisser, als Berengar; und kannte also das Schreckende der Gefahr, die ihr drohte, noch besser; als er; daher bedachte sie sich auch nicht lange, das einzige Rettungs-Mittel, das sich ihr anbot, zu ergreifen, so viel auch sonst dabey zu bedenken war. Der Pabst selbst schickte eine Gesandtschaft nach Deutschland heraus, durch die er, Otto dringend auffordern ließ [19]), ihm gegen Berengar zu Hülfe zu kommen, und dadurch führte er zunächst die Revolution herbey, durch welche mit der Wiederherstellung der alten Ordnung auch die Ruhe in Italien wieder hergestellt wurde. Doch der Pabst führte nicht nur die Revolution herbey, sondern auch ihre Vollendung war sein Werk, wenn schon nichts weniger als seine Absicht.

§. 12.

Otto selbst schien wenigstens voraus entschlossen, manche der alten Kayser-Rechte im Verhältniß gegen Rom und die Päbste ruhen

19) S. Luitprand L. VI. c. 6.

R 5

zu laffen, wiewohl er jetzt die ihm vom Pabst
angebotene Kayfer-Krone annehmen wollte.
Den Zug nach Italien, zu dem er aufgefordert würde, unternahm er jetzt vorzüglich in
der Abficht, um die würkliche Herrschaft des
Landes anzutreten, die ihm zu gleicher Zeit
von mehreren Ständen des Reichs [20]), welche Schutz und Gerechtigkeit gegen Berengar
von ihm verlangt hatten, angetragen worden
war. Die Kayfer-Krone wollte er aber nur
mitnehmen, weil fie dem Könige von Italien
mehr Glanz und damit auch mehr Anfehen geben mußte. Er stellte daher nicht ungern voraus das Verfprechen aus, daß er als Kayfer
dem Pabst und der Römischen Kirche alle ihre
Güter und alle ihre Rechte ungekränkt laffen
wolle, und als er von Mayland aus, wo er
nach der feyerlichen Abfetzung Berengars und
Adelberts fich als König von Italien huldigen
ließ, im J. 962. nach Rom kam, fo erneuerte er nicht nur bey feiner Kayfer-Krönung dieß
Verfprechen, fondern gab dem Pabst und den

Römern

----

[20]) Befonders von dem Erzbifchoff Walbert von
Mayland, der felbst zu ihm nach Deutfchland
gereift war.

Römern noch mehrere Beweise, daß es würklich sein Wunsch sey, friedlich mit ihnen aus-
zukommen.

§. 12.

Durch ein natürliches oder durch einige
besondere Umstände gereiztes Mißtrauen, durch
eine falsche Politik oder durch seinen jugend-
lichen Leichtsinn ließ sich hingegen der Pabst
zu einem Anschlag verleiten, der auch den
Kayser zu ändern Maaßregeln eigentlich nöthigte. Sobald dieser von Rom abgereist war,
um die Belagerung eines Schlosses in der
Grafschaft Monte Feltro, in das sich Berengar eingeschlossen hatte, zu unternehmen, so
ließ er sich mit dem Prinzen Adelbert in eine
Verbindung gegen ihn ein, führte Adelbert
selbst nach Rom, und machte noch einen Versuch, den Kayser, der auf die Nachricht davon ebenfalls dahin zurückgeeilt war, durch
einen verrätherischen Ueberfall zu ermorden
oder in seine Gewalt zu bekommen. Otto aber
ließ jetzt durch eine Synode, die er im J.
963. zu Rom selbst veranstaltete, den unwürdigen Johann des Pontifikats entsetzen, sorgte
dafür,

dafür, daß in der Person Leo VIII. ein neuer
von ihm abhängiger Pabst gewählt wurde [21],
und trat nun erst durch diese und durch die
weiteren Vorkehrungen, die er wegen der Römer traf, in das alte Kayser = Verhältniß
gegen sie und gegen das Pontifikat wieder
ein.]

[21] S. Luitpr. L. VI. c. 6. 7. Nur der schlimme
Umstand war dabey, daß Leo zur Zeit seiner
Wahl noch nicht im Klerus, sondern bloßer
Laye war.

Kap. XIII

Veränderungen in dem Verhältniß zwischen dem Kayser und dem Pabst. Umstände, welche sie herbeyführen, aber zugleich verhindern, daß sich in den sonstigen Verhältnissen des Pontifikats während dieses unruhigen Zeitraums weniger verändert.

---

§. 1.

Doch war es nicht mehr das ganz alte Kayser = Verhältniß, wie es unter Carl dem Großen gestanden, und noch auf seine zwey nächsten Nachfolger gekommen war, in das Otto mit dem Pabst hineinkam; denn das neue Verhältniß, in welches Johann VIII. bey der Ertheilung der Kayser = Würde an Carl den Kahlen das Pontifikat gerückt hatte, machte es unmöglich, daß jemahls ein Kayser wieder ganz in das alte hineinkommen konnte. Wenigstens so bald konnte es nicht geschehen; aber eben deßwegen verdient es genauer be=

merkt

merkt zu werden, wie jetzt der Kayſer und
der Pabſt gegen einander ſtanden, ſo wie es
überhaupt nöthig iſt, die Aufmerkſamkeit des
Leſers auf die Erſcheinung und auf die Urſa=
chen der Erſcheinung zu richten, daß das
Pontifikat auch in allen ſeinen ſonſtigen Ver=
hältniſſen während eines achtzichjährigen ſonſt
ſo verwirrten und ordnungsloſen Zuſtands den=
noch von ſeinem Einfluß und von ſeinem An=
ſehen nichts verlöhr. Dieſe Urſachen legen
ſich jedoch ſehr offen in der Geſchichte dar.

§. 2.

Was zuerſt die beſondere Lage des Pabſts
gegen den Kayſer betrifft, ſo mußte ſich noth=
wendig in dieſem Zeitraum die Vorſtellung all=
gemein befeſtigt haben, daß das Dispoſitions=
Recht über die Kayſer=Krone niemand als
dem Pabſt, oder höchſtens dem Pabſt und den
Römern, gemeinſchaftlich zuſtehe. Man ſah ja
vom J. 891. bis zu dem J. 916. fünf bis
ſechs Kayſer nach einander, die ſonſt nicht
einmahl einen denkbaren Anſpruch darauf ma=
chen konnten, und es auch ſelbſt anerkannten,
daß ſie nur durch den Pabſt dazu gelangt
ſeyen.

ſeyen. — Aber nach dem Ausſterben des Caro=
lingiſchen Stammes in Deutſchland und Frank=
reich, ließ ſich auch würklich kein Weg mehr
denken, wie man zu dem Römiſchen Kayſer=
thum, das doch zunächſt die oberſte Schutz=
Herrſchaft über Rom in ſich ſchließen ſollte,
anders kommen konnte, als durch die Ernen=
nung des Pabſts in Gemeinſchaft mit dem Rö=
miſchen Volke. Wenn es ja die Nachkommen
Carls des Großen als erbliches Familien= Gut
prätendiren konnten 1), ſo konnten die neuen
Könige nur deſto weniger Anſprüche darauf
machen, welche ſich die deutſche Nation ge=
wählt hatte, ja wenn ſie auch das Königreich
von Italien behauptet hätten, ſo würde ſelbſt
daraus noch kein rechtlicher Anſpruch auf das
Kayſerthum für ſie erwachſen ſeyn, denn es
war

1) Aber ſchon Ludwig II. prätendirte es nicht
mehr, denn er ſchrieb ja ſelbſt in einem
Brief an den griechiſchen Kayſer Baſilius
vom J. 871., er habe die Kayſerwürde nur
erhalten "ex unctione et ſacratione, qua per
ſummi Pontificis manuum impoſitionem divini=
tus ſumus ad hoc culmen provecti." S. Baron.
ad h. a. nr. 54.

war, kein Gesetz und kein Grund vorhanden, nach welchem die Kayserwürde immer mit dem italiänischen Königreich verbunden werden sollte. Wenn hingegen Hadrian III. mit Einstimmung des Römischen Volks würklich das Gesetz gemacht hätte, daß nach dem Aussterben des Carolingischen Hauses die Kayser-Krone keinem fremden Fürsten mehr, sondern nur einem italiänischen ertheilt werden sollte, wer konnte damahls ein Recht haben, sich darüber zu beschweren, denn wessen Rechte wurden dadurch verletzt?

§. 3.

Die Vorstellung von einem Dispositions-Recht des Pabsts über die Kayserwürde mußte sich aber im weiteren Verlauf des zehnten Jahrhunderts durch einen andern Umstand noch mehr befestigen. In dem Staats-Recht des Zeitalters bildete sich allmählig das Prinzip aus, daß das Kayserthum die höchste weltliche Würde, und der Kayser das Oberhaupt aller übrigen weltlichen Fürsten sey 2). Dabey genera-

2) Pütters historische Entwicklung der heutigen

neralifirte man bloß das Prinzip der Carolingifchen Haus-Verfaffung, nach welcher das Majorat in der Familie immer mit dem Kayferthum verbunden, und der jeweilige Befitzer der Kayfer-Krone von allen andern regierenden Linien des Stammes als ihr Oberer erkannt werden follte. Sobald man aber das Prinzip in das allgemeine ausgedehnt hatte, fo mußte man auch über die Succeffions-Ordnung in der Kayfer-Würde eine andere Vorftellung auffaffen. Man konnte nicht glauben, daß der Kayfer würklich das Oberhaupt aller übrigen weltlichen Fürften fey, ohne fich auch zu fragen, wer ihn dazu gemacht habe? und welche Antwort konnten fich die Publiciften des Zeitalters darauf geben, als daß es Gott durch den Pabft gethan habe? denn welche bot fich ihnen noch fonft an?

§. 4.

Doch es ift ja erweislich, daß auch Otto felbft die Kayfer-Krone nicht anders als durch
den

...gen Staats-Verfaffung des deutfchen Reichs. Th. I. p. 117.

Planck's Kirchengefch. B. III.   S

den Pabst erlangen zu können, und erlangt zu haben glaubte. Es fiel ihm nicht ein, daß sie mit dem deutschen Königreich verbunden seyn müsse. Er dachte eben so wenig daran, daß er als oberster Lehensherr des italischen Reichs Ansprüche darauf machen könne, denn in den neun Jahren, in welchen er diesen Charakter behauptete, vom J. 952. bis 961. machte er keine Bewegung, darnach zu greifen; sondern nur als der Pabst und die Römer sie ihm wahrscheinlich antragen ließen, erklärte er seine Bereitwilligkeit, sie anzunehmen. Noch vor dem Antritt seines würklichen Zuges nach Rom unterschrieb er aber auch die Urkunde, durch die er sich gegen den Pabst zu der Erfüllung gewisser Bedingungen verpflichtete, und wie konnte er förmlicher als dadurch anerkennen, daß er sie dem Pabst zu danken habe? Freylich mochte Otto nicht daran denken, daß Gott selbst dem Pabst den Gedanken eingegeben habe, ihm das Kayserthum anzutragen. Er wußte recht gut, wodurch er dazu gedrungen worden war; allein er glaubte doch selbst, daß ihn nur der Pabst zum Kayser machen könne.

§. 5.

§. 5.

Schon dadurch wurde es unmöglich gemacht, daß das Verhältniß eines Kaysers mit
dem Pabst wieder ganz auf den alten Fuß
hergestellt werden konnte. Wenn auch jetzt der
Pabst nach einigen besondern Beziehungen gegen den neuen obersten Schutzherrn der Stadt
Rom und der Römischen Kirche, oder gegen
den neuen obersten Lehensherrn ihrer Patrimonien in das alte Verhältniß zurücktrat, so
war er doch zugleich in eine andere Beziehung mit ihm gekommen, die auch auf jene
oder auf die Rechte, welche dem Kayser aus
jenen zuwuchsen, wenigstens auf die Form ihrer Ausübung einigen Einfluß äußern mußte.
Allein es ist noch überdieß mehr als wahrscheinlich, daß sich auch in Ansehung jener andern Beziehungen einiges verrückt hatte, das
sich nicht ohne Gewalt wieder in die alten Fugen bringen ließ.

§. 6.

Einige der ephemeren Kayser, die in dem
Zeitraum der zwischen Deutschland und Italien zerrissenen Verbindung auf einander folg-

S 2   ten,

ten, befanden sich in einer Lage, in der ihnen die Unterstützung des Pabsts und der in Rom herrschenden Parthie fast nöthiger als diesen die ihrige war. Es verstand sich also von selbst, daß sie von den ohnehin so unbestimmten Kayser-Rechten niemahls weiter Gebrauch machen durften, als den Päbsten und den Römischen Aristokraten selbst damit gedient war, und so mußten diese Rechte zuletzt von selbst zu einem bloßen Schatten zusammenschwinden, wenn sie auch niemahls förmlich darauf Verzicht gethan hatten. Doch man hat Ursache zu vermuthen, daß auch dieß zum Theil geschehen war. Als auf einer Synode zu Ravenna im J. 898. der Kayser Lambrecht darauf angetragen hatte [3]), daß es keinem Römer verwehrt seyn sollte, in der letzten Instanz an den Kayser zu rekurriren, also nur das Kayser-Recht der höchsten oberstrichterlichen Gewalt wieder ansprechen wollte, so verlangte dagegen der Pabst Johann IX., daß der Vertrag gehalten werden müsse, den der vorige Kayser Guido mit dem Römischen Stuhl ge-

[3] S. Acta Concilii Ravennat. bey *Labbé* T. IX. p. 508.

geschlossen habe [4]). Wenn dann auch Guido
in diesem Vertrag dem Pabst nicht die ganze
Oberherrschaft über die Stadt Rom abgetreten
hatte, muß man nicht annehmen, daß er wenigstens
einige einzelne Rechte, die sonst dem
Kayser gehörten, dem Pabst überlassen hatte;
ja erkannte nicht Lambrecht selbst auf eben
dieser Versammlung das höhere oberherrliche
Verhältniß des Pabsts gegen die Römer auch
mittelbar dadurch, indem er es auf den Antrag
Johanns IX. zum Gesetz machen ließ,
daß sich niemand gegen ihn, so wenig als gegen
den Kayser, in ein Bündniß einlassen
dürfe?

§. 7.

Doch von einem der bedeutendsten älteren
Kayser = Rechte, von dem kayserlichen Konfirmations
= Recht der Pabst = Wahlen, läßt es
sich im besondern genau genug angeben, wie
viel in diesem Zeitraum davon wegfiel. Auf
einer

4) "Ut pactum, quod a Beatae memoriae vestro
genitore Domino Widone factum est, nunc
redintegretur et inviolatum servetur." eb. daf.
p. 509.

S 2

einer Römischen Synode ließ Johann IX. ebenfalls ein neues Regulativ wegen dem ordnungsmäßigen Antheil machen, den der Kayser an Pabst=Wahlen haben sollte, und durch
dieß neue Regulativ wurde er bloß darauf eingeschränkt, daß der Kayser zu der Konsecration eines jeden neuen Pabsts Commissarien
oder Gesandte zu schicken habe, denen es ob-
liegen sollte, alle gewaltsame und tumultuari-
sche Proceduren dabey zu verhindern. Von
der Zuziehung der kayserlichen Commissarien zu
dem Wahl=Actus, und von einer kayserlichen
Bestätigung der Wahl, welche erst eingeholt
werden müßte, ist kein Wort darinn erwähnt;
vielmehr schien es der Pabst recht geflissentlich
verhindern zu wollen, daß aus der von ihm
anerkannten Nothwendigkeit der Zuziehung kay-
serlicher Commissarien zu der päbstlichen Consecration keine stillschweigende Anerkennung des
kayserlichen Bestätigungs=Rechts heraus erklärt
werden könnte, denn nur um deßwillen bestimmte er so sorgfältig, warum und zu welchem Zweck man sie zuzuziehen habe 5). Was
also

5) "Quia sancta romana ecclesia plurimas patitur
violen-

also der Kayser noch dabey zu thun haben
sollte, dieß lief mit einem Wort bloß darinn
zusammen, daß er als oberster Schutzherr der
Römischen Kirche und ihrer Rechte, nicht das
Recht, sondern die Verpflichtung haben sollte,
seine Macht und sein Ansehen im Nothfall
auch für die Behauptung ihrer Wahl-Freyheit
zu verwenden [6]).

§. 8.

violentias Pontifice obeunte, quae ob hoc infe-
runtur, quia novi Pontificis consecrationi non
intersunt nuntii ab Imperatore directi, qui vio-
lentiam et scandala in ejus consecratione non
permittunt fieri — ideo volumus, ut novus
Pontifex, convenientibus episcopis et universo
Clero, expetente Senatu et populo electus —
non nisi praesentibus legatis Imperatoris conse-
cretur." S. *Labb* T. IX. p. 505.

[6]) Es ist also irrig, wenn *Muratori* Annal T. V.
p. 229. behauptet, es sey hier verordnet worden, daß kein Pabst anders als mit Genehmigung des Kaysers und in Gegenwart seiner Gesandten konsecrirt werden dürfe. Von
der approvazione des Kaysers steht kein Wort
in dem Decret.

S 4

§. 8.

Nun darf man unter den Umständen, unter denen sich Otto die Kayser-Krone von Johann XII. aufsetzen ließ, doch gewiß annehmen, daß dabey nicht besonders davon gesprochen wurde, ob er in das alte oder in das neuere Kayser-Verhältniß eintreten sollte. Ohne Zweifel setzten der Pabst und die Römer voraus, daß Otto selbst an kein anderes als an das neuere denke, worinn er sie auch noch mehrfach bestärkte. Wenn es mit der Aechtheit des von Gratian aufbehaltenen Instruments 7) seine Richtigkeit hat, das Otto noch vor dem Antritt seines Römer-Zuges beschwor, so machte er sich feyerlich darinn anheischig, daß er als Kayser nur den Beschützer der Römischen Kirche, ihrer Rechte und ihrer Güter vorstellen wolle, denn er versprach ja sogar darinn 8), daß er in Beziehung auf die Römische Kirche und das Römische Volk niemahls etwas verfügen wolle, ohne vorher den Rath und die Beystimmung des Pabsts

7) S. Distinct. LXIII. c. 33.

8) "In romana urbe nullum placitum aut ordinationem faciam de illis, qui ad Te aut ad Romanos pertinent, sine tuo consilio."

Pabſts eingeholt zu haben. Wollte man aber
ſelbſt jene zweifelhaftere Urkunde[9]) für ächt
erkennen, die er nach ſeiner Krönung ausgeſtellt haben ſoll, ſo würde ſich dieß auch aus
dem darinn enthaltenen Artikel wegen der
Pabſt-Wahlen beſtätigen, denn bey dieſen hätte er ſich dann würklich nicht mehr vorbehalten, als Johann IX. auf der Römiſchen Synode vom J. 898. dem Kayſer überlaſſen haben wollte.

§. 9.

So läßt ſich nicht zweifeln, daß ſich das
Verhältniß eines Kayſers gegen den Pabſt auch
in dieſer Hinſicht etwas verändert hatte. Gewiß hatte man zwar den Begriff beybehalten,
daß die ſchutzherrliche Oberherrſchaft über die
Stadt Rom, wie über alle Güter und Beſit-
zungen der Römiſchen Kirche unzertrennlich
mit dem Kayſerthum verbunden ſey. Der
Pabſt und die Römer wollten es daher auch
als einen Actus ihrer freyen Willkühr angeſe-
hen

---

9) S. *Baron.* ad ann 962. nr. 3. Goldaſt Conſtit. Imper. T. II. p. 44. *Muratori* V. p. 401.

hen haben, daß sie sich selbst in dem von ih=
nen gewählten Kayser einen Oberherrn ga=
ben 10), und sie konnten es jetzt desto schein=
barer thun, da sie eine geraume Zeit hindurch
gezeigt hatten, daß sie zu ihrem Schutz nicht=
gerade einen nöthig hätten. Sie wollten ihm
aber deßwegen nicht bloß eine Titular=Ober=
herrschaft zugestehen, denn man dachte zum
Beyspiel gewiß nicht daran, ihm das Recht
streitig zu machen, daß er in Rom, wie in
den Haupt=Oertern des Kirchenstaats Gericht
halten dürfe, was damahls für das Wesent=
lichste von den Regalien des Oberherrn gehal=
ten wurde: allein von einzelnen andern Rech=
ten

10) Auch behielten sie deßwegen schon in dem
Huldigungs=Eyd, den sie dem Kayser Arnulf
im J. 896. schworen, sich und dem Pabst
ausdrücklich ihre Rechte vor. Dieser Huldi=
gungs=Eyd lautete wörtlich so: Juro per haec
omnia Dei mysteria, quod salvo honore et lege
mea, atque fidelitate Domini Formosi Papae
fidelis ero omnibus diebus vitae meae Arnolfo
Imperatori, et nunquam me ad illius infideli=
tatem cum aliquo homine sociabo. *Muratori*
Annal. T. V. p. 215.

ten des Kayserthums waren mehrere im Verlauf der Zeit außer Gebrauch gekommen, oder konnten wenigstens nicht mehr in dem Umfang, wie ehemahls, ausgeübt werden, weil sich den Päbsten die größere Gewalt und der mächtigere Einfluß, den sie indessen auch in Rom erlangt hatten, nicht mehr so leicht nehmen ließ.

§. 10.

Es läßt sich leicht erkennen, wie dazu selbst jenes Ereigniß der Zwischenzeit mitwürken konnte, das sonst für das Pontifikat am ungünstigsten schien. Die neue Aristokratie, die sich in Rom gebildet hatte, mußte in die Länge für die Päbste höchst nachtheilig und gefährlich werden; denn ihre Tendenz gieng offenbar dahin, ihnen die Herrschaft über Rom allmählig aus der Hand zu winden; aber so lange sie noch das Ansehen der Päbste brauchte, um sich zu erhalten und zu befestigen, mithin noch unter dem Nahmen der Päbste die Römer beherrschte, so war es sehr natürlich, daß sie auch das Interesse des Pontifikats auf jede Art begünstigte. Ein Sergius III., Johann

X.

X., XI. und der XII., gehörten ja selbst zu
dem Aristokraten-Bunde, und konnten also
über die Macht des Bundes eben so gut zu
der Vergrößerung der Gewalt, des Ansehens
und der Einkünfte ihres Stuhls disponiren,
als sie den Einfluß des Pontifikats zu der
Verstärkung des Bundes benutzten. Wenn daher auch einzelne Päbste dieses Zeiträums darunter litten, die sich gegen ihren Willen von
der mächtigen Parthie beherrschen lassen mußten, so verlohr doch das Pontifikat noch nichts
dabey, denn glücklicherweise wurde die Parthie
noch früher gesprengt, ehe sie es wagen durfte, sich öffentlich gegen dieses zu erheben.

§. II.

Eben so natürlich läßt sich aber auch daraus erklären, wie es kam und kommen konnte, daß der Römische Stuhl auch in seinen
kirchlichen Verhältnissen, während der sonstigen
Verwirrung dieser Periode nichts verlohr.
Mehreren der Päbste, deren Regierung dazwischen hineinfiel, fehlte es weder an Geist,
noch an Willen, ihre kirchlichen Rechte in dem
ganzen Umfang, den ihnen Nicolaus abgesteckt
hatte,

hatte, zu behaupten, so oft sich ihnen nur
eine Gelegenheit dazu anbot. War es doch ei=
ner der Päbste dieses Zeitalters, Stephan V.,
der es im J. 890. förmlich als Rechts=Grund=
satz sanktionirte, daß alle Befehle und Ver=
ordnungen des Römischen Stuhls von der gan=
zen Kirche ohne Widerrede angenommen wer=
den müßten ¹¹). Aber es fehlte ihnen auch
nicht an Gelegenheit, diese Rechte von Zeit=
zu Zeit geltend zu machen, denn es kamen
immer Fälle vor, bey denen man sie selbst
veranlaßte, Gebrauch davon zu machen.

§. 12.

So forderte selbst der Kayser Carl der
Dicke im J. 885. den Pabst Adrian III. auf
das dringendste auf, daß er nach Deutschland
hinauskommen möchte, um über einige Bi=
schöffe, die sich der Kayser gern vom Halse
schaffen wollte, Gericht zu halten ¹²). So
wandte sich im J. 889. der Klerus und die
Kirche

11) Die Konstitution findet sich wenigstens bey
Gratian Dist. XIX. c. 4. unter dem Nahmen
dieses Pabsts.

12) S. Annal. Fuldens. ad ann. 885.

Kirche zu Langres an seinen Nachfolger Stephan V. [13] mit dem würklich neuen Gesuch, daß er selbst einen von ihnen gewählten Bischoff konsecriren möchte, da sich der Metropolit weigerte, es zu thun. Im J. 942. ließen es sich aber die französischen Stände von Stephan VIII. unter der Strafe des Bannes befehlen, daß sie Ludwig IV. als ihren König erkennen sollten [14]. Wenn es also auch während dieser Zeit seltener als vorher geschah, daß die Päbste, die mit den inneren Händeln in Rom und in Italien zu sehr beschäftigt waren, sich in die Angelegenheiten auswärtiger Kirchen unaufgefordert einmischten, so unterließ man doch nicht, sie selbst hineinzuziehen, wo man nur seine Konvenienz dabey fand, und da zu gleicher Zeit die Geschäfts-Sprache, die man gegen sie führte, wie ihre eigene Canzley-Sprache unverändert blieb, so war es völlig in der Ordnung, daß sich auch sonst keine der Beziehungen, in denen man mit ihnen

---

13) S. Fragmentum epist. Stephani V. ad Fulconem; Archiep. Remens. bey *Labbé* T. IX. p. 377.

14) S. *Flodoard.* Chronic. ad ann. 942.

ihnen stand, veränderte. Sie mußten sogar an Festigkeit gewinnen, je länger sie unberührt und also auch unbestritten blieben, aber sie mußten noch mehr dadurch gewinnen, weil in diesem Zeitraum der Verwirrung auch außer Italien, und besonders in Deutschland und Frankreich, so manches andere aus seiner Ordnung gekommen war.

§. 13.

Würklich gieng also für das Pontifikat nichts dabey verlohren; denn selbst der schlimmste Umstand, der in diese Zeit hineinfiel, wurde durch die Gegenwürkung des zuletzt berührten unschädlicher gemacht. Dieser schlimmste Umstand war die persönliche Unwürdigkeit mehrerer Päbste, die vom Ende des neunten bis in die Mitte des zehnten Jahrhunderts auf einander folgten. Gegen Infamieen von der Art, womit Stephan VI. 15) das Pontifikat

15) Vorzüglich gegen seine rasende Procedur mit der Leiche seines Vorgängers Formosus, die er wieder ausgraben, auf die schändlichste Art mißhandeln, und zuletzt in die Tiber werfen ließ.

tifikat. prostituirte, und gegen Gräuel und Verbrechen von der Abscheulichkeit, womit Sergius III. und Johann XI. und XII. den Stuhl des heiligen Petrus schändeten, hätte die religiöse Achtung gegen diesen Stuhl, so lange man auch daran gewöhnt war, unmöglich in die Länge aushalten können; worauf gründete sich aber seine Macht, als auf diese Achtung? Allein für jetzt hielt sie noch dagegen aus, und zwar sehr natürlich deßwegen, weil das Empörende jener Infamieen und dieser Laster fast nirgends gefühlt wurde. Unter der allgemeinen Verwirrung war nehmlich überall auch die wildeste Sittenlosigkeit besonders unter dem Klerus und unter den Bischöffen eingerissen. Nur die wenigsten von den letzten hatten Ursache, sich auch des schändlichsten Pabsts, sich auch eines Sergius III. oder eines Johanns XII. als ihres Oberhaupts zu schämen, denn sie waren meistens eben so wild, so irreligiös, und so lasterhaft, als diese.
Das

ließ. Es ist würklich sehr konsequent, daß Baronius unter allem Entsetzlichen, das er aus diesem Zeitalter zu erzählen hatte, nichts so entsetzlich wie dieß fand.

Das Gerücht von den schändlichsten Gräueln, welche zu Rom vorgiengen, konnte also keine besondere Sensation bey ihnen erwecken, und der Anblick des unwürdigsten Pabsts konnte eben daher auch für das Volk nicht so sehr empörender Anblick seyn, weil es schon über- all durch seine Bischöffe daran gewöhnt war. Wenn er aber ja noch das Gefühl einiger noch übrigen weniger verdorbenen Menschen empörte, so machten diese immer die kleinere Anzahl aus.

Dennoch zeigte es sich bey der ersten Ge- legenheit, wobey es wieder zu einem Kampf über die Rechte des Pontifikats kam, daß der Umstand nicht unbemerkt geblieben war, denn man versuchte es dabey würklich, ihn gegen die Päbste zu benutzen; aber der Versuch kam schon zu spät, denn er wurde erst nach dem Verlauf von weiteren dreißig Jahren gemacht.

———————

Kap. XIV.

Neue Päbste bis zu Johann XV. Streit, in welchen dieser, wegen des Erzbischoffs Arnulph von Rheims mit dem neuen König Hugo Capet von Frankreich verwickelt wird.

§. I.

So gut auch Otto nach der Absetzung Johanns XII. für die Wiederherstellung der Ruhe in Rom gesorgt hatte, so konnte doch die heftige Gährung, die hier so lange gedauert hatte, weder durch die bedachtsamste Klugheit, noch durch die entschiedenste Uebermacht auf einmahl niedergeschlagen werden. Der herrschsüchtigste Parthie-Geist hatte zu lange getobt, als daß er nicht noch einige Zeit hätte nachbrausen sollen; mithin kam es in Rom selbst noch zu einigen höchst wilden Auftritten, welche die ganze Anstrengung der kayserlichen Macht zu seiner Bändigung nöthig machten.

§. 2.

§. 2.

So trat, noch während Otto in Italien gegen Berengar kämpfte, selbst der entflohene Johann XII. wieder auf den Schauplatz, und erhielt aus den Trümmern seiner Parthie sogleich einen neuen Anhang, der den kayserlichen Pabst aus der Stadt jagen [1), und sich auch nach dem schändlichen Tode seines Anführers [2), der dazwischen kam, einen neuen Pabst in der Person Benedikts V. wählen konnte. Nun kostete es zwar den Kayser desto weniger, diese unruhige Rotte noch einmahl zu unterdrücken, da er indessen ganz Italien in Ruhe und Berengar selbst in seine Gewalt gebracht hatte. Nach einem fruchtlosen Widerstand sahen sich die Römer gezwungen, ihm

Bene=

1) Er hielt auch eine Synode zu Rom, durch welche er die Akten der vorigen förmlich cassiren ließ. S. Labbé. T. IX. p. 654

2) Johann XII. starb acht Tage nach seiner Zurückkunft in die Stadt; und nach Luitprands Erzählung war es allgemeine Volks = Sage in Rom, daß ihm der Teufel den Hirnschädel eingeschlagen habe.

T 3

Benedikt selbst auszuliefern, und den verjagten
Leo VIII. aus seinen Händen zurückzunehmen.
Die dabey gemachte Erfahrung schien auch
jetzt so stark auf sie gewürkt zu haben, daß
sie nach dem Tode Leo's VIII. im J. 965.
den Kayser durch eine eigene Gesandtschaft [3]
ersuchen ließen, daß er selbst einen Pabst nach
seinem Gefallen für sie aussuchen möchte: doch
kam es sogleich zu einem neuen Ausbruch, da
sie in der ehrlichen, oder politischen Liberalität,
womit er ihnen die Wahl überließ [4], einen
Beweis von Schwäche oder Furchtsamkeit zu
sehen wähnten. Ein Aufstand, unter welchem
sie schon im J. 966. den von ihnen selbst gewählten Johann XIII. wieder verjagten, nöthigte

3) Der Fortsetzer von Regino ad ann. 965. nennt
selbst die Nahmen der Gesandten.

4) S. Contin. *Reginon.* ad ann. 965. Die Ursache, warum die Römer dem Kayser die
Ernennung des Pabsts überlassen wollten,
lag jedoch gewiß nicht darinn, weil der vorige Pabst Leo VIII. in einer eigenen Konstitution ihm das Recht dazu eingeräumt haben
sollte, denn diese Konstitution ist sicherlich
unächt. S. *Barpn.* ad ann. 964. nr. 23-26.

thigte den Kayser zu einem dritten Zuge nach
Italien, und wenn sie auch jetzt der strengere
Ernst, den er ihnen zeigte, nachdrücklicher in
die Ordnung hineinschreckte, so hielt doch die
Würkung nicht länger an, als bis zu seinem
Tode.

§. 3.

Sobald im J. 973. die Nachricht von diesem in Italien angekommen war, erhob die
Toscanische Parthie wieder ihr Haupt, ermordete unter der Anführung des Patriciers Crescentius, eines Sohns der jüngeren Theodora,
Benedikt VI., der im vorhergehenden Jahr auf
Johann XIII. gefolgt war, und setzte mit Gewalt einen ihrer Anhänger, den Kardinal
Frankoni, unter dem Nahmen Bonifaz VII. auf
den päbstlichen Stuhl. Auf diesem konnte sie
ihn zwar nicht behaupten, denn nach wenigen
Monathen wurde er von dem, vielleicht durch
eine andere Faction aufgereizten, Volk aus der
Stadt gejagt; aber sie selbst behielt doch die
Oberhand in Rom. Der neue Kayser, Ot-
to II., den dringendere Angelegenheiten in
Deutschland zurückhielten, mußte daher, um

T 3   sein

ſein Anſehen, nur ſcheinbar zu retten, mit guter Art zugeben, daß in der Perſon Benedikts VII. noch einmahl eine ihrer Kreaturen [5]
auf den päbſtlichen Stuhl erhoben wurde; da
er es aber im J. 983. nach dem Tode von
dieſem durch ſeinen mächtiger gewordenen Einfluß durchſetzte, daß der Biſchoff Petrus von
Pavia, ſein bisheriger Canzler, unter dem
Nahmen Johann XIV. zum Pabſt gewählt
wurde, ſo machte es ſein eigener gleich darauf
erfolgter Tod, der toſcaniſchen Parthie deſto
leichter, ihre Macht auf das neue zu befeſti-
gen. Der verjagte Frankoni oder Bonifaz VII.
kehrte jetzt nach Rom zurück, und ſperrte
den kayſerlichen Pabſt in die Engelsburg, die
in der Gewalt von Creſcentius war. Creſcentius ſelbſt aber übte nun unter dem Titel eines
Fürſten von Rom die höchſte Gewalt über die
Stadt eben ſo, wie ehemahls Alberich aus,
und zwang auch den neuen nach dem Tode
von Bonifaz von dem Volk gewählten Pabſt [6]

Jo-

5) Benedikt war Biſchoff van Sutri, und gehörte zu der Familie Alberichs.
6) Auch hier iſt die Chronologie wieder eben ſo
  verwirrt, als ungewiß. *Murat. V. p. 477.*

Johann XV., daß er ihn in diesem Charak=
ter erkennen mußte, denn die Vormünderinnen
des minderjährigen Otto's III. waren nicht
im Stande, das kayserliche Ansehen mit dem
gehörigen Nachdruck zu behaupten.

§. 4.

Dieser Umstand trug indessen auch das Sei=
nige dazu bey, daß sich in Rom selbst all=
mählig wieder ein Zustand der Ruhe und Ord=
nung einleitete, von welchem ein weiser Pabst
schon Gebrauch machen konnte, um bey den
Römern für das Ansehen seines Stuhls wie=
der etwas zu gewinnen. Gegen die so sehr be=
festigte Macht der herrschenden Parthie konnte
hier keine andere mehr aufkommen. Man ge=
wöhnte sich also daran, ihre Herrschaft zu er=
tragen, da man keine Möglichkeit sah, sich
ihr zu entziehen, und man gewöhnte sich de=
sto leichter daran, da sie Crescentius nicht in
Tyranney ausarten ließ. Noch mehr trug je=
doch wahrscheinlich die Klugheit und die Mä=
ßigung des gegenwärtigen Pabsts zu dieser
Rückkehr der Ordnung bey, denn indem er
sich einerseits beständig in einer Lage zu halten

T 4 wußte,

wußte, welche die Ariſtokraten nöthigte, we=
nigſtens den äußeren Anſtand gegen ihn zu
beobachten [7]), ſo gebrauchte er auf der andern
Seite ſeinen ganzen Einfluß auf das Volk bloß
dazu, um neuen Unruhen, die zu nichts füh=
ren konnten, vorzubeugen.

§. 5.

Dieß fügte ſich aber noch in einer andern
Hinſicht für das Pontifikat deſto glücklicher,
weil es nun unter Johann XV. zum erſten=
mahl wieder einen auswärtigen Kampf zu be=
ſtehen hatte, deſſen Ausgang unſäglich nach=
theilig für den Römiſchen Stuhl hätte werden
können, wenn er in eine ungünſtigere Zeit
oder in andere Hände gefallen wäre. Johann
wurde in die Nothwendigkeit geſetzt, die Rech=
te ſeines Stuhls, und zwar eines der neuen

Rechte,

[7] Nach einer Nachricht bey Baronius ad ann.
985. nr. 4. hätten ſie ihn doch einmahl aus
Rom vertrieben, aber bald wieder zurückge=
holt. Eben daraus läßt ſich aber auch ſchlie=
ßen, daß er nicht bloß nach der Schilderung
einiger Schriftſteller ein blindes Werkzeug und
ein Sclave von Crescentius war.

Rechte, die ihm erst Nicolaus erworben hatte, gegen die ganze Kirche eines mächtigen Reichs und gegen den König dieses Reichs dazu, nehmlich gegen den König und gegen die Bischöffe von Frankreich zu behaupten. Er wurde ohne seine Veranlassung in den Streit darüber hineingezogen, und unter Umständen hineingezogen, die seiner Klugheit und seiner Standhaftigkeit eine höchst schwere Prüfung bereiteten; Johann aber bestand in der Prüfung wenigstens als höchst würdiger Pabst, denn wiewohl er den Ausgang des Streits nicht mehr erlebte, so leitete er ihn doch in den Gang ein, der es allein seinem Nachfolger möglich machte, einen höchst auffallenden, und eben dadurch für das Pontifikat unendlich wichtigen Sieg zu erkämpfen.

§. 6.

Im J. 987. — dieß war die Veranlassung des Handels — war mit dem Tode Ludwigs V. die Carolingische Linie in Frankreich erloschen, von welcher überhaupt nur noch ein einziger Sprößling, der Herzog Carl von Lothringen, lebte. Dem Recht nach hätte dieser

T 5   ser

ser, eben deßwegen die französische Krone erben
sollen, aber da er sich schon bey mehreren Ge=
legenheiten der französischen Nation sehr ver=
haßt gemacht hatte, so fand es der Herzog
Hugo Capet, einer der mächtigsten Dynasten
des Reichs, desto leichter, unter den übrigen
Großen und auch unter den Bischöffen eine
Parthie zusammenzubringen, durch die er auf
einer Versammlung zu Noyon zum König pro=
clamirt, und bald darauf zu Rheims feyerlich
gekrönt wurde. Dadurch fand sich jedoch der
Herzog von Lothringen noch nicht bewogen,
seine Ansprüche auf die Krone aufzugeben;
mithin mußte Hugo immer noch mit ihm dar=
um kämpfen, und im J. 989. nahm sogar
der Kampf für ihn eine sehr ungünstige Wen=
dung. Durch die Treulosigkeit eines Verrä=
thers bekam der Herzog in diesem Jahr die
Stadt Rheims in seine Gewalt, und da er
schon vorher auch Herr von Laon war, so be=
saß er nun zwey Sicherheits=Plätze im Herzen
von Frankreich, aus denen es äußerst schwer
schien, ihn wieder zu verdrängen.

§. 7.

§. 7.

Mehrere Umstände vereinigten sich, diesen
unerwarteten Schlag empfindlicher für Hugo
zu machen. Er war in diesem Augenblick noch
damit beschäftigt, die Grafen von Flandern
und Vermandois zum Gehorsam zu bringen,
die sich ebenfalls noch weigerten, ihn als König
zu erkennen. Als so neuer König mußte er
auch in die Treue mehrerer von jenen Großen,
die sich bereits für ihn erklärt hatten, noch
ein Mißtrauen setzen, und hatte daher Ursache
zu befürchten, daß sie jetzt zu dem einen oder
zu dem andern seiner Gegner übergehen, und
ihre Macht noch verstärken möchten. Am sorg-
lichsten mußten ihn aber die Folgen machen,
welche mittelbar aus dem Vorfall entspringen
konnten. Es war nehmlich sehr wahrscheinlich, daß der Verräther, der die Stadt
Rheims in die Hände des Herzogs von Lothringen gespielt hatte, kein anderer als der
Erzbischoff Arnulph von Rheims war, dem
er kaum vorher, um ihn von der Parthie des
Herzogs von Lothringen abzuziehen, zu dem
reichen Erzbisthum geholfen hatte. Dieser
Arnulph war ein natürlicher Sohn des Königs

nigs Lothar, und ein Neffe Carls von Lothringen; daher hatte man Gründe genug zu dem
Verdacht. Ein Bischoff aber konnte schon an
sich dem neuen König am meisten schäden,
denn es war für ihn am wichtigsten, den Klerus des Reichs auf seiner Seite zu haben,
und wie man auch den feindseligen Bischoff
fassen mochte, so lief man immer Gefahr,
wo nicht alle seine Mitbrüder, doch einige zu
reizen, die vielleicht nur auf eine Gelegenheit
zum Ausbruch warteten.

§. 8.

In dieser kritischen Lage versuchte der König, sich durch ein Mittel zu helfen, das ihn
gegen jede Gefahr von dieser Seite her am
gewissesten sichern konnte. Er hoffte, daß seinen Bischöffen jeder Vorwand, unter dem sie
sich Arnulphs annehmen könnten, benommen
seyn würde, wenn er ihn zuerst von dem
Pabst verdammen ließe, und bemühte sich desto eifriger, dieß zu erhalten, je mehr ihm
daran gelegen war. Er berichtete daher dem
Pabst den Hergang der ganzen Sache in einem
Brief, worinn er es ihm so nahe legte, was

er

er thun müßte, und warum er es thun müßte, daß es faſt unmöglich für ihn wurde,
ſeinen Wünſchen mit guter Art auszuweichen.
Er gab ſich das Anſehen, als ob er ſich bloß
deßwegen an ihn gewandt hätte, weil er die
Rechte des Apoſtoliſchen Stuhls, dem allein
das Richter-Amt über Biſchöffe zuſtehe, nicht
habe kränken wollen, und forderte ihn dadurch am dringendſten auf, "zu entſcheiden,
„was mit dem neuen Verräther Judas vor-
„genommen werden ſollte." [8]. Um ihn jedoch noch ſtärker zu binden, ließ er ihn zu
gleicher Zeit durch die Biſchöffe aus dem
Metropoliten-Sprengel von Rheims, die zu
ſeiner Parthie gehörten, auf eine noch ver-
fänglichere Art dazu auffordern. Das Schreiben von dieſen eröffnete ſich mit einer Ent-
ſchuldigung, daß man ſich von Frankreich aus
ſchon ſo lange nicht mehr an den Römiſchen
Stuhl

---

8) "Ergo qui vices Apoſtolorum tenetis, ſtatuite,
quid de altero Juda fieri debeat — ne nomen
Dei per nos blaſphemetur et ne forte juſto do-
lore permoti ac veſtra taciturnitate, urbis ex-
cidium totiusque provinciae moliamur incen-
dium. S. Centur. Magdeb. T. III. p. 262.

Stuhls gewandt habe 9), und dieſe Entſchul=
digung mußte es dem Pabſt am kräftigſten
an das Herz legen, daß er ſich ja in der er=
ſten Sache, die man wieder an ihn brachte,
nach ihren Erwartungen 10) benehmen möchte.

§. 9.

Dieſe Briefe mußten faſt unvermeidlich den
Pabſt in eine größere Verlegenheit ſetzen, als
jene war, worinn ſich der König befand. Auf
der einen Seite hielten ſie ihm eine Verſuchung
vor, die für einen Pabſt unwiderſtehlich ſeyn
mußte; denn er wurde darinn aufgefordert, von
einem der wichtigſten, aber bisher immer noch
ſtreiti=

9) "Non ſumus neſcii, ſanctiſſime Pater! jam du-
dum oportuiſſe nos expetere conſulta ſanctae
romanae eccleſiae. eb. daſ. p. 262.

10) Dieſe Erwartung legten ſie ihm auch ganz
offen dar. Adeſto pater ruenti eccleſiae, et
ſententiam profer in reum! Ferat ſancta romana eccleſia ſententiam damnationis in reum,
quem univerſalis damnat eccleſia. p. 263. Dar=
aus wird es wohl eben ſo klar, als aus al=
len übrigen Umſtänden, daß ſie dem Pabſt
gern die ganze Sache allein überlaſſen hätten.

streitigen Vorrechte seines Stuhls Gebrauch
zu machen, und er wurde von dem Könige
und von dem Klerus eines ganzen Reichs dazu aufgefordert, die ihm eben damit das
Vorrecht auf das förmlichste zugestanden. Auf
der andern Seite war es aber auch unmöglich, die Bedenklichkeiten zu übersehen, die
dabey einträten. Der Prälat, gegen welchen
der Pabst jener Aufforderung zufolge seine
richterliche Gewalt brauchen sollte, hatte nicht
nur selbst einen mächtigen Anhang, sondern
wurde noch von der ganzen Macht eines andern Fürsten unterstützt, und zugleich war es
noch nichts weniger als entschieden, ob die
Sache, die er vertheidigte, so ungerecht war,
als Hugo sie vorstellte ¹¹). Noch weniger
                                    war

---

11) Es war und ist selbst, so sehr sich auch fast
    die allgemeine Stimme aller Historiker gegen
    Arnulph erklärt hat, noch nichts weniger als
    entschieden, daß er nur würklich des Verbre-
    chens, das man ihm zur Last legte, nehm-
    lich der verrätherischen Uebergabe der Stadt
    Rheims an den Herzog von Lothringen, schul-
    dig war. Selbst aus den Akten des gegen
                                         ihn

war es entschieden, ob Hugo über seine ver=
einigten Feinde zuletzt die Oberhand behalten
würde; vielmehr schien es sehr möglich, daß
er dem Herzog von Lothringen und Arnulph un=
terliegen dürfte, und wenn dieser Fall ein=
trat, so ließ sich kaum absehen, wie sich ih=
nen der Pabst ohne Verletzung seiner Würde
jemahls wieder nähern könnte, wenn er sich
jetzt voraus gegen sie erklärte. Carl und Ar=
nulph

ihn instruirten Processes ergeben sich Zwei=
fels=Gründe genug dagegen; denn je weni=
ger man an der Aechtheit und Glaubwürdig=
keit dieser Akten zweifelt, desto deutlicher er=
sieht man daraus, wie vielfach unförmlich
und parthenisch es dabey zugieng. Baronius
hätte also nicht einmahl nöthig gehabt, sich
zur Vertheidigung Arnulphs auf das Zeug=
niß zu berufen, das der Fortsetzer der Ge=
schichte Aimons L. V. c. 45. ihm ertheilte;
doch läßt es sich gewiß auch diesem alten
Schriftsteller sehr leicht glauben, daß Arnulph
vorzüglich das Opfer des politischen Hasses
oder des politischen Mißtrauens wurde, das
der neue König gegen jeden noch übrigen
Sprößling aus dem alten Königsstamm füh=
len mußte.

nulph hatten ohnehin ebenfalls einen Gesandten nach Rom geschickt, um ihn abzuhalten,
daß er sich nicht in die Sache mischen sollte.
Er kränkte sie also desto bitterer, wenn er es
doch that, und hatte dann nur desto mehr
von ihrer Rache zu fürchten, wenn ihre Parthie zuletzt die stärkere blieb.

§. 10.

Dieß war eine Betrachtung, die auch den
voreiligsten Pabst zurückhalten mußte, daß er
den ihm aufgedrungenen Anlaß, den Pabst zu
spielen, nicht allzuhastig ergriff; allein zum
Unglück gab es auch kein Mittel, ihm auszuweichen, das nicht ebenfalls seine Unbequem-
lichkeiten hatte. Das natürlichste war wohl,
daß Johann eine Erklärung so lange aufzuschieben suchte, bis er sehen konnte, für welche
von beyden Partheyen sich das Glück in
Frankreich erklären würde; allein in der Lage,
worinn sich Hugo befand, mußte ihn ein solcher Aufschub fast eben so sehr aufbringen,
als eine Erklärung für seinen Gegner. Doch
dieß war in der That noch das kleinste von
den Uebeln, unter denen der Pabst zu wäh-

len; hatte; daher wählte er es weislich, und bemühte sich nur, die Abgeordneten des Königs in Rom aufzuhalten; aber fast hätte es die Wendung, welche die Sachen bald darauf in Frankreich nahmen, zum größeren gemacht, denn gerade diese Auskunft war es, die ihn in die verwirrendste Lage brachte.

Kap. XV.

Fortdauer des Streits. Kritische Lage, in welche der Pabst dabey kommt. Weise Festigkeit seines Benehmens, wodurch er seinem Nachfolger den Sieg vorbereitet.

§. 1.

Schon im J. 991. war Hugo Capet so glücklich, bey dem Ueberfall von Laon, das auch ihm durch einen Verräther. [1]). überliefert wurde, den Herzog von Lothringen und den

Erz-

1) Ebenfalls durch den Bischoff der Stadt.

Erzbischoff Arnulph, die sich in die Stadt
eingeschloffen hatten, in seine Gewalt zu be=
kommen. Damit war der Krieg mit ihnen be=
endigt, denn er sorgte dafür, daß sie ihm
nicht wieder entwischen konnten; aber weil er
auch den Erzbischoff in seiner Verwahrung be=
halten wollte, so hielt er es für nöthig, ihm
noch förmlich den Proceß machen zu lassen,
um sich sicherer zu stellen, daß ihm der Kle=
rus niemahls wegen der eigenmächtigen Be=
strafung von einem seiner Häupter Unruhen
machen könnte. In dieser Absicht, und wahr=
scheinlich auch, um den Pabst zu kränken,
schrieb er noch im J. 991. aus allen Provin=
zen des Reichs eine Synode nach Rheims aus,
vor welche er Arnulph stellen ließ, und auf
dieser Synode [2] kam es dann zu höchst un=
günsti=

---

[2] Die Akten dieser Synode haben zuerst die
Magdeburgischen Centuriatoren, Cent. X. c. 9.
T. III. p. 246., der Welt vollständig mitge=
theilt, und im J. 1600. wurden sie von Jac.
Bongars zu Frankfurt am Mayn besonders
herausgegeben. Es ist kein Zweifel, daß sie
von dem berühmten Erzbischoff Gerbert her=

rühren,

günstigen Erörterungen für den Pabst, die sich in eben so ungünstigen Schlüssen für sein Ansehen endigten.

§. 2.

Einige der auf der Versammlung anwesenden Mönche und Aebte, wie Johann von Auxerre und der berüchtigte Abbo von Fleury, wollten zuerst die Synode von der Untersuchung des Handels durch die Vorstellung abhalten, daß dadurch den Vorrechten des Pabsts zu nahe getreten würde. Sie beriefen sich dabey auch

rühren, der auf dieser Synode zum Nachfolger Arnulphs gewählt wurde, allein es wird eben dadurch zweifelhafter, wie viel Glaubwürdigkeit man ihnen zuschreiben darf. Dieß scheint sich noch schwerer bestimmen zu lassen, da Gerbert selbst gestand, daß er die Akten nicht wörtlich aus einem Synodal-Protocoll ausgezogen, sondern sich erlaubt habe, mehreres, was auf der Synode gesprochen wurde, in seine eigene Ausdrücke zu fassen: doch das Mißtrauen, zu dem man dadurch Gründe bekommt, kann sich wenigstens nicht auf jene Thatsachen erstrecken, welche hier daraus genommen sind.

auch, auf die falschen Decretalen, worinn alle
einen Bischoff betreffenden Sachen ausdrücklich
zu den causis majoribus gezählt wurden,
worüber dem Pabst allein das Cognitions-
Recht zustehe. ³); aber sie wurden von allen
Seiten mit solchem Unwillen angehört, daß
man sie kaum ihre Rede endigen ließ. Der
Erzbischoff Seguin von Sens, der den Vorsitz
auf der Synode führte, trat nun auf, und
legte der Synode die Briefe vor, die man
bereits vor eilf Monathen an den Pabst in der
Sache geschrieben, auf die man aber indessen
noch keine Antwort erhalten habe. Er sagte
dabey öffentlich, daß sich der Pabst zu diesem
beleidigenden Stillschweigen durch Arnulph und
den Herzog von Lothringen habe bestechen lassen ⁴), gab aber zugleich eben so deutlich zu
verste-

---

3) Sie führten vorzüglich eine Decretale von
   Damasus und Julius an, welche den Grundsatz wörtlich enthielten.

4) Er erzählte wenigstens, daß die Gesandten
   des Königs von der Zeit an keine Audienz
   mehr von ihm erhalten hätten, da ihm der
   Graf Herbert, der lothringische Gesandte,

einen

verstehen, daß der Schritt, den man zuerst
gegen den Pabst in dieser Sache gethan habe,
nicht als eine Schuldigkeit, sondern als eine
freywillige Höflichkeit angesehen werden müsse,
daher man jetzt desto unbedenklicher weiter
darinn verfahren dürfe.

§. 3.

Noch ungleich stärker sprach der Bischoff
Arnulph von Orleans, der nach Seguin das
Wort nahm, und sich ausführlich auf die
Widerlegung der Gründe einließ, die man für
das ausschließende Kognitions-Recht des Pabsts
in der Sache beygebracht hatte. Den von
Abbo angeführten falschen Decretalen setzte er
wieder, wie ehemahls Hincmar von Rheims,
das Ansehen der Nicäischen und jener Afrikanischen Synoden entgegen, von welchen so ausdrücklich bestimmt worden sey, daß jeder
Bischoff nur von seinen Mitbischöffen gerichtet
wer=

einen weißen Zelter verehrt habe. Nach der
Erzählung des Fortsetzers von *Aimon* L. V.
c. 45 hätte indessen Seguin doch zuletzt nicht
zugeben wollen, daß die Synode in der Sache
sprechen sollte.

werden solle; Daraus, und aus einer Reihe
von Beyspielen, deren ihm die Geschichte ge=
nug anbot, führte er den Beweis, daß die
Verpflichtung, gewisse Angelegenheiten an den
Pabst zu remittiren, oder in gewissen Sachen
an den Pabst zu rekurriren, nur auf zweifel=
hafte und schwürige Fälle bezogen werden dür=
fe, und immer bezogen worden sey.

§. 4.

Dabey gestand er zwar, daß sich einzelne
Päbste zuweilen ein uneingeschränktes ausschlie=
ßendes Kognitions=Recht in bischöfflichen Sa=
chen angemaßt, und räumte zugleich ein, daß
manche von ihnen auch in manchen Fällen die
Anmaßung durchgesetzt hätten; nun aber gieng
er die lange Reihe der schändlichen Päbste
durch, die in der letzten Hälfte des Jahrhun=
derts auf einander gefolgt seyen, und fragte
die Versammlung, ob sie wohl einem Jo=
hann XII. oder einem Bonifaz VII. alles das
zugestehen möchte, was man ehemahls mit
Freuden einem heiligen Damasus, Innocenz,
Leo oder Gregor dem Großen eingeräumt habe,
und noch einräumen würde? Er scheute sich

U 4 nicht,

nicht, zu sagen, daß man in einem solchen
Pabst eher den Antichrist als den Nachfolger
Petri zu sehen habe [5]): aber niemahls —
rief er aus — niemahls soll es wieder gesagt
werden, daß alle Bischöffe der Christenheit,
unter denen sich so viele durch ihre Frömmigkeit und Gelehrsamkeit höchst ehrwürdige
Männer befinden, solchen Ungeheuern unterworfen seyen, die sich nur durch die hassens-
würdigsten Laster und durch die roheste Un-
wissenheit auszeichneten. Endlich schloß er
seine Rede mit dem Gutachten, daß man die
Sache des angeklagten Erzbischoffs, wenn sie

ja

[5] "Si charitate destituitur, et sola scientia infla-
tur, Antichristus est in templo Dei sedens, et
se ostendens, tanquam sit Deus. Si autem nec
charitate fundatur, nec scientia erigitur, in
templo Dei tanquam statua, tanquam idolum
est, a quo responsa petere, tanquam marmora
consulere est. Num vero talibus monstris, ho-
minum ignominia plenis, scientia divinarum hu-
manarumque rerum vacuis, tot sacerdotes Dei
per orbem terrarum scientia et vitae meritis
conspicuos subjici decretum est?" Am a. O.
p. 264.

ja die Synode nicht selbst entscheiden wollte, lieber an die benachbarten Bischöffe von Germanien und Belgien, als an den Bischoff des neuen Babylons bringen möchte, wo ohnehin Gerechtigkeit nicht anders als für Geld zu haben sey.

§. 5.

Mochte hier immer der Sammler der Synodal-Akten auch etwas von dem Seinigen beygemischt oder wenigstens einige Ausdrücke verstärkt haben; aber wenn auch nur etwas dieser Art auf der Synode vorkam, so wurde schon dasjenige, was darauf gesprochen wurde, unendlich bedenklicher, als was von ihr gethan wurde. Mehr konnte zwar die Synode nicht thun, als sie würklich that. Sie setzte Arnulph vom Erzbisthum ab, ließ ihn in der Gefangenschaft des Königs, den sie nur um Schonung für sein Leben bat 6), und ernannte

6) Der Erzbischoff Seguin von Sens hatte voraus darauf angetragen, daß sich die Synode nicht eher in die Untersuchung einlaßen sollte, bis ihr der König sein Wort gegeben habe,

U 5   daß

nannte zu gleicher Zeit den berühmten Gerbert zu ſeinem Nachfolger, der in der Folge
als Sylveſter II. ſelbſt auf den päbſtlichen
Stuhl kam. Doch alles dieß hätte die Synode thun mögen, ohne daß der Pabſt gezwungen geweſen wäre, ſich öffentlich dagegen
zu erklären. Er hätte ſogar den Anlaß benutzen mögen, den ihm der noch nicht beant-
wortete Brief des Königs und der Biſchöffe
gab, um das Urtheil der Synode zu beſtätigen, oder ein ähnliches über den Erzbiſchoff
zu fällen. Aber der Trotz, den man dabey
auf eine ſo beleidigende Art gegen ihn bewies,
die

daß er dem ſchuldig befundenen Biſchoff die
Todes = Strafe erlaſſen wolle. Allem Anſehen
nach hatte Seguin ſeine Inſtruktion dazu,
und es ſollte nur dadurch eine Bedenklichkeit
weggeräumt werden, welche die Biſchöffe abhalten könnte, ihn ſchuldig zu finden. Es
gehörte alſo von ſeiner Seite keine große
Dreiſtigkeit zu dem Vorſchlag, wiewohl er
ihn mit einer Wendung vortrug; die ſelbſt
einen der anweſenden Biſchöffe täuſchte, ſ.
am a. O. p. 249., und deßwegen Aimons
Fortſetzer deſto leichter täuſchen konnte.

die Erklärungen, die man ſich gegen das Anſehen des Römiſchen Stuhls überhaupt erlaubte, und die Grundſätze, durch welche man
ſie unterſtützt hatte — dieß zuſammen nöthigte
ihm einen Schritt ab, von dem er wohl die
ganze Gefahr einſah, der aber ſchlechterdings
gethan werden mußte.

§. 6.

Dem Pabſt blieb nichts übrig, als ſich
nun des abgeſetzten Erzbiſchoffs öffentlich gegen den König und gegen die Synode anzunehmen; denn ſo wenig er auch hoffen konnte,
damit auszurichten, ja ſo viel er auch von
der neuen Erbitterung des Königs und der
Synode zu fürchten hatte, ſo machte es doch
die Ehre ſeines Stuhls nothwendig, daß etwas gethan werden mußte. Auch zauderte
Johann nicht, den kühnen Schritt zu thun,
und that ihn mit der ganzen Würde, die ſich
ein Nicolaus dabey hätte geben können; denn
im J. 992. ſchickte er ein Decret [7]) nach

Frank-

7) Man hat dieß Decret nicht mehr, und auf
die Nachricht davon bey dem Fortſetzer Aimons

Frankreich, wodurch alle Bischöffe, welche der Synode zu Rheims beygewohnt hatten, so lange von ihren Aemtern suspendirt, und zu allen kirchlichen Verrichtungen für unfähig, erklärt wurden, bis sie selbst ihr Urtheil über Arnulph zurückgenommen, ihren neuen Erzbischoff wieder abgesetzt, und den Proceß gegen den ersten ordnungsmäßig zu Rom instruirt haben würden.

§. 7.

Dieß Decret machte natürlich ein Aufsehen in Frankreich, dem nichts als der Unwille gleich kam, womit es die Bischöffe aufnahmen. Diese klagten nicht bloß, sondern sie schmähten auf das unbändigste über den Pabst. Der neue Erzbischoff Gerbert, der wieder abgesetzt werden sollte, erfüllte ganz Deutschland und Frankreich mit den heftigsten Invektiven [8]) gegen

mons möchte nicht viel zu bauen seyn, da seine Erzählung von diesen Händeln in mehreren Punkten erweislich unrichtig ist. Allein nach den Briefen Gerberts kann man nicht zweifeln, daß das Decret erlassen wurde.

[8]) S. Epistola Gerberti ad Abbatem Miciacensem

— ad

gegen den Römischen Stuhl, die er in der Folge, da er selbst darauf kam, gern wieder zurückgenommen hätte. Dabey verstand es sich von selbst, daß weder er, noch die übrigen Bischöffe den päbstlichen Machtspruch respektirten, sondern ihre Aemter nach wie vor verwalteten; der König aber, der den gefangenen Erzbischoff um seiner eigenen Sicherheit willen in seiner Gewalt behalten zu müssen glaubte, nahm noch weniger Notiz davon. Bey diesen Umständen und bey dieser Stimmung der Gemüther durfte auch der Pabst nichts weiter thun, um sein Decret in Kraft zu setzen, denn jeder weitere Machtspruch schien ihn nur der Gefahr einer größeren Prostitution auszusetzen; allein jetzt zeigte es sich, daß sich Johann so gut als die weisesten seiner Vorgänger in der Noth zu helfen wußte.

§. 18.

Eine geraume Zeit hindurch schien er nichts weiter thun zu wollen, denn er setzte allen

Aus-

— ad Siguinum Archiep. Senonensem — ad Imperatricem Adelaidem — bey *Labbé.* T. IX. P. 744. 745 746.

Ausbrüchen, des Unwillens, der französischen
Bischöffe nur kaltes Stillschweigen entgegen;
seine äußere Unthätigkeit war jedoch nur
scheinbar. Im Verborgenen bereitete sich der
feinere Pabst die Mittel, die ihm einen un-
fehlbaren Sieg über die Hartnäckigkeit der
Menschen, mit denen er zu thun hatte, verschaffen konnten. Durch seine Mönchs-Agen-
ten im Königreich, durch die Abbo's und Ranulf's, 9) die schon auf der Synode zu
Rheims für ihn gekämpft hatten, ließ er jetzt
in der Stille auf die Nation würken, und den
Saamen einer allgemeinen Unzufriedenheit über
den König unter ihr ausstreuen: Das Volk
setzten sie durch die Folgen in Angst, welche
der Bann des Pabsts, unter welchem seine
Bischöffe ständen, über das Land bringen
würde. Einige von den Großen konnten von
andern Seiten gefaßt werden: nach dem Verfluß einer nicht sehr langen Zeit zeigte sich
aber die Würkung davon höchst furchtbar für
den neuen Regenten, denn er sah auf einmahl
das

9) Ranulf, Abt eines Klosters zu Sens, der
auch auf der Synode zu Rheims gegenwärtig war.

das ganze Reich in einer Gährung, die nicht
schnell genug erstickt werden konnte. Das laut=
te Geschrey der Nation, daß man sich mit
dem Pabst aussöhnen müsse, lehrte ihn bald
genug die Ursache davon kennen, und dabey
das Mittel kennen, das am gewissesten helfen
könnte; so wie es ihn zugleich überzeugte,
daß er nicht zaudern dürfe, davon Gebrauch
zu machen. Eben damit wurde er aber dem
Pabst Preis gegeben, der seinerseits von die=
sen Umständen den trefflichsten Gebrauch zu
machen wußte.

§. 9.

Den ersten Schritt that der König im J.
994. durch einen Gesandten, den er mit ei=
nem sehr ehrerbietigen Schreiben an den Pabst
nach Rom schickte. Dieß Schreiben 10) ent=
hielt zwar nicht sowohl eine Entschuldigung,
als eine Rechtfertigung des Vorgefallenen;
denn der König legte darinn dem Pabst sein
ganzes Verfahren gegen Arnulph nebst allen
seinen Gründen dazu noch einmahl vor; aber
er that es mit so vorsichtiger Bescheidenheit,

und

10) S. *Labbé* T. IX. p. 743.

und ersuchte ihn am Ende mit so angelegener
Demuth um die Aufhebung seines Decrets
über die französischen Bischöffe, daß der Brief
schon für eine förmliche Abbitte gelten konnte.
Er lud sogar den Pabst darinn ein, daß er,
wenn ihm weitere Aufklärungen über die Sache
nöthig schienen, selbst nach Frankreich kommen
möchte, wo er nicht nur völlig darüber befriedigt, sondern auch sonst mit der größten
Achtung aufgenommen werden sollte. [11]. Johann aber fertigte, anstatt aller Antwort, einen
Legaten nach Frankreich ab, der, wie er dem
König sagen ließ, auf der neuen Synode prä-
sidiren sollte, auf welcher vor allen Dingen
das Verfahren seiner Rheimser Synode kassirt
werden müßte.

§. 10.

Nun zeigte es sich zwar, daß den französ-
sischen Bischöffen das Nachgeben noch schwerer
wur-

[11] "Si nos et nostra invisere libet, summo honore descendentem de Alpibus excipiemus,
morantem et redeuntem debitis obsequiis pro-
sequemur. Hoc ex integro affectu dicimus, ut
intelligatis, nos et nostros vestra nolle decli-
nare judicia."

wurde, als ihrem König. Keiner von ihnen, außer dem Erzbischoff Gerbert, erschien auf der Synode, die der päbstliche Legat nach Mouson ausgeschrieben hatte [12), und auch Gerbert schien nur deßwegen gekommen zu seyn, um noch einmahl auf einem öffentlichen Schauplatz als Bestreiter der päbstlichen Unmaaßungen aufzutreten. Er vertheidigte mit Eifer die Rechtmäßigkeit des Verfahrens, das man auf der Synode zu Rheims gegen Arnulph beobachtet, und bestritt noch eifriger die Gültigkeit des Suspensions = Decrets, das der Pabst gegen ihn und seine Mitbischöffe erlassen habe. Nur durch die Vorstellungen der anwesenden deutschen Bischöffe ließ er sich am Ende zu dem Versprechen bewegen, daß er, um das Ansehen des Pabsts zu schonen, eine Zeitlang keine öffentliche Messe halten wolle [13), und in der nehmlichen Absicht williligte

12) S. Acta Concilii Mosomiensis bey *Labbé* T. IX. p. 747.

13) "Modestia — heißt es in den Akten — et probitate Domini Ludolfi, Trevirensis Archiepiscopi, conventus et fraterne commonitus, ne

ligte, er in dem Nahmen seiner Mitbischöffe
darein, daß dieß Sache vor eine neue zu
Rheims zu versammelnde Synode gebracht
werden möchte. Ehe es jedoch dazu kam,
hatte sie der neue Pabst, Gregor V., der nach
dem dazwischen hinein erfolgten Tode Johanns XV. gewählt worden war, bereits mit
ihrem Könige abgemacht.

§. II.

Da nehmlich Hugo Capet ebenfalls in diesem Jahr gestorben war, so hatte sich sein
Sohn und Nachfolger Robert noch stärker gedrungen gefühlt, den Unwillen der Nation,
der bey dem Anfang einer neuen Regierung
gefährlicher werden konnte, durch eine schleunige Aussöhnung mit dem Pabst zu besänftigen. Er schickte daher dem Abt Abbo von
Fleury als seinen Gesandten nach Rom, und
gab ihm wahrscheinlich die Vollmacht mit,
dem

occasionem scandali suis aemulis daret, quasi
jussionibus domini Apostolici resultare vellet,
sub nomine obedientiae, ut a Missarum tantummodo celebratione abstineret; acquievit.

dem Pabst die Wiedereinſetzung des Erzbiſchoffs
Arnulph zu verſprechen, wenn er ſich ja nicht
davon abbringen ließe. Wenigſtens machte
ſich Abbo im Nahmen des Königs ſo förmlich
gegen den Pabſt dazu anheiſchig 14), daß dieſer kein Bedenken trug, ihm ſchon das Pallium für den wieder einzuſetzenden Erzbiſchoff
und ſeinen Legaten mitzugeben, in deſſen Gegenwart ſeine Reſtitution erfolgen ſollte. Der
König machte auch keine Schwürigkeit mehr,
ſondern ſetzte ſogleich den bisher gefangenen
Arnulph in Freyheit. Der ſchwache Wider-
ſtand aber, womit ſich die Biſchöffe ſelbſt
jetzt

14) S. *Aimon.* in *Vita* S. *Abbonis* c. 11. 12.
Aus einem Brief von Abbo an den Pabſt
möchte man zwar ſchließen, daß er keine
Vollmacht dazu gehabt habe, denn er gab
ſich darinn das Anſehen, als ob er ſich dabey der Gefahr ausgeſetzt hätte, in die Un-
gnade des Königs zu fallen. "Nec animoſi-
tatem Regis cohorui." — ſchrieb er an
Gregor: allein dieß konnte auch bloß Anſehen
ſeyn, das er ſich gegen den Pabſt gab. S.
Ep. Abbon. ad Gregor. V. in Scriptor. rer.
Franc. T. X. p. 435.

X 2

jetzt noch auf der Synode zu Rheims, die
nun zu Stande kam, dagegen sträubten,
konnte zu nichts dienen, als den Sieg des
Pabsts herrlicher zu machen.

§. 12.

Noch einmahl traten sie bey dieser Gelegenheit auf, um ihr Verfahren bey der Absetzung Arnulphs als ordnungs- und rechtmäßig
zu vertheidigen. — Alles kam dabey auf den
Punkt an, ob dem Pabst allein oder auch
Synoden das Recht zustehe, Bischöffe zu richten? und dieser Punkt, dessen Wichtigkeit
man jetzt allgemein fühlte, wurde nun ausführlich besprochen, wurde mit den stärksten
Gründen bestritten, und am Ende durch einen
einzigen zum Vortheil des Pabsts auf immer
entschieden. Der französische Klerus führte
mehrere der bestimmtesten älteren Kanonen,
führte die ausdrücklichsten Verordnungen der
Nicäischen, der Antiochischen, und einiger
Afrikanischen Synoden, führte den Gebrauch
der ganzen Kirche von acht Jahrhunderten und
hundert unbestreitbare Beyspiele dagegen —
der päbstliche Legat aber führte allein die Decrete

erete Isidors an, in welchen alle Sachen der
Bischöffe dem Pabst reservirt seyen, und das
Ansehen der Decrete entschied. Es wurde als
Gesetz angenommen, daß würklich dem Pabst
allein das Richter-Amt über Bischöffe zustehe,
und dem zufolge beschlossen, daß die Absetz-
zung des Erzbischoffs von Rheims durch die
vorige Synode gesetzwidrig gewesen sey. Ihr
Verfahren wurde daher kassirt, Arnulph in
seine Würde wieder eingesetzt. — Gerbert entlassen, — und nun erst hob der Pabst sein
Suspensions-Decret wieder auf [15]).

§. 13.

15) Man hat allerdings keine Akten von dieser
Synode, sondern die Erzählung davon findet
sich nur in der Fortsetzung von Aimons Geschichte. Für ihre Wahrheit spricht jedoch die
ganze gleichzeitige Geschichte so stark, daß
selbst eine Urkunde, welche damit zu streiten
scheint, keinen bedeutenden Anstoß machen
kann. Man hat nehmlich einen Brief, den
der Erzbischoff Gerbert, aber schon als Nachfolger Gregors V. und als Sylvester II., an
Arnulph geschrieben, und worinn er ihm mit
Uebersendung des Palliums erst in sein Erzbisthum wieder eingesetzt haben soll. Daraus

X 3   scheint

§. 13.

Dieß war schon an sich höchst bedeutender Sieg, den der Pabst erhielt, aber es ist der Mühe werth, auf einige Umstände aufmerksam zu machen, durch die er noch unendlich bedeutender wurde.

Einmahl wollten ja bey dieser Gelegenheit die französischen Bischöffe dem Römischen Stuhl selbst dasjenige wieder nehmen, was sie ihm schon vor mehr als hundert Jahren gewissermaßen freywillig angeboten hatten. Als man zum ersten mahl mit Nicolaus I. in der Sache Rothads über das ausschließende Kognitions-Recht seines Stuhls in bischöfflichen Sachen .... chen .... scheint zu folgen, daß es nicht schon von Gregor V. geschehen seyn ka..n; da man sich ..... aber doch nicht entbrechen kann, dieß anzunehmen, so muß man sich bey dem Umstand ... mit jenem Brief so gut helfen, als man .... kann, und dazu bietet sich auch mehr als ... eine Auskunft an. Höchst wahrscheinlich — .... dieß ist die kürzeste Auskunft — ist jener .... Brief von Gregor V., und kam nur durch ... ein Versehen unter Sylvesters Briefe hinein.

S. *Labbé* T. IX. p. 778.

chen in Streit gekommen war, so hatten sie
sich doch selbst erboten, es als Rechts-Grundsatz anzunehmen, daß kein Bischoff mehr ohne
Vorwissen und die Dazwischenkunft des Pabsts
abgesetzt werden dürfe 16), und bey der nehmlichen Gelegenheit hatte es der Erzbischoff
Hincmar von Rheims als den entschiedensten
Rechts-Grundsatz aufgestellt, daß alle Metropoliten und Primaten nur von dem Pabst allein gerichtet werden könnten 17). Jetzt bestanden sie hingegen darauf, daß ein Absetzungs-Urtheil, das sie ohne Zuziehung des
Pabsts über den ersten Metropoliten des
Reichs gesprochen hatten, die volleste Rechtskraft habe, und wenn es ihnen gelungen wäre,
dieß durchzusetzen, würde nicht damit alles
verlohren worden seyn, was man seit dem
Zeitalter Carls des Großen für das Pontifikat gewonnen hatte? Es war also der Mühe
werth, sich zu wehren, aber diejenigen, welche sich für das Pontifikat bey dieser Gelegenheit

16) S. Epist. Conc. Tricassini ad Nicolaum I. bey
Labbé T. VIII. p. 870.

17) S. Hincmar, Opp. T. II. p. 248.

X 4

genheit wehrten, zeigten dabey eine sehr feine
Klugheit, indem sie sich nicht bloß auf dasjenige einschränkten, was sich am leichtesten
vertheidigen ließ. Hätten jetzt die päbstlichen
Wortführer die französischen Bischöffe bloß an
die Behauptung des alten Hincmar, daß Metropoliten allein von dem Pabst gerichtet werden könnten, oder nur daran erinnert, daß
doch einst ihre Vorfahren Nicolaum I. selbst
ersucht hätten, es zur festen Ordnung zu machen, daß kein Bischoff mehr ohne die Das-
zwischenkunft des Pabsts abgesetzt werden dürfe, so würden sie es ihnen unendlich schwerer
gemacht haben [18]), die Nothwendigkeit der
päbstlichen Zuziehung in dem vorliegenden Fall
zu bestreiten. Aber wenn man sie auch dadurch zu der Anerkennung der Nothwendigkeit
hätte bewegen können, so würde es immer
noch zweifelhaft geblieben seyn, ob sie auch
überhaupt das ausschließende Kognitions-Recht
des Pabsts in allen bischöfflichen Sachen agnosciren

---

18) Man hätte in diesem Fall auch die Thatsache, daß sie sich selbst zuerst an den Pabst
gewandt hätten, noch stärker gegen sie gebrauchen können.

cirten; und dieß war es, wovon das meiste
abhieng, also war es auch höchst weise, daß
man dieß zum Haupt-Gegenstand des Streits
machte, sobald man einmahl zu streiten gezwungen war.

§. 14.

Doch es war desto mehr der Mühe werth,
sich zu wehren, da gerade in dem gegenwärtigen Augenblick alles, was für das Pontifikat verlohren oder gerettet wurde, so viel
mehr, als zu jeder andern Zeit austragen
mußte. Eine Wunde, welche dem päbstlichen
Ansehen jetzt beygebracht wurde, konnte gar
zu leicht unheilbar werden, denn man wußte
doch noch nicht gewiß, ob es sich in der
Verwirrung und unter den Stürmen des letzten Jahrhunderts in seiner ganzen Kraft erhalten hatte. Am meisten aber hatte man von
einer Erschütterung, die es jetzt in Frankreich
erfahren mochte, zu befürchten. Hier war ein
neues Geschlecht auf den Thron gekommen,
und zwar ohne die Mitwürkung des Pabsts
auf den Thron gekommen. Es konnte sich
eben deßwegen nicht sehr gedrungen fühlen,

X 5   ihn

ihn besonders zu begünstigen. Es könnte vielmehr leichter darauf verfallen, an den Formen der Verbindung einiges zu verändern,
welche bisher zwischen dem Pabst und den
französischen Kirchen bestanden war; wenn aber
im Anfang der neuen Dynastie an diesen
Formen etwas zerrissen würde, so war es nur
allzuwahrscheinlich, daß sie sobald nicht wieder angeknüpft werden würden.

Diese Betrachtung mochte es vorzüglich
seyn, die auch den Nachfolger Johanns XV.
am stärksten bestimmte, auf den Forderungen
seines Vorgängers bey dieser Gelegenheit un-
beweglich zu bestehen, denn diese Betrachtung
war es allem Ansehen nach, worinn er einen
besondern Beruf fand, es den neuen Dynasten
von Frankreich auf eine noch empfindlichere
Art bey einer andern Gelegenheit fühlbar zu
machen, daß und wie auch Könige von einem
Pabst gefaßt werden könnten.

Kap. XVI.

Kap. XVI.

Gregor V. spielt in einer andern Angelegenheit
gegen den König von Frankreich den Pabst.
Gewinn, den der Römische Stuhl zu eben der
Zeit daraus zieht, da er wieder gegen den
Kayser in eine bedenklichere Lage kommt.

§. I.

Der König Robert hatte noch während dem
Leben seines Vaters die Prinzessin Bertha,
eine Tochter des Königs Conrad von Burgund, als Wittwe des Grafen Odo von Blois
geheyrathet, und Politik und Neigung hatten
diese Verbindung gemeinschaftlich geknüpft.
Freylich stand ihr das kanonische Hinderniß
einer leiblichen und geistlichen Verwandtschaft
im Wege; denn Robert und Bertha waren im
vierten Grade verwandt, und der erste, was
einen schlimmeren Umstand machte, war noch
überdieß von einem der Kinder aus der ersten
Ehe seiner Bertha Pathe geworden. Allein
die

die französischen Bischöffe hatten das eine wie das andere Hinderniß für dispensabel gehalten, und desto weniger Bedenken getragen, ihren Seegen zu der Verbindung zu geben, je auffallender die politischen Vortheile waren, die auch das ganze Reich daraus ziehen konnte. Dabey hatte man von einem Aergerniß, das die Nation daran nehmen möchte, nur wenig zu besorgen, denn man war schon lange daran gewöhnt, daß es bey den Heyrathen der Könige, mit den kanonischen Ehe = Hindernissen nicht so genau genommen wurde.

§. 2.

Unter diesen Umständen kam es höchst wahrscheinlich auch dem König nicht in den Sinn, daß ihm jetzt noch von Seiten des neuen Pabsts Schwürigkeiten deßhalb gemacht werden könnten; daher erfuhr er es schwerlich ohne Erstaunen, daß sich Gregor gegen den Gesandten, den er ihm geschickt hatte, gegen den Abt Abbo von Fleury, auch über das illegale seiner Heyrath geäußert habe. Diese Aeußerungen mochten ihn jedoch eben deßwegen in keine allzugroße Unruhe versetzen, denn er
konnte

konnte nicht glauben, daß sich der Pabst im
Ernst vorgesetzt haben möchte, die Sache weiter zu treiben, sondern mußte vermuthen,
daß er ihm nur dadurch das Opfer schneller
und vollständiger abpressen wollte, das er in
der Sache des gefangenen Erzbischoffs Arnulph
von ihm verlangte. In dieser Vermuthung
bestärkten ihn wahrscheinlich noch Abbo's weitere Berichte von den Gesinnungen des
Pabsts, und ohne Zweifel hatte sie auch Antheil an der Bereitwilligkeit, womit er dem
Pabst in dieser Angelegenheit nicht nur von
der Ehre und von den Rechten seiner Bischöffe, sondern auch von der Ehre und von den
Rechten seiner Krone so viel Preis gab. Aber
nur desto mehr mußte er jetzt durch die un-
erwartetste Nachricht überrascht werden, die
von Rom nach Frankreich kam.

§. 3.

Im J. 998 brachte Gregor die Heyraths-
Sache des Königs von Frankreich auf eine Römische Synode [1], und ließ durch diese be-
schlie-

[1] S. Acta Roman. Conc. a. 998. bey *Labbé* T.
IX. p. 772.

schließen, daß die Ehe zwischen Robert und
Bertha wegen der dabey eingetretenen unweg-
räumbaren Hindernisse völlig nichtig und ungültig sey. Beyden wurde daher unter der
Strafe des Banns angekündigt, daß sie sich
von einander trennen müßten. Beyden wurde
zugleich angekündigt, daß sie sich einer siebenjährigen Buße zu unterziehen hätten, um der
Kirche für das gegebene Aergerniß genug zu
thun. Der Erzbischoff von Tours aber, der
die priesterliche Einsegnung verrichtet, und
alle Bischöffe, welche dabey assistirt hatten,
sollten so lange von ihren Aemtern suspendirt
bleiben, bis sich *) der Pabst bewogen finden
würde, sie nach ertheilter Absolution zu restituiren.

§. 4.

Ueber die Gründe, welche den Pabst zu
diesem bis jetzt unerhörten Verfahren bestimmten, lassen sich bloß Vermuthungen anstellen,
da man überhaupt über den ganzen Hergang
der Sache nur allgemeine Nachrichten hat.
Es

---

*) "Donec ad hanc sanctam romanam sedem ve-
nerint satisfacturi."

Es kann immer angenommen werden, daß er dabey vorzüglich nach dem Antrieb des Kaysers und seiner Minister handelte, denen die Heyrath Roberts höchst ärgerlich, und überhaupt jede Gelegenheit, die neue Dynastie in Frankreich zu beschimpfen, erwünscht war. Es ist auch denkbar, daß der abgesetzte Erzbischoff Gerbert von Rheims einigen Antheil daran haben mochte, 3) denn Gerbert befand sich damahls im Gefolge des Kaysers in Italien, stand in großem Ansehen an seinem Hofe, und konnte es seinem ehemahligen Herrn nicht vergessen, daß er von ihm aufgeopfert worden war. Doch warum sollte man nicht glauben, daß dabey auch die reine Begierde, einen ganz neuen Aktus von Pabst-Gewalt über einen König auszuüben, auf Gregor würkte, und desto stärker würken mochte, je günstiger ihm die Gelegenheit dazu scheinen konnte. Dieß letzte kann zwar nur aus dem Erfolg

geschlos-

---

3) S. Velly Hist. de France T. II. p. 295. Moreau T. XIV. p. 118. Der letzte Schriftsteller nimmt es als entschieden an, daß Gregor bloß auf den Antrieb des Kaysers in der Sache gehandelt habe.

336 I.Abth. I.Abschn. Allg. Gesch. d. Pontif.

geschlossen werden; aber nach diesem Erfolg
muß man es für möglich halten, daß auch
der Pabst einen glücklichen Ausgang des ge-
wagten Schrittes voraussehen konnte, und
nun bedurfte er wohl keine weitere Reizung.

§. 5.

Mit Verwunderung findet man nehmlich in
der Geschichte, daß der unerhörte Schritt ganz
den Erfolg hätte, den der Pabst abgezweckt
haben mochte; nur ist man unglücklicherweise
über die Wendungen, durch welche er herbeygeführt wurde, völlig im Dunkeln. Nach den
Angaben einiger späteren Schriftsteller [4] sollte das von dem Pabst erlassene und auch
würklich vollzogene Suspensions = Decret der
meisten französischen Bischöffe einen gänzlichen
Stillstand des öffentlichen Gottesdiensts im
Königreich oder die Würkungen eines später-
hin sogenannten Interdikts zur Folge gehabt,
und

4) Eines Ungenannten, von dem man noch ein
Fragment einer Histor. Franc. hat bey du
Chesne T. IV. p. 85. und des Cardinals Pe-
ter Damiani in einem Brief an den Abt von
Clugny. Epp. L. II. ep. 15.

und das Ungewöhnliche dieses Zustands sollte
so schreckende Eindrücke auf das Volk gemacht,
und die Nation wegen dem Fluch, der durch
die gottlose Heyrath ihres Königs über das
Land gebracht worden sey, in eine solche Un=
ruhe gesetzt haben, daß sich der König aus
Furcht vor einem allgemeinen Aufstand zu der
Trennung von seiner Gemahlin entschließen
mußte. Doch der gleichzeitige Lebensbeschreiber
des Königs Robert, ein Mönch aus dem Klo=
ster zu Fleury, weiß und erwähnt gar nichts
von einer solchen Bewegung, die in Frankreich
darüber entstanden wäre. Er erzählt viel=
mehr [5]), daß die Vorstellungen seines Heili=
gen Abbo das meiste dazu beygetragen hätten,
den König zu der Entlassung seiner Gemählin
zu bewegen; und warum könnten sie es auch
nicht gethan haben, da man es dem Heiligen
so gut zutrauen kann, daß er den König eben
so geschickt durch politische als durch religiöse
Gründe zu fassen wußte.

§. 6.

---

5) S. Vita Roberti Reg. Hilgald. Floriac. auct.
    c. 16.

§. 6.

Was aber auch dabey gewürkt haben moch=
te, ſo erhielt immer das Anſehen des Römi=
ſchen Stuhls durch dieſen Vorfall einen Zu=
wachs, der ungeheuer ins Große gieng. Wenn
man auch in ſeiner Einmiſchung in die könig=
liche Ehe=Sache nichts anders erblickte, als
eine Erfüllung der Amts=Pflicht, nach welcher
dem Pabſt die Sorge für die Vollziehung und
Aufrechterhaltung der Kirchen=Geſetze in der
ganzen Chriſtenheit oblag, ſo wurde es doch
bey dieſer Gelegenheit noch ſichtbarer als in
dem Ehehandel Lothars, und es wurde auch
förmlicher als in dieſem anerkannt, daß aus
jener Verpflichtung zugleich ein Recht zu einer
über die ganze Chriſtenheit ſich erſtreckenden
Jurisdiktion für den Pabſt erwachſe, oder daß
ihn jene Amts=Pflicht zu der Ausübung und
zwar zu der unmittelbaren Ausübung einer
wahrhaftig zwingenden Amts=Gewalt berechti=
ge, die auch über alle Könige ſich erſtrecken
müſſe. Nach dieſer Vorausſetzung hatte wenig=
ſtens Gregor gehandelt, und ein König hatte
ſich darnach behandeln laſſen: wie hätte alſo
unter dem Volk noch ein Zweifel an ihrer
Wahr=

Wahrheit aufkommen können? Wenn man aber dabey annehmen muß, daß der Pabst bey dieser Gelegenheit größtentheils nur auf den Anstoß des Kaysers handelte; wem muß sich nicht auch hier die Bemerkung wieder aufdrängen, daß es die Fürsten selbst waren, welche das meiste dazu beytrugen, daß die Römischen Bischöffe auch zuletzt über sie hinauswuchsen?

§. 7.

Jetzt muß aber noch dazu gesagt werden, daß der Zuwachs von Glanz und Ansehen, den das Pontifikat dadurch erhielt, auch deßwegen zu einer höchst gelegenen Zeit kam, weil sich gerade damahls alles dazu anließ, daß es von einer andern Seite her unter den Druck der alten Verhältnisse mit dem Kayser zurückgebracht werden sollte. Noch in dem letzten Jahr seiner Regierung hatte sich Johann XV. mit der dringenden Bitte an den jungen Otto in Deutschland gewandt, daß er doch nach Italien kommen, und mit der Kayser=Krone auch die Oberherrschaft über Rom übernehmen möchte. Der steigende Uebermuth des Adels, der in der Stadt herrschte, und seines Anfüh=

rers

rers Creſcentius konnte ihn ſtark genug dazu
gedrungen, vielleicht aber auch eine Volks=
Parthie dazu genöthigt haben, die des Ariſto=
kraten = Drucks müde die fremde Hülfe auch
gegen ſeinen Willen herbeyzurufen entſchloſſen
war. Ein ſehr großer Theil des Römiſchen
Volks vereinigte ſich wenigſtens dazu mit dem
Pabſt [6]), und ließ ſelbſt den künftigen Kayſer
eine ſolche Ungeduld nach ſeiner Ankunft und
nach einer Veränderung des bisherigen Zu=
ſtands der Dinge in Rom blicken, daß Otto
dadurch kühn genug wurde, ſie zu der Aus=
führung eines Entwurfs zu benutzen, durch
welchen die deutſche Herrſchaft über Rom und
Italien am gewiſſeſten geſichert werden konnte.

§. 8.

Nachdem er nehmlich auf ſeinem Zuge [7])
nach Rom die Nachricht von dem Tode Jo=
hanns XV. erhalten hatte, ſo ſchien ihm der
Zeitpunkt günſtig genug zu einem Verſuch, ob
ſich

6) S. Annales Hildesheim. ad ann. 995. in Leib=
niz Scriptor. Brunsvic. T. I. p. 720.

7) Zu Ravenna, wo er Gerbert zum Erzbiſchoff
gemacht hatte.

sich die Römer nicht eben so gut einen deut=
schen Pabst als einen deutschen Kayser gefallen
lassen möchten? Einer seiner Caplane, mit
Nahmen Bruno, bot sich ihm höchst verfüh=
rerisch dazu an, denn er war aus einem der
ersten deutschen Fürsten=Häuser, ein Sohn des
Herzogs Otto von Franken, der zugleich Mark=
graf von Verona war, und noch ein junger
Mann von vier und zwanzig Jahren, von ho=
hem Geist und festem Charakter, der sich doch
auch durch seine Kenntnisse und Talente schon
sehr vortheilhaft ausgezeichnet hatte. Er hatte
also auch manches, das den Römern den
fremden Pabst weniger mißfällig machen konn=
te, aber er hatte noch mehr, was ihn für die
Absichten Otto's brauchbar machte; daher setzte
sich dieser über alle andere Rücksichten hinweg,
ernannte ihn selbst zum Pabst, und gab ihn
sogleich den Gesandten des Römischen Volks,
die ihm den Tod Johanns notificirt hatten,
auf ihrer Rückreise mit. Mit einer nöthigen
Vorsicht gab er ihm noch den Erzbischoff Wil=
ligis von Maynz mit einem gehörigen Gefolge
zu, durch das er im Nothfall die Anerken=
nung des neuen Pabsts erzwingen könnte.

§. 9.

Bey dem Mangel an genau bestimmten historischen Nachrichten muß man einige Vermuthungen zu Hülfe nehmen, um alles ungewöhnliche und befremdende bey diesem Vorgang zu erklären, der so leicht eine höchst wichtige Epoche in der Geschichte des Pontifikats hätte machen können. Mit Gewißheit weiß man nur dieß, daß es würklich Otto war, der den neuen Pabst ernannte, und noch vorher ernannte, ehe er selbst nach Rom gekommen, und zum Kayser gekrönt worden war [8]). Gerade dieß macht aber das Verwirrende, denn man begreift nicht, wie Otto dazu kommen konnte, da er weder als König von Deutschland noch als König von Italien etwas dabey

---

8) Baronius ad ann. 996. nr. 5. läßt zwar Otto zuerst nach Rom kommen, indem er sich auf eine Angabe Dietmars von Merseburg beruft, aber *Pagi Crit.* T. IV. p. 70. hat es außer Zweifel gesetzt, daß die Angabe der Hildesheimischen Annalen, nach welcher Otto den neuen Pabst vor seiner Ankunft zu Rom ernannt hätte, als die wahrere angenommen werden muß.

---

vom

dabey

daß er dabey

hat, so

wie er den

Commissar

Wahl, und

Pabsts bey

Recht zum

signirte Kayser

kein würklich

faßt [9]) g

9) Allenfalls

Otto den

dern er er

empfiehlt

habe, er

Diese Rede

man

angese

sagt

hatte

dabey zu ſagen hatte. Wollte man annehmen,
daß er dabey als deſignirter Kayſer gehandelt
habe, ſo ließe ſich höchſtens daraus erklären,
wie er den Erzbiſchöff von Maynz als ſeinen
Commiſſar nach Rom ſchicken konnte, um dem
Wahl = und Conſecrations = Actus des neuen
Pabſts beyzuwohnen; aber das Ernennungs=
Recht zum Pontifikat konnte ſich auch der de=
ſignirte Kayſer nicht anmaßen, da es noch
kein würklicher prätenbirt hatte. Man iſt alſo
faſt 9) gezwungen, zu vermuthen, daß dieje=
nige

9) Allenfalls könnte man ſich auch denken, daß
Otto den Pabſt nicht eigentlich ernannt, ſon=
dern ihn nur den Römern vorgeſchlagen oder
empfohlen, und deßwegen nach Rom geſchickt
habe, wo er dann erſt gewählt worden ſey.
Dieſe Meynung ſcheint auch Hr. Schröck K.
G. Th. XXII. S. 307. zu begünſtigen. Aber
man findet keine Spuhr von einer in Rom
angeſtellten Wahl. Dietmar von Merſeburg
ſagt wörtlich, quod Otto Brunonem in loco
defuncti Papae conſtituerit. Auch Baronius
glaubte wenigſtens geſtehen zu müſſen —
quod ope Imperatoris ſuffectus ſit. Wenn
aber der vielleicht gleichzeitige Biograph des

Y 4   j heil.

nige Parthie in der Stadt, welche ſchon vor=
her mit Otto unterhandelt und ihm auch den
Tod Johanns notificirt hatte, ihn zugleich
ſelbſt um die Deſignation ſeines Nachfolgers
erſucht haben mochte, weil ſie beſorgen mußte,
daß es Creſcentius und der Adel doch zu kei=
ner ordnungsmäßigen Wahl kommen laſſen,
oder ſie durch ihren Einfluß entſcheiden wür=
den. Wenigſtens läßt ſich daraus allein be=
greifen, wie Otto III. hoffen konnte, einen
Schritt

heil. Adelberts von Prag in Mabillons Acti
SS. O. B. Sec. V. p. 860. zu ſagen ſcheint —
quod a majoribus electus ſit, quia regi placue-
rit — ſo ſpricht er offenbar von einer Wahl,
die nicht in Rom, ſondern an dem Hoflager
Otto's angeſtellt worden ſey, und verſteht
unter den majoribus nicht die Römer, ſon=
dern wahrſcheinlich die deutſchen Biſchöffe in
Otto's Gefolge, die er auch unmittelbar dar=
auf anführt. Es iſt glaublich genug, daß
Otto dieſe zu Rath zog, und vielleicht auch
eine Schein=Wahl von ihnen anſtellen ließ:
allein dabey bleibt der Vorgang nicht weniger
neu. Doch findet es eben beßwegen auch
Muratori V, p. 499. glaublicher, daß Otto
den neuen Pabſt zu Rom habe wählen laſſen.

Schritt durchzusetzen, den sein Großvater Otto I. nachdem er sich schon zum Herrn von Rom gemacht hatte, noch zu stark und zu gewagt fand.

§. 10.

Die Richtigkeit der Vermuthung wird aber auch durch den ganzen Gang der folgenden Ereignisse bestätigt. Der neue deutsche Pabst, den Otto den Römern schickte, wurde würklich von ihnen angenommen, und unter dem Nahmen Gregor V. konsecrirt. Das bewaffnete Gefolge, das er mitbrachte, die erwartete Nähe von der Ankunft des deutschen Heeres, mit welchem Otto selbst ihm nachfolgte [10], und vielleicht auch das Unerwartete der Sache hatte die Parthie der Aristokraten so überrascht, daß sie den Muth und die Kraft zum offenen Widerstand verlohr. Noch weniger wagte sie es,

[10] Zu Anfang des Maj. im J. 996. war der neue Pabst in Rom angekommen, und noch in dem nehmlichen Monath käm Otto nach, denn den 31. Maj. wurde er gekrönt. S. *Pagi* Crit. T. IV. p. 70.

es, der Krönung Otto's, die bald darauf von dem neuen Pabst mit ungewöhnlicher Feyerlichkeit verrichtet wurde, einige Hindernisse in den Weg zu legen; aber kaum war der neue Kayser nach Deutschland zurückgekehrt, so fieng sie ihr altes Spiel wieder an. Crescentius und seine Anhänger rissen auf das neue die Oberherrschaft an sich, jagten den deutschen Pabst aus der Stadt, und setzten den Bischoff Johann von Placenz an seine Stelle. Doch es kostete Otto nicht mehr als die bloße Mühe des Wiederkommens, um mit der unruhigen Rotte fertig zu werden. Als er im J. 998. auf die Nachricht von diesen Veränderungen wieder nach Rom eilte, so brachte ihm schon das Volk den eingedrungenen Pabst mit abgeschnittener Nase und Ohren entgegen, und half ihm dann sehr eifrig bey der Belagerung der Engelsburg, in welche sich Crescenz mit seinen Anhängern eingeschlossen hatte. Es stand daher nicht lange an, bis sie in seine Gewalt kamen, und da er dafür sorgte [11]), daß sie keine neue Händel mehr anfangen konnten, so

ließ

11) Er ließ Crescenz nebst zwölf seiner Anhänger enthaupten.

ließ sich hoffen, daß nun die Ruhe in Rom auf lange Zeit wieder hergestellt seyn dürfte.

§. 11.

Dabey durfte aber sicherlich sehr viel auf den Umstand gerechnet werden, daß ein deutscher Pabst es sich auch eifriger als ein anderer angelegen seyn lassen würde, die Macht und die Mittel, die in seiner Gewalt waren, zur Befestigung der deutschen Herrschaft über Rom zu verwenden. Von einem Pabst, der, selbst aus einem deutschen, mit dem regierenden Stamm sehr nahe verwandten, Fürstenhause, entsprungen war, ließ sich dieß doppelt erwarten; aber von dem Charakter Gregors ließ sich noch dazu erwarten, daß er es auch mit deutscher Kraft und Festigkeit thun würde; und ja wohl hätte er dieß gethan, wenn sich nur die historische Gewißheit jener Verordnung, die ihm lange Zeit zugeschrieben wurde, völlig erweisen ließe, denn durch diese Verordnung sollte er ja sogar eines der wichtigsten neu erworbenen Rechte des Pontifikats, des Designations-Recht zum Kayserthum, der deutschen Nation aufgeopfert haben.

§. 12.

§. 12.

Man wollte nehmlich wissen, daß er schon im J. 996. unmittelbar nach seiner Erhebung auf den Römischen Stuhl ein Decret erlassen habe, nach welchem in Zukunft das Recht der Kay= ser=Wahl bloß von sieben bestimmten deutschen Fürsten ausgeübt werden sollte 12). - Dabey sollten also die sogenannten Kurfürsten des deutschen Reichs ihre Existenz durch ihn er= halten haben; aber da man in der Geschichte der zwey nächsten Jahrhunderte noch keine Spuhr von diesen finden kann, so erwächst dar= aus ein Zweifel dagegen, der sich kaum durch die stärkste Autorität einer noch so glaubwür= digen historischen Urkunde beseitigen lassen möchte. Neuere Geschichtforscher 13) wollten es daher gern dahin gestellt seyn lassen, ob Gre= gor gerade die sieben Kurfürsten eingesetzt habe, wenn man ihnen nur dabey noch einräu= men wollte, daß es Gregor im allgemeinen zum Gesetz gemacht habe, der von den deut= schen

12) S. *Baron.* ad ann. 996. nr. 38. fg. *Labbé* Concil. T. IX. p. 757.

13) Ant. *Pagi* Crit. T. IV. p. 71. Franc. *Pagi* Breviar. T. I. p. 474.

schen Fürsten jedesmahl gewählte König von
Deutschland sollte immer auch als König von Italien anerkannt, und von dem Pabst zum Kayser
gekrönt werden. Zu dem Glauben daran konnte man sich aber in der That leicht überreden
lassen. Es läßt sich eben so natürlich denken,
daß Otto und die deutschen Großen [14] in seinem Gefolge eine solche Verfügung wünschten,
als daß der deutsche Pabst gefällig genug war,
ihre Wünsche zu erfüllen. – Auch ist dabey nur
eine einzige vernünftige Ansicht von der Tendenz möglich, welche die Verfügung haben sollte. Gregor konnte nicht daran denken, denn
kein Pabst konnte daran denken, der deutschen
Nation und ihren Fürsten das Recht einzuräumen, oder zu bestätigen, daß sie selbst ihren
König wählen dürften, sondern indem er es
festen Ordnung machte, daß der rechtmäßig
gewähl-

---

[14] Schilter meynte, daß Otto und die deutschen
Fürsten wegen dem zu befürchtenden Aussterben des regierenden Königs = Stamms einen
weiteren Grund dazu gehabt hätten. De liber-
tat. eccles. Germ. L. III. c. 8. §. 1. Aber der
kaum sechszehnjährige Otto mochte doch keine
allzuängstliche Besorgnisse deßhalb haben.

gewählte König von Deutschland immer auch als
Kayser erkannt und zum Kayser gekrönt werden
sollte, so war es eigentlich das Recht der Kay=
ser=Wahl, das ihnen damit eingeräumt werden
sollte [15]), und auch nach den allgemeinen sta=
tistischen Begriffen des Zeitalters nur von dem
Pabst eingeräumt werden konnte. Man muß
also, wenn man die Verordnung Gregors für
ächt erklärt, allerdings auch zugestehen, daß
würklich der Pabst in so fern das Kayserthum
an die deutsche Nation gebracht, und jetzt erst
an sie gebracht habe, indem er es auf immer
mit dem deutschen Königreich verband [16]); al=
lein

---

15) Dieß erkennt auch Baronius am a. O. nr. 40.

16) Darinn hätte man aber keinen Grund finden
sollen, die Ächtheit des Decrets zu bezweif=
len, denn auch ohne dieß Decret muß die
Geschichte wahrhaftig, nur in einem etwas
anderen Sinn, einräumen, daß das Kayser=
thum durch die Päbste an die deutsche Nation
gebracht worden sey. Aber was verliehrt man
auch jetzt dabey, wenn man es einräumt?
S. Gottl. Sturm Dessert. jurid. qua Ottonem I.
Imperium romanum cum regno Germanico non
conjunxisse monstratur. Vitteberg. 1732. 4.

lein das bedenklichſte iſt, daß ſich nicht einmahl dafür ein hiſtoriſches Zeugniß anführen
läßt. Man hat nicht nur keine Urkunde über
die Verhandlung, ſondern in den zwey nächſ-
ſten Jahrhunderten findet ſich nicht einmahl
ein Schriftſteller, der etwas davon gewußt
hätte; alſo mag es wohl mit ihrer Wahrheit überhaupt [17]) höchſt zweifelhaft ſtehen,
und vielleicht eben, ſo zweifelhaft, als mit der
neuen Schenkungs-Urkunde [18]), durch welche
Otto III. dem Pabſt ſeine Dankbarkeit dafür
erprobt haben ſoll:

§. 13.

17) Sie wurde daher auch ſchon von Aventin bezweifelt. Arial. Bojor. L. V. c. IV. nr. 19.

18) Dieſe ſeltſame Urkunde hat zuerſt Johann
Maſſon in den von ihm herausgegebenen
Briefen Gerberts (Paris 1611. 4.) der Welt
mitgetheilt, worauf ſie von Melch. Goldaſt
in ſeine Conſtit. Imper. T. I. p. 226. eingerückt
wurde. Allein ihre Unächtheit wird durch ſo
viel innere Merkmahle außer Zweifel geſetzt,
daß man ſich bey den äußeren gar nicht aufhalten darf. S. Pagi Crit. T. IV. p. 83.

§. 13.

Mochte jedoch diese Verhandlung Gregors auch niemahls statt gefunden haben, so hat man dennoch Ursache zu glauben, daß er sonst das deutsche Interesse in Rom, und daher auch besonders das kayserliche Ansehen sehr eifrig unterstützte, und dieß hätte unvermeidlich in die Länge dem Ansehen des Pontifikats nachtheilig werden müssen, wenn er ihm nicht durch andere seiner Handlungen und in andern Beziehungen so viel neuen Glanz zu geben gewußt hätte. Man kann aber auch vermuthen, daß er noch mehr für die Befestigung der deutschen Herrschaft in Rom gethan haben würde, wenn er nicht schon im J. 999. nach einer kaum dreyjährigen Regierung gestorben wäre, denn es ist gar nicht unwahrscheinlich, daß auch bey dem großen Plane des jungen Kaysers, die Stadt Rom auf das neue zu dem Haupt-Sitz der Monarchie zu machen, ganz vorzüglich auf ihn gerechnet war. Vielleicht war in dieser Hinsicht sein frühzeitiger Tod ein Glück für den Römischen Stuhl; gewisser aber war es der Tod des Kaysers, der auch schon im J. 1002. erfolgte, nachdem er den Römern

in

in der Person des ehemahligen Erzbischoffs von Rheims, der nun den Nahmen Gerbert mit dem Nahmen Sylvester II. verwechselte, noch einen zweyten Pabst gegeben hatte.

Kap. XVII.

Sylvester II. Händel des Erzbischoffs Willigis von Maynz mit dem Bischoff Bernhard von Hildesheim, in welche er hineingezogen wird. Unangenehme Erfahrung, die er dabey macht.

§. 1.

Bey einem Verfall, der die Regierung Sylvesters am merkwürdigsten macht, legte es sich wenigstens auf eine eigene Art zu Tage, wie vielfach lästig für einen Pabst die Rücksichten werden konnten, die er nicht nur auf seine eigene Verhältnisse mit dem Kayser, sondern selbst zuweilen auf andere Verhältnisse des Kaysers zu nehmen gezwungen war. Sylvester wurde in einen Streit mit einem deutschen Bischoff

verwickelt; und in diesem Streit, in welchem er
für die gerechteste Sache zu sprechen, ja in
welchem er noch dazu den Kayser auf seiner
Seite hatte, mußte er doch mehr als eine
Kränkung stillschweigend verschmerzen, weil er
gegen den Bischoff, der dem Kayser selbst
furchtbar war, nicht seine ganze Macht gebrauchen durfte.

§. 2.

Der Erzbischoff Willigis von Maynz und
der Bischoff Bernhard von Hildesheim waren
über dem Kloster zu Gandersheim in einen
Zwist gerathen, der sehr böses Blut zwischen
ihnen gemacht hatte ¹). Das Kloster gehörte
unstreitig in die Diöcese von Hildesheim, also
dem Bischoff auch unstreitig die Oberaufsicht
darüber nebst allen jenen Vorrechten und Verrichtungen, die davon abhiengen. Den Nonnen
zu Gandersheim kam es aber auf einmal in
den

1) Die Geschichte dieses Zwists findet man am
ausführlichsten in dem Leben des Bischoffs
Bernhard von Hildesheim von dem gleichzeitigen Tangmar in Leibniz Scriptor. Brunsvicens.
T. I. p. 450. sg.

den Kopf, daß es für ihr Kloster rühmlicher seyn würde, unter der Zucht und dem Schutz eines Erzbischoffs zu stehen, und diesem Einfall zufolge riefen sie das nächstemahl, da sie einen Bischoff nöthig hatten, den Maynzischen herbey. Dieß geschah zuerst bey der Gelegenheit, da die Prinzessin Sophia 2), die Schwester des Kaysers in dem Kloster den Schleyer nahm, wobey es zwar der Bischoff von Halberstadt aus Achtung gegen diese noch mit guter Art zugab, daß der Erzbischoff die Ceremonie der Einkleidung verrichten durfte, sich aber dennoch einen Revers ausstellen ließ, daß der Vorgang seinen Diöcesan=Rechten nichts schaden sollte. Da hingegen bald darauf ein neuer Fall vorkam, wobey es einen bischöfflichen Actus in dem Kloster zu verrichten gab 3), so

---

2) Dieß geschah noch unter dem Bischoff Ostbag, einem Vorgänger von Bernhard. S. Acta Synodi Ganderheimens. a. 995. in Harzheims Conc. Germ. T. II. p. 634.

3) Die Einweyhung der neuen Kloster=Kirche, die nach einem Brand wieder aufgebaut worden war.

so bekümmerten sich Willigis und die Nonnen
gar nicht mehr um den Bischoff, sondern nah=
men es als ausgemacht an, daß er nichts
mehr mit dem Kloster zu thun habe; ja Willi=
gis hielt nun sogar eine Synode zu Ganders=
heim, um der ganzen Welt dadurch zu zeigen,
daß das Kloster in seine Diöcese gehöre 4).

§. 3.

Dieser Uebermuth des Erzbischoffs und der
Nonnen war für den Bischoff so kränkend,
daß er im J. 1000. den Entschluß faßte, selbst
nach Italien zu reisen, um dort die Hülfe zu
suchen, die ihm sonst nirgends her werden
konnte. Er konnte nehmlich nicht daran den=
ken, daß er in Deutschland selbst gegen den
mächtigen Willigis irgendwo Recht finden,
aber durfte gewisser hoffen, daß sich der Kay=
ser mit Eifer für ihn verwenden würde, da
er als sein ehemahliger Lehrer in großer Ach=
tung bey ihm stand. Es ist daher wahrschein=
lich, daß es ihm auch mehr darum zu thun
war, den Kayser als den Pabst in seine Sache
hineinzuziehen; nur ließ sich die Einmischung

des

4) S. Harzheim T. III. p. 18.

des Pabsts desto weniger umgehen, da dem Kayser selbst damit gedient war. Die Aufnahme, die er bey Otto fand [5]), versprach ihm würklich seine wärmste Verwendung, aber nur seine Verwendung bey dem Pabst, an den er ihn selbst verwies, weil er in seiner damahligen Lage und in der Entfernung von Deutschland sehr gewiß voraussah, daß sich der erste und mächtigste der deutschen Bischöffe durch keinen kayserlichen Befehl in einer kirchlichen Sache schrecken lassen würde.

§. 4.

Wie es aber der Kayser und seine Räthe selbst einleiteten, daß die Sache an den Pabst gebracht wurde, so leiteten sie wahrscheinlich auch den Gang, in welchem sie verhandelt wurde, denn auch dieser war sehr bedächtlich abgemessen. Auf einer von dem Pabst veranstalteten Synode, welcher der Kayser und alle in seinem Gefolge befindliche deutsche [6]) Bischöffe

5) S. Tangmar Vita S. Bernwardi c. 19.
6) Die Bischöffe Sigfried von Augsburg, Heinrich von Würzburg und Hugo von Zeiz.

Z 3

schöffe beywohnten, mußte der Bischoff von
Hildesheim sein Gesuch anbringen, welches er
nur dahin richtete, daß er in dem Besitz seiner Ordinariats = Rechte über das Kloster zu
Gandersheim gegen die Anmaßungen des Erzbischoffs von Maynz geschützt werden möchte.
Der Umstand war notorisch, daß das Kloster
von seiner Stiftung an die Diöcesan=Jurisdik-
tion des Bischoffs von Halberstadt erkannt habe; also konnte auf dieß allgemeine Gesuch
schon gesprochen werden, und es wurde daher
beschlossen, daß der Bischoff bey seinen Rechten beschützt werden sollte; hingegen sein
Streit mit dem Erzbischoff von Maynz sollte
in Deutschland selbst auf einer Synode ausgemacht werden, zu welcher der Pabst einen Legaten abzuordnen hätte.

§. 5.

Damit wurde Willigis jeder Grund zu der
Klage abgeschnitten, daß man ihn und seine
Mitbischöffe nach einem neuen Recht behandeln
wolle; denn durch den Spruch der Römischen
Synode, welche den Bischoff von Hildesheim
in seinem Besitzstand behauptete, war ihm die
Gele-

Gelegenheit, seine Ansprüche auszuführen, gar nicht benommen, und durch die Anordnung der neuen Synode in Deutschland war ihm die ordnungsmäßigste Behörde dazu angewiesen worden. Er machte daher auch zuerst keine Einwendung dagegen, sondern kam selbst auf die Synode, die der von dem Pabst abgeschickte Cardinal Friderich nach Pölde [7]) ausgeschrieben hatte; sobald er aber aus der Stimmung der anwesenden Bischöffe schließen konnte, daß ihre Entscheidung gegen ihn ausfallen würde, so nahm er seinerseits eine insolentere und übermüthigere Stellung selbst gegen den Legaten an. Er gestattete nicht, daß der Legat den Vorsitz führen, oder den ersten Platz in der Versammlung einnehmen durfte. Er suchte selbst die öffentliche Vorlesung des päbstlichen Schreibens an die Synode zu verhindern, und als sich darauf der Cardinal herausnahm, eine Ermahnung an ihn zu richten, so gab Willigis seinem Gefolge einen Wink, das nun in den Versammlungs=Ort eindrang, und die

Ab=

---

7) Pölde, — ein Palatium regium am Harz. Palithum.

Absicht verrieth, die Synode aus einander zu sprengen. Das Ansehen und die Klugheit des Legaten konnte auch nur so viel bewürken, daß man die Sitzung nicht allzutumultuarisch, sondern mit dem Entschluß aufhob, die Verhandlungen den folgenden Tag fortzusetzen; allein als man am andern Tage wieder zusammen kam, so fand man die Haupt = Person nicht mehr, denn der Erzbischoff war am frühesten Morgen davon gezogen [8]).

§. 6.

Nun ergriff der Legat, der glücklicherweise die Lage der Umstände und Verhältnisse in Deutschland [9]) sehr genau kannte, die weiseste Auskunft, durch welche der gekränkten Ehre des Römischen Stuhls noch eine künftige Genugthuung mit der möglich kleinsten gegenwärtigen Gefahr bereitet werden konnte. Der mächtige Willigis, der auf die weltlichen Stände des Reichs, die damahls mit dem Kayser sehr unzufrieden waren, den wichtigsten Einfluß hatte,

8) S. Tangmar c. 27.

9) Er war selbst ein Deutscher, und nach Tangmar ein Sachse.

hatte, durfte durch keinen allzustarken Schritt gereizt werden: daher begnügte sich der Legat, den Handel einer größeren Synode vorzubehalten, die zu Rom selbst in Gegenwart des Pabsts veranstaltet, jedoch von allen deutschen Bischöffen besucht, oder beschickt werden sollte; erklärte aber dabey, daß sich der Erzbischoff bis dahin als suspendirt anzusehen habe 10). Damit war doch etwas gethan, das die Form einer oberrichterlichen Ahndung der Widersetzlichkeit des Erzbischoffs hatte, der Kayser und der Pabst aber behielten Zeit, die Demüthigung des stolzen Willigis noch durch andere Mittel, die sich ihnen anbieten mochten, einzuleiten; allein leyder! boten sich keine an.

§. 7.

10) "Quia" — so hieß es in dem an ihn gerichteten Decret — "Synodo te subtraxisti, et „jussis Romani Pontificis inobediens fuisti, aucto- „ritate sanctorum Apostolorum Petri et Pauli „et illorum Vicarii, Sylvestri II. ab omni offi- „cio sacerdotali scias te usque ad praesentiam „illius suspensum."

§. 7.

Dem Kayser kam zwar die Auskunft mit der neuen Synode doppelt gelegen, weil er hoffte, bey dieser Gelegenheit auch eine Verstärkung aus Deutschland ziehen zu können, die ihm sehr nöthig war. Er ließ daher die sämmtlichen deutschen Bischöffe auch in seinem Nahmen auffordern, daß sie unfehlbar erscheinen, aber zugleich auffordern, daß sie alle ihre Vasallen mitbringen sollten [11]; er gewann jedoch nichts dadurch, als eine neue Erfahrung von dem mächtigen Einfluß, den Willigis im Reich hatte. Aus Furcht vor ihm oder aus Anhänglichkeit an ihn gehorchten von den Bischöffen eben so wenige als von den weltlichen Ständen der Aufforderung des Kaysers. Vielmehr kam die Nachricht nach Italien, daß in Deutschland an die Wahl eines neuen Königs gedacht werde; und dadurch bekamen Otto und der Pabst einen weiteren dringenden Grund, es nicht zu einem offenen Bruch mit dem Erzbischoff kommen zu lassen. Sylvester mußte also nicht nur den Schimpf ungeahndet lassen, den Willigis seinem Legaten

11) S. Tangmar c. 28.

ten erwiesen hatte, mußte es nicht nur ignori=
ren, daß er sich um sein Suspensions=Decret
nichts bekümmerte, sondern er mußte selbst ver=
hindern, daß es auf der neuen Synode zu
Todi 12), auf welcher ein neuer Abgeordneter,
den der Bischoff von Hildesheim nach Italien
geschickt hatte, als Kläger auftrat, zu keinem
Spruch in der Sache kam. Auf seinen eige=
nen Antrag beschloß man hier, die Entschei=
dung so lange aufzuschieben, bis der Erzbi=
schoff von Cöln nebst mehreren deutschen Bi=
schöffen angekommen seyn würde; in der Zwi=
schenzeit 13) aber hatten die deutschen Bischöffe
auf einer Synode zu Frankfurt einen Versuch
gemacht, den Handel ohne ihn auszumachen,
der jedoch ebenfalls fruchtlos geblieben war.
Der Erzbischoff ließ sich auch hier zu nichts
weiter als zu dem Erbieten eines Vergleichs
bewegen, nach welchem er sich verpflichten
woll=

12) S. Acta Synodi Tudertinae bey Harzheim
T. III. p. 23. Der Abgeordnete des Bischoffs
dabey war Tangmar selbst.

13) Die Synode zu Todi war den 27. Decemb.
Die Synode zu Frankfurt aber schon den 15.
Aug. 1001. gehalten worden.

wollte, keinen Actus von Diöcesan-Jurisdiktion
in dem Kloster zu Gandersheim bis zu einer
weiteren Untersuchung auszuüben, wenn der
Bischoff von Hildesheim die nehmliche Verpflichtung übernehmen würde. Da sich Bernhard nicht darauf einlassen wollte, so dauerte
der Streit fort, bis er endlich im J. 1007.
zwar zu dem Vortheil des Bischoffs, aber von
dem neuen Kayser Heinrich II., und nicht nur
ohne Zuziehung, sondern selbst ohne Erwähnung des Pabsts entschieden wurde [14]).

§. 8.

Allerdings läßt sich vermuthen, daß vielleicht der Handel noch einen andern Gang genommen haben würde, wenn nicht Otto III.
so frühzeitig gestorben wäre. Nach seinem Tode durfte nehmlich der Pabst aus einem neuen
Grun-

14) S. Tangmar c. 40. Auch war es der Kayser allein, der den Streit zum zweytenmahl
entschied, da ihn der Nachfolger von Willigis,
der neue Erzbischoff Aribo von Maynz mit dem
neuen Bischoff Godehard von Hildesheim im
J. 1022. auf eine sehr gewaltsame Art erneuert hatte. S. Calles T. V. p. 220.

Grunde nichts weiter darinn vornehmen, weil der Einfluß und die Macht des Erzbischoffs von Maynz in Deutschland in dem unruhigen Zeitraum einer neuen Königs = Wahl noch viel größer als sonst war. Allein hätte auch Otto seinen Plan ausführen, und den Sitz der Monarchie wieder in Rom aufschlagen können, so würde der päbstliche Stuhl, durch die günstigste Wendung, die er dem Streit mit dem Erzbischoff Willigis hätte geben können, nur wenig gewonnen haben, denn er würde durch die Ausführung jenes Planes von mehreren anderen Seiten her in eine eben so drückende als bedenkliche Lage gekommen seyn. Man hat also immer Ursache zu glauben, daß er durch seinen Tod mehr gewann als verlohr, wiewohl dadurch eine neue Verwirrung in Italien herbeygeführt wurde, unter welcher auch der Glanz des Pontifikats wieder eine periodische und, wenigstens auf einen Augenblick, sehr gefährliche Verfinsterung erlitt.

Kap. XVIII.

Kap. XVIII.

Neue Unruhen in Italien, und in Rom. Die Tusculanische Parthie bemächtigt sich wieder der Herrschaft über die Stadt, und zugleich des Pontifikats. Was dieses dabey verlohr! und warum es nicht mehr verlohr!

§. 1.

Da der Nachfolger Otto's im deutschen Königreich Heinrich II. mehrere Jahre hindurch in Deutschland selbst mit der Befestigung seiner Herrschaft genug zu thun hatte, weil einige von den größeren Reichs-Vasallen, und besonders die mächtigen Herzoge von Schwaben sich weigerten, sie zu erkennen, so bekam auch der unruhige und wilde Geist der italiänischen Partheyen wieder einen freyeren Spielraum, und benutzte sogleich den günstigen Augenblick, um sich dem deutschen Joch zu entziehen. Der Markgraf Arduin von Yvrea wurde zum König

von

von Italien gewählt, und war im J. 1005, in welchem endlich dem neuen König von Deutschland die Unternehmung eines Zuges nach Italien möglich wurde, bereits so mächtig geworden, daß er zwar von ihm geschlagen, aber nicht ganz unterdrückt werden konnte. Zu einem zweyten Zuge über die Alpen bekam Heinrich erst im J. 1013. wieder Musse und Veranlassung. Die Kayser=Krone, die er sich jetzt aufsetzen ließ, verschafte ihm aber nicht viel mehr würkliche Macht, denn durch die La= ge der Umstände wurde er auch dießmahl zur schnellen Rückkehr nach Deutschland genöthigt; und da dieß ebenfalls bey den spätheren Zügen eintrat, die noch von ihm und von seinem Nachfolger Conrad unternommen wurden, so kam der Zustand von Italien, so lange ihre Regierungen daurten, niemahls mehr völlig in die alte Ordnung hinein.

§. 2.

Unter diesen Umständen war es hingegen in der natürlichsten Ordnung der Dinge, daß auch in Rom selbst der alte Factions=Geist wieder erwachte, daß der Familien=Bund der ehemah=

ligen

tigen Aristokraten die verlohrne Obermacht wieder zu erlangen strebte, und daß er sie auch
auf einige Zeit desto leichter wieder erhielt, da
er niemahls ganz aus einander gesprengt worden war. Am sichtbarsten wurde dieß bey den
Wahlen der Päbste, die in diesem Zeitraum hin-
einfielen. Nach dem Tode Sylvesters II.,
der schon im J. 1003., also sehr bald nach
dem Tode des Kaysers erfolgte, waren die
Aristokraten, wie es schien, noch nicht so mächtig, daß sie die Wahl des neuen Pabsts ganz
nach ihrer Willkühr leiten konnten. An der
Erhebung von Johann XVII., Johann XVIII.
und Sergius IV. [1]), die schnell auf einander
folgten, mochte also auch das Volk, oder andere Volks = Partheyen, noch einigen Antheil
haben; doch waren es schon keine deutsche
mehr, welche jetzt gewählt wurden: aber im
J. 1012. fand sich die herrschende Adels = Parthie bereits stark genug, den päbstlichen Stuhl
gewis-

[1] Johann XVII. lebte nach seiner Erhebung auf
den Römischen Stuhl nur ein halbes Jahr.
Johann XVIII. mit dem Zunahmen Fasan
starb im J. 1009., und Sergius IV. im J.
1012.

gewissermaßen für sich selbst in Beschlag zu nehmen. Der damahlige Consul und Senator von Rom aus dem Hause der Grafen [2] Tuscoli ließ seinen Bruder unter dem Nahmen Benedict VIII. zum Pabst wählen, und wußte ihn auch durch die Macht seines Anhangs nicht nur gegen einen vom Volk [3] gewählten Pabst Gregor, sondern auch gegen den König von Deutschland zu behaupten, den der verjagte Gregor zu seiner Hülfe herbeygerufen hatte [4].

§. 3.

2) Sohn des Grafen Gregor von Tusculum und Urenkel des berühmten Alberichs.

3) Oder vielmehr von der immer auch noch mächtigen Parthie des crescenzischen Hauses begünstigten Pabst.

4) Aus einer etwas zweydeutigen Stelle in der Chronik Ditmars p. 427. (in der Uebersetzung von Ursinus) zog man lange den Schluß, daß nicht Gregor, sondern Benedikt nach Deutschland gereist sey, um Heinrich herbeyzurufen. Aber der Zusammenhang und die Folge seiner Erzählung lassen keinen Zweifel darüber Raum.

§. 3.

Während seinem zwölfjährigen Pontifikat
befestigte sich dann die Volks-Herrschaft dieser
Parthie so vollständig in Rom, daß sie schwehrlich nöthig gehabt haben würde, nach Benedicts
Tode im J. 1024. bey der neuen Pabst-Wahl
die Mehrheit der Stimmen für seinen Bruder
zu erkaufen, wenn nicht der Umstand, daß
der Candidat zum Pabstthum noch zu gar keinem klerikalischen Grad ordinirt war, eine kleine Schwürigkeit gemacht hätte, die sich am
leichtesten auf diese Art beseitigen ließ [5]). Aber
unter der Regierung dieses Layen-Pabsts, der
sich Johann XIX. nennen ließ, stieg ihr Uebermuth mit ihrer Gewalt auf einen solchen Grad,
daß sie sich nicht scheute, nach seinem Tode im
J. 1033. einen Knaben von zwölf Jahren auf
den Stuhl des heiligen Petrus zu setzen, weil
sich wahrscheinlich in der Familie kein anderes
taugliches Subject dazu fand [6]). Damit bereitete sie aber ihren Untergang, denn der Kna-
be, der vorher Theophylakt hieß, legte es als
Bene-

---

5) S. Rudolph Glaber L. IV. c. 1. und Leo von
   Ostia in Chron. Cassinehl. L. II. c. 27.
6) S. Baron. ad ann. 1033. nr. 3.

Benedict IX. nur darauf an, die Römer in die Zeit von Sergius III. und Johann XII. zurückzuversetzen [7]), und führte dadurch die Katastrophe herbey, aus der eine neue Ordnung der Dinge herauswuchs.

§. 4.

Dabey war es wohl unvermeidlich, daß auch der heilige Stuhl von seinem Ansehen und das Pontifikat von seinem Glanz wieder etwas verliehren mußte; doch konnte dieß nur erst in Rom selbst und höchstens in Italien merklich werden. Zu einer würklich skandalösen Höhe stieg eigentlich das neue Unwesen erst unter Benedikt IX.; und daurte somit zu kurz, als daß sich der Ruf davon allzuweit über die Alpen hätte verbreiten können. In den meisten übri-

[7] Er war ein Sohn des Grafen Alberichs von Tusculum, der zugleich Consul von Rom war. Die schändlichsten Züge von ihm erzählt ein höchst glaubwürdiger Zeuge, nehmlich einer seiner Nachfolger, der Pabst Victor III. im dritten Buch seiner Dialogen. S. Biblioth. Max. Patrum T. XVIII. p. 853.

übrigen Staaten war man auch in diesem Zeitraum wieder mit andern Angelegenheiten beschäftigt, unter denen man die Kirche [8]) aus
dem Gesicht verlohr; und zufälliger Weise kamen
selbst noch einige Ereignisse dazwischen, die zum
Theil auf eine sehr unerwärtete Art zum Vortheil des Römischen Stuhls ausschlugen.

§. 5.

So würden die Päbste aus der Schwäche
selbst, in welche die deutsche Macht wieder in
Italien gesunken war, den beträchtlichsten Nutzen gezogen haben, wenn Heinrich II. im Bewußtseyn dieser Schwäche dem Pabst Benedikt
VIII. würklich im J. 1014. den überhohen
Preis für die von ihm erhaltene Kayser-Krone
bezahlt hätte, der in der Schenkungs-Urkunde,
die er ihm ausgestellt haben soll, specificirt ist.

Nach

8) Dieß war auch in Deutschland wie in Italien
so sehr der Fall, daß Heinrich II. auf seinem
ersten Zuge nach Italien nicht weniger als
zwölf Bisthümer an der Grenze antraf, die
schon Jahre lang unbesetzt geblieben waren.
S. Adelbold in Vita S. Henrici c. 32. bey
Leibniz T. II. f. P. 430.

Nach dieser Urkunde [9]) sollte er dem jeweili=
gen Innhaber des Römischen Stuhls nicht nur
den Besitz von Rom und dem dazu gehörigen
Herzogthum auf das neue versichert, nicht
nur alle Schenkungen der Carolinger und Otto=
nen an die Römische Kirche bestätigt, sondern
ihr noch dazu das reiche deutsche Kloster zu
Fuld und das neu=gestiftete Bißthum zu Bam=
berg übergeben und zinsbar gemacht haben.
Nach einer andern Nachricht [10]) sollte Hein=
rich zu gleicher Zeit das päbstliche Disposi=
tions=Recht über die Kayser=Krone recht förm=
lich agnoscirt, oder recht förmlich anerkannt
haben, daß nur der Pabst einen Kayser machen
könne, denn er sollte selbst ein von Benedikt
erlas=

9) Sie findet sich auch bey *Labbé* T. IX. p. 803.
und] in einem neusten Abdruck in der Breve
Istoria del Dominio temporale della sede Apo=
stolica nelle due Sicilie von dem Cardin. Bor=
gia, — in dem Anhang p. 42. In der Schrift
selbst S. 269=273. ist auch alles mit der mög=
lichsten Kunst benutzt, was sich nur zur Ver=
theidigung ihrer Aechtheit vorbringen ließ.

10) S. Rudolf Glaber L. I. c. 5.

erlassenes Decret bestätigt haben, das ein Ver=
bot für alle künftige Fürsten enthielt, daß sich
keiner mehr die Kayser=Würde annaßen dürfe,
ehe er von dem Pabst dazu tauglich befunden
und gekrönt worden sey [11]).

§. 6.

Die Aechtheit jener Urkunde ist indessen un=
glücklicher Weise eben so zweifelhaft [12]), als
die Wahrheit dieser Nachricht; aber so viel
man auch Gründe haben mag, sie zu verwer=
fen, so bleibt es doch im allgemeinen noch
glaublich genug, daß jener Zustand von Schwä=
che,

14) "Ut ne quisquam andacter imperii Romani
sceptrum praepoperus gestare Princeps audeat,
seu Imperator dici aut esse valeas, nisi quem
Papa delegerit aptum reipublicae, eique commi=
serit insigne imperiale." S. Rud. Glaber. Hi=
stor. L. I. c. 5.

11) Sie ist vorzüglich durch Muratori in seinen
Streitschriften wegen Comacchio, besonders in
seiner Piena Espositione &c. p. 83. 98. 144. und
in seinen Annali d'Italia T. VI. p. 46. völlig
unglaublich gemacht worden.

che, worinn sich die deutsche Macht während diesem Zeitraum in Italien befand, in mehr als einem Verhältniß für die Päbste vortheilhaft wurde. Mochte immer Heinrich II. nie daran gedacht haben, dem Pabst die Oberherrschaft über Rom, über das Römische Gebiet und über den Kirchen-Staat zu übertragen oder zu bestätigen; aber ihm selbst gestatteten doch auch die Umstände niemahls oder nur selten, daß er die Rechte der obersten kayserlichen Landes-Hoheit über das Erbgut des heil. Petrus ausüben konnte. Er konnte dagegen nicht verhindern, daß sich der Pabst auf seinen Gütern eben so wie die übrigen großen Väsallen auf den ihrigen, immer mehr davon zueignete, daß er sich selbst als Pabst noch mehr davon zueignete, und daß er dadurch allmählig in einen Besitzstand kam, der ihm das einmahl erworbene ungleich gewisser versicherte, als es durch irgend ein Diplom hätte geschehen können. Wie klar und lebendig aber in diesem Zeitraum in den Köpfen der Römer die Vorstellung geworden war, daß nur sie durch ihren Pabst über die Kayser-Würde disponiren könnten, dieß kam ja bey der Krö-

Aa 4

nung

nung des nächsten Kaysers, Conrads II., nur
allzudeutlich an den Tag [13]).

§. 7.

Doch dem schändlichsten und unwürdigsten
von den Päbsten dieses Zeitraums, Benedikt IX., soll ja das Glück selbst einen Vortheil zugeworfen haben, den es nur wenigen
seiner Vorgänger gewährt hatte, nehmlich den
Vortheil, daß er dem Römischen Stuhl ein
neues Königreich zinsbar machen konnte, das
noch überdieß sehr ergiebig zu werden versprach. Dieß war das Königreich Pohlen,
das die Thorheit begieng, ihm einen freywilligen Tribut zu versprechen, oder das sich diesen Tribut als den Preis eines Dienstes, den
er ihm geleistet hatte, auflegen ließ, der die
Thorheit noch größer machte, als sie schon an
sich war.

§. 8.

Im J. 1041. war diese noch neu-christliche
Nation um einen König verlegen, weil sie den
Herzog Bretislaus von Böhmen, der das
nächste

13) S. Glaber L. IV. c. I.

nächste Recht auf ihren Thron zu haben ver-
meynte, durchaus nicht dafür erkennen wollte.
Keiner ihrer Großen fand sich jedoch mächtig
genug, die Krone gegen ihn zu behaupten;
daher wurden sie endlich einig, sie einem Sohn
ihres verstorbenen Königs Misko, dem Prinzen Casimir, zu übertragen, den sie gleich nach
dem Tode seines Vaters mit seiner Mutter
Rixa das Reich zu verlassen gezwungen hatten.
Das Schlimme war nur dabey, daß sie nicht
nur nicht wußten, ob er sie annehmen würde,
sondern überhaupt nicht wußten, wo sie ihn
in der Welt aufsuchen sollten, denn man hatte
seit geraumer Zeit weiter nichts von ihm gehört, als daß er sich in ein Kloster begeben
habe. Dadurch ließen sich jedoch die Pohlen
nicht abhalten, sondern schickten Gesandte aus,
die ihn irgendwo auftreiben sollten, und auch
endlich in der Benediktiner-Abtey zu Braun-
weiler in Deutschland fanden [14], aber auch
bey

14) Nach mehreren pohlnischen Geschichtschreibern
sollte der Prinz in Frankreich in der Abtey
zu Clugny von ihnen gefunden worden seyn;
aber daß dieß irrig ist, findet man erwiesen

bey der Ausrichtung ihres Auftrags mehr Schwürigkeiten fanden, als sie voraus befürch= tet haben mochten.

§. 9.

Bey der Gleichgültigkeit, womit der Prinz selbst ihren Auftrag zuerst aufnahm, mochte wohl etwas Verstellung seyn; in der Ordnung war es aber, daß er sie an seinen Abt ver= wies, ohne dessen Erlaubniß er nicht aus dem Kloster gehen dürfe, und eben so in der Ord= nung, daß der Abt behauptete, es stehe nicht in seiner Macht, diese Erlaubniß zu geben, weil der Prinz nicht nur die Kloster=Gelübde, sondern auch den Grad des Diakonats bereits übernommen habe. Sie mußten sich also ent= schließen, sich noch an den Pabst zu wenden, an den sie der Abt verwies, und dieser wies sie freylich nicht ab; da er aber sah, daß sie einmahl ihren Kopf darauf gesetzt hatten, den Prinzen zu ihrem König zu haben, so beschloß er, aus ihrer Grille den möglich größten Vor= theil zu ziehen. Er machte ihnen die Bedin= gung,

m) Leibniz Praefat. T. I. Scriptor. Brunsvicenf. Artic. 27.

gung, daß ihm die ganze Nation eine jährliche Steuer von einem Denier auf den Kopf bezahlen müßte, und überdieß sollten alle pohlnische Männer zur Erinnerung, daß sie einmahl einen König aus dem Klerus bekommen, oder zum Ersatz, daß sie dem Klerus einen König entzogen hätten, die Haare über den Ohren abgeschnitten in der Form einer Tonsur tragen [15]). Das eine wie das andere bewilligten auch die Pohlen, und erhielten dafür einen König, von dem sie bald die Entdeckung machten, daß sie ihn verzweifelt theuer bezahlt hätten.

§. 10.

Uebrigens darf nicht verhehlt werden, daß doch der Umstand noch etwas zweifelhaft ist [16]),

ob

---

15) Er schrieb ihnen noch eine dritte Bedingung vor, "ut in praecipuis Christi et B. Virginis festis panno linteo albo, in stolae modum dependente, cervicem exornare sint adstricti." S. Baronius, der die ganze Geschichte aus Dlugoß eingerückt hat, ad ann. 1041. nr. 3-11.

16) Wenigstens hat Christ. Gottl. von Friese

ob die pohlniſche Nation gerade bey dieſer Gelegenheit dem Römiſchen Stuhl zinsbar geworden ſeyn mag; doch kann es deſto weniger
austragen, da es dabey unverkennbar iſt, daß
der baare Geld-Vortheil, den ſich der Pabſt
bey dieſem Anlaß machen, oder der Zuwachs
von Einkünften, den er ſeinem Stuhl verſchaffen mochte, doch nur der kleinere Gewinn war,
der ihm daraus zuwuchs. Unendlich mehr
trug die höhere Idee aus, welche eine ganze
Nation durch die Rolle, die er bey dieſer Na-
tional-Angelegenheit ſpielte, von ihm bekommen
mußte. Unvergleichbar wichtiger war dasjenige, was dabey zu der allgemeinen Volks-Idee
des Zeitalters von dem Pabſt hinzukam, denn
dadurch wurde alles mehr als nur erſetzt, was
vielleicht in den letzten Zeiten und unter den
Regierungen der letzten Päbſte hier und da in
ihrer Nähe davon weggefallen war, und auch

daß=

in ſeiner Kirchengeſchichte des Königreichs Pohlen Th. I. p. 279. gegen Dlugoß den Beweis
geführt, daß von Pohlen aus ſchon vorher
etwas an den Römiſchen Stuhl bezahlt, und
wahrſcheinlich ſchon von der Zeit Miciſláus I.
an bezahlt wurde.

dasjenige voraus ersetzt, was jetzt unter der Katastrophe, die noch unter Benedikt IX. eintrat, noch weiter davon wegfallen mußte.

§. 11.

Es war nehmlich einerseits unstreitig der skandalöseste Auftritt, der noch in der Pabst-Geschichte vorgekommen war, welcher diese Katastrophe herbeyführte, und sie wurde andererseits mit einer Art durchgesetzt, von der man die nachtheiligsten Folgen für das Pontifikat zu besorgen hatte.

Gegen das J. 1043. hatte sich zu Rom ein Aufstand gegen Benedikt IX. erhoben, den die Macht seines Hauses und seiner Parthie nicht sogleich unterdrücken konnte. Der Bischoff Johann von Sabina hatte sich, unterstützt durch den Cónsul Ptolomäus, so viele von den Feinden der Tusculanischen Familie unter den Römischen Großen und so viele Anhänger aus dem Pöbel erkauft, daß er Benedikt aus der Stadt jagen, und sich selbst unter dem Nahmen Sylvester III. auf den eroberten Stuhl setzen konnte. Nach drey Monathen sammelte jedoch der verjagte Benedikt wieder

so

so viel Kräfte auf dem Lande, daß er in die
Stadt zurückkehren, und seinem Gegner die
Spitze bieten konnte, allein es gelang ihm
nur, ihn aus dem lateranensischen Pallast,
und nicht aus der Stadt zu verdrängen, worinn er sich mit seinem Anhäng neben ihm erhielt.

§. 12.

Nach dem Verfluß einer kurzen Zeit bemerkte er hingegen, daß seine Parthie immer
schwächer wurde, und beschloß, einer zweyten
Verjagung, die ihm bevorstand, durch eine Un-
verschämtheit von ganz neuer Art auszuweichen. Er böt das Pontifikat öffentlich feil,
ließ sich mit einem Presbyter, Nähmens Johann, eben so öffentlich in einen Handel darüber ein, dankte dann, da er um den Preis
mit ihm einig geworden war, förmlich ab, und
überließ ihm das Lateran, nachdem er ihn selbst
als Pabst consecrirt hatte. Doch dieser ganze
Handel war von Seiten Benedikts der schändlichste Betrug. Mit dem Gelde des einfältigen
Johanns kaufte er sich sogleich eine neue Parthie zusammen, setzte ihn, sobald er sich stark
genug

genug fühlte, wieder ab, und wurde von ſeinen Anhängern auf das neue als Pabſt erkannt. Zum Unglück konnte ſich aber Johann
doch auch noch einer Kirche in der Stadt bemächtigen, und behielt noch ſo viel Freunde
übrig, daß er ſich gegen ihn und Sylveſter
ebenfalls behaupten konnte: mithin gab es jetzt
in Rom drey Päbſte zu gleicher Zeit 17).
Selbſt dieſen Umſtand wußte aber Benedikt

noch

17) In der Geſchichte dieſes ſchändlichen Zwiſchen-
Akts ſtimmen nicht alle Schriftſteller mit einander überein. Mehrere neuere wollen nichts
von dieſem Johann XX. wiſſen, dem Benedikt
das Pontifikat zuerſt verkauft hätte, ſondern
laſſen ihn den Handel allein mit Gregor ſchließen. Nach Walch in ſeiner Geſchichte der
Päbſte S. 217. wäre dieſer Johann XX. bloß
durch einen Irrthum in die Geſchichte gekommen, weil auch Gregor den Taufnahmen Johann geführt habe; aber dieß läßt ſich nicht
leicht mit dem übrigen vereinigen, was ſonſt
von ihm erzählt wird. S. *Natal. Alex.* Hiſt.
eccl. Sec XI. cap. I. art. 4. Hier iſt die Erzählung Otto's von Freyſingen L. VI. c. 32.
zum Grund gelegt.

noch schändlicher und skandalöser zu machen, als er schon an sich war.

§. 13.

Sobald er nehmlich zu sehen glaubte, daß ihre Partheyen nahe zu einander gleich seyen, und daß somit jeder gleich viel von dem andern zu fürchten habe, so trug er selbst den beyden Gegenpäbsten einen Vergleich an, der ihre Vortheile vereinigen sollte. Er schlug ihnen vor, daß sie alle drey den päbstlichen Titel behalten, und sich in die Einkünfte des Pontifikats theilen wollten, die für alle drey hinreichen würden; und dieser schändliche Vergleich wurde nicht nur geschlossen, sondern auch würklich vollzogen [18]). Das ganze J. 1045. hindurch sah Europa drey Päbste, die den Stuhl des heiligen Petrus gemeinschaftlich schändeten, weil sie nur darüber mit einander wetteiferten, welcher den andern

---

18) Nach der Angabe Leo's von Ostia in Chron. Cassinens. L. II. c. 80. und Otto's von Freysingen L. VI. c. 32. behielt sich dabey Benedikt die Einkünfte aus England vor, und sie wurden ihm auch von den andern — quia majoris videbatur autoritatis esse — überlassen.

dern an Lastern und Schandthaten übertreffen
könnte.

§. 14.

Ein solches die ganze Christenheit beschim=
pfendes Aergerniß konnte aber freylich nicht
lange dauern. Von allen Seiten her wurde
der neue deutsche König Heinrich III. aufge=
fordert [19]), nach Italien zu eilen, um die
Kirche an den Päbsten zu rächen; und dazu
würde er auch nicht erst eine Aufforderung be=
durft haben, wenn ihn nicht ein Krieg mit den
Ungarn aufgehalten hätte, dessen glückliche Be=
endigung für das deutsche Reich weit dringen=
der nöthig war. Im J. 1046. fand er es
aber möglich, Anstalten zu einem Römer=Zuge
zu

_____

[19] Eine gereimte Aufforderung dieser Art, die
ein heiliger Eremit dem König zugeschickt ha=
ben sollte, hat uns der sächsische Annalist auf=
bewahrt. Sie lautete folgendermaßen:

'Una Sunamitis nupfit tribus maritis.

Rex Henrice! Omnipotentis vice

Solve connubium triforme dubium.

zu machen, und das bloße Gerücht von diesen
brachte schon eine Veränderung in Italien hervor. Der schlaue Benedikt merkte zuerst, daß
die Dinge eine schlimme Wendung nehmen
könnten, verkaufte jetzt, um sich mit guter Art
der Gefahr zu entziehen, seinen Antheil an dem
Pontifikat zum zweitenmahl an einen Erz-Prie-
ster Gratian, und zog sich, indem er nun im
Ernst abdankte, vor der Hand in die Dunkel-
heit eines Klosters zurück. Der neu-eingekauf-
te Pabst, der sich Gregor VI. nennen ließ,
war weise genug, sich mit den zwey andern
Päbsten nicht zu vergleichen. Er erklärte sie
als unrechtmäßige Usurpatoren, weil sie sich
auf eine gleich schändliche Art in das Pontifikat eingedrungen hätten, so lange noch Benedikt rechtmäßiger Pabst gewesen sey; und sah
sich als den einzigen Nachfolger von diesem an.
Dabey konnte er am wahrscheinlichsten hoffen,
daß sich der Kayser für ihn erklären würde,
weil er auch sonst noch unter den dreyen offenbar der beste war; daher nahm er auch keinen
Anstand, diesem selbst noch die Nachricht von
seiner Gelangung auf den päbstlichen Stuhl
entgegen zu schicken, da er schon auf dem Wege

ge nach Italien war [20]). Er bat ihn sogar dabey, seine Ankunft zu beschleunigen; aber Heinrich hatte sich bereits vorgenommen, etwas anders zu verfahren, als Gregor erwartete.

§. 15.

Sobald er in Italien angekommen war [21]), veranstaltete er eine große Versammlung von Bischöffen zu Sutri, welche vorzüglich wegen des Pontifikats einen Schluß fassen sollte, dessen Vollziehung er selbst übernehmen wollte. Auf diese Synode hatte er selbst den Pabst Gregor eingeladen, dem auch zuerst der Vorsitz dabey von niemand streitig gemacht wurde, so wie niemand etwas dagegen einzuwenden hatte, daß zuerst von der Synode die andern Neben-Päbste als völlig unrechtmäßige Innhaber des heiligen Stuhls erklärt wurden. Kaum war jedoch dieß geschehen, so ließ der Kayser an den guten Gregor zu seinem größten Erstaunen die Aufforderung ergehen, daß auch er jetzt der Synode erzählen möchte, wie er dann zu dem Ponti-

20) Er kam ihm selbst bis nach Piacenza entgegen.
12) Im J. 1046.

Bb 2

Pontifikat gekommen sey. Kurz, auch Gregor, der gar nicht läugnen konnte, daß er es von Benedikt gekauft habe, weil es gar zu landkundig war, wurde abgesetzt [22]; denn der Kayser und die Synode fanden seine Entschuldigung nicht hinreichend, daß er den Handel in der guten Absicht geschlossen habe, um die Kirche auf dem kürzesten Wege und mit der wenigsten Unruhe und Weitläufigkeit von dem unwürdigen Benedikt zu befreyen. Wenn er aber auch eine bessere Entschuldigung gehabt hätte, so würde wahrscheinlich der Kayser dennoch auf seiner Absetzung bestanden seyn; denn jetzt zeigte es sich, daß er schon mit dem Entschluß aus Deutschland gekommen war, den Plan Otto's III. wieder vorzunehmen, und den Römern einen deutschen Pabst zu geben. Er hatte sich selbst seinen Mann schon dazu ausgesucht und mitgebracht. Es war der Bischoff

Suger

[22] Nach Leo von Ostia sollte er selbst abgedankt haben, aber der Umstand, daß ihn der Kayser mit nach Deutschland nahm, macht die Angabe der gleichzeitigen Schriftsteller viel glaublicher, daß er abgesetzt worden sey. Muratori VI. p. 140.

Suger von Bamberg, den er nun von der
Synode wählen ließ [23]), und mit dem er
dann selbst nach Rom zog, um ihn den Römern unter dem Nahmen Clemens II. vorzustellen. Von diesen wurde er freudig aufgenommen. Die After-Päbste waren noch vor seiner Ankunft verschwunden. Den abgesetzten
Gregor nahm er mit sich nach Deutschland zurück, und damit schien die Ordnung und die
Ruhe auf die Dauer wieder hergestellt.

§. 16.

Dieß war aber auch würklich der Erfolg
von diesen Maaßregeln des neuen Kaysers:
hinge-

23) Der Kayser — erzählt Hermann — habe ihn
omnium tam Romanorum, quam aliorum consensu gewählt. Damit stimmt auch Peter Damiani Opuscul. nr. 36. überein, dem man
überhaupt die meisten Nachrichten von dieser
Synode zu Sutri zu danken hat. Nach Leo
von Ostia L. II. c. 80 hätte hingegen der
Kayser den neuen Pabst erst nach seiner Ankunft in Rom wählen lassen, und auch nach
der Angabe des Pabsts Victors III. Dialog.
L. III. in Bibl. Max Patr. T. XVIII. p. 854.

hingegen wer mußte nicht befürchten, daß sie desto gewisser nach einer andern Beziehung zum Nachtheil des Pontifikats ausschlagen; denn wer mußte nicht besorgen, daß sie die Päbste auf das neue in die alte Abhängigkeit von der kayserlichen Macht hinabdrücken würden?

Und doch waren es zunächst die Maaßregeln des Kaysers, die jetzt die neue Periode herbey=führten, und zwar planmäßig herbeyführten, in welcher der Römische Stuhl zu der höchsten Stufe der Macht und des Glanzes empor stieg, die für ihn erreichbar war.

Erste

Erste Abtheilung.

Zweyter Abschnitt.

Veränderungen in dem Zustand der kirchlichen Gesellschaft von der Mitte des neunten bis in die
Mitte des eilsten Jahrhunderts.

I.

Veränderungen in den gegenseitigen Verhältnissen des Staats
und der Kirche.

Bb 4

Kap. I.

Streben der Kirche, ihr bisheriges Verhältniß zu dem Staat zu verrücken. Wie weit es sich in den Versuchen äußert, durch die man den Einfluß der weltlichen Fürsten auf die Ersetzung der Bisthümer einschränken will.

§. I.

Da sich in jeder Periode, in welcher eine Haupt = Veränderung der Verhältnisse des Römischen Stuhls eintrat, die eine neue Epoche in der Geschichte des Pabstthums macht, auch unvermeidlich in mehreren andern Theilen der kirchlichen Gesellschafts = Verfassung und besonders in mehreren andern Zweigen der kirchlichen Regierung manches verrücken und umstellen mußte, so wird es eben so schicklich als nöthwendig, diese Veränderungen ebenfalls aus je=

Bb 5

dem Zeitraum auszuheben, und zur leichteren
Uebersicht zusammen zu stellen. Einige darunter hängen ohnehin mit der Geschichte des
Pabstthums höchst innig zusammen, denn sie
traten nur als Folgen der neuen Verhältnisse
ein, aus welchen sich dieses heraus bildete:
andere hingegen, welche durch andere Ursachen
veranlaßt, oder durch andere Zeit-Umstände
herbeygeführt wurden, würkten zum Theil mittelbar, ja selbst zum Theil unmittelbar dazu
mit, daß es mit der Ausbildung jener Verhältnisse schneller gieng. Man lauft also nicht
leicht Gefahr, den Haupt-Gegenstand der Geschichte dabey aus dem Gesicht zu verliehren,
aber man kann sicher darauf zählen, daß sich
dieser in einem mehrfach neuen Licht dabey
darstellen wird.

§. 2.

Auch hier mag es dann am zweckmäßigsten
seyn, das Besondere, das sich zum Auszeichnen anbietet, wieder in drey Klassen zu ord-
nen, und zuerst dasjenige, was sich in der
gegenseitigen Lage der kirchlichen und der bürgerlichen Gesellschaft während dieser Jahrhunderte, anders rückte,

zwey-

zweytens — dasjenige, was sich in der allgemeinen inneren Gesellschafts=Verfassung der Kirche veränderte, und nach diesem noch

drittens — das Neue, das in die beson= dere Verbindungs= und Regierungs=Form der verschiedenen kirchlichen Körper hineinkam, oder auch das Alte, das daraus wegfiel, zusam= menzustellen und darzulegen.

§. 3.

Den anziehendsten Anblick gewähren unstrei= tig die Erscheinungen, die sich bey der näheren Hinsicht auf das erste dem Beobachter auf= drängen. Es ist das beständige Streben der Kirche, ihr bisheriges Verhältniß gegen den Staat umzukehren, dem man dabey zwey Jahrhunderte hindurch zusieht, und es ist nicht sowohl das Entgegenstreben des Staats, als das Entgegenstreben der Umstände, durch das man für jetzt noch das ihrige vereitelt sieht. Diese Erscheinungen sind jedoch von einer ge= doppelten Art, denn man stoßt einmahl auf solche, bey denen ein höchst planmäßiges Stre= ben der Kirche, sich dem Einfluß des Staats und der obersten Staats=Gewalt zu entziehen, und

und stoßt wieder auf andere, bey denen ein
eben so planmäßiges Streben, sich selbst mehr
Einfluß auf den Staat zu verschaffen, bemerkbar wird. Wey den einen wie bey den andern
wird man aber auch gleich deutlich gewahr,
wie weit ihr ihr Streben gelang, und warum
es ihr nicht weiter gelingen konnte?

§. 4.

So ist es zuerst unverkennbar, daß man
noch vor dem Ende des neunten Jahrhunderts
Anstalten machte, die von den Regenten des
Staats bisher ausgeübten Rechte bey der Besetzung der Bisthümer einzuschränken; es muß
jedoch sogleich dazu gesagt werden, daß die
Kirche hierinn noch nicht weiter gieng, als
sie sich auch durch sehr uneigennützige Ursachen
gedrungen, und durch sehr starke Gründe befugt halten konnte.

In der fränkischen Monarchie hatten schon
Carl der Große und Ludwig der Fromme die
alte Ordnung der Bischoffs=Wahlen wieder
hergestellt, und sich nur die Bestätigung der
Wahlen vorbehalten. Carl dem Großen darf
man es zutrauen, daß er sich dazu gewiß
nicht

nicht bloß durch das Zureden seiner Bischöffe,
sondern mehr durch seine eigene Ueberzeugung
von der Schicklichkeit und Billigkeit der Ordnung bewegen ließ; da sich aber seine nächsten
Nachfolger in unzähligen Fällen darüber hinwegsetzten, und gegen einen Bischoff, bey dem
sie eine Art von Wahl frey ließen, immer
zwanzig andere nach ihrer bloßen Willkühr ernannten, so durfte sich die Kirche um so mehr
berechtigt glauben, die Freyheit der Wahlen,
so oft und so weit sie konnte, als schon erworbenes Eigenthum zu behaupten, also wenigstens in der Maaße zu behaupten, in der es
ihr schon von dem Staat selbst zugesprochen
worden war. Darauf schränkte sie aber würklich ihre Bemühungen und Vorkehrungen ein.

§. 5.

In allen den Zwischen-Zeiten dieser stürmi-
schen Periode, in denen nur ein halber Zustand von Ruhe und Ordnung in der bürgerlichen Gesellschaft statt fand, machte die Kirche
niemahls einen Versuch, den Landesherrn und
Regenten die Ausübung ihres Bestätigungs-
Rechts bey den Wahlen der Bischöffe nur zu
erschweh-

erschwehren. Es wurde, als unbestrittener und unbestreitbarer. Grundsatz allgemein angenommen, daß kein Bischoff gegen den Willen des Landesherrn angestellt werden könne, und diesem Grundsatz zufolge hielt man sich nicht nur für verpflichtet, jeden neu=gewählten Bischoff dem Könige, noch ehe er konsecrirt wurde, zur Bestätigung zu präsentiren, sondern auch voraus seine Genehmigung zu der Wahl einzuholen. Selbst die Formularien, in welchen man dieß zu thun pflegte, sind noch auf uns gekommen [1]); so viel Gelegenheit aber die Fürsten dadurch erhielten, auch auf die Wahlen selbst einzuwürken, und ihre Freyheit zu beschränken, so schien man sich doch nicht einmahl einen Wunsch nach einer Aenderung der Einrichtung zu erlauben, weil man es gar nicht für möglich hielt, daß man es den Landesherrn streitig machen könnte, oder dürfte.

§. 6.

Dieß hingegen deckt sich noch in der Geschichte des neunten Jahrhunderts sehr deutlich auf,

[1] In den Werken Hincmars, und bey Sirmond und *Labbé* T. VIII. p. 1866. sq.

auf, daß man es schon hin und wieder geflis=
sentlich darauf anlegte, den Regenten außer je=
nem mittelbaren Einfluß, den sie durch ihr
Bestätigungs=Recht auf die Ersetzung der Biß=
thümer erhalten konnten, jeden andern und
weiteren abzuschneiden. Die Bischoffs=Wahlen
selbst wurden daher jetzt nicht nur an einigen
Orten in einen sehr ordnungsmäßigen Gang
eingeleitet [2]), sondern man nahm, um den
Einfluß der weltlichen Macht dabey einzu=
schränken, noch andere Mittel zu Hülfe, wel=
che dieß sehr gewiß bewürken konnten, und al=
so sicherlich auch bewürken sollten. So mach=
te man schon mehrere Versuche, es als feste
Ordnung einzuführen, daß jeder Bischoff aus
dem Klerus der Kirche, welcher er vorgesetzt
wurde,

[2] Wobey es aber doch auch darauf abgesehen
war, das Wahl=Recht ganz den Metropoliten
und Provinzial=Synoden zuzueignen, und die
Gemeinden allmählig davon auszuschließen.
Diese Absicht gestanden schon die französischen
Bischöffe ganz unverholen auf einer Synode
zu Langres vom J. 850. S. Conc. Lingonens.
Can. 7. bey *Labbé* T. VIII. p. 691.

würde, genommen werden müsse ³); denn hätte
man es würklich dazu bringen können, so wür=
den unendlich viele Versuchungen weggefallen
seyn, durch welche sich bisher die Könige zu
einer unmittelbaren Einmischung in die Bi=
schoffs = Wahlen so oft reizen ließen. Um ihnen
aber nur einen Vorwand dazu zu entziehen,
unter welchem sie am scheinbarsten sich hätten
einmischen mögen, hatte man ja in Frankreich
schon zu der Zeit des Erzbischoffs Hincmar ein
besonderes Devolutions = Recht erfunden, nach
welchem auch in jenen Fällen, in welchen eine
Kirche von ihrer Wahl = Freyheit einen ord=
nungswidrigen Gebrauch gemacht hatte, nicht
die Dazwischenkunft des Königs eintreten, son=
dern das Wahl = Recht an den Metropoliten und
die Synode der Provinz übergehen sollte ⁴).

§. 7.

3) Darauf drangen auch die Päbste mehr als ein=
    mahl in diesem Zeitalter. S. Nicolai I. Ep.
    ad Egilonem Senonens. Conc. T. VIII. p. 506.
    und ad Carolum Calvum. p. 507.

4) Die Bischöffe waren dabey strenger als die
    Könige; denn es geschah zuweilen, daß der
    König einem von seiner Kirche gewählten Bi=
                                              schoff

§. 7.

Eben dahin konnte und mußte die Verord=
nung einer französischen Synode zu Valence [5])
aus dem nehmlichen Zeitraum führen, durch
welche es sich die Metropoliten auftragen und
einschärfen ließen, daß sie bey der Prü=
fung der neuen Bischöffe, die ihnen zur Bestä=
tigung präsentirt würden, eine größere Strenge
zeigen, und alle untauglich befundenen, wenn
sie auch von dem Könige ernannt wären, ohne
Schonung zurückweisen sollten [6]). Konnte es
nehm=

schoff die Bestätigung verweigerte, weil er ihn
für untauglich hielt, dann aber doch der Kirche
eine zweyte Wahl erlaubte. Ein Beyspiel ei=
nes solchen Falles findet sich bey *Labbé* T. VIII.
p. 1878.

5) Conc. Valentin. III. a. 855. Can. VII. bey *Labbé*
T. VIII. p. 138.

6) Es finden sich auch Beyspiele genug, daß sie
es würklich thaten. So weigerte sich der Erz=
bischoff Hincmar durchaus, den Bischoff Hil=
duin von Cambray zu konsecriren, den der Kö=
nig Lothar ernannt hatte, weil es ihm an
mehreren kanonischen Erfordernissen fehlte. S.

nehmlich zur Observanz gemacht werden, daß
auch den Königen ihre untauglichen Präsentirten
zurückgeschickt wurden, so wurde dadurch nicht
nur am besten dafür gesorgt, daß der Gebrauch, den sie von einem Präsentations-Rechte
zu Bisthümern machen konnten, weniger schäd-
lich wurde, sondern es ließ sich auch am gewissesten hoffen, daß sie immer seltener Gebrauch davon machen, und die Wahlen häufiger
frey lassen würden.

§. 8.

Conc. T. VIII. p. 463. Diese Erfordernisse, auf
welche bey der Prüfung gesehen werden sollte,
betrafen nach der Bestimmung der Synode zu
Valence nicht nur die Unbescholtenheit des
Wandels und der Sitten, sondern auch die
Kenntnisse und die Gelehrsamkeit, denn der
Metropolit, verordnete sie, sollte immer zuerst
untersuchen: cujus vitae sit designatus Episcopus
et deinde, cujus scientiae? Einen gleichen
Kampf bestand Hincmar mit dem König Ludwig III. wegen eines von ihm ernannten Bischoffs zu Beauvais, dem er ebenfalls die Konsecration verweigerte. S. *Hincmari* Ep. ad Ludovicum III. Opp. T. II. p. 188. 196.

§. 8.

Dafür findet sich keine sichere Spuhr, daß man schon in diesem Zeitraum darauf verfallen wäre, den Päbsten einigen Einfluß auf die Er-setzung der Bißthümer mit dem Bewußtseyn der bestimmten Absicht einzuräumen, daß der Einfluß der weltlichen Macht oder der Könige dadurch abgetrieben werden sollte. Man stoßt zwar auf einige einzelne Fälle, wobey sich die Päbste auch jetzt schon eine Einmischung darein erlaubten. Man stoßt auf andere, wobey sie sich förmlich herausnahmen zu entscheiden, wie es mit der Besetzung vakanter Bißthümer gehal-ten werden sollte 7), und man stoßt wieder auf

7) So schrieb Johann VIII. gegen das J. 871. an den Erzbischoff von Besançon, daß er sich nicht unterstehen sollte, einen neuen Bischoff zu Lausanne zu ordiniren, sive rex jusserit, sive plebs postulaverit, weil er, der Pabst, selbst entscheiden wolle, quis utilior sit? S. *Labbé* T. IX. p. 86. Aber so hatte schon sein Vorgänger Hadrian II. den Grundsatz aufge-stellt, daß es dem Pabst allein zustehe, den Nachfolger eines Bischoffs zu ernennen, der durch ein Urtheil des Römischen Stuhls ab-

Cc 2   gesetzt

auf andere, wobey ſie ſelbſt von fremden Kirchen dazu aufgefordert wurden [8]). Doch das
erſte fand meiſtens nur unter beſondern Umſtänden, oder in Fällen einer vorgegangenen noto-
riſchen Irregularität, oder bey ſtreitigen Biſchoffs = Wahlen ſtatt, über welche proceſſirt
wurde; das andere hingegen kam gewöhnlich
nur dann vor, wenn man ihre Beyſtimmung
oder Entſcheidung bey einem außerordentlichen
oder nicht ganz geſetzmäßigen Verfahren, wie
z. B. in einem Translations=Fall [9]) zu bedürfen glaubte. In Fällen dieſer Art geſchah
es ja ſogar zuweilen, daß ſich die Könige ſelbſt
an ſie wandten [10]); hingegen geſchah es auch
mehr

geſetzt worden ſey. S. Adriani II. Ep. ad Ludovicum, regem German. eb. daſ. T. VIII.
p. 927.

8) Wie Stephan V. im J. 880. von der Kirche
zu Langres. S. Flodoard Hiſt. eccl. Rhem.
L. IV. c. I.

9) Wie ſich die franzöſiſchen Biſchöffe bey der
Verſetzung des Biſchoffs Aritaldus an die
Kirche zu Tours an Hadrian II. wandten. S.
Labbé T. VIII. p. 1658. Flodoard L. III. c. 21.

10) Wie Carl der Kahle Johann VIII. erſuchte
daß

mehr als einmahl, daß die Päbste selbst das Befugniß der Regenten, die Bisthümer ihres Landes zu besetzen, noch anerkannten, indem sie selbst zuweilen die Könige auifforderten, für die Besetzung vakanter Bisthümer zu sorgen 11); wenigstens kann man einen Pabst aus diesem Zeitalter anführen, der es auf die feyerlichste und bestimmteste Art anerkannte, daß kein Bischoff gegen den Willen des Landesherrn angestellt werden dürfe 12).

§. 9.

10) daß er den Erzbischoff Frotar von Bourdeaux nach Bourges versetzen möchte. S. Labbé T. IX. p. 8.

11) Oder auch auifforderten, gewisse Geistliche mit Bisthümern zu versorgen, wie z. B. Hadrian II. Carl den Kahlen. Conc. T. VIII. p. 902. und Johann VIII. den König Carlmann. T. IX. p. 111. Den König Eduard von England bedrohte hingegen der Pabst Formosus mit dem Bann, weil er mehrere Jahre lang sieben Bisthümer unbesetzt gelassen hatte.

12) Johann X. Ein gewisser Hilduin hatte sich im J. 920. gegen den Willen des Königs Carls des Einfältigen in das Bisthum zu Tungern

Cc 3   gern

§. 9.

Doch es ist ja mehr als gewiß, daß durch alle diese Mittel, von denen man Gebrauch machte, um dem Einfluß der obersten Staats-Gewalt auf die Besetzung der ersten kirchlichen Stellen gewisse ordnungsmäßige Schranken zu setzen, so viel als nichts bewürkt wurde. Bis in die Mitte des eilften Jahrhunderts hinein blieb es in Deutschland und in Frankreich und in England, nur unter etwas verschiedenen Modifikationen, bey dem alten Gebrauch, daß die Könige durch ihre Nomination die Bischöffe machten. In Deutschand, wo sich die Könige von der Zeit der Ottonen an an die Einrichtungen Carls des Großen und an die Capitularien der fränkischen Könige nicht mehr gebunden glaubten, kam es fast nie zu einer Wahl,

son-

---

gern eingedrungen, und den Erzbischoff Hermann von Cöln mit Gewalt dazu gebracht, daß er ihn konsecriren mußte. S. *Flodoard* in Chron. ad. h. a. Dieß annullirte aber Johann, und zwar aus dem ausdrücklich angegebenen Grund, quia prisca consuetudo et regni nobilitas prohibent, ut nullus episcopus ordinetur sine jussione regis. S. Concil. **T. IX.** p. 576.

sondern sie ernannten ohne weiteres die Bischöffe [13]), und erließen bloß darüber ein Decret

13) Es ist merkwürdig, daß dieß unter dem frommen Kayser Heinrich II. nicht nur überhaupt am häufigsten vorkam, sondern gerade unter ihm am häufigsten dazu kam, daß sich die Kirchen und Capitel anstatt der Bischöffe, welche sie selbst gewahlt hatten, andere aufdrängen lassen mußten. So hatte das Capitel zu Magdeburg im J. 1004. den Probst Walter zum Erzbischoff gewählt, der Kayser aber kassirte die Wahl und ernannte einen andern. S. Dietmar L. V. p. 374. Im J. 1012. that er dieß zum zweytenmahl bey einer Magdeburgischen Bischoffs-Wahl — s. eb. das. L VI. p. 395. Im J. 1008. hatte er es gleichmäßig bey einer Trierischen Wahl gethan, s. Gesta Trevir. c. 46., und im J. 1013. wies er auch einen Candidaten ab, den das Dom-Capitel zu Bremen gewählt hatte, und ernannte einen seiner Hof-Geistlichen zum Erzbischoff. S. Adam Brem. L. II. c. 33. Doch wie fest man schon vorher in Deutschland überzeugt war, daß das Ernennungs-Recht der Bischöffe den Königen zustehe, dieß erhellt am auffallendsten daraus, weil sich schon

Cc 4 im

cret an den Klerus der Kirchen, welcher sie
aufzunehmen, und an den Metropoliten, der
sie zu konsecriren hatte. In Frankreich erhielt
sich hingegen die Ordnung, daß nach dem Ab=
gang oder nach dem Tode eines Bischoffs
der König jedesmahl ersucht wurde, der Ge=
meinde und ihrem Klerus die Wahl eines Nach=
folgers zu gestatten, aber an dem Hofe prä=
tendirte man, daß es jetzt immer noch in der
Willkühr des Königs stehe, ob er das Gesuch
bewilligen, oder den Bischoff selbst ernennen
wolle. Wenn also ein Hof=Caplan, den man
versorgen, oder sonst ein Competent, den man
begünstigen wollte, bey der Hand war, so
schickte man der Gemeinde anstatt der Ant=
wort auf ihre Bitte den schon fertigen Bi=
schoff, und dieß kam so häufig vor, daß es
bey weitem die gewöhnlichere Besetzungs=Art
wurde 14). Was aber aus den scheinbaren
Bi=

im J. 920. der Herzog Arnulf von Bayern
von dem König Heinrich I. das Regale ver=
leyhen ließ, daß er seine Landes=Bischöffe
selbst ernennen dürfe. S. Luitprand L. II.
c. 7.

14) Daher ließen sich auch einige Kirchen beson=
dere

schoffs = Wahlen in der englischen Kirche für
ein Spiel geworden war, welche der Ordnung
nach in der Gegenwart des Königs angestellt
werden sollten, dieß ersieht man am besten
aus den Klagen, die mehrmahls im neunten
und zehnten Jahrhundert über den mit den
englischen Bisthümern getriebenen Handel [15])
an die Päbste gebracht wurden.

§. 10.

dere Privilegien von den Königen geben, wo=
durch ihnen die Wahl = Freyheit für immer
zugestanden wurde. Eines dieser Art erhielt
die Kirche zu Chalons von Carl dem Dicken.
S. *Labbé* T. IX. p. 378. Auch die Kirche zu
Freisingen ließ sich ihr Privilegium darüber,
das ihr schon der heil. Corbinian verschafft
haben sollte, im J. 906. durch den König
Ludwig erneuern. S. Meichelbeck Hist. Fri-
sing. T. I. p. 155.

15) S. *Epistola Leonis IV. ad Episcopos Britanniae*
bey *Labbé* T. VIII. p. 30. Die Geschichte eines
über das Erzbisthum zu Canterbury mit dem
König Edgar geschlossenen Handels erzählt
Matthäus von Westmünster in seinen Anna=
len bey dem J. 958.

§. 10.

In der Würklichkeit wurde also der weltlichen Macht noch gar nichts von dem Einfluß entzogen, den sie sich in den neuen christlichen Staaten des Occidents bey der Ersetzung der Bisthümer vorbehalten oder herausgenommen hatte. Man hatte selbst noch kein würksames Verwahrungs = Mittel gegen den Mißbrauch erfunden, den die Könige zum äußersten Druck und zum größten Verderben der Kirche davon machten; denn waren auch schon die Metropoliten befugt und verpflichtet, jedem unwürdigen und untauglichen Bischoff, den jene der Kirche aufzwingen wollten, die Konsecration zu verweigern; wer konnte wohl bey dem abhängigen Verhältniß, worinn sie selbst mit den Landesherrn standen, auch nur erwarten, daß sie ihr Abweisungs = Recht oft ausüben, und mit gehöriger Standhaftigkeit behaupten würden [16]). Doch gerade dadurch war vielleicht nur

16) Man findet daher auch meistens, daß sie am Ende nachgaben. So hatte Carl der Kahle einen Diakonus Burkard zum Bischoff von Chartres ernannt. Der Erzbischoff von Sens weiger=

nur das Gefühl der Nothwendigkeit, dem
Mißbrauch Schranken zu setzen, allgemeiner
und lebhafter noch an dem Schluß dieser Periode rege geworden, und dieß leitete bald
nach dem Eintritt der nächsten den Versuch
zu einer desto vollständigeren Veränderung ein.

weigerte sich, ihn zu konsecriren, weil der
neue Bischoff in einem gar zu üblen Ruf
stand. Er schrieb sogar an den König, daß
ihm Christus in Person erschienen sey, und
ihm die Konsecration verboten habe; aber
nach vier Monathen mußte er doch sich dazu
entschließen, quia — sagt der alte Chronik-
schreiber — imperium regis praevaluit. S.
Labbé T. VIII. p. 1934.

Kap. II.

Kap. II.

Fortdauernder Einfluß der weltlichen Staats-Gewalt auf das kirchliche Synodal-Wesen. Wie und wodurch er etwas vermindert wird.

§. I.

Durch eben den Umstand aber, daß es der Kirche in diesen Jahrhunderten noch nicht gelang, der weltlichen Macht ihren Einfluß auf die Besetzung der Bisthümer aus der Hand zu winden, wird es auch schon zum Theil erklärt, warum es ihr eben so wenig in andern Beziehungen ganz gelingen konnte, sich der Einwürkung der obersten Staats-Gewalt zu entziehen. So lange ihre Bischöffe von den Königen gemacht wurden und gemacht werden konnten, so war nicht daran zu denken, daß diese mit steter Beharrlichkeit und mit dauerndem Erfolg für ihre Unabhängigkeit vom Staat kämpfen könnten. Es stand ja immer

bey

bey den Königen, sich von dem einen wieder
aufopfern zu lassen, was ihnen vielleicht ein
anderer auf einen Augenblick abgedrungen hatte, denn es boten sich ihnen immer Menschen
genug zu den Bisthümern an, von denen sie
sehr gewiß voraus wußten, daß sie sich kein
Bedenken daraus machen würden, das Interesse der Kirche und ihres Standes in jedem
Kollisions-Fall ihrem Privat-Vortheil aufzuopfern.   Man möchte sich daher bey einer einseitigen Hinsicht auf diesen Umstand eher darüber wundern, daß die Bischöffe in diesem
Zeitraum noch so viele und doch auch nicht
ganz unwürksame Versuche machten, mehrere
der Bande, mit welchen der Staat die Kirche
umschlungen hatte, etwas loser zu machen,
als daß nicht mehrere und glücklichere von ihnen angestellt wurden.   Doch das Wunder
verliehrt sich, sobald man gewahr wird, daß
dennoch auch ihr eigener Vortheil dabey im
Spiel war.

§. 2.

So muß man — aber freylich mehr aus
dem Erfolg, als aus bestimmten historischen

Nachrichten · — schließen, daß man würklich schon der weltlichen Macht auch etwas von jenem Einfluß zu entziehen wußte, den sie vorher auf das kirchliche Synodal=Wesen, folglich auch auf die kirchliche Gesetzgebung gehabt hatte. Zu Ende des neunten Jahrhunderts war und blieb es zwar noch Sitte, daß nicht einmahl eine Provinzial=Synode ohne Erlaubniß des Königs zusammenberufen und veranstaltet werden durfte; ja es ergiebt sich aus einer sehr merkwürdigen Urkunde, die sich uns erhalten hat, daß es um diese Zeit allgemein anerkannter Grundsatz des kirchlichen Rechts war: auch ersieht man zugleich aus dieser Urkunde, daß dasjenige, was den Gegenstand der Synodal=Verhandlungen ausmachen sollte, ebenfalls dem Könige noch voraus bekannt gemacht werden mußte. Im J. 867. hatte Nicolaus I. den französischen Bischöffen einige Schriften, die sich auf seine Streitigkeit mit dem Patriarchen Photius von Konstantinopel bezogen, und besonders die Beschuldigungen mitgetheilt, welche dieser gegen die ganze lateinische und occidentalische Kirche vorgebracht hatte. Er äußerte dabey den Wunsch, daß
sie

sie ihn mit ihren Einsichten unterstützen möchten, und forderte deßwegen alle Metropoliten auf, daß sie mit den Bischöffen ihrer Provinz auf einer Synode gemeinschaftlich darüber handeln sollten; zugleich schrieb er aber auch selbst an den König Carl den Kahlen, daß er doch seinen Bischöffen die Erlaubniß zu diesen Versammlungen ertheilen möchte, und erwähnte dabey ausdrücklich, daß er sie angewiesen habe, ihm die Veranlassung dazu gehörig vorzulegen [1]). Der Pabst selbst erkannte es also als gesetzmäßige Ordnung, daß sich die Bischöffe nie versammlen dürften, ohne erst die Erlaubniß ihrer Landesherrn mit bestimmter Angabe des Zwecks ihrer Zusamenkunft nachgesucht zu haben, und daraus kann man sehr sicher schließen, daß damahls die Ordnung noch völlig in ihrem Gang war.

§. 3.

_____

1) "Rogamus piam dilectionem veſtram, ut ſuffra-
gari dignetur, quo facilius fratres noſtri poſſint
convenire ad tractanda ecclesiastica negotia,
quorum tenorem gloriae veſtrae proponi praece-
pimus." S. Nicolai I. Ep. ad Carolum Calvum
bey _Labbé_ T. VIII. p. 446.

§. 3.

Auch noch weiter in das zehnte Jahrhundert hinein finden sich Beyspiele genug, daß die Könige selbst von ihren Bischöffen um die Zusammenberufung und Versammlung einer Synode ersucht wurden, womit diese am bestimmtesten anerkannten, daß sie ohne ihre Erlaubniß nicht zusammenkommen dürften. Niemahls aber kam es in dieser ganzen Periode einem Bischoff in den Sinn, seinem Landesherrn das Recht streitig zu machen, daß er ihn nach seinem Gutdünken zu einer Synode verschreiben könnte, also räumten sie ihnen noch diese ganze Zeit hindurch wenigstens dazu das Befugniß ein. Nach den Canonen einer Synode zu Langres vom J. 859. könnten es sich zwar die fränkischen Bischöffe von ihren Königen ausgebeten haben, daß sie nicht öfter als einmahl in zwey Jahren eine Zusammenkunft der sämmtlichen Bischöffe des Reichs veranstalten möchten. Die Verordnung könnte übrigens eben so gut den Sinn haben, daß der König verpflichtet seyn sollte, wenigstens in jedem zweyten Jahr eine solche größere Ver=
samm=

ſammlung zu veranſtalten 2), wenn man jedoch auch das erſte darinn finden will, ſo enthält ſie keine Einſchränkung des königlichen. Konvo=kations = Rechts, ſondern nur eine königliche Erklärung, daß kein für die Biſchöffe allzube=ſchwehrlicher Gebrauch davon gemacht werden ſollte. Auch kam es in Frankreich beſonders nicht ſelten vor, daß in einem kurzen Zeitraum mehrere ſolcher Synoden nach einander von den Königen ausgeſchrieben wurden, und niemahls, weigerten ſich die Biſchöffe, dabey zu erſcheinen.

§. 4.

Eben ſo oft kam es noch dazu, daß die Könige perſönlich den Synoden beywohnten, ihre Verhandlungen leiteten, ihre Schlüſſe be=ſtätig=

2) Poſcendum a piiſſimis et chriſtianiſſimis Principi-bus noſtris, ut concilia epiſcoporum nullatenus omittantur, ſéd per ſingulas quaeque provincias ſaltem ſemel per annum eorum favore, et pia exoratione celebrentur. In eorum quoque pala-tiis ſaltem ſemel intra biennium generalis Epiſ-coporum conventus agatur. Can. 7. *Labbé* T. VIII. p. 691.

stätigten, und zuweilen selbst auch in Sachen, welche von ganz geistlicher Natur waren, und somit vor den eigensten Gerichtsstand der Kirche gehörten, ihre Vollziehung übernahmen. So nahm es noch Carl der Kahle von Frankreich über sich, die Schlüsse, die man auf einer Synode wegen der nothwendig gewordenen Visitation mehrerer Kirchen und Klöster gefaßt hatte, durch seine Missos zur Vollziehung bringen zu lassen [3], und wenn er auch, wie es höchst wahrscheinlich ist, meistens nur Bischöffe dazu ernannte, so handelten sie doch nur unter seiner Autorität. In Deutschland hingegen erhielt sich die Einrichtung, daß die größeren Versammlungen der Bischöffe meistens mit den Reichstagen zusammen fielen, oder daß die Bischöffe von den Königen gewöhnlich nur zu gleicher Zeit mit den weltlichen Ständen

[3] Selbst noch seinem Nachfolger, Ludwig dem Stammler, trug es im J. 881. die Synode zu Skt. Macra — eben die Synode auf, die es in ihrem ersten Canon so bestimmt heraus gesagt hatte, quod dignitas Episcoporum major sit quam regum. S. Conc. T. IX. p. 340.

den zusammen berufen wurden [4]. Zwar erhielt es sich auch dabey, daß sie eine eigene Kammer auf diesen Konventen ausmachten [5], durch die man alle kirchlichen Angelegenheiten zuerst allein behandeln ließ; dem Einflusse des Königs auf die Verhandlungen wurde aber nichts dadurch entzogen, so lange man nur noch seine Sanction zu der Gültigkeit des Verhandelten für wesentlich nöthig hielt.

§. 5.

4) Die Einrichtung kam auch in der allmählig restaurirten spanischen Kirche wieder auf. Der ersten größeren Synode, welche hier nach einem langen Zeitraum wieder gehalten wurde, der Synode zu Oviedo unter Alfons III., wohnten auch die Grafen des Reichs bey, die eben so wie die Bischöffe die Akten unterschrieben. S. Conc. T. IX. p. 246.

5) Dieß ersieht man am deutlichsten aus den Akten der Synode zu Tribur vom J. 895. T. IX. p. 439. und schon aus einer früheren Maynzischen vom J. 847. unter dem Erzbischoff Rabanus Maurus, woraus zugleich erhellt, daß die geistliche Kammer wieder in die zwey Bänke der Bischöffe und der Aebte eingetheilt war.

§. 5.

Dennoch laſſen ſich auch hier ſchon mehrere Anzeigen beobachten, welche die Annäherung einer Veränderung in dem bisherigen Stand der Verhältniſſe zwiſchen der Kirche und zwiſchen der weltlichen Macht ankündigten.

So ſcheint es einmahl ſchon im zehnten Jahrhundert allmählig in Abgang gekommen zu ſeyn, daß die Erlaubniß der Könige zu der Veranſtaltung einer Provinzial-Synode einge-holt wurde [6]). Es verliehrt ſich jede Spuhr davon,

[6]) So wird es ſchon in den Akten der Synode zu Trosley vom J. 909. bemerkt, daß ſie al-lein von dem Erzbiſchoff von Rheims veran-ſtaltet worden ſey — und doch wollten dabey die Biſchöffe nicht bloß wegen einer Provin-zial-Angelegenheit, ſondern de ſtatu ecclesiae et totius regni utilitate tractaturi zuſammenge-kommen ſeyn. S. *Labbé* T. IX. p. 521. Im J. 927. kamen aber wieder ſechs Biſchöffe aus dem Metropoliten-Sprengel von Rheims zu Trosley zu einer Synode zuſammen, wie-wohl ihnen der König Rudolf die Erlaubniß dazu verweigert hatte. S. *Flodoard* Chron. ad h. a.

davon, daß es die Metropoliten nur noch nöthig gefunden hätten, eine Anzeige an den Landesherrn zu machen, wenn sie es zuweilen
dienlich fanden, ihre Bischöffe zusammen zu berufen. Man stoßt wenigstens jetzt, und zwar
nicht nur in der Geschichte der englischen Kirche, welcher in diesem Jahrhundert der furchtbare heil. Dunstan als Erzbischoff von Canterbury so viel Macht erkämpfte, sondern auch
in der Geschichte der deutschen auf mehrere
Synoden, die zuverlässig ohne Vorwissen und
ohne die Erlaubniß des Königs veranstaltet
worden waren. So hatte der Erzbischoff Willigis von Maynz zu der Versammlung der
Synode zu Gandersheim im J. 1000. sich
gewiß nicht erst die Genehmigung Otto's III.
ausgebeten[7]). Eben so verhielt es sich mit
den Konventen, die in den zwey folgenden
Jahren von den deutschen Bischöffen in der
Streitsache zwischen Willigis und dem Bischoff
Bernhard von Hildesheim noch nach der Synode zu Pölde, welcher ein päbstlicher Legat
beygewohnt hatte, zu Frankfurt und zu Fritz-
lar

7) S. Harzheim Conc. Germ. T. III. p. 18.

Dd 3

lar gehalten wurden. Dieß machte aber schon eine bedeutende Veränderung. Wenn man auch den Königen das Recht noch zugestand, ihre Bischöffe, so oft sie es für gut fanden, zusammen zu rufen, so konnte doch dieß Recht nicht mehr viel austragen, sobald die Bischöffe auch ohne Vorwissen der Könige eine Synode bilden und gemeinschaftlich darauf handeln konnten; denn damit war es ja eingeleitet, daß sie die gesetzgebende Gewalt für die Kirche auch ohne Zuziehung der landesherrlichen ausüben konnten.

§. 6.

Doch durch andere Einrichtungen war jetzt noch dafür gesorgt, daß die Kirche und die

konnten. Sie mochten wohl jetzt zuweilen zusammen kommen, ohne daß die Landesherrn Notiz davon nahmen, oder Notiz davon erhielten, aber um demjenigen, was sie dabey beschließen mochten, Kraft zu geben, mußten sie doch meistens selbst an sie rekurriren, und ih Anseh

kam es allmählig zu einer andern Veränderung in

in Beziehung auf das Synodal=Wesen, die zuletzt auch für den Einfluß der weltlichen Macht sehr merklich, wenn schon nur mittel= bar, nachtheilig wurde.

§. 7.

Gegen die Mitte des zehnten Jahrhunderts und schon etwas früher wird man höchst deut= lich in der Geschichte gewahr, daß der regel= mäßige Gang des Synodal=Wesens überall eine Störung und Unterbrechung erlitten hatte. Das Herumziehen auf den Concilien schien be= reits den meisten Bischöffen entleidet, woraus zunächst die Folge entsprang, daß das Insütut der Provinzial=Synoden auf das neue in Ab= gang kam. Wenigstens die alte gesetzmäßige Ordnung, daß doch eine in jedem Jahr zu einer bestimmten Zeit gehalten werden sollte, kam überall in Abgang 8); denn ohne eine be= sondere

8) Im J. 1022 schrieb daher der Erzbischoff Ari= bo von Maynz an den Bischoff von Würz= burg, indem er ihn einlud, auf die Synode zu Höchst zu kommen, "die Kirche sey zu der Zeit ihrer Vorfahren in einem viel blühende=

Dd 4 ren

sondere Veranlassung kam man jetzt nicht mehr
leicht zusammen, und da man selbst den Veranlassungen dazu jetzt lieber auswich, als man
sie suchte, so konnten nun leicht in manchem
Metropoliten-Sprengel ein Paar Jahrzehende
verfließen, ehe es zu einer Synode kam.

§. 8.

Unstreitig trugen mehrere Ursachen, die sich
leicht erkennen lassen, zu dieser Veränderung
das ihrige bey; aber eben so leicht erkennt
man auch, wodurch und auf welche Art sie
zugleich für die weltliche Staats-Gewalt nachtheilig

ren Zustande gewesen, weil die Bischöffe damahls häufiger Synoden angestellt hätten.
Es sey also hohe Zeit, daß sie endlich einmahl aus dem Schlaf der Trägheit erwach-
ten. S. *Harzheim* Conc. Germ. T. III. p. 60.
Aber schon vor der Mitte des zehnten Jahrhunderts hatte Ratherius von Verona im
fünften Buch seines Agonisticon darüber ge-
klagt, daß das Institut der Synoden fast
ganz abgekommen sey. S. *Martene* und *Durand* Collect. amplist. vett. Monum. T. IX. p.
922.

theilig werden konnte. Das gegenwärtig
schlimme für diese lag dabey bloß darinn, daß
sie jetzt seltener als vorher zu der Aeußerung
ihres verfassungsmäßigen Einflusses auf kirch=
liche Angelegenheiten und zu einer würksamen
Theilnahme an der kirchlichen Gesetzgebung
kam; doch konnte sich erst in der Folge der
ganze Nachtheil zeigen, der für sie daraus
entsprang. Weil solche Synoden fast gar nicht
mehr vorkamen, so vergaß man allmählig,
wie es sonst damit gehalten worden war, und
vergaß zuerst den Umstand, daß und wo man
die Könige dabey hatte zuziehen müssen. Ein
neuer Geschäfts=Gang, bey dem man der
Nothwendigkeit ihrer Zuziehung auswich, konn=
te nun viel leichter eingeleitet und in die Pra=
xis eingeführt werden, und ehe sie selbst daran
dachten, war sie schon völlig beseitigt. Dieß
hätte aber gewiß nicht erfolgen, wenigstens
nicht so schnell und nicht ohne Kampf erfol=
gen können, wenn sich das alte Institut erhal=
ten hätte, nach welchem die Bischöffe jeder
Provinz alle Jahre regelmäßig zusammen köm=
men, aber eben so regelmäßig alle Jahre die
landesherrliche Erlaubniß dazu einholen mußten.

§. 9.

§. 9.

Noch mehr wurde hingegen dem Einfluß der weltlichen Macht auf das kirchliche Synodal-Wesen durch eine dritte Veränderung, welche dabey eintrat, nehmlich durch den Einfluß entzogen, den sich die Päbste darauf anzumaßen anfiengen, und auch würklich schon zu erhalten wußten. Dadurch wurde der neue Geschäfts-Gang, der in der folgenden Periode sich befestigte, schon in dieser am würksamsten vorbereitet: nur läßt sich sehr scheinbar bezweifeln, ob irgend etwas von Seiten der Päbste planmäßig dabey angelegt war. Wie es jedoch damit seyn mag, so verdient jeder Zufall und jedes Mittel, wodurch die Päbste zu einem weiteren Einfluß auf das Synodal-Wesen gelangten, als eine bedeutende Erscheinung in der Geschichte der kirchlichen Gesellschafts-Verfassung bemerkt zu werden.

§. 10.

Schon die ersten Päbste dieses Zeitalters schienen zwar die neue Lehre des falschen Isidors mit besonderem Wohlgefallen aufgefaßt zu haben, nach welcher das Konvokations-Recht

aller

aller größeren Synoden ausschließend dem Römischen Stuhl gehören, und eigentlich alle Concilien-Schlüsse nur durch die Autorität von diesem ihre Gültigkeit erhalten sollten. Sie ließen sich wenigstens schon hin und wieder etwas davon entfallen; ja Nicolaus I. schien auch bereits versuchen zu wollen, ob nicht das neue Recht in Anwendung gebracht werden könnte? Er verschrieb ohne weiteres die französischen und die deutschen Bischöffe zu einer Synode, welche er in Rom halten wollte; da sich aber keiner einstellte, und Hincmar von Rheims ihm geschrieben hatte, daß sie nicht ohne Erlaubniß ihres Königs aus dem Reich reisen dürften, so ließ er es bey dem einen Versuch bewenden 9), und schien sich selbst die Lehre daraus genommen zu haben, daß es nöthig

---

9) Doch bezeugte er dem König von Frankreich und auch Ludwig von Deutschland sein ernsthaftes Mißfallen darüber, daß sie ihre Bischöffe nicht geschickt hätten, indem er ihnen schrieb, daß sie wenigstens einige im Nahmen der übrigen hätten schicken können. S. Nicolai I. Ep. 27. bey *Labbé* T. VIII. p. 403.

thig seyn möchte, mit besonderer Vorsicht dabey zu Werk zu gehen.

§. 11.

Länger als ein Jahrhundert hindurch ließ
es sich jetzt kein Pabst mehr einfallen, aus-
wärtige Bischöffe auf eine Römische Synode
zu verschreiben, wenn sie nicht in einer Appel-
lations-Sache oder sonst in einem Proceß, der
zu Rom anhängig gemacht worden war, als
Partheyen zu erscheinen hatten. Nur an die
deutschen Bischöffe ließ Johann VIII. im J.
878. eine Einladung ergehen, daß auch sie auf
der Synode zu Troyes, die er während seiner Anwesenheit in Frankreich halten wollte,
erscheinen möchten [10]); allein dieß war gar
nichts ungewöhnliches, daß deutsche Bischöffe
auf französische und französische Bischöffe auf
deutsche Synoden berufen wurden, und höchst
wahr-

[10] Auch schien er doch zuweilen einzelne fremde
Bischöffe zu seinen Römischen Synoden eingeladen zu haben. S. *Labbé* T. IX. p. 9. 13.
Sein Schreiben an den Erzbischoff Bertulf
von Trier s. in *Hontheim* Hist. Trev. T. I.
p. 216.

wahrscheinlich hatte auch Johann die damahligen Landesherrn der deutschen Bischöffe, die
Söhne Ludwigs des Deutschen, vorher darum
begrüßt. Wenigstens hatte Nicolaus I. diese
Förmlichkeit beobachtet, da er es nöthig fand,
daß auch deutsche und französische Bischöffe der
Untersuchungs = Synode beywohnen sollten, die
er in Lothringen wegen der Ehe = Sache des
Königs Lothar veranstalten ließ; und es ist ak-
tenmäßig erweislich, daß sie auch Johann
selbst in ähnlichen andern Fällen beobachtete.
Findet sich doch unter seinen Briefen ein förmliches Requisitions = Schreiben an den Herzog
von Venedig, worinn er diesen ersuchte, daß
er die Bischöffe seines Gebiets auf eine nach
Ravenna ausgeschriebene Synode schicken möchte 11).

§. 12.

Immer häufiger kam es aber doch jetzt dazu, daß durch die Päbste in jedem einzelnen
Reich bald größere, bald kleinere Konvente der
Bischöffe veranlaßt wurden. Entweder schickten sie einen Legaten, der diese oder jene Sa-

che

---

11) Johann VIII. Ep. 27. Conc. T. IX. p. 14.

che mit den Landes-Bischöffen auf einer Synode ausmachen, oder schickten sie einem der Landes-Bischöffe selbst den Auftrag und die Vollmacht, daß er mit Zuziehung mehrerer andern einen Proceß entscheiden, oder eine Zwistigkeit beylegen sollte [12]). Blieb es dann auch dabey in der Ordnung des Geschäfts-Gangs, daß immer eine Anzeige an den Landesherrn davon gemacht wurde, so verlohren doch gewiß die Anzeigen in solchen Fällen immer mehr von der Form der Bitten. Man gewöhnte sich unmerklich an die bloße Communikations-Form. Die Fürsten selbst vergaßen allmählig, daß sie etwas mehr dabey zu thun hätten, als die Communikation anzunehmen; und dieß dehnte sich bald auch auf dasjenige aus,

12) So trug es Johann VIII. im J. 873. den Erzbischöffen von Arles und Narbonne auf, daß sie einen Proceß zwischen den Bischöffen von Usez und Avignon, und im folgenden Jahr den Bischöffen von Bologna, Mantua, Wincenza und Ferrara, daß sie einen Handel zwischen den Bischöffen von Trident und Verona schlichten sollten. S. Conc. T. IX. p. 90. 191.

aus, was auf diesen Synoden verhandelt und beschlossen wurde. Weil man unter der Autorität des Pabsts dabey handelte, so glaubte man, daß für die Dazwischenkunft der landesherrlichen gar kein Raum mehr übrig sey. War der Gegenstand der Verhandlungen eine Rechts= oder Privat=Sache, so hielt man es wohl gar nicht für nöthig, der weltlichen Behörde etwas davon mitzutheilen. Da dieß aber am häufigsten der Fall war, so kamen bald diese Mittheilungen ganz aus der Gewohnheit, und wenn sich darüber auch nur der Glaube unmerklich befestigte, daß es wenigstens einzelne kirchliche Sachen gebe, bey denen man ihre Zuziehung gar nicht nöthig habe, wie viel war nicht schon dadurch für sie verlohren?

§. 13.

Auf diese Art wurde jetzt schon durch die häufigere, wiewohl immer noch sehr beschränkte Dazwischenkunft der Päbste in kirchlichen Angelegenheiten der obersten Staats=Gewalt am meisten von dem Einfluß entzogen, den sie vorher darauf gehabt hatte. Es ließ sich selbst

unfehl=

unfehlbar vorausſehen, daß ſie auf dieſem Wege auch vollends um den Ueberreſt gebracht werden würden, der für jetzt noch in ihren Händen blieb, doch kann man ſich auch dabey nicht verhehlen, daß ſie dieß hätte verhindern können, wenn ſie nur von dieſem Ueberreſt einen gehörig weiſen Gebrauch gemacht hätte. So lange nur jeder Regent einerſeits noch das Recht behielt, ſeine Biſchöffe, auch wenn er wollte, zu einer Synode zu berufen, und ſo lange ſich andererſeits die Biſchöffe weder für ihre Perſon, noch für ihre Güter unantaſtbar für ſie machen konnten, ſo blieben ihnen immer noch Mittel genug übrig, ihren Einfluß auf die Kirche zu behaupten. Freylich aber ließ ſie es eben deßwegen auch nicht an Verſuchen fehlen, ſich zugleich in dieſen Beziehungen unabhängiger von ihnen zu machen, und auch dieſe Verſuche mißlangen nicht ganz.

Kap. III.

Kap. III.

Weniger gelungene Versuche der Kirche, ihre Be=
freyung von der bürgerlichen Gerichtsbarkeit wei=
ter auszudehnen.

§. I.

Vor der Mitte des neunten Jahrhunderts
war es bekanntlich dem christlichen Klerus noch
in keinem der occidentalischen Staaten gelun=
gen, sich die gänzliche Immunität von der
bürgerlichen und weltlichen Gerichtsbarkeit, die
er sich unter dem Nahmen der Kirche ange=
maßt hatte, auch in der Würklichkeit zu er=
kämpfen. Man schien es zwar als Rechts=Re=
gel zu erkennen, daß alle zu der Kirche gehö=
rige Personen auch nur von der Kirche gerich=
tet werden könnten; aber man hatte in der
Praxis überall Ausnahmen anzubringen ge=
wußt, durch welche die Immunität des Kle=
rus sehr merklich eingeschränkt wurde. Sie

Ee lief

lief fast bloß darinn zusammen, daß man den
Geistlichen gestattete, die Processe, welche sie
unter einander selbst hatten, von ihren Bischöffen entscheiden zu lassen, und zugleich
den Bischöffen das Kognitions= und das Straf=
Recht über alle kirchliche Verbrechen der Geistlichen überließ; aber in allen bürgerlichen
Streit=Sachen, in welche sie mit Layen verwickelt werden konnten, und bey allen ihren
Vergehungen gegen den Staat hatte sich die
weltliche Staats=Gewalt an den meisten Oertern auch eine mehrfache Möglichkeit, sie zu
fassen, vorbehalten.

§. 2.

Es ließ sich eben deßwegen leicht voraus=
sehen, daß es nicht viel würken würde, wenn
die Kirche auch fortdauernd noch so oft daran
erinnerte, daß es der Regel nach anders seyn
sollte. Die Sache war ihr zwar zu wichtig,
als daß sie des Erinnerns daran jemahls müde
geworden wäre. Auf einer Menge von Synoden wiederholte man daher immer auf das
neue die alten Canonen, durch welche allen
Geistlichen, die sich in irgend einer Sache an

ein

ein weltliches Gericht wenden würden, die Strafe der Absetzung, und allen weltlichen Richtern, welche die Hände an einen Geistlichen legen würden, die Strafe des Bannes angekündigt wurde [1]). In mehreren neuen Formen suchte man es zugleich den Layen fühlbar zu machen, daß es etwas ganz unnatürliches sey, wenn sie sich herausnehmen wollten, einen Geistlichen zu richten; ja der Pabst Nicolaus I. schrieb selbst an die Bulgarischen Großen, welche bey ihm angefragt hatten, ob sie einen verheyratheten Priester fortjagen oder behalten sollten? daß es ihnen als Layen gar nicht zustehe [2]), sich um die Aufführung ihrer Geistlichen zu bekümmern, worüber nur ihre Bischöffe zu urtheilen hätten.

§. 3.

1) S. Conc. Moguntin. ann. 888. can. 23. Conc. Viennens. a. 892. can. 21.

2) "Verum de Presbyteris, qualescumque sint vobis, qui Laici estis, nec judicandum est, nec de vita eorum quidquam inquirendum; sed episcoporum judicio omne, quicquid est, refervandum. S. Nicolai I. Resp. ad Consult. Bulgaror. bey *Labbé* T. VIII. p. 540.

§. 3.

Aus mehreren Vorfällen läßt sich jedoch schließen, daß man im zehnten Jahrhundert etwas mehr in die Gewohnheit hineinkam, die eigene Gerichtsbarkeit der Kirche über die zu dem Klerus gehörigen Personen zu respektiren. Noch in der Geschichte des neunten Jahrhunderts findet sich ein Beyspiel, daß der König Carl der Kahle von Frankreich sich selbst an eine Synode wandte, um ihr die Bestrafung eines Diakonus, der falsche Urkunden fabricirt hatte, zu empfehlen[3]). Ueber ein entschiedenes Verbrechen gegen den Staat, das von einem Geistlichen begangen worden war, schien er also doch nicht selbst erkennen zu wollen, und daran mußten wohl auch die Unter = Gerichte, und selbst die Herzoge und Grafen ein Beyspiel nehmen. Dieß mögen sie auch genommen haben, denn es kam jetzt in der That immer seltener vor, daß von einem weltlichen Gericht gegen Geistliche procedirt wurde; aber dieß war am wenigsten Würkung eines größeren Respekts, den man vor der Kirche bekommen hätte.

§. 4.

---

3) S. Concilium Suessionens. II. ann. 853. c. 6.

§. 4.

Mehrere Ursachen würkten ohne Zweifel dabey zusammen. Auf der einen Seite hätten
ja die Bischöffe hier und da selbst die weltliche
Gerichtsbarkeit in ihren Diöcesen und sogar
das Recht des Blut-Banns darinn erhalten,
und auf der andern Seite war überhaupt ihre
Macht und ihr Ansehen in ihrem Charakter
als Land= und Reichsstände so hoch gestiegen,
daß man es jetzt auch weniger als vorher
wagen, daß es selbst die Herzoge und Grafen weniger als vorher wagen durften, sie in
ihrem kirchlichen Verhältniß anzutasten. Wenn
sich jetzt ein Graf an einem Priester oder sonst
an einer Person, die zu der Kirche gehörte,
vergriff, so lief er Gefahr, daß ihm der Bischoff nicht nur den Bann, sondern noch eine
Fehde dazu ankündigte: es war also in der
Ordnung, daß jetzt Fälle dieser Art auch seltener vorkamen; aber es war nicht Achtung
vor der Kirche, sondern Furcht vor den Bischöffen, was sie seltener machte. Dieß legte
sich dadurch am auffallendsten zu Tag, weil
man dafür bey jeder Gelegenheit, wo man es
nur ohne Furcht vor den Bischöffen thun konn-

te,

te, alles, was zu der Kirche gehörte, mit desto roherer Gewaltthätigkeit behandelte.

§. 5.

Wäre es aber auch würklich dazu gekommen, daß man die Befreyung des Klerus von der bürgerlichen Gerichtsbarkeit allgemein anerkannt hätte, so könnte doch damit nicht viel gewonnen werden, so lange die Bischöffe nicht auch für die oberste Staats-Gewalt oder für die Regenten und Könige unantastbar gemacht wurden. Dazu kam es jedoch nicht nur niemahls, sondern die Bischöffe glaubten selbst noch nicht, daß es jemahls dazu gebracht werden könnte, ja es darf nicht verschwiegen werden, daß die meisten von ihnen noch bescheiden und billig — oder auch vernünftig genug waren, um nicht einmahl zu wünschen, daß es dazu kommen möchte. Selbst der Erzbischoff Hincmar von Rheims unterschied in derjenigen seiner Schriften, worinn er am stärksten für die Immunität der Geistlichen eiferte, die gewöhnlichen öffentlichen Gerichtshöfe von dem obersten Gerichtshof des Königs, und räumte ein, daß Bischöffe, die auf keine Weise

fe vor jene gebracht werden könnten, doch vor
den letzten gefordert werden möchten 4). Wenn
er aber, dabey darauf bestand, daß der König
einen Bischoff nur nach den Gesetzen der Kir:
che richten lassen dürfe, so wollte er ihm da:
mit die oberrichterliche Gewalt des Oberherrn
über ihn gar nicht absprechen, sondern nur
dadurch andeuten, daß er sie auch gegen den
Bischoff auf eine ordnungsmäßige Art auszu:
üben, oder auch den Bischoff, wie jeden sei:
ner Unterthanen, nach seinem eigenen Recht 5)
zu behandeln verpflichtet sey.

§. 6.

4) "Non abhorret a ratione, si quis non accuset
   Episcopum ad publicos judices, quod non licet,
   sed reclamet ad Regem." S. Quaterniones Ca-
   rolo Regi apud Pistas oblati. *Hincmar.* Opp.
   T. II. p. 316.

5) Dieß liegt doch ganz klar in der folgenden
   Stelle der Schrift: "Ipsi etiam Judaei christia-
   nae legis inimici passim legum suarum judican-
   tur judicio. Bubulcus quoque et subulcus, atque opilio suam habent legem — Episcopo vero
   lex ecclesiastica denegabitur." p. 332. Dieß
   liegt aber eben so bestimmt in einem andern
   Brief von Hincmar an den König, worinn er

Ee 4   ihn

§. 6.

Diesen Grundsätzen zufolge ließ zwar der König Hugo Capet im J. 991. über den Erzbischoff Arnulf von Rheims auf einer Synode von seinen Mitbischöffen das Absetzungs-Urtheil aussprechen, und den ganzen Proceß gegen ihn nach dem kirchlichen Criminal-Recht instruiren; aber niemand kam es in den Sinn, etwas ordnungswidriges darinn zu sehen, daß er schon vorher den eines Verbrechens gegen den Staat beschuldigten Bischoff in das Gefängniß geworfen hatte. Wenn dabey der Erzbischoff Seguin von Sens darauf antrug, daß der König ersucht werden sollte, der Synode das Leben Arnulfs zu versichern, so wollte er allerdings das Versprechen von ihm ausgewürkt haben, daß Arnulf, wenn er von der Synode schuldig gefunden würde, mit keiner Capital-Strafe belegt werden sollte: aber lag nicht zugleich in dem Antrag das Geständniß, daß sich der König auch dazu befugt halten könnte?

§. 7.

ihn belehrt, quales judices constituere debeat ad causas inter Ecclesiasticos et seculares dirimendas. eb. das. p. 839.

§. 7.

Wenn es daher die französischen und die deutschen Bischöffe auf einigen Synoden als Rechts = Prinzip aufstellten 6), daß nur ein Gerichts = Hof von zwölf Bischöffen ein rechts= kräftiges Absetzungs= Urtheil über einen Bischoff aussprechen könne, so konnten sie auch dabey nicht die Absicht haben, sich der oberrichterli= chen Gewalt der Könige entziehen zu wollen; sondern es wurde bloß damit eine der Forma= litäten bestimmt, mit welchen der Criminal= Proceß gegen einen Bischoff instruirt werden, oder es wurde bloß damit festgesetzt, daß der König bey dem Gericht, das er über einen Bischoff halten wollte, wenigstens zwölf seiner Pairs zuziehen müßte. Mag es jedoch immer wahrscheinlich genug seyn, daß die Bischöffe etwas mehr dabey abzweckten, und schon von weitem her Anstalten machen wollten, die oberrichterliche landesherrliche Gewalt in Be= ziehung auf sich selbst an Formen zu binden,

durch

6) Nach Leo IV. in Epist. ad Episcopos Britanniae. Conc. T. VIII. p. 31. Concil. Tribur. ann. 896. c. 10.

durch welche ihre Ausübung mehr erſchwert werden ſollte. Den Wunſch darnach hatten wenigſtens die franzöſiſchen Biſchöffe ſchon ſehr deutlich verrathen, da ſie ſelbſt den Pabſt Ni= colaus I. erſuchten, es doch wo möglich dahin zu bringen, daß gar kein Biſchoff ohne Vor= wiſſen des Oberhaupts der Kirche mehr abge= ſetzt werden könne, denn ſie konnten aus kei= ner andern Abſicht die Dazwiſchenkunft des Pabſts dabey wünſchen, als um die Dazwi= ſchenkunft der weltlichen Macht zu durchkreu= zen. Die Abſicht lag aber faſt eben ſo ſicht= bar in der Clauſel, die man zu dem Norma= tiv hinzuſetzte, daß ein Biſchoff nur durch den Spruch von zwölf andern Biſchöffen abge= ſetzt werden könne, nehmlich in dem Verbot, daß das Urtheil niemahls vollzogen werden dürfe, ſobald eine Appellation an den Pabſt eingelegt worden ſey ⁷): allein mochte auch der

---

7) "Si fuerit Epiſcopus, qui in romanae Sedis Epi= ſcopi praeſentia voluerit audiri, nullus ſuper il= lum finitivam dare, praeſumat ſententiam." Dieß hatte aber nur Leo IV. in ſeiner Epiſt. ad Epos Britann. hinzugeſetzt — und ſelbſt dieß iſt

der Zweck der Bischöffe immer dahin gehen, so ist es doch entschieden gewiß, daß er für jetzt noch nicht erreicht wurde.

§. 8.

Noch im eilften wie im zehnten Jahrhundert finden sich Beyspiele genug von Bischöffen, gegen welche die landesherrliche Macht ihr Straf=Recht ausübte, ohne sich immer an die Formen zu binden, in welche man sie gern hineingezwungen hätte. Es war Otto I., der einen Erzbischoff von Maynz ins Kloster steckte, und keinem der übrigen deutschen Bischöffe kam es dabey in den Sinn, daß er einen Mißbrauch von der königlichen Gewalt gemacht habe [8]). Es

war

ist noch etwas zweifelhaft — die deutschen Bischöffe auf der Synode zu Tribur hatten es aber weggelassen.

8) Welche Strafe eben dieser Kayser im J. 969. dem Erzbischoff Adelbert von Magdeburg für eine ganz kleine Unbesonnenheit ansetzte, erzählt Dietmar L II. p. 337 Aber noch im J. 1046. setzte ja Heinrich III. den Erzbischoff Witger von Ravenna ab, und wurde dafür selbst von dem Cardinal Peter Damiani mit Lobsprüchen überhäuft. S. Epist. L. VII. ep. 2.

war Conrad II., der fast ein halbes Dutzend lombardischer Bischöffe auf seinem Zuge durch Italien gefangen mit sich herum führte; und wenn sich auch der italiänische Pöbel daran ärgerte, daß der Kayser seine unheiligen Layen-Hände an Bischöffe zu legen wagte [9]; so wagte es doch der Pabst selbst nicht, ihn nur deßwegen zur Rede zu stellen. Allgemein behauptete sich also noch der Glaube, daß auch kein Bischoff durch seinen kirchlichen Charakter unantastbar für die oberste Staats = Gewalt gemacht werde. Der Glaube erhielt so gar durch einen besondern Umstand, der auch noch besonders berührt werden muß, in diesem Zeitraum einen weiteren Grund; so lange er sich aber behauptete, so blieben dem Staat auch noch von dieser Seite her Mittel genug übrig, durch welche er auf die Kirche einwürken konnte.

9) Es waren der Erzbischoff von Mayland, und die Bischöffe von Vercelli, Cremona und Placenz. Doch erzählt der Biograph Conrads, daß man sich auch in Deutschland daran gestoßen habe. S. Wippo in Vita Conradi Sal. in Pistorius Scriptor. rer. germ. p. 481.

Kap. IV.

Kap. IV.

Etwas verändertes Verhältniß, in das die Kirche mit dem Staat, in Beziehung auf ihre
Güter hineinkömmt.

§. 1.

Eben so viele Mittel dazu erwuchsen endlich
für den Staat auch noch aus den Verhältnissen, in welchen die Kirche wegen ihrer Güter
mit ihm blieb, ja in welche sie zum Theil jetzt
erst nach dieser Beziehung mit ihm hineinkam;
denn jene alten Verhältnisse blieben nicht nur
unverrückt; sondern sie rückten sich selbst zum
Theil während dieses Zeitraums noch günstiger
für den Staat, als sie vorher gestanden waren.

§. 2.

So behielten alle jene Bestimmungen ihre
Kraft, durch welche einst in den Staaten, die
zu der fränkischen Monarchie gehört hatten, die
Steuer-

Steuer = Freyheit der Kirchen = Güter modificirt
und beschränkt worden war. Es blieb Gesetz
und Observanz, daß von den Gütern einer je=
den Kirche nur der Mansus ecclesiasticus, oder
dasjenige Stück Land, das den fundus aus=
machte, den sie gesetzmäßig haben mußte, als
frey von allen Staats = Lasten betrachtet wur=
de [1]. Es blieb Gesetz und Observanz, daß
auch die Kirche von allen den übrigen Gütern,
zu denen sie auf irgend einem Wege gekommen
seyn mochte, die Zinsen und Abgaben entrich=
ten mußte, welche vorher zum Besten des
Grundherrn oder des Landesherrn darauf gehaf=
tet hatten [2]. Es blieb Gesetz und Obser=
vanz, daß sie auch von dem völlig freyen Lan=
de, das sie noch außer ihrem Mansus ecclesiasticus besitzen mochte, alle jene Lasten tra=
gen mußte, welche jeder freye Guts = Besitzer
verfassungsmäßig dem Staat schuldig war.
Und es blieb endlich Gesetz und Observanz,
daß ihre Befreyung von allen sonstigen beson=
deren

1) S. Concil. Meldense a. 845. can. 63.

2) Es wurde noch einmahl von Carl dem Kah=
len in seinem Capitular von Pistres vom J.
864. besonders sanktionirt. cap. 28.

deren Präſtationen, welche auch jeden andern
Guts = Beſitzer trafen, nur von dem Umfang
der Immunitäts = Privilegien abhieng, die ſich
jede Kirche insbeſondere von dem Könige aus=
würken mußte.

§. 3.

Bey dieſen Einrichtungen hatte der Staat
nur wenig Nachtheil, oder doch keinen unmit=
telbaren Nachtheil davon zu beſorgen, wenn ſich
auch der Güter = Stock der Kirche noch ſo un=
geheuer vermehrte. Es konnte ihm gleichgül=
tig ſeyn, in welche Hände das Land fiel,
wenn es nur nicht aus der Maſſe herausfiel,
auf deren Beyträge zu der Beſtreitung ſeiner
Bedürfniſſe gerechnet war. Die Kirche hinge=
gen mußte es wohl, ſo wie ihr Güterſtock grö=
ßer wurde, auch immer lebhafter ſelbſt fühlen,
daß ihre Beyträge nicht entbehrt werden könn=
ten; daher machte ſie nur ſelten eine Bewe=
gung, ſich der Verpflichtung dazu zu entzie=
hen. Und doch gab man ihr noch oft genug
Urſache zu der Beſchwerde, daß ihre Güter
mehr als andere belaſtet würden. Die Ge=
ſchenke, welche jeder Biſchoff dem Könige jähr=
lich

lich zu machen hatte, mochten zwar nach eben
dem Fuß berechnet ſeyn, nach welchem ſie auch
von andern Gütern entrichtet werden mußten.
Auch bey der ſchwereren Laſt, der Heerfolge
und bey der Anzahl von Leuten, welche ſie
zu dieſer zu ſtellen hatten, waren ſie ohne
Zweifel nach einem gleichen Verhältniß, wie
die Innhaber anderer freyen Güter angelegt:
hingegen bey den eben ſo beſchwerlichen Hof-
Dienſten wurden ſie zuverläſſig oft abſichtlich
überlegt. Bey dem beſtändigen Herumziehen
der Könige von einer Provinz ihres Reichs in
die andere traf es ſich nur allzuoft, daß ſie
ſich am längſten und liebſten auf den Gütern
einer reichen Kirche, oder in ihrer Nachbar-
ſchaft aufhielten. Um aber berechnen zu können, wie beſchwerlich die Hof-Dienſte, die in
einem ſolchen Fall eintraten, den Biſchöffen
wurden, und wie theuer ihnen die Ehre, den
König in der Nähe zu haben, zu ſtehen kam,
darf man nur wiſſen, daß ihnen faſt die ganze Unterhaltung des Hofes zur Laſt fiel [3]).

§. 4.

3) Die bitterſten Klagen darüber führten die franzöſiſchen Biſchöffe in ihrem Schreiben an den
König

§. 4.

Aber die Kirche erkannte nicht nur die
Verpflichtung, ihren Antheil an diesen her=
kömmlichen Lasten des Staats nach dem Ver=
hältniß ihrer Güter zu tragen, sondern sie er=
kannte ja auch das Befugniß des Staats, diese
Lasten nach dem Verhältniß seiner Bedürfnisse
zu vermehren; denn sie räumte ihm auch das
Recht, ihre Güter mit neuen Abgaben zu be=
legen, also ein vollkommenes, nur in der ver=
fassungsmäßigen Form auszuübendes Besteu=
kungs=Recht ein. Wenn der König auf einem

Reichs=

König Ludwig von Deutschland vom J. 858.
bey *Labbé* T. VIII. p. 654. Eben so bitterlich
klagt Hincmar darüber in einem Schreiben
an den Pabst Hadrian II. Opp. T. II. p. 689.
Auf der angeführten Synode zu Meaux vom
J. 845. hatten sie aber doch gestanden, daß
sie dem König die Herberge nicht verweigern
könnten, und nur den Wunsch geäußert, daß
der Herr König nicht allzuoft kommen, nicht
allzulange bleiben, und auch um des Wohl=
stands willen nicht allzuviele Frauenzimmer
mitbringen möchte.

Reichstage von den versammelten Ständen eine außerordentliche Hülfe wegen irgend einer dringenden Staats-Noth verlangte, so hatten auch die Bischöffe in ihrem Charakter als Landstände ihre Stimme dazu zu geben, aber es kam ihnen selbst so wenig als den weltlichen Ständen dabey in den Sinn, daß die Güter der Kirche von der neuen zu bewilligenden Steuer ausgenommen werden müßten. Zum Ueberfluß wurde es zuweilen in dem darüber gefaßten Schluß ausdrücklich erwähnt, daß die bewilligte Steuer auch von den Besitzungen der Kirche wie von den weltlichen Gütern gehoben werden sollte, wie in dem Schluß der Versammlung zu Compiegne unter Carl dem Kahlen vom J. 877. [4]), gewöhnlich aber wurde es als etwas, worüber gar kein Zweifel eintreten könnte, vorausgesetzt.

§. 5.

---

4) Nach *Aimon* L. V. c. 35. Baronius macht dabey die Bemerkung, daß dieser Schluß ohne Zweifel nur mit der Genehmigung der päbstlichen Legaten, welche der Versammlung beywohnten, abgefaßt worden sey.

§. 5.

Eine eigene Bemerkung verdient es hier, daß nicht nur die fränkisch = deutschen Kirchen dem Staat dieß Besteurungs = Recht zugestanden, sondern daß in dieser Periode auch die englische Kirche sich wenigstens noch verpflichtet erkannte, zu den Bedürfnissen des Staats etwas zu kontribuiren. Hier hatten sich im zehnten Jahrhundert die Bischöffe aus einem höchst kläglichen Zustand, in welchen sie im neunten durch die allgemeine Landes = Noth hinabgedrückt worden waren, zu einer Stufe von Macht emporgehoben, welche sie sonst noch nirgends erreicht hatten. Der gewaltige heil. Dunstan spielte als Erzbischoff von Canterbury unter ein Paar schwachen Regenten, die auf einander folgten, so stark den König, daß die Nachwürkung davon eine geraume Zeit fortdauerte. Der Respekt, den man dabey vor der Kirche bekam, erstreckte sich natürlich auch auf ihre Güter, die hier ohnehin schon durch mehrere Privilegien begünstigt waren: dennoch aber kam es mehrmahls dazu, daß auch Ansinnen wegen außerordentlicher Beyträge zu außerordentlichen Staats = Bedürfnis-

Ff 2 sen

ſen an ſie gemacht; und mit guter Art von
ihr bewilligt wurden. Ein Beyſpiel davon,
auf das man noch an dem Ende des eilften
Jahrhunderts ſtoßt, beweißt deſto mehr für
das frühere Herkommen, je deutlicher man dabey wahrnimmt, „daß die engliſchen Biſchöffe
ſchon mehrmals daran gedacht haben mochten,
ob das alte Herkommen nicht geändert werden
könnte 5). Dem berühmten Anſelm von Cän-
terbury wurde im J. 1098. von dem König
eine Subſidie abgefordert, die er eben ſo wie
die übrigen Biſchöffe von den Gütern ſeines
Erzſtifts bezahlen ſollte; und Anſelm bezahlte
ohne Weigerung: aber er erklärte hintennach
auf einer Verſammlung ſeines Kleruß, daß er
ſich verpflichtet halte, die entrichtete Summe
der Kirche zu Canterbury wieder aus ſeinem
eige-

5) Schon im J. 943. hatte es der Erzbiſchoff
Odo von Canterbury zu verändern wenigſtens
verſucht, denn die erſte ſeiner Conſtitutionen
von dieſem Jahr lautet wörtlich folgendermaßen: Praecipimus et mandamus — ne alicui
liceat cenſum ponere ſuper eccleſiam Dei, quia
filii eccleſiae, id eſt filii Dei ab omni cenſu
terreſtri liberi ſunt in omni regno.

eigenen Vermögen zu ersetzen, weil es ihm zweifelhaft geworden sey, ob er sie von ihren Gütern, die von Rechtswegen von allen Abgaben frey seyn sollten, habe bewilligen dürfen 6)?

§. 6.

Wenn sich jedoch die Kirche auch schon früher und ernsthafter bemüht hätte, irgend einen Vorwand ausfindig zu machen, unter welchem sie dem Staat die Beyträge verweigern könnte, die er von ihren Gütern zu der Bestreitung seiner Bedürfnisse forderte, so konnte es ihr doch niemahls ganz gelingen, sobald sie einmahl mit ihren Besitzungen in die Bande der Lehens=Verfassung hineingeschlungen war. Dieß war der besondere Umstand, der auch in dieser wie in so manchen anderen Beziehungen ihre Abhängigkeit vom Staat am gewissesten sicherte, oder ihr doch den Austritt daraus am meisten erschwerte: dieser Umstand aber war bereits im neunten Jahrhundert eingetreten.

§. 7.

6) S. *Eadmer* Hist. novor. L. II. angehängt den Werken Anselms von Canterbury (Paris. 1721. fol.) p. 46.

Ff 3

§. 7.

In die letzte Hälfte von diesem kann die völlige Ausbildung des Feudal = Systems und seine Verbreitung in den meisten occidentalischen Staaten am wahrscheinlichsten gesetzt werden. Die Grund = Verhältnisse selbst, aus denen es herauswuchs, bestanden überall schon seit mehreren Jahrhunderten; denn sie waren überall schon bey der ersten Entstehung der neuen Staaten aus den Umständen herausgewachsen, unter welchen diese entstanden. Die gothischen und fränkischen, die longobardischen und angelsächsischen Könige mußten es am natürlichsten finden, von demjenigen Theil des von ihnen eroberten Landes, den sie sich selbst vorbehalten wollten, wieder das meiste unter die Personen zu vertheilen, die zu ihrem besondern Gefolge gehörten. Sie wiesen ihnen aber nur den Genuß der Einkünfte an, indem sie sich das Eigenthums = Recht reservirten, und zugleich die Leistung gewisser bestimmten Dienste zur Bedingung des fortdauernden Genusses machten. - Mehrere von den übrigen Großen, denen nach den Königen das meiste Land zugefallen war, fanden bald auch bey der Einrichtung

richtung ihre Konvenienz, und so knüpften sich überall Verbindungen, bey denen schon das Wesentliche der späteren Lehens = Verfassung zum Grunde lag [7]).

§. 8.

Außer einigen besonderen Bestimmungen, welche man dabey anbrachte, um die gegenseitigen Rechte und Pflichten, welche aus der Verbindung entspringen sollten, genauer zu fixiren, bestand nehmlich das Neue davon vorzüglich darinn, daß sie jetzt allgemeiner als vorher und zugleich um eines andern Zwecks willen geknüpft wurde. Jetzt traten nicht mehr bloß unbegüterte Personen aus der Klasse der Freyen, mit den größeren Land = Besitzern in Lehens = Verhältnisse hinein, sondern auch Begüterte, die schon selbst ein freyes Eigenthum besaßen, drängten sich von allen Seiten hinein, weil man nur in der Lehens = Verbindung noch Sicherheit für den Besitz irgend eines Eigenthums

7) S. Ge. Ludw. Böhmer Progr. de feudis ex veterum Francorum beneficiis enatis. Goetting. 1749.

thums zu finden glaubte. Der Innhaber eines
kleinen Guts übergab also jetzt selbst sein Gut
einem reicheren und mächtigeren Nachbar, und
ließ sich wieder von ihm damit belehnen, indem er sich zu gewissen Diensten und Abgaben
gegen ihn unter der Bedingung verpflichtete,
daß er ihn gegen alle Angriffe schützen müßte.
Der mächtigere und reichere Nachbar suchte sich
wieder einen noch mächtigeren und reicheren
zum Lehensherrn aus. Die gegenseitigen Rechte und Verbindlichkeiten, die durch das Verhältniß begründet werden sollten, wurden zugleich genauer bestimmt, und schärfer abgeschnitten. Der freywillige Werth, den man
darauf setzte, gab ihnen immer mehr Heiligkeit, und dadurch erhielt das neue Band,
durch welches fast alle einzelne Glieder des
Staats mit einander selbst weit enger als vorher verknüpft wurden, in kurzer Zeit eine fast
unzerreißbare Festigkeit.

§. 9.

Unter diesen Umständen läßt es sich leicht
begreifen, wie auch die Kirche durch ihre Repräsentanten, die Bischöffe, in den Lehens-

Nexus

Nexus hineingezogen wurde, wiewohl sich die
eigentliche Epoche ihres Eintritts darein nicht
genau angeben läßt. Doch es kann gar nicht
von ihrem Eintritt gesprochen werden. Es
war keine neue Verbindung, in welche sie mit
dem Staat jetzt erst hinein kam, sondern die=
jenige, worinn sie schon vorher mit ihm gestan=
den war, wurde jetzt nur in die neue Mode=
Form des Lehens = Systems hinein gebildet.
Immer war ja hier das Land, das sie besaß,
als Staats=Eigenthum betrachtet worden, oder
wenigstens als zu dem Staats = Gut gehörig
betrachtet worden. Zunächst dadurch hatte sich
die Vorstellung so sehr befestigt, daß nur die
Könige die Bisthümer zu vergeben, oder doch
das meiste dazu zu sagen haben müßten, weil
es ja nur ihnen zustehen könne, über die da=
zu gehörigen Güter zu disponiren: daher war
nichts leichter und natürlicher, als daß sich
jetzt auch die Verhältnisse der Bischöffe zu den
Königen von selbst in die Lehens=Beziehungen
hinein fügten, sobald nur der Geist des Zeit=
alters die Idee davon aufgefaßt hatte. Was
gehörte dann mehr dazu, als daß man sich
bloß an den Ausdruck gewöhnte, daß die Bi=

Jf 5   schöffe

schöffe mit den Gütern ihrer Kirche eben so von den Königen, wie die Herzoge und die Grafen mit den ihrigen belehnt würden? wer aber konnte sich an dem Ausdruck stoßen, da man sich die Sache schon längst nicht anders gedacht hatte.

§. 10.

Höchst wahrscheinlich würkten aber die Bischöffe selbst dazu mit, daß die neue Ansicht von ihren Verhältnissen oder die neue Sprache darüber schneller allgemein wurde, weil sie selbst dabey zu gewinnen glaubten, und in einer gewissen Hinsicht auch würklich gewinnen mochten. Sobald sie als Lehensmänner des Staats betrachtet wurden, so durften sie auch sicherer als vorher auf den Schutz des Staats rechnen; denn sobald sich der König als den obersten Lehensherrn ihrer Güter betrachtete, so bekam er nicht nur eine Verpflichtung, sondern auch ein Interesse weiter, sich mit seiner ganzen Macht für sie zu verwenden, so oft ein räuberischer Einfall in ihre Besitzungen, oder ein gewaltsamer Eingriff in ihre Rechte unternommen wurde. Dieß hätte wohl, um

diese

diese Zeit schon allein hinreichen mögen, um die Bischöffe in den Lehens = Nexus hineinzu= ziehen; aber es kam noch mehr zusammen, was sie hineinzog und darinn fest hielt.

§. 11.

Von der Mitte des neunten Jahrhunderts an fanden sie es nothwendig oder räthlich, sich auf ihren Gütern und Besitzungen mehrere Vorrechte von den Königen ertheilen zu lassen, durch welche sie sich allein auf einem etwas gleichen Fuße mit den Herzogen und Grafen behaupten konnten. So kamen sie jetzt fast alle zu dem Recht des Blut = Banns auf ihren Gütern. Sie bekamen für einzelne Derter das Burg = Recht. Sie bekamen für andere die Markt = und Münz = Gerechtigkeit, und auch schon hier und da das noch einträglichere Recht eines Zolles 8). Aber es gab nur einen Weg,

---

8) Wie viel allein Otto der Gr. den deutschen Kirchen verlieh, übersieht man am besten aus den Verzeichnissen bey Pfeffinger ad Vitriar. T. I. p. 1143. III. p. 464. und 1059. Ueber andere Rechte und Regalien, welche jetzt die Bi-

Weg, auf welchem dieß alles für sie erlang=
bar war. Nach dem Staats=Recht des Zeit=
alters wurden alle diese Rechte für Regalien
im engsten Sinn gehalten. Man wußte es
gar nicht anders, als daß sie dem König al=
lein zuständen, und nur diesem zustehen könn=
ten. Sie waren auch den Herzogen und den
Grafen immer allein von den Königen verliehen
worden. Sie wurden noch fortdauernd jedem
besonders von ihnen verliehen. Wenn also ein
Bischoff dazu gelangen wollte, so mußte er
sie ebenfalls von dem König empfangen, und
somit ebenfalls in das Verhältniß mit ihm ein=
treten, dem sich alle andere Innhaber solcher
Regalien unterzogen.

§. 12.

Aus einem Schreiben des Erzbischoffs Hinc=
mar von Rheims an den Pabst Hadrian II.
ersieht man aber auch, wie sehr sich die fran=
zösischen Bischöffe zu Ende des neunten Jahr=
hunderts schon daran gewöhnt hatten, sich selbst
in dem Lehens=Verhältniß gegen ihren König zu
erblik=

Bischöffe erhielten, s. Leibniz Introduct. in
Script. Hist. Brunsvic. **T. I. p. 13.**

erblicken. Der Pabst hatte den Erzbischoff aufgefordert, sich von der Gemeinschaft seines Königs abzusondern, wenn er von seinem gott= losen Vorhaben, die Krone von Lothringen an sich zu reißen, nicht abstehen würde. Dieß hieß eben so viel, als daß er ihm den Bann ankündigen sollte. Hincmar aber schrieb ihm zurück, daß dabey nicht viel herauskommen würde, denn sobald sie als Bischöffe ihrem König die Gemeinschaft aufkündigen wollten, so würde es ja nur bey ihm stehen, ihnen ihre Güter zu nehmen, und sie in ihren leeren Kirchen singen zu lassen, so lange sie woll= ten 9). Er erkannte also, daß der König be= rechtigt seyn würde, ihre Güter einzuziehen, sobald sie sich eine Handlung erlaubten, die er als eine Aufkündigung des Gehorsams von ih= rer Seite erklären könnte; darauf hätte er aber gar nicht kommen können, wenn er nicht von den Grundsätzen des Lehen = Rechts ausgegan= gen wäre.

§. 13.

---

9) "Quoniam, si ex sententia vestra agerem, ad altare ecclesiae meae cantare possem, de rebus autem et facultatibus et hominibus nullam am= plius haberem potestatem." *Hincm.* Opp. T. II. P. 697.

§. 13.

Die völlige Ausbildung des neuen Rechts und seine allgemeine Ausdehnung auf die Verhältnisse der Bischöffe zu den Landesherrn mag man jedoch in so fern erst in das zehnte Jahrhundert setzen, als sie erst in diesem durch die neu = eingeführte Ceremonie der bischöfflichen Investituren förmlich erklärt und anerkannt wurde. Jetzt erst kam die Sitte auf, daß jeder neu = gewählte oder neu = ernannte Bischoff sein Lehen, nehmlich die Güter und Regalien, die zu dem Bisthum gehörten, noch besonders von dem König empfangen, und zwar noch vor seiner Konsecration empfangen mußte. Diese Uebergabe des Lehens, die man die Investitur nannte, geschah nach der Gewohnheit des Zeitalters durch ein symbolisches Zeichen, wozu man bey den Bischöffen einen Stab [10]) und

einen

10) Die Schriftsteller des zehnten Jahrhunderts sprechen meistens von einer Virga pastoralis, und es ist wohl möglich, daß sie von dem später gebrauchten baculo verschieden war, weil auch der Cardinal Humbert in seiner Schrift adversus Simoniacos L. III. c. II. angiebt, daß man

zuerst

einen Ring — baculum et annulum — ge=
wählt hatte, die ihnen als die Insignien ihres
Amts von dem Könige überreicht wurden. So
wenig sich aber genau angeben läßt, wenn und
wo diese neuen Investituren der Bischöffe zu=
erst aufkamen? so gewiß ist es, daß sie vor
dem zehnten Jahrhundert noch nirgends, hin=
gegen an dem Ende davon oder doch bald
nach dem Anfang des eilften überall statt fan=
den 11). Schon daraus geht es jedoch eben
so

zuerst qualescimque virgulas, dein baculos
gebraucht habe. S. *Marten.* Thesaur. anecdot.
T. V. p. 787.

11) Nach Adam von Bremen Hist. L. I. c. 32.
hätte schon Ludwig der Fromme seine Bischöffe
durch die Uebergabe der virga pastoralis inve=
stirt. Wahrscheinlicher kam die Gewohnheit,
wie auch der Cardinal Humbert L. III. c. 7.
annimmt, unter Otto M. auf. Zur Zeit
Heinrichs II. war sie aber gewiß schon befe=
stigt, doch konnte sie es noch nicht allzulange
seyn, denn in dem Leben des Bischoffs Wol=
bod von Lüttich aus diesem Zeitalter bemerkt
es der Mönch Reiner als etwas besonde=
tes: "quod tunc temporis regiae potestatis sive
juris

so deutlich hervor, wie man auf die Ceremonie kam, als was darinn liegen sollte? denn das eine sprach sich ja eben so stark als das andere in jedem der symbolischen Zeichen aus, die man bey der Handlung gebrauchte.

§. 14.

Wer kann aber jetzt erst noch nach der Würkung fragen wollen, welche dieß Hineinschlingen der Bischöffe in den Lehens=Nexus nothwendig hervorbringen mußte? Wenn auch der Staat nicht mehr Rechte und nicht mehr Ansprüche an sie bekam, als er vorher schon gehabt hatte, so bekamen doch diese Rechte eine Stütze, und diese Ansprüche einen Grund weiter, als sie vorher gehabt hatten. Die landesherrliche Macht bekam zugleich ein Mittel weiter, sie zu fassen, und ihnen selbst wurde es unmöglicher gemacht, sich ihrem Druck zu entziehen, denn durch das neue Band, das ihnen umgelegt war, konnte jede Bewegung, welche sie dazu machten, sogleich gehemmt werden.

juris erat, Epiſcopos ad ſuum electos arbitratum per annulum et baculum paſtoralem inveſtire." S. *Calles* T. V. p. 184.

den. Diese Würkung davon zeigte sich am
sichtbarsten in der merklicheren Bereitwilligkeit,
womit sie jetzt dem Staat alle die Dienste lei=
steten, und alle die Forderungen erfüllten, die
er wegen ihrer Güter an sie zu machen hatte.
Sobald sie einmahl an die Vorstellung gewohnt
waren, daß sie der Staat damit belehnt ha=
be, so konnte bey ihnen der Gedanke gar nicht
mehr aufsteigen, daß sie als Kirchen=Güter
von Rechtswegen von allen Staats=Lasten frey
seyn sollten. Sie machten daher nicht nur im
zehnten und eilften Jahrhundert keine weiteren
Versuche mehr, ihre Exemtion auszudehnen,
sondern sie beeiferten sich recht auffallend, den
Innhabern der großen weltlichen Staats=Lehen
nichts in dieser Beziehung vor sich voraus zu
lassen. Geschah es doch zunächst um deß=
willen, oder doch gewiß auch um deßwillen,
daß jetzt die Bischöffe auf das Privilegium,
das sie von der persönlichen Heerfolge dispen=
sirte, wieder Verzicht thaten 12), und anstatt
ihre

12) Wiewohl noch Nicolaus I. sehr stark gegen
 das Unschickliche davon geeifert hatte. S. Con=
cil. T. VIII. p. 556.

ihre Vögte zu schicken, die Leute selbst anführ=
ten ¹³), die sie zu dem Heer des Königs zu
stellen hatten; denn was man auch der An=
steckung des wilden Ritter=Geists dabey zu=
schreiben muß, von dem sich wohl auch etwas
den Bischöffen mitgetheilt haben mochte, so
würde doch das zu Feld ziehen der Bischöffe
schwerlich so allgemein geworden seyn, als es
zu Anfang des eilften Jahrhunderts wieder ge=
worden war, wenn nicht die Idee der Lehens=
Vers

13) So wurden schon in der Schlacht bey der
Andernach zwischen Carl dem Kahlen und Lud=
wig II. von Deutschland ein Paar Bischöffe
gefangen, die sich im Heer des ersten befan=
den. S. Annal. Fuld. ad ann. 876. Im J.
880. wurden in einem Treffen mit den Nor=
männern in Sachsen zwey Bischöffe erschlagen.
Hingegen im J. 803. schlug sie der Erzbischoff
Luitbert von Maynz und im folgenden der
Bischoff Arno von Würzburg; im J. 892.
blieb aber der letzte in einem Treffen gegen
die Slaven. Von Otto I. bis zu Heinrich
III. zog kein deutscher König mehr in das
Feld, ohne daß mehrere Bischöffe dem Heer=
zug folgten.

Verpflichtung und die Furcht vor der Strenge des Lehen=Rechts dazu gekommen wäre.

§. 15.

Doch die Würkung davon zeigte sich noch in mehreren anderen Beziehungen. Durch die Lehens=Verfaſſung bekam jeder Regent Gele= genheit, seinen Biſchöffen von mehreren Sei= ten beyzukommen. Als Lehens=Herr bekam es ein neues Recht, sich in alle ihre Angele= genheiten [14]), und besonders in alle ihre Hän= del einzumischen. Als Lehens=Herr erhielt er ein neues Recht der höchſten richterlichen Gewalt in allen ihren Streitigkeiten, ja als Lehensherr erhielt er selbſt in Beziehung auf sie ein neues Straf=Recht [15]), das er auf

eine

14) Nahm sich doch Otto II. heraus, den Bi= schoff Bruno von Verden aus landesherrli= cher Macht gegen seinen Willen und seine Proteſtation einen Koadjutor zu geben. S. Chronicon Verdenſium Epp. in *Leibnitii* Scrip- tor. Brunsvic. T. II.

15) Wie gewohnt den Biſchöffen selbſt die Vor= ſtellung davon geworden war, erſieht man am

deut=

eine Art, welche immer für sie die empfind-
lichste seyn mußte, nehmlich durch Einziehung
ihres Lehens ausüben konnte.

§. 16.

Vorzüglich aber wurde es durch die neue
Verfassung unmöglicher als vorher gemacht,
daß jemahls ein Bischoff gegen den Willen des
Königs

deutlichsten aus einem Brief des Bischoffs
Arnold von Halberstadt an den Bischoff Heinrich von Würzburg vom J. 1007. Der letzte
war mit dem Kayser Heinrich II. wegen dem
Bisthum Bamberg zerfallen, und hatte sich
deßwegen geweigert, auf der Synode zu Frankfurt zu erscheinen, auf die er von ihm berufen worden war. Dagegen machte ihm der
Bischoff von Halberstadt eben so freundschaft-
liche als vernünftige und dringende Vorstellungen, die auch von den nachtheiligen Folgen hergenommen waren, welche sein Trotz
ihm selbst zuziehen könnte; denn — sagte er
unter anderen — Quomodo potes in regno
ejus habere Pontificium, si vocatus ad eum venire refragaris. S. Arnoldi Halberstad. Epist.
ad Henric. Wirzburg. in *Baluzii* Miscell. L.
IV. p. 436.

Königs gewählt und behauptet werden konnte.
Jeder neue Bischoff mußte ja nun von dem
Könige durch die Investitur erst mit den Gütern seiner Kirche, und mit der Jurisdiktion,
welche dazu gehörte, belehnt werden, ehe er
das Amt antreten konnte. Wenn also auch
der Fall vorkommen mochte, daß zuweilen ein
Bischoff, der dem König nicht anständig war,
von einer mächtigen Parthie aus dem Volk
oder aus dem Klerus seiner Kirche gewählt
wurde, so stand es jetzt immer noch in seiner
Macht, die Wahl auf eine ordnungsmäßige
Art unkräftig zu machen, denn er durfte nur
dem Candidaten, der ihm präsentirt wurde,
die Investitur verweigern, so mußte ohne weiteres ein neuer gewählt werden. Die Bischöffe
wurden somit dadurch noch in einer neuen Beziehung Creaturen der Könige, und nun wird
man es gewiß begreiflich finden, daß und wie
ihnen bey der Gegenwürkung dieses einzigen
Umstands alle ihre sonstigen Bemühungen, sich
selbst und die Kirche von der weltlichen Staats-
Gewalt unabhängig zu machen, nie ganz gelingen konnten.

Gg 3   Kap. V.

Kap. V.

Bemühungen der Bischöffe, sich in andern Bezie=
hungen mehr Einfluß im Staat zu verschaffen.
Was sie aus ihrem bischöfflichen Charakter
ableiten.

§. 1.

Desto mehr könnte man aber jetzt überrascht
werden, wenn man sie doch in diesem Zeit=
raum noch so viel andere Versuche machen sieht,
der Kirche, dieß heißt, sich selbst unter dem
Nahmen der Kirche sogar eine wahre Oberge=
walt über den Staat, oder doch wenigstens
mehr Gewalt in Beziehung auf den Staat zu
verschaffen, als ihr bisher eingeräumt worden
war. Es ließ sich ja so sehr gewiß voraus=
sehen, daß auch diese Versuche durch die Ge=
genwürkung jenes Umstands vereitelt werden
müßten, daher mag man sich wohl wundern,
daß und wie sie nur darauf kommen konnten.

Doch

Doch bey einer näheren Hinsicht wird man bald gewahr, daß einige dieser weiteren Versuche würklich von einer Art waren, welche es allerdings möglich machte, daß sie auch bey der Gegenwürkung jenes Umstands bis zu einem gewissen Grade gelingen konnten, und dadurch wird es nur desto mehr der Mühe werth, auch besonders dabey zu verweilen.

§. 2.

Sogleich bey dem Eintritt in diese Periode stoßt man nehmlich auf die neue Erscheinung, daß die Bischöffe selbst anfiengen, eine gedoppelte Person, welche sie vorstellten, zu unterscheiden, und die Verhältnisse der einen und der andern sorgfältig zu trennen. Als Innhaber und Verwalter der Güter, welche der Staat der Kirche verliehen habe, wollten sie sich unweigerlich auch als seine Lehensmänner und Vasallen betrachten lassen; aber dafür, meynten sie, müsse man auch zugeben, daß sie in ihrem Charakter als die von Christo selbst verordneten Vorsteher und Repräsentanten der Kirche etwas ganz anderes vorstellten, und auch mit dem Staat in ganz anderen Be-

Gg 4

ziehun-

ziehungen ständen. Sie drangen also jetzt dar=
auf, daß man in jedem Bischoff den geistli=
chen und den weltlichen Herrn unterscheiden
müsse; jedoch sie ließen es auch nicht lange
zweifelhaft, wohin die feine Distinktion führen
sollte.

§. 3.

Aus einer schon angeführten Aeußerung
des Erzbischoffs Hincmar von Rheims ersieht
man deutlich, daß sich die Idee davon noch
vor dem Ende des neunten Jahrhunderts in
ihren Köpfen entwickelt hatte. Indem er dem
Pabst bey der erwähnten Gelegenheit schrieb,
daß ihm sein König das Fortsingen in seiner
Kirche freylich nicht verwehren, aber dafür
alle ihre Güter einziehen könne, so setzte er
eben damit voraus, daß die königliche Gewalt
nicht den Bischoff, sondern nur den Lehens=
mann in seiner Person antasten könne. Der
König — wollte er damit behaupten — habe
kein Recht, den Bischoff aus seiner Kirche zu
verjagen, sondern könne höchstens seinen Va=
sallen darinn verhungern lassen; und wenn er
schon dabey gestand, daß dieß auch für den
Bi=

Bifchoff bedenklich genug werden könnte, fo lag doch immer darinn, daß es ein Verhält= niß gebe, in welchem ein Bifchoff für die weltliche Gewalt des Staats unantaftbar fey.

§. 4.

Doch fchon zwanzig Jahre früher hatte Hincmar die Diftinktion in einem Schreiben an den König Ludwig von Deutfchland vom J. 858., das er im Nahmen aller Bifchöffe feiner Provinz verfaßte [1]), noch weit beftimmter ausgeführt. Er erklärte darinn dem König völlig unumwunden, daß er fie in ihrer Qua= lität als Bifchöffe nicht als feine Vafallen be= trachten dürfe [2]), weil fich ihr Lehens = Ver= hältniß

1) S. Epiftola Epifcoporum e Synodo apud Cari- fiacum miffa ad Ludovicum regem Germaniae bey *Labbé* T. VIII. p. 654‒668.

2) "Nos Epifcopi Deo confecrati non famus ejus- modi homines feculares, ut in vafallatico de- beamus nos cuilibet commendare, feu ad de- fenfionem et adjutorium in ecclefiaftica guber- natione nos et ecclefias noftras committere." p. 666.

hältniß durchaus nicht auf dasjenige erſtrecke, was zu der Regierung ihrer Kirchen gehöre, die ihnen Chriſtus anvertraut habe. Sie wür= den — ſchrieb er ihm — ſich ſelbſt ihres Charakters und ihrer prieſterlichen Würde un= würdig machen, wenn ſie in ihrem kirchlichen Verhältniß der weltlichen Macht eine Autori= tät über ſich einräumen, oder zugeben woll= ten, daß auch ihre Kirchen ein Eigenthum des Königs ſeyen, das er nach ſeinem Gutdünken verleihen und zurücknehmen könne [3]). Dieß hieß deutlich geſagt, daß ihnen als Repräſen= tanten der Kirche eine von dem Staat völlig unabhängige Gewalt zuſtehe; aber über die Natur dieſer Gewalt ließen ſie ſich bey ei= ner andern Gelegenheit auf eine Art heraus, die nur allzuunverkennbar verrieth, daß ihr Streben und ihre Wünſche noch höher gien= gen.

§. 5.

---

[3] "Ecclesiae siquidem nobis a Deo commissae non talia sunt beneficia, et hujusmodi regis proprietas, ut pro lubitu suo inconsulte illas possit dare vel tollere." eb. daſ.

§. 5.

Auf einer Synode zu Skt. Macra [4]), die im J. 881. unter der Regierung Ludwigs des Stammlers gehalten wurde, hielten es die französischen Bischöffe für dienlich, zur Einleitung in ihre Verhandlungen den Grundsatz recht feyerlich aufzustellen, daß Gott selbst die Regierung der Welt zwischen den Priestern und den Königen getheilt, und deßwegen diesen und jenen ihren eigenen Würkungs = Kreis angewiesen habe, der nach seiner Anordnung immer unterschieden bleiben sollte. Kein König — schlossen sie daraus — dürfe sich also die priesterliche und kein Priester die königliche Gewalt anmaßen, sondern die Könige müßten den Priestern das geistliche und ewige, so wie die Priester den Königen das zeitliche und irrdische ausschließend überlassen, weil jene nur zu der Besorgung von diesem und sie nur zu der Sorge für jenes von Gott berufen seyen. Dabey aber — setzten sie hinzu — lege sich doch auch aus mehreren Zeichen zu Tag, um

wie

---

4) Jetzt Fimes im Erzstift Rheims. S. *Labbé* T. IX. p. 337. *Longueval* Hist. de l'Eglise Gallic. T. VI. p. 335.

wie viel die Würde des Priesterthums höher
als die königliche und das Amt der Priester
wichtiger, als das Amt der Könige sey. Kö=
nige könnten ja nur durch Priester = Hände ge=
salbt werden, da umgekehrt kein König einen
Bischoff konsecriren könne; den Bischöffen seyen
aber noch überdieß auch die Könige auf die
Seele gebunden, denn es sey ihnen von Gott
erklärt, daß auch die Seele von diesen von
ihrer Hand gefordert werden würde [5]).

§. 6.

Dieß war deutlich genug gesprochen; denn
man versteckte ja nicht einmahl die Folgen,
die man daraus gezogen haben wollte. Es
lag wörtlich darinn, daß doch das Verhältniß
der geistlichen Macht, welche Gott den Bi=
schöffen, und der weltlichen, welche er den Kö=
nigen

---

5) "Et tanto est dignitas Pontificum major quam
regum, quia reges in culmen regium sacrantur
a Pontificibus, Pontifices autem a regibus con-
secrari non possunt, et tanto gravius est pon-
dus Sacerdotum, quam regum, quando etiam
pro ipsis regibus in divino reddituri sunt examine rationem." p. 338.

nigen anvertraut habe, nicht ganz gleich sey, daß den Königen in keinem Fall eine Gewalt über die Bischöffe in ihrem priesterlichen Charakter, wohl aber den Bischöffen in manchen Fällen eine Gewalt über die Könige zukommen könne, daß die Könige den Bischöffen bey der Ausübung ihrer geistlichen Gewalt nie etwas vorschreiben, aber die Bischöffe den Königen manche gute Lehre über die gehörige Ausrichtung ihres Amts ertheilen könnten, und daß also doch nach Gottes Anordnung eher eine Subordination der letzten unter die ersten, als der ersten unter die letzten statt finden sollte. Aber dieß stellte man jetzt nicht nur als neue Rechts=Theorie auf, sondern es kam bald dazu, daß man auch darnach handelte.

§. 7.

Aus dem Umstand, aus welchem sie hier den Vorzug der priesterlichen Würde vor der königlichen deducirten, aus dem Umstande, daß Könige durch Priester=Hände geweiht werden mußten, hatten sie ja auch schon die Anmaßung abgeleitet, daß sie Könige machen könnten. Freylich brauchten sie immer recht gern

den

den Ausdruck, daß jeder König von Gott gemacht werde, oder daß es Gott sey, von welchem jeder König seine Gewalt habe; aber offenbar — meynten sie — sey es doch, daß
sich Gott der Priester als seiner Werkzeuge
bediene, um ihnen diese Gewalt mitzutheilen,
weil sie ja nach seiner Anordnung durch die
Priester gesalbt werden müßten. Nach ihrer
Vorstellung sollte also die Salbung und Krönung nicht bloß die Einweihungs-Ceremonie
zu der Königs-Würde, sondern der Actus seyn,
durch welchen die königliche Gewalt selbst einem Regenten erst von Gott übertragen würde,
und da man es als ausgemacht voraussetzte,
daß dieser Actus nur durch Bischöffe verrichtet werden könne, so folgte allerdings ganz
richtig daraus, daß doch ohne ihren Dienst
und ihre Vermittelung kein König zu seiner
Würde gelangen könne.

§. 8.

Diese Sprache hatten sie aber schon im
J. 869. bey der Krönung Carls des Kahlen
zum König von Lothringen ganz unverdeckt geführt

führt 6). Durch diese Grundsätze hielten sich
wieder im J. 879. die Bischöffe des arelaten=
sischen Reichs vollkommen berechtigt, den Gra•
fen Boso zu ihrem König zu wählen 7). Nach
diesen Grundsätzen glaubte man auch noch am
Ende des zehnten Jahrhunderts den gerechten
Ansprüchen, welche Carl von Lothringen auf
die französische Krone machte', nichts stärkeres
entgegensetzen zu können, als daß Gott durch
das Urtheil der Bischöffe in der Person Hugo
Capets einen besseren erwählt habe 8). Wie
allgemein aber damahls die Ansicht schon ge•
worden war, nach welcher die Salbung eines
Königs als würklicher Ordinations=Act betrach•
tet wurde, dieß wird daraus am sichtbarsten,
weil Hugo Capet selbst in einer Urkunde, die
man von ihm aus der kürzen Zwischenzeit zwi=
schen seiner Wahl und seiner Salbung hat, noch
nicht den Titel eines würklichen, sondern nur

des

6) S. Conc. Metense *Labbé* T. VIII. p. 1534.
Baluz. Capitular. T. II. p. 215.

7) S. Concil. Mantalense bey *Labbé* T. IX. p. 351.

8) "Regnum accipere non potuit Carolus, quia
Deus suo judicio meliorem elegit." S. Rec•
des Histor. de France. T. VIII. p. 307.

des künftigen Königs sich beylegte 9). Sie
hatte sich jedoch nicht nur in Frankreich allein,
sondern sie hatte sich um diese Zeit auch schon
in England so befestigt, denn hier hatten ja
auch im J. 975. der heilige Dunstan und seine Mitbischöffe einen König für sich allein
gemacht.

§. 9.

Bey diesem Vorfall in England deckt es
sich aber auch am deutlichsten auf, wie viel
in dieser Anmaßung der Bischöffe lag. Die
Mehrheit der englischen Großen wollte einen
andern Prinzen aus dem königlichen Hause auf
den Thron erhoben haben, denn sie behaupteten, daß sie nach der Verfassung zu wählen
berechtigt, mithin nicht verbunden seyen, ihre
Krone jedesmahl dem ältesten oder dem erstge-
bohrnen von den hinterlassenen Söhnen ihrer
Könige aufzusetzen. Dieß bestritten auch die
Bischöffe nicht, und deßwegen bestanden sie
auch gar nicht darauf, daß dem älteren Prinzen Eduard, den sie begünstigten, die Krone
nach

9) S. Diploma Hugonis Capeti bey *Mabillon* de
re diplomat. p. 575.

nach) dem Recht der Erstgeburt gehöre, sondern sie ernannten ihn durch eine förmliche, von ihnen allein angestellte Wahl zum König, und prätendirten dann, daß er um ihrer Wahl willen von der Nation erkannt werden müsse [10]). Es war also nicht bloß das Recht der ersten Stimme, welches sie als die geistlichen Baronen und Reichsstände bey der Königs-Wahl ansprachen, sondern sie verlangten, daß man ihnen ein besonderes Wahl-Recht zugestehen müsse, das wohl in einzelnen Fällen mit dem Wahl-Recht der Reichsstände konkurriren, aber es auch in andern Fällen suspendiren und aufheben könne. Daß sie dieß aber bloß in ihrer Qualität als Bischöffe verlangten, und bloß in dieser verlangen konnten, dieß machte wohl die Anmaßung nicht weniger bedenklich.

§. 10.

Dafür kam es auch in England am häufigsten dazu, daß die Bischöffe das behauptete Uebergewicht der ihnen von Gott verliehenen geistlichen Macht über die weltliche noch auf

eine

---

10) S. *Matthaeus Westmonaster.* ad ann. 975.

eine andere Art gebräuchten. Sie glaubten nicht nur, wie die französischen Bischöffe auf der Synode zu Skt. Macra, daß es zu ihrem Beruf gehöre, auch den Königen gute Lehren zu geben, und sie im Gesetz zu unterrichten. Sie erlaubten sich auch nicht nur, wie es wohl die französischen Bischöffe ebenfalls zuweilen thaten, ihnen eine Ermahnung an das Herz zu legen oder eine Straf-Predigt zu halten, wenn sie allzunotorisch gegen das Gesetz handelten; sondern sie hielten sich befugt, in solchen Fällen ihr kirchliches Straf-Amt, eben so wie gegen jeden andern Sünder, und auf eine gleiche Art gegen sie zu gebrauchen. So riß der heilige Dunstan mit seinen eigenen geweihten Händen den jungen König Edwin an seinem Krönungstage aus den Armen seiner Concubine, und trug ihn, da er ihm nicht gutwillig folgen wollte, auf den seinigen in die Versammlnng, die er um ihretwillen verlassen hatte. 11): mehr als viermahl aber kam im zehn-

11) Diese Geschichte, die Osbert im Leben des heil. Dunstans bey Surius erzählt, hat auch Matthäus von Westminster in seinen Floribus Historiar. ad ann. 955.

zehnten Jahrhundert der Fall vor, daß die
englischen Bischöffe recht förmlich den Bann
über ihre Könige aussprachen.

Wenn aber auch die französischen und die
deutschen Bischöffe in diesem Zeitraum niemahls
so weit zu gehen wagten, so findet man dagegen, daß diese schon frühzeitig einen sehr
merkwürdigen Versuch machten, die höhere
Würde, welche sie der geistlichen Person, die
sie vorstellten, beygelegt haben wollten, auch
zum Vortheil ihrer weltlichen Verhältniße zu
benutzen. Bey der nehmlichen Gelegenheit,
bey welcher sie zuerst ganz offen davon sprachen, daß man den gedoppelten Charakter des
geistlichen und des weltlichen Herrn wohl in
ihnen unterscheiden müße, in ihrem Schreiben an den König Ludwig von Deutschland
vom J. 858. ließen sie es schon sehr deutlich
merken, daß man doch um des geistlichen
Herrn willen auch den weltlichen mehr respektiren sollte. Besonders führten sie einen Fall
an, wobey man diesen Respekt am schicklichsten anbringen könnte, auf den sie gewiß nicht

bloß

bloß zufällig gerathen waren. Die Könige,
meynten sie, sollten wenigstens keinem Bischoff
den förmlichen Lehens = Eid abnehmen, den
ihnen andere Vasallen= schwören müßten; denn
es sey doch immer etwas unschickliches und an=
stößiges dabey, wenn geweihte Hände, die
noch alle Tage in der Messe den geheiligten
Leib Christi berührten, bey der Ablegung eines
solchen Eides in Layen=Hände gelegt werden
sollten ¹²). Sie wollten also zwar nicht aus
den Lehens=Verhältnissen mit dem Staat her=
austreten, sondern sie wünschten nur, daß
man sie aus Rücksicht auf ihre höhere geistliche
Wür=

12) "Non sumus ejusmodi homines — ut jura-
tionis sacramentum quod nos ecclesiastica, apostolica et canonica auctoritas vetat, debeamus
culpiam quodammodo facere. Manus enim
chrismate sacro peruncta, quae de pane et vino per orationem et crucis signum conficit
corpus et sanguinem Christi in Sacramento,
abominabile est, quicquid ante ordinationem
fecerit, ut post ordinationem Episcopatus secu-
lare ullo modo tangat sacramentum. Et lingua
Episcopi, quae facta est per Dei gratiam cla-
vis coeli, nefarium est, ut sicut secularis quilibet super sacra juret in nomine Domini."

Würde von den gewöhnlichen Formalitäten
bey dem Eintritt darein dispensiren möchte;
wer kann aber glauben, daß sie nicht berechnet haben sollten, wohin dieß unvermeidlich
mit der Zeit hätte führen müssen?

§. 12.

Damit gelang es ihnen jedoch nicht, denn
die Könige mochten es ebenfalls berechnet haben, und fanden es daher nicht räthlich, den
Wink, der ihnen damit gegeben wurde, zu
verstehen. Der Erzbischoff Hincmar von
Rheims, von welchem er zunächst herrührte,
sah sich sogar in seinem Alter gezwungen [13],
den anstößigen Eid zum zweytenmahl abzulegen, weil es sein König, dem seine Treue
verdächtig geworden war, mit einem Ernst
verlängte, der ihm bey einer beharrlichen Weigerung sehr nachtheilige Folgen drohte. Doch
wenn ihnen auch die Speculation fehlschlug,
welche

13) S. Juramentum, quod Hincmarus Archiep. edere
jussus est apud Pontignonem ann. 876. bey Labbe T. IX. p. 293. aber auch Hincmars Klagen darüber Opp. T. II. p. 835.

Hh 3

welche sie darauf gebaut hatten, so glückte
es ihnen doch sonst, auch dem weltlichen Herrn,
der sich in ihrer Person mit dem geistlichen
vereinigte, in manchen Beziehungen mehr Bedeutung und mehr Einfluß zu verschaffen, als
er vorher gehabt hatte.

§. 13.

In allen Staaten blieb es nicht nur dabey, daß die Bischöffe als die geistlichen Baronen den ersten Stand der Nation ausmachten, und daher auch an der Spitze ihrer Repräsentanten standen, sondern überall bestärkte
man sich immer mehr in der Vorstellung, daß
man es selbst um Gottes willen und aus
Ehrfurcht für diesen dabey lassen müsse. Dieß
zog zunächst die Folge nach sich, daß auch
ihre Macht und ihr Ansehen im Staat bis zu
einem gewissen Grade von selbst steigen und
gewissermaßen ohne ihr Zuthun steigen mußte,
so wie sich die Macht und das Ansehen der
weltlichen Barone vergrößerte. So wie die
Herzoge und die Grafen mächtiger und bedeutender wurden, so mußten es auch die Bischöffe schon dadurch werden, weil man allgemein

mein gewohnt war, sie den Herzogen und Grafen noch vorzusetzen. Es konnte ihnen daher auch nicht schwer werden, sich mehr= mahls ihren Vorrang, wenigstens vor den Grafen, gesetzmäßig bestätigen zu lassen. So wurde noch unter den letzten Carolingischen Re= genten auf mehreren Konventen bestimmt [14]), daß kein Graf in einer Provinz sein placitum oder seine Gerichts = Sitzung an dem nehmli= chen Tag, auf welchen der Bischoff das seini= ge angesetzt habe, eröffnen, oder daß in jedem Collisions = Fall das bischöffliche vorgehen sollte. Noch öfter aber wurden die Grafen angewie= sen, den Bischöffen auf ihre erste Requisition alle die Dienste unweigerlich zu leisten, welche sie von ihnen verlangen würden [15]).

§. 14.

14) S. Concil. Triburienſ. ann. 895. can. 9.

15) S. Concil. Ticinenſ. a. 876. c. 12. "Ipſi Comites Epiſcopos ut ſanctos Patres honorent et venerentur, et ad miniſterium illorum pera= gendum ubicunque potuerint eos adjuvare, de= certent."

Hh 4

§. 14.

Im Verlauf des zehnten und eilften Jahrhunderts ſchien es ſich zwar in dieſem Punkt
zu einer Aenderung anzulaſſen. Die großen
weltlichen Staats = Lehen, die Herzogthümer
und Grafſchaften wurden jetzt erbliche Familien = Güter, ohne die Lehens = Eigenſchaft ganz
zu verliehren, dadurch aber bekamen ihre Innhaber unmerklich einen Zuwachs von würklicher Macht, welcher die Macht der Biſchöffe,
von der ein ſo großer Theil bloß in der Meynung beruhte, unmöglich in die Länge das
Gleichgewicht halten konnte. Es war daher
nothwendig, daß ihr von irgend einer Seite
nachgeholfen werden mußte; jedoch die Mittel, von denen man dabey Gebrauch machte,
ließen ſich nicht überall anbringen, und würkten nicht überall gleich.

§. 15.

So hofften ſie zuerſt gegen die mächtiger
gewördenen Gräfen ſich auf einem gleicheren
Fuße erhalten zu können, wenn ſie ſich von
den Königen mit einem neuen Charakter einen
Theil ihres Anſehens übertragen ließen; daher
trugen

trugen sie im J. 876. bey dem neuen Kayser Carl, dem Kahlen auf der großen Versammlung zu Pavia darauf an [16]), daß jeder Bischoff in seiner Diöcese die Vollmacht und die Rechte eines beständigen königlichen Missus haben sollte. Dieß konnte aber nur auf so lange helfen, als sich die Könige selbst gegen die großen Vasallen in der alten Stellung erhielten, denn sobald diese letzten auch über die Könige hinauszuwachsen anfiengen, so konnte der Charakter ihrer Commissarien den Bischöffen kein besonderes Ansehen und selbst keinen Schutz mehr gewähren. Sie mußten also von andern Hülfs = Mitteln Gebrauch machen, die ihnen die Umstände anboten; diese aber waren sich und blieben sich nicht überall gleich, daher kam an verschiedenen Oertern ein sehr verschiedener Erfolg heraus.

§. 16.

Unter den schwachen Regierungen der letzten Carolinger in Frankreich und während der

Ver =

16) Conc. Ticin. can. 12. "Ipsi Episcopi singuli in suo Episcopio missatici nostri potestate et auctoritate fungantur."

Verwirrung, die dem Aufkommen der neuen Capetingischen Dynastie vorangieng, schienen auch die Bischöffe von dem Beyspiel des allgemeinen Zugreifens, das um diese Zeit statt fand, dahin gerissen, hin und wieder versuchen zu wollen, ob sie nicht eine glückliche gesetzlose Gewalt eben so weit als die weltlichen Großen führen könnte? Es kam daher jetzt nicht nur zuweilen dazu, daß sich ein Bischoff aus drey bis vier benachbarten Bisthümern, die er gewaltsam an sich riß, ein größeres Gebiet zusammenschlug 17), das ihn dem mächtigsten Gräfen in der Provinz gleich stellte, sondern man machte auch schon Anstalten, diese Bis-

17) Am stärksten trieb wohl diese Operation der Erzbischoff Manasse von Arles, denn zwischen den Jahren 930 - 940. ließ er sich zu seinem Erzbisthum noch die Bisthümer Mantua, Verona, Trident und endlich noch das Erzbisthum Mayland dazu geben. Aber Manasse war ein Neffe des Königs Hugo von Provence, der damahls auch König von Italien war. Doch führt Mezeray aus diesem Jahrhundert auch einen Bischoff an, der die sieben Bisthümer zusammen besaß, in welche die Grafschaft Gascogne vertheilt war. S. Abregé de l'Hist. de France. T. II. p. 585.

Bisthümer als Erbschafts = Stücke in der Fa=
milie zu erhalten, die sich einmahl in den Be=
sitz davon zu bringen gewußt hatte.   Dazu
kam es desto leichter und schneller, weil die
großen Familien der Grafen und Herzoge be=
reits angefangen hatten, die Bisthümer als
Versorgungs = Plätze für ihre jüngeren Söhne
zu betrachten, und daher oft selbst von den
schändlichsten *) Mitteln Gebrauch machten,
um sie hineinzubringen: allein es glückte den
neuen Erbbischöffen nicht, sich zu behaupten.

§. 17.

Sobald unter der neuen Dynastie das kö=
nigliche Ansehen sich wieder etwas gehoben hat=
te, so fieng man zuerst an, die Bischöffe wie=
der in ihr ehemahliges Verhältniß hineinzulei=
ten, und das Uebermaaß der Unordnung selbst,
zu welcher es mit ihnen gekommen war, er=
leichterte das Unternehmen, das noch durch
mehrere andere Umstände begünstigt wurde.
Sie wurden mit einem Wort bald genöthigt,
sich wieder an die Könige anzuschließen, und

da

*) Wie der Graf Heribert, der im J. 925. sei=
nen fünfjährigen Sohn zum Erzbischoff von
Rheims machen ließ.

da diese mit den weltlichen Großen nicht so
leicht fertig werden konnten, die darüber auch
auf das neue über die Bischöffe hinauswuchsen,
so sahen sie sich jetzt selbst gezwungen, den
Schutz und den Beystand der Könige gegen die
Beeinträchtigungen der Herzoge und Grafen
dadurch zu erkaufen, daß sie sich noch de-
müthiger als vorher an sie anschmiegten. Manchen einzelnen Bischoff kostete es noch ein größeres Opfer. Die mächtigen Herzoge und
Grafen, welche jetzt die Bisthümer selbst nicht
mehr so leicht an sich reißen konnten, legten
es nun darauf an, sie aus dem Besitz der Her-
ren-Rechte zu verdrängen, welche sie bisher in
ihren Diöcesen und besonders in ihren Residenz-
Städten behauptet hatten. Die Bischöffe aber,
die meistens zu schwach waren, sie gegen ihre
Angriffe zu retten, mußten sich glücklich schätzen, wenn sie nur verhindern konnten, daß die
Rechte nicht in die Hände ihrer Unterdrücker
fielen, und konnten es gewöhnlich nur dadurch
verhindern, indem sie solche freywillig den Königen übergaben. Sobald dieß von einigen geschehen war, so ließ man keine Gelegenheit un-
benutzt, und sparte auch keine Künste, um all-

mählig

mählig mehreren dazu Lust zu machen, und
so kam es, daß im Verlauf der nächsten Pe=
riode den meisten französischen Bischöffen von
den größeren Regalien, welche sie noch in diese
hineingebracht hatten, nur wenig mehr übrig
blieb.

§. 18.

Anders kam es hingegen in Deutschland,
weil hier die Politik der neuen Könige fortdau=
ernd ihr Interesse dabey fand, den Bischöffen
zu einer größeren weltlichen Macht und zu ei=
nem bedeutenderen Einfluß auf den Staat zu
verhelfen. Zwar machten hier im zehnten Jahr=
hundert die großen Geschlechter auch schon früh=
zeitig die Entdeckung, daß es eine trefliche
Sache um ein Bisthum sey, das in die Fami=
lie gebracht, und in der Familie erhalten wer=
den könne. Man legte es daher auch hier oft
genug darauf an, daß der bischöffliche Oheim
aus einem solchen Hause Anstalten treffen muß=
te, einem Vetter oder Neffen die Nachfolge
zu versichern; denn selbst der heilige Ulrich
von Augspurg ließ sich ja dazu verführen [18]):
aber

18) Im J. 970. bewürkte er bey dem Kayser
Otto

aber dabey schien der deutsche Adel sein Interesse besser als der französische zu verstehen.
Wenn es einer Familie gelungen war, einem
ihrer Söhne zu einem Bisthum in der Provinz
zu verhelfen, in der sie ihre meisten Besitzungen hatte, so glaubte sie ihm auch um ihrer
selbst willen zu einem größeren Ansehen und zu
einer größeren Macht verhelfen zu müssen.
Anstatt also die Güter des Bisthums an sich
zu reißen, legte sie wohl eher von den ihrigen
zu, und wenn der Bischoff mit einem benachbarten Grafen oder Herzog in eine Fehde verwickelt wurde, so hielt man es für Familien-
Sache,

Otto I., daß er seinem Neffen Adalbero zu
seinem Nachfolger ernannte, worauf er sich
in ein Kloster begab, und dem Neffen ohne
weiteres das Bisthum überließ. Aber die
Synode zu Ingelheim fand doch im J. 972.
den Vorgang gar zu unkanonisch, und machte
dem heiligen Mann über das Bedenkliche des
von ihm gegebenen Beyspiels so bange, daß
er das Bisthum wieder übernahm, und hernach in dem Tod seines Neffen, der vor ihm
starb, eine wohlthätige Strafe sah. S. Geb-
hardt in Vita S. Udalrici bey *Calles* T. IV.
p. 505. 516.

Sache, ihn zu unterstützen, und alles, was seinen Geschlechts-Nahmen trug, eilte zu seiner Vertheidigung herbey [19]). So konnten mehrere deutsche Bischöffe dieses Zeitalters zum Theil lange Kriege mit mächtigen Feinden aushalten, und am Ende mit eben so viel Ehre als Vortheil sich herausschlagen; aber meistens konnten sie auch dabey noch auf eine andere Unterstützung rechnen, die von größerem Nachdruck war.

§. 19.

So oft in diesem Zeitraum ein deutscher König aus einem neuen Hause gewählt wurde, welches mehrmahls der Fall war, so hatte er immer noch einen längeren oder kürzeren Kampf zu bestehen, ehe er sein Ansehen und seine Herrschaft für befestigt halten konnte. Der

19) Dieß war es, was die häßliche Fehde zwischen dem Bischoff Rudolph von Würzburg und den Söhnen des Herzogs Heinrich von Franken so sehr verlängerte, die zu Ende des neunten Jahrhunderts das ganze orientalische Francien beynahe zur Wüste machte. S. *Regino* ad ann. 897.

Der neue Königs-Stamm gehörte zwar meistens unter die mächtigsten im Reich; aber es gab doch noch andere eben so mächtige, von denen sich meistens der eine oder der andere durch Eifersucht über den ihm ertheilten Vorzug gereizt, gegen ihn erhob; daher wurde es für jeden Regenten durchaus nothwendig, eine überwiegende Parthie unter den übrigen Großen für sich zu gewinnen, die sich nicht nur aus Vasallen-Pflicht, sondern aus freywillig dankbarer oder eigennütziger Anhänglichkeit an ihn anschloß. Dabey mußte jeder zuerst an die Bischöffe denken. Durch ihr geistliches Ansehen konnten sie noch jeden Thron sehr würksam unterstützen, und an ihrer Geneigtheit dazu ließ sich am wenigsten zweifeln, da sie von dem Throne die kräftigste Unterstützung ihres weltlichen Ansehens erwarten konnten. Die neuen Könige Deutschlands machten es sich also zur Staats-Maxime, an der Vergrößerung der Bischöffe zu arbeiten, um sie mit den großen weltlichen Vasallen schneller auf eine Linie zu setzen, und dann gegen diese besser gebrauchen zu können. Sie bewiesen sich fast immer bereit, sie gegen die Bedrängungen

der

der Herzoge und Grafen in Schutz zu nehmen. Sie legten ihnen selbst die Rechte der Grafen in ihren Diöcesen bey [20]). Sie verliehen einem nach dem andern immer mehrere von den Regalien der Landeshoheit, welche ehemahls nur die Herzoge gehabt hatten. Sie gaben selbst einigen ganze Herzogthümer [21]); aber sie besetzten jetzt selbst auch manche Bißthümer mit ihren Söhnen [22]) und Verwandten, und

beka=

20) Die Diplome, wodurch die Erzbischöffe von Trier die Jura Comitatus schon im J. 898. und 902. erhielten s. bey Hontheim in Hist. Trevir. T. I. p 236. 253. Die späteren, wodurch sie im J. 1016. und 1046. auch von den Herzogen für ganz unabhängig erklärt wurden, s. eb. das. p. 351. 380.

21) Wie der Erzbischoff Bruno von Cöln das Herzogthum Lothringen von Otto dem Großen erhielt: aber Bruno war auch der Bruder von Otto.

22) So machte Otto nicht nur seinen Bruder zum Erzbischoff von Cöln, sondern auch seinen Sohn Wilhelm zum Erzbischoff von Maynz. Selbst der heilige Heinrich II. gab aber auch seinem Bruder Arnulf das Erzbisthum Ravenna.

bekamen nun einen Grund weiter, für die Erhaltung ihrer Macht und ihres Ansehens zu
sorgen.

§. 20.

Dieser Umstand war es, der aus den
deutschen Bischöffen etwas so ganz anderes
machte, als die Bischöffe der übrigen Staaten
wurden, indem er sie auch zu einer Stufe von
weltlicher Macht erhob, zu der sie in keinem
andern Reich gelangen konnten. Aber dabey
läßt sich auch ein anderer Umstand nicht übersehen, der es wieder sehr zweifelhaft macht,
ob sie im Ganzen dabey gewannen? Sobald
sie nehmlich so mächtige weltliche Herrn geworden waren, so mußte es unvermeidlich bald
dazu kommen, daß man in jedem Bischoff den
weltlichen Herrn auch mehr als den geistlichen
achtete. Sie selbst gaben mit unter Anlaß genug
dazu, denn sie ließen es auch selbst nur allzuoft merken, daß sie auf die Rechte ihrer
weltlichen Gewalt einen viel höheren Werth
setzten, als auf die Rechte ihrer geistlichen.
Sie wachten viel eifersüchtiger über der Behauptung von jenen, als von diesen. Sie wehr-

ten

ten sich viel leidenschaftlicher, wenn ein Ein=
griff in jene, als wenn einer in diese versucht
wurde. Was konnte aber daraus entspringen,
als daß sich der Einfluß, den sie sonst auch
durch ihre geistliche Gewalt auf den Staat ge=
habt hätten, immer mehr in dem größeren
verlohr, den sie als weltliche Dynasten darauf
erhalten hatten? daß man allmählig vergaß,
wie viel einst der Bischoff schon als Bischoff
in Staats = Sachen hatte mitsprechen dürfen?
und daß sie sich hernach in der Folge, da eine
Veränderung der politischen Staats=Verfassung
den Dynasten wieder vom Bischoff trennte,
auch schon um einen großen Theil ihrer geist=
lichen Macht gebracht sahen? Dieß erfuhren
die italiänisch = lombardischen Bischöffe, die sich
einige Zeit hindurch in einer gleichen Lage mit
den deutschen erhalten hatten, am frühesten:
und wenn sich auch die deutschen noch sechs
Jahrhunderte, wenn sie sich auch noch bis in
den Anfang des neunzehnten erhielten, mach=
ten sie dann nicht die Erfahrung desto vollstän=
diger?

Kap. VI.

Wozu die Bischöffe ihr kirchliches Straf=Recht
und ihren Einfluß auf die bürgerliche
Rechts=Pflege benutzen?

———————

§. I.

Auch in ihren Händen, wie in den Händen
aller übrigen Bischöffe, befand sich indessen im=
mer noch ein besonderes Mittel, das ihnen die
Ausübung einer mehrfachen Gewalt möglich
machte, durch welche sie in manche Ver=
hältnisse des bürgerlichen Lebens und selbst
auch in manche Verhältnisse des Staats ein=
greifen konnten. Zwar konnten sie nur in ih=
rem geistlichen Charakter Gebrauch davon ma=
chen, denn es bestand bloß in der Anwendung
der kirchlichen Disciplin oder des kirchlichen
Straf=Rechts bey allen Layen=Sünden, und
in dem Antheil, den man ihnen in ihrer Qua=
lität als Bischöffe auch an der bürgerlichen
Rechts=

Rechts = Pflege, zugestand. Das eine wie das andere hatten sie auch schon lange hergebracht, aber das eine und das andere war zugleich in diesem Zeitraum merklich bedeutender und würk= samer geworden, als es vorher gewesen war.

§. 2.

Bey dem Gebrauch der kirchlichen Disci= plin und bey der Ausübung ihrer geistlichen Criminal = Jurisdiktion waren bisher die Bi= schöffe am häufigsten und am ärgerlichsten da= durch eingeschränkt worden, weil es ihnen an Mitteln fehlte, ihre geistlichen Strafen für ge= wisse Gattungen von Verbrechern furchtbar ge= nug zu machen, und wieder an Mitteln fehlte, sie bey andern Gattungen nur anzubringen, oder diese zu ihrer Uebernahme zu zwingen. Kein Mensch machte ihnen das Recht strei=g, daß sie auch im Nahmen der Kirch= jedes Verbrechen ihrer Mitglieder bestrafen und eine Buße darauf setzen dürften, die theils als Besserungs = Mittel für den Verbrecher würken, theils die der Kirche zu leistende Genugthuung für die Uebertretung ihrer Gesetze vorstellen sollte. Aber in hundert Fällen würkte das

Ji 3   Mit=

Mittel gar nicht, durch das sie allein einen Verbrecher zu der Uebernahme ihrer Bußen zwingen konnten, und nur allzuoft mußten sie, seine Anwendung noch aus andern Gründen höchst bedenklich finden.

§. 3.

Jenes einzige Zwangs-Mittel war bekanntlich der Bann, oder die Ausschließung aus der kirchlichen Gemeinschaft, welche sie über einen widerspenstigen Verbrecher erkennen konnten. So lange aber keine weitere nachtheilige Folge damit verbunden war, als die bloße Entfernung von allen Handlungen des gemeinschaftlichen öffentlichen Gottesdiensts und die Entziehung aller der Vortheile, welche die Kirche gewähren konnte, so ließ sich ja immer voraus darauf zählen, daß sich tausende nichts darum bekümmern würden. Die Kirche hatte es sich deßwegen in den neuen christlichen Staaten, sobald sie nur mit der Menschen-Art, mit welcher sie hier zu thun bekam, etwas bekannter geworden war, mit weiser Bedachtsamkeit zum Grundsatz gemacht, das Zwangs-Mittel ihres Bannes nur selten anzuwenden. Auch

einige

einige der weiseren Päbste dieser Periode hielten es noch für nöthig, die Bischöffe mehrmahls daran zu erinnern [1]): doch in der Stille hatte man auch schon von dem Anfang dieser Periode an daran gearbeitet, mehr schreckendes und eben dadurch mehr würksames dabey anzubringen; daran arbeitete man sehr planmäßig diesen ganzen Zeitraum hindurch fort, und bald genug wurde es auch sichtbar, daß man nicht ohne Erfolg gearbeitet hatte.

§. 4.

So schien man es zuerst nur dahin bringen zu wollen, daß die weltliche Macht der Kirche zu der Vollziehung ihrer geistlichen Strafen jedesmahl den Beystand, den sie bedürfen würde, leisten sollte. Die Verordnung wurde daher mehrmahls wiederholt, und auch von den Königen auf das neue bestätigt [2]),

durch

1) So warnte sie Nicolaus I.: "ut non temere ad excommunicationes procedant", mit dem hinzugesetzten weisen Grund, ne autoritas episcopalis vilescat. Conc. T. VIII. p. 562.

2) Schon im J. 847. auf einer Synode zu

Maynz

durch welche die Obrigkeiten eines jeden Orts
und nahmentlich auch die Grafen angewiesen
wurden, jeden Verbrecher, der sich einer von
der Kirche verbotenen Handlung schuldig gemacht hätte, im Nothfall mit Gewalt zu zwingen, daß er sich vor dem Bischoff stellen,
und die ihm aufgelegte Buße übernehmen müßte. Ausdrücklich wurde ihnen dieß auch in
Beziehung auf solche Verbrecher zur Pflicht
gemacht, von denen sonst die bürgerliche Criminal = Justiz keine Notiz nahm, wie zum
Beyspiel auf solche, die sich einer Verletzung
der kirchlichen Keuschheits = und Ehe = Gesetze,
die sich eines Ehebruchs schuldig gemacht, eine
incestuöse Heyrath geschlossen, oder ihre Ehen
eigenmächtig getrennt, hatten. Dadurch aber
erhielt die Kirche schon den Vortheil, daß sie
sich und ihre Gesetze bey den Layen im Respekt
erhalten konnte, ohne es so oft zum Bann
kommen zu lassen; denn ihr Zweck war bereits
erreicht, wenn sie nur dazu gebracht wurden,
sich ihrer Zucht zu unterwerfen. Es trug wenig

Maynz c. 28. Im J. 860. auf dem Konvent
zu Koblenz Labbé T. VIII. p. 699. und im
J. 895. auf dem Concilio zu Tribur can. 8.

nig aus; ob dieß freywillig oder mit Zwang
geschah; hingegen konnte sie meistens darauf
zählen; daß ihre Buß = Zucht noch mehr als
ihr Bann würken würde, weil sie gewiß mancher rohe Sünder ungleich beschwerlicher fand;
als er jetzt noch die Folgen ihres Bannes hätte
finden mögen.

§. 5.

Damit war jedoch nicht so viel gewonnen,
als man brauchte. Wenn auch — was doch
gewiß nicht immer der Fall war — die welt=
lichen Obrigkeiten sich noch so bereitwillig zeig=
ten, jedem Bischoff auf seine erste Requisition ih=
ren Arm und ihre Hülfe zu leihen, so konnten
sie ihnen gewöhnlich nur solche Verbrecher aus=
liefern, denen sie meistens, auch ohne fremde
Hülfe hätten beykommen können. Auch die
Macht des Grafen und seiner Unterrichter er=
streckte sich nur auf die unteren Völks = Klas=
sen, oder war nur furchtbar für diese. Wer
zum Ritter = und Herren = Stand gehörte, ja
selbst schon die Vasallen, die Lehens = Leute
und die Knechte eines nur etwas mächtigen
Ritters wußten Mittel genug, sich ihr zu ent=

ziehen; waren sie ihr, aber auch sonst erreich=
bar, so hüteten sich die Grafen gewiß, sie
dem Bischoff allein zu Gefallen gegen einen
solchen Verbrecher zu gebrauchen, wenn ihnen
nicht noch aus andern Gründen mit einer Ge=
legenheit dazu gedient war. Höher hinauf
kam dieß immer schlimmer: denn von wem
konnten die Grafen selbst, und die Herzoge
und die Könige gezwungen werden, sich der
Zucht der Kirche zu unterwerfen, wenn sie
nicht aus eigenem Antrieb, oder aus Furcht
vor der Hölle und vor dem Teufel harunter
sich schmiegen wollten 3)? Die Sünden von
die=

3) So kostete es die deutschen Bischöffe einen
langen, mehrere Jahre hindurch fruchtlos ge=
führten Kampf, bis sie endlich im J. 1023.
den Grafen Otto von Hammerstein dazu brach=
ten, daß er seine incestuöse Heyrath wieder
zerriß, und dann war es erst nicht ihr
Bann, sondern der Kayser, der ihn dazu be=
wog. S. Calles T. V. p. 224. Als sie aber
im folgenden Jahr dem neuen König Conrad
II. seine Gemahlin Gisele aus dem nehmli=
chen Grund wegsprechen wollten, so erklärte
ihnen dieser, wie wenigstens Rud. Glaber

diesen, wenn sie auch noch so schreiend und notorisch waren, mußte sie also fortdauernd ignoriren, oder ihr letztes Zwangs-Mittel, den Bann, gegen sie gebrauchen; dabey aber machte sie fast jedesmahl nur eine neue Erfahrung, daß es fast gar keine Würkung hatte.

§. 6.

Um sich nun auch hier eine seltenere Anwendung des Bannes möglich zu machen, erfand man eine Auskunft, die noch mehrere Vortheile gewährte. Man fieng jetzt an, die Exkommunikation von dem Bann zu unterscheiden oder abzusondern, indem man dem letzten außer den Würkungen der ersten noch mehrere und andere zuschrieb, welche die bloße Exkommunikation nicht nach sich ziehen sollte. Unstreitig war dieß etwas neues, denn bisher hatte man sich unter Bann und Exkommunikation eine und eben dieselbe Strafe gedacht, weil die Würkungen des Bannes bloß darinn bestanden, daß derjenige, den er traf, von aller Gemeinschaft mit der Kirche ausgeschlossen

L. IV. erzählt, sogleich höchst bestimmt, daß er sich niemahls dazu verstehen würde.

sen wurde. – Daß man aber noch im neunten
Jahrhundert darauf verfiel, beweisen mehrere
Decrete von Päbsten und Synoden, die ihm
noch zugehören, worinn gewisse Verbrecher ausdrücklich bedroht wurden, daß sie nicht nur
exkommunicirt, sondern auch mit dem Bann
belegt werden sollten 4). Aber es ergiebt sich
auch eben so deutlich daraus, worinn man
jetzt den Unterschied setzte, als was man damit abzweckte. Durch die Exkommunikation sollten dem Verbrecher nur die Vortheile, die ihm
die Kirche gewähren könnte, entzogen, durch
den Bann aber der förmliche Fluch der Kirche
auf ihn gelegt werden. Die erste sollte nur
den Verlust eines Guts, der andere aber eine
Reihe

4) Schon eine Synode zu Pavia vom J. 850.
bestimmte Can. 12. höchst deutlich den Unterschied. Auch Hadrian II. drohte in einem
Schreiben an die Großen von Lothringen allen denjenigen, welche die Entwürfe des Königs von Frankreich wegen der Lothringischen
Krone begünstigen würden, daß sie nicht nur
a communione ecclesiae separandi, sondern auch
aeterno anathematis vinculo alligandi seyn würden. Conc. T. VIII. p. 917.

Reihe von würklichen, zeitlichen und ewigen Uebeln nach sich ziehen, denn man setzte voraus, daß Gott die Flüche der Kirche eben so unfehlbar als ihre Gebete erhören und erfüllen müsse, und studierte jetzt nur darauf, die Fluch-Formulare, deren man sich bediente, immer gräßlicher und pathetischer zu machen [5]).

§. 8.

Die Veränderung, die man dabey anbrachte, bestand also im Grunde bloß darinn, daß man jetzt theilte, was ehmahls beysammen gewesen war [6]), denn sonst hatte man immer geglaubt, daß die Ausschließung aus der Gemeinschaft der Kirche den Fluch von selbst nach sich ziehe. Durch die Theilung bekam man aber jetzt eine Gradation der Strafe, die doch immer, so viel auch dabey auf der Einbildung beruh=

[5]) Einen der gräßlichsten dieser Flüche sprachen die Bischöffe der Rheimsischen Diöcese im J. 900. über die Mörder ihres Erzbischoffs, Fulco aus. Conc. T. IX. p. 481.

[6]) Wenigstens fand jetzt die Exkommunikation ohne das Anathem statt; mit dem letzten aber war immer auch die erste verbunden.

beruhte, den Vortheil gewährte, daß man jetzt seltener genöthigt wurde, es zu dem letzten und äußersten Grade kommen zu lassen. Wenn nun ein trotziger und mächtiger Verbrecher auf keinem Wege dazu gebracht werden konnte, sich der Zucht der Kirche zu unterwerfen, so erklärte man ihn für exkommunicirt, und verschaffte doch damit dem beleidigten Ansehen ihrer Gesetze schon einige Genugthuung. Fühlte er sich vielleicht selbst weiter nicht dadurch gestraft, so konnte es doch auf Andere Eindrücke machen [7]); wenn man es aber auch in Ansehung

---

[7]) Um deßwillen bewögen und zwangen auch zuweilen die Könige ihre Bischöffe, daß sie den Bann über Staats-Verbrecher oder Rebellen aussprechen mußten, und brachten sie nicht selten dadurch in große Verlegenheit. So verlangte im J. 898. der König Zwentibold von dem Erzbischoff von Trier, daß er den Herzog Reginarius und den Grafen Ottocar mit dem Anathem belegen sollte, und wurde durch die Weigerung des Erzbischoffs so aufgebracht, daß er ihm selbst in der Wuth einen Schlag gab. S. *Regino* und Annal. Metens. ad ann. 899. Im J. 1030. aber sprachen würk-

hung seiner weislich dabey bewenden ließ, weil
man voraussah, daß er sich um den Bann eben
so wenig bekümmern würde, so konnte man
jetzt dieser Mäßigung ein Ansehen von schonen=
der Langmuth geben, denn nun hatte man doch
noch etwas scheinbar härteres, wozu man ge=
gen ihn schreiten konnte.

§. 8.

Dabey unterließ man jedoch nicht, noch
andere Vorkehrungen gegen das Uebel zu tref=
fen, durch welche es auf einem kürzeren
Wege vollständiger gehoben werden konnte. In
dieser Absicht suchten es die Bischöffe vorzüg=
lich dahin zu bringen, daß aus ihrem Bann
mehr nachtheilige Folgen für das bürgerliche
Leben entspringen sollten, denn sie urtheilten
sehr richtig, daß er dadurch allein für die
Menschen, mit denen sie zu thun hatten, eine
hinreichend = würksame Furchtbarkeit erlangen
könnte. Sie thaten daher alles mögliche, um
den Glauben unter das Volk zu bringen, daß

jeder,

würklich die deutschen Bischöffe über den ale=
mannischen Herzog Ernst II. auf Befehl des
Kaysers Conrads II. das Anathem aus.

jeder, der in den Bann der Kirche verfalle, ja.
ſchon jeder aus ihrer Gemeinſchaft ausgeſchloſ-
ſener eben dadurch auch) zu jedem bürgerlichen
Amt, ja ſelbſt zum Kriegs = Dienſt unfähig
werde; im J. 850. aber machten ſie es auf einer Synode zu Pavia ſchon förmlich zum Geſetz 8). Dieß hieß nicht viel weniger, als den
Verluſt der ganzen bürgerlichen Ehre an ihren
Bann angeknüpft; wovon zugleich noch der Verluſt anderer Vortheile abhieng, die zum Theil
im geſellſchaftlichen Leben einen eben ſo hohen
würklichen als konventionellen Werth hatten.

§. 9.

So verſtand es ſich z. B. von ſelbſt, daß
kein Exkommunicirter eine Rechts = Sache vor
einem geiſtlichen Gericht führen, daß keiner nur
ein gültiges Zeugniß in einem kirchlichen Gerichts = Hof ablegen, keiner ein Teſtament bey
der

---

8) S. *Labbé* T. VIII. p. 66. "Qui pro ſceleribus
ſuis reverendis aditibus excluſi ſunt, nullo mili-
tiae ſecularis uti concilio, nullamque reipublicae
debent adminiſtrare dignitatem, nec quorum-
libet cauſas judicare, cum ſint divino addicti
judicio."

der Kirche niederlegen, oder die Rechtskräftig-
keit des Testaments durch die gehörigen Formalitäten sicher stellen konnte. Schon die bloße
Ausschließung von der kirchlichen Gemeinschaft
entfernte ihn von allem, wobey die Kirche dazwischen kam; daher konnte er auch unter gewissen Umständen in keinem bürgerlichen Gerichtshof Recht erhalten, denn er durfte zu keinem Eid gelassen werden. Er konnte nicht
heyrathen, denn kein Priester durfte ihm den
Seegen geben. Er konnte kein Gut der Kirche in Pacht oder als Lehen haben, und wenn
ihm auch selbst nichts daran gelegen war, daß
er nach seinem Tode nicht in geweihte Erde
begraben wurde, so sah doch meistens seine
ganze Familie eine Beschimpfung darinn, welche sie gern um einen hohen Preis abgekauft
hätte 9). Schon damit war aber gewiß nicht
übel

9) Man findet daher einige Beyspiele, daß der
Bann über einen Verbrecher auf die Verwendung seiner Familie noch nach seinem Tode aufgehoben wurde, aber man kann selbst
aus ihrer Seltenheit schließen, daß es viel
kostete, dieß zu erhalten. So erzählt Flo-

übel dafür geforgt, daß der Bann der Kirche
nicht

doard Histor. L. IV. c. 16. daß eine Synode
zu Troßley im J. 921. einen Grafen Erle=
bold noch nach feinem Tode von dem Bann
losgeſprochen habe, unter dem er geſtorben
war. Freylich aber hieng nicht bloß das ehr=
liche und chriſtliche Begräbniß, ſondern auch
die ewige Seeligkeit von dieſer Losſprechung
ab, denn dieß wurde allgemein geglaubt, daß
kein unter dem Bann Geſtorbener in den Him=
mel kommen könne. Der gute Biſchoff Ger=
hard von Toul, der im J. 994. ſtarb, erfand
daher eine eigene Auskunft, um das Harte
dieſes Umſtands zu mildern. Einige Edel=
leute feiner Diöceſe, die er wegen räuberi=
ſcher Angriffe auf die Güter feiner Kirche
mit dem Bann hätte belegen müſſen, ſchienen
ſich weiter nichts darum zu bekümmern, und
gaben ihm daher Urſache zu fürchten, daß ſie
wohl im Bann ſterben könnten. Da er ſie nun
doch nicht ewig verdammt haben wollte, ſo
abſolvirte er ſie jedesmahl des Nachts in ge=
heim, um ſie doch im Fall eines plötzlichen
nächtlichen Todes dagegen zu ſichern, und ex=
kommunicirte ſie jeden Morgen auf das neue.
S. *Vindricus* in Vita S. Gerhardi, Tullenſ. Ep.
c. 37. bey Henſchen ad 23. Apr.

nicht bloß für die Einbildung schreckend, sondern auch etwas fühlbar = schmerzhaftes werden konnte.

§. 10.

Doch auch hier trat der schlimme Umstand ein, daß sich in so manchen Fällen nur das wenigste davon würklich anbringen ließ. Wenn ihr Bann einen Großen traf, wie wenig kostete es ihn, sich auch gegen die meisten jener Folgen davon zu sichern? Gegen einen schwächeren suchte er ohnehin niemahls Recht bey einem Gerichts = Hof, sondern nahm es sich selbst. Wenn er ja zu irgend etwas den Dienst eines Geistlichen zu bedürfen glaubte, so konnte es ihm nicht schwer werden, einen gefälligen Burg = Pfaffen zu erkaufen. Je mehr er aber von der Kirche Güter zu Lehen hatte, desto weniger durfte er befürchten, sie durch den Bann zu verliehren, denn desto leichter konnte er sich mit Gewalt in ihrem Besitz behaupten. Am wenigsten ließ es sich dahin bringen, daß jeder, den man aus der Kirche ausschloß, auch eben damit von jedem Amt in der bürgerlichen Gesellschaft ausgeschlossen worden wä-

Kk 3   re.

re. Bey unbedeutenderen und kleineren Stellen mochte es zuweilen dazu kommen; aber bey den höheren Staats-Aemtern kam es nie dazu, denn man findet zwar Beyspiele in Menge von Herzogen und Grafen und Rittern, die zuweilen in größer Anzahl zusammen mit dem gräßlichsten Bann-Fluch belegt wurden, weil sie die Güter einer Kirche an sich gerissen, oder einen Geistlichen mißhandelt hatten; aber man findet kein Beyspiel, daß einer seine Würde, sein Amt oder auch nur seinen Dienst im Heerzug verlohren hätte.

§. II.

Auch damit war also nicht ganz geholfen; denn der Kirche war am meisten daran gelegen, auch die höheren Stände der Gesellschaft unter ihrer Zucht zu erhalten, und gerade bey diesen konnte sie ihr geschärftes Zwangs-Mittel noch immer am wenigsten anbringen: allein vor dem Ablauf dieser Periode erfand sie noch eine Anstalt, die zu allernächst dafür berechnet war, dem Zwangs-Mittel ihres Bannes auch in der Anwendung auf mächtigere Verbrecher eine größere Kraft zu geben, und würk-

würklich ganz vortrefflich dafür berechnet war.
Dieß war die Anstalt der sogenannten Inter=
dikte, wovon man zwar schon im neunten
Jahrhundert Spuhren findet, deren bestimm=
ter Gebrauch zu dieser Absicht aber wohl erst
in das zehnte und eilfte Jahrhundert gesetzt
werden darf.

§. 12.

Wenn nehmlich irgendwo ein Verbrechen
gegen die Kirche begangen worden war, für
das sie entweder wegen der Macht des trotzi=
gen Beleidigers oder wegen anderer Umstände
keine Genugthuung erlangen konnte, so belegte
iezt der Bischoff den ganzen Ort, wo er sich
aufhielt, oder auch den ganzen Gau, in wel=
chen der Ort gehörte, mit dem Interdikt:
dieß heißt, er verfügte, daß der ganze äußere
Gottesdienst darinn aufhören oder stillstehen
sollte. Alle Kirchen des Orts wurden nun
verschlossen, alle darinn befindlichen Reliquien
dem öffentlichen Anblick entzogen, ja selbst
alle Crucifixe und Heiligen=Bilder verhüllt.
Keine Glocke durfte mehr geläutet, kein Sa=
krament ausgetheilt, und kein Verstorbener,

so lange das Interdikt dauerte, in geweihte Erde begraben werden: voraus aber wurde angekündigt, daß seine Aufhebung nicht eher erfolgen sollte, bis der Kirche das für die erlittene Kränkung von ihr geforderte Opfer gebracht sey.

§. 13.

Was und wie nun dieß würken mußte? — erklärt sich von selbst. Es war dabey bloß auf den Eindruck gerechnet, den das schauervolle und Entsetzen erregende des äußeren Anblicks, welchen ein mit dem Interdikt belegter Ort darstellte, auf die Menge und auf die Volks-Masse machen müßte. Es war darauf gerechnet, daß dieser Eindruck das Volk zuerst betäuben, aber bald darauf in eine desto heftigere Bewegung bringen müßte, durch welche die Kirche jeden Widerstand, der sich ihr entgegensetzte, unfehlbar würde besiegen können. Dieß bewies auch der Erfolg in den meisten Fällen, in denen man es anwandte. Wenn z. B. irgendwo ein gemeinschaftliches Verbrechen begangen — wenn in einem Volks-Aufstand das Heiligthum einer Kirche verletzt — ein

ein Geistlicher verwundet, oder ermordet —
oder die Kirche selbst spolirt worden war, und
von den Schuldigen wegen ihrer Menge oder
wegen ihres Ansehens und ihrer Macht oder
wegen eines höheren Schutzes, auf welchen sie
trotzten, keine Genugthuung erlangt werden
konnte, so setzte man das Volk durch ein In=
terdikt erst in Schrecken, und dann in Flam=
men, überließ es ihm, die Verbrecher zu
zwingen, daß sie durch eine schleunige Aus=
söhnung mit der Kirche den Fluch wieder ab=
wenden mußten, den sie über das Land ge=
bracht hatten, und durfte meistens nicht lange
auf den Erfolg warten, denn der Wuth des
durch religiöses Entsetzen fanatisirten Pöbels,
der nun für die Kirche kämpfte, konnte nicht
leicht eine Gewalt widerstehen.

§. 14.

Die zwey ersten Versuche damit, die noch
im neunten Jahrhundert gemacht wurden,
mißlangen zwar, so viel man weiß, völlig;
aber theils wurden sie weder zu rechter Zeit,
noch mit der rechten Art, theils unter sehr
ungünstigen äußeren Umständen angestellt.

Kk 4   Unter

Unter den Händeln, welche der Bischoff
Hincmar von Laon mit seinem König, Carl
dem Kahlen von Frankreich, bekam, unterstand
er sich, einen Gebrauch davon zu machen,
der eben so viel freche Kühnheit, als jugend=
liche Unbesonnenheit verrieth. Im J. 869.
sollte er auf der Synode zu Verberie erschei=
nen, die um seiner Händel willen veranstaltet
war; da er aber bey seinem gefaßten Ent=
schluß, sich auf der Synode nicht einzulassen,
sondern an den Pabst zu appelliren, sehr ge=
gründete Ursachen zu der Besorgniß hatte,
daß ihn der König gefangen nehmen möchte,
so ließ er den ganzen Klerus seiner Diöcese
zusammen kommen, und wies ihn voraus
an, daß in diesem Fall der Gottesdienst in
allen Kirchen des Bisthums bis zu seiner Zu=
rückkunft oder bis zu einer neuen von dem
Pabst selbst deßhalb gemachten Verfügung
eingestellt werden müsse [10]. Es war somit
ein wahres Interdikt, daß er auf seine ganze
Diöcese gelegt haben wollte, und dabey konnte
er nur eine einzige Absicht haben. Er mußte
hoffen,

10) S. Hincmari Rhemens. Ep. I. ad Hincmarum
Laudun. bey *Labbé* T. VIII. p. 1790.

welche der Bischoff
seinen König, Carl
, bekam, unterstand
davon zu machen,
, oder, als jugend=
. Im J. 869.
zu Verberie erschei=
willen veranstaltet
rem gefaßten Ent=
te nicht einzulassen,
appelliren, sehr ge=
Besorgniß hatte,
zu nehmen möchte,
aus seiner Diöcese
aus ihn voraus
der Gottesdienst in
bis zu seiner Zu=
neuen von dem
alten Verfügung
. Es war somit
auf seine ganze
, und dabey konnte
haben. Er mußte
hoffen,

l. ad Hincmarum
a p 790.

hoffen, daß das Furchtbare der Sache eine
Bewegung in der Provinz erregen würde, wel=
che den König nöthigen könnte, ihn sogleich
wieder in Freyheit zu setzen, und ihm vielleicht
selbst noch eine weitere Genugthuung zu geben;
allein dieser Hoffnung konnte er sich freylich
nur in der Hitze einer sehr blinden Leidenschaft
überlassen.

§. 15.

Wenn es ja würklich auch dazu gekommen
wäre, daß das Interdikt eine allgemeine
Volks = Bewegung und selbst einen allgemeinen
Volks = Aufstand in der Diöcese veranlaßt hät=
te, so war es doch mehr als zweifelhaft, ob
sich der König dadurch schrecken lassen würde,
und wenn er sich nicht dadurch schrecken ließ,
so war es mehr als wahrscheinlich, daß der
tolle Schritt zum äußersten Unglück der gan=
zen Provinz ausschlagen könnte. Aber es war
schon höchst zweifelhaft, ob sich auch nur das
Volk in Bewegung dadurch bringen lassen
würde; denn da er in seinem Handel alle Bi=
schöffe der Provinz und selbst den Metropoli=
ten gegen sich hatte, so ließ sich auf das ge=

wisse=

wisseste voraussehen, daß sein Interdikt sogleich von einer Synode aufgehoben werden, und dann fast eben so gewiß erwarten, daß sich der Klerus der Diöcese so gern als das Volk dabey beruhigen würde. Dieß war auch der Gang, den die Sache nahm. Nach der Synode zu Verberie schrieb zwar Hincmar würklich an seine Geistlichkeit, daß sie jetzt das Interdikt publiciren und vollziehen sollte. Doch diese war so vernünftig, erst dem Metropoliten Nachricht davon zu geben. Der Metropolit hielt es nicht einmahl für nöthig, eine Synode deßwegen zu veranstalten, sondern hob es sogleich aus eigener Autorität auf [11]), und damit war auch in Laon alles zufrieden.

§. 16.

Andere Umstände veranlaßten das Mißlingen eines zweyten Versuchs, der zehen Jahre später bey einer andern Gelegenheit mit dem gefährlichen Spiel gemacht wurde; doch hat man zu wenig historische Nachrichten, als daß sich mit Genauigkeit und Gewißheit bestimmen lassen

11) S. *Labbé* T. VIII. p. 1790-1809.

laſſen könnte, wie weit er verfehlt wurde, weil man nicht beſtimmt weiß, was zunächſt dabey abgezweckt war.

Im J. 878. war der Herzog Lambert von Spolet nach Rom gekommen, und in der Stadt ſo mächtig geworden, daß der damahlige Pabſt Johann VIII. ſich völlig in ſeiner Gewalt ſah. Er wurde auch faſt ganz als ſein Gefangener von ihm behandelt, denn außer andern Beſchimpfungen, die man ihm erwies, bewachte man auch jeden Zugang zu ihm ſo genau, daß keiner ſeiner Freunde und Anhänger zu ihm kommen konnte. Nach einer nicht ſehr langen Zeit mußte jedoch, Lambert aus Rom wieder abziehen, und der erſte Gebrauch, den der Pabſt von ſeiner dadurch wieder erlangten Freyheit machte, beſtand jetzt darinn, daß er alle Koſtbarkeiten und Heiligthümer aus der Peters = Kirche hinwegnahm, den großen Haupt = Altar darinn verhüllen, und die Kirche ſelbſt verſchließen ließ. Unmittelbar darauf ſchiffte er ſich aber ein, um ſich an einem andern Ort in völlige Sicherheit zu bringen [12]).

§. 17.

____

12) S. Annal. Fuldenſ. a. d. ann. 878.

§. 17.

Dieß sollte unstreitig eine Art von Inter=
dikt vorstellen, womit der Pabst zwar nicht
alle Kirchen von Rom, sondern nur die Pe=
ters = Kirche belegen wollte. Gewiß war dieß
auch für jeden Zweck, den er dabey haben
konnte, hinreichend, denn es kann nicht zwei=
felhaft seyn, was er im allgemeinen dabey ab=
zweckte; nur kennt man nicht alle Umstände,
durch welche er noch in dem Augenblick selbst,
da er den Schritt that, dazu bestimmt wur=
de. Hätte Johann Mittel gefunden, noch
während der Anwesenheit Lamberts in Rom
und während seiner Gefangenschaft die Peters=
Kirche verschließen zu lassen, so würde man
sehr im klaren darüber seyn; allein der Ge=
schichtschreiber, dem wir die ganze Nachricht
verdanken, erzählt ausdrücklich, daß er es
erst nach dem Abzug seiner Feinde und unmit=
telbar vor der seinigen thun ließ [13]). Doch
man

---

13) Er habe es — erzählt der Annalist — di-
greffis hostibus gethan, und sich hernach so=
gleich eingeschifft, und nach Frankreich bege=
ben. Uebrigens schien auch der gute Mönch
das

man kann ja vermuthen, daß der Pabst sonst
noch Feinde genug in Rom zurückließ, die
auch an seiner Gefangennehmung Theil gehabt
haben mochten. Man kann also auch anneh=
men, daß es ihm darum zu thun war, die
größere Volks = Masse während seiner Abwesen=
heit in einer feindseligen Gährung gegen diese
Parthie zu erhalten; in diesem Fall wäre es
aber auch möglich, daß der Schritt immer
etwas gewürkt haben könnte, wiewohl uns
Nachrichten darüber fehlen. Wahrscheinlich
wurde indessen bald nach seiner Abreise die
verschlossene Peters = Kirche wieder geöffnet,
die Hülle von ihrem Altar wieder wegge=
nommen, und damit dem Interdikt ein Ende
gemacht.

§. 18.

Am auffallendsten würden sich hingegen in
diesem Zeitraum die möglichen Würkungen eines
Inter=

das Verfahren des Pabsts nicht zu billigen,
denn bey der Erwähnung, daß niemand in
die Kirche gelassen worden sey, der darinn
sein Gebet habe verrichten wollen, setzt er
hinzu: quod dictu nefas est!

Interdikts an demjenigen gezeigt haben, mit welchem Gregor V. im J. 998. das ganze französische Gebiet belegt, und durch welches er dem König Robert die Trennung seiner Heyrath mit der Prinzessin Bertha abgezwungen haben soll, wenn nur die Richtigkeit der Thatsache nicht den bereits erwähnten historischen Zweifeln ausgesetzt wäre. Doch dafür bietet sich ja aus der Geschichte des eilften Jahrhunderts noch ein anderer unbestrittener und unbestreitbarer Vorfall an, durch welchen man nicht nur von der Würksamkeit, sondern auch von der Würkungs = Art dieses furchtbarsten aller kirchlichen Zwangs = Mittel und selbst von der Manier seiner Anwendung eine höchst lebhafte und anschauliche Idee bekommt.

§. 19.

Auf einer Synode zu Limoges im J. 1031. war den Bischöffen angebracht worden, daß sich die Ritter und Edelleute der Provinz beharrlich weigerten, das wohlthätige Gesetz anzunehmen, das nicht lange vorher auf einer andern französischen Synode unter dem Nahmen des Gottes = Friedens — Treuga Dei —

sank=

sanktionirt und publicirt worden war. Mit
dem Bann waren die Widerspenstigen schon bedroht, und auch hier und da schon belegt
worden [14]). Ein eigenhändiger Brief der
Jungfrau Maria, der vom Himmel gefallen
war, und den Uebertretern des Gottes-Friedens die furchtbarsten göttlichen Strafen ankündigte, hatte bey dem wilden Volk auch
nichts gewürkt; daher beschloß man nun, daß
die ganze Grafschaft so lange mit dem Interdikt [15]) belegt werden sollte, bis der gesamm-

te

14) Es war ein fürchterlicher Bann-Fluch mit
allen Solennitäten auf der Synode selbst in
einer der ersten Sitzungen über sie ausgesprochen worden. S. Conc. Lemovic. II. bey
Labbé T. IX. p. 891.

15) Es ist möglich, daß man hier die Würkungen des Interdikts aus einer neuen Erfahrung kannte. Erst im J. 1023. sollte nehmlich der Erzbischoff von Bourges, in dessen
Sprengel Limoges gehörte, die ganze Grafschaft mit dem Interdikt belegt haben, weil
sich der neue Bischoff Jordan von Limoges
nicht von ihm, sondern an einem andern Ort
hatte konsecriren lassen, und dieß sollte so
viel

te Adel den Frieden beschworen habe. Ausfährlich wurde dabey bestimmt, wie es damit
zu halten sey; die Kirchen sollten zwar nicht,
ganz verschlossen, sondern des Tags einmahl
auf ein gegebenes Zeichen dem Volk geöffnet,
aber nur dazu geöffnet werden, damit Buß
Gebete darinn angestellt werden könnten. Alle
Altäre müßten jedoch dabey von ihrem Schmuck
entkleidet, wie alle Reliquien, und Bilder
und Crucifixe verdeckt werden. Eine geheime
Messe dürfte nur jeder Priester des Tags für
sich lesen, und so möchten auch geheime Taufen statt finden; hingegen keine Ehe dürfte eingesegnet, keine Leiche begraben, und die ganze Zeit des Interdikts hindurch kein —
Fleisch in der Grafschaft genossen werden [16]).

§. 20.

viel gewirkt haben, daß der Bischoff mit seinem ganzen Klerus und allen Mönchen der
Diöcese zu Fuß und zwar barfuß nach Bourges wanderte, um den Metropoliten auszusohnen. S. *Mabillon* Annal. T. IV. p. 301.

[16) "Nemo nisi Clericus, aut pauper mendicans
aut peregrinus adveniens aut infans a bimatu
et infra in toto Lemovicano sepeliatur, nec in
alium

§. 20.

Wie und was nun eine solche Maschinerie im Großen und im Kleinen angebracht würken konnte? dieß legt sich von selbst dar, und eben damit legt sich auch von selbst dar, wie treff= lich die Erfindung für den Vortheil der Kirche berechnet war. Dieser Vortheil schien nur durch den Umstand eingeschränkt zu werden, daß sie nicht allzuoft angebracht werden durfte, denn es war unmöglich, sich zu verhehlen, daß ihre häufige Anwendung ihrer Würksamkeit scha= ben müßte; allein dadurch konnte man nicht viel verliehren, denn die häufige Anwendung wurde auch von selbst überflüssig, sobald man einmahl durch die bloße Furcht vor dem Inter= dikt eben so viel als durch das Interdikt selbst aus=

alium Episcopatum ad sepeliendum portetur. Nemo uxorem ducat. Nemo alteri osculum det. Nemo carnem comedat, neque alios ci= bos, quam illos, quibus in quadragesima vesci licitum est. Nemo laicorum aut Clericorum tondeatur vel radatur, quousque districti prin= cipes, capita populorum, per omnia sancte obediverint concilio." eb. das. p. 901.

ausrichten konnte. Dazu mochte es aber bald
gekommen seyn; wenigstens stoßt man noch im
zehnten Jahrhundert auf einen Umstand, der
einen kaum glaublichen Beweis giebt, welche
unnatürliche Kraft die Kirche selbst ihrem Interdikt bereits zuschrieb, und wie ungeheuer
viel sie sich damit auszurichten getraute. Man
wagte es ja — dieß ist dieser Umstand — man
wagte es, förmlich zu verordnen, daß ein Interdikt, das auf einen Ort gelegt worden sey,
nicht eher wieder aufgehoben werden sollte, bis
auch jedesmahl dem Klerus des Orts der Schaden völlig ersetzt sey, der für ihn daraus erwachsen seyn möchte [17]).

17) Diese Verordnung findet sich unter den Kon-
stitutionen des Erzbischoffs Walter von Sens
c. 14. "Praecipimus, ut quando aliqua terra
propter delictum Domini terrae vel Ballivorum
supposita fuerit interdicto, nullatenus relaxetur,
donec ad arbitrium et moderamen relaxantis
presbyteris parochialibus de damnis et perditis
interdicti occasione illatis plane fuerit satisfactum,
vel de satisfaciendo cautum." Conc. T. IX. p. 578.

Kap. VII.

Kap. VII.

Besserer und wohlthätigerer Gebrauch, den die
Kirche von ihrem Einfluß auf die bürgerliche
Rechts-Pflege macht.

§. 1.

Weniger als durch den Gebrauch der kirchlichen Disciplin oder des kirchlichen Straf-
Rechts konnten die Bischöffe in diesem Zeitraum
durch den Antheil, den man ihnen an der bürgerlichen Rechts-Pflege, oder durch den Einfluß, den man ihnen darauf einräumte, in
Beziehung auf den Staat würken; doch verdient es immer auch noch in die Berechnung
genommen zu werden, was sie in dieser Hinsicht oder von dieser Seite her würkten und
würken konnten. Außerdem verdient es noch
aus einem besondern Grund erwähnt zu werden, denn dieß war unstreitig die Seite, von
welcher die Kirche in die wohlthätigste Berüh-

Ll 2 rung

rung mit dem Staat kam. Auch war es nicht
ihre Schuld, daß sie nicht noch weit wohlthä=
tiger für ihn wurde, oder daß er nicht noch
mehr Vortheile daraus zog.

§. 2.

Von dem besonderen Gebrauch, den die
Bischöffe von jener Gerichtsbarkeit machten,
nach welcher sie unter gewissen Bestimmungen
auch in so manchen bürgerlichen Sachen zu
sprechen und zu kognosciren befugt waren,
mag hier ganz abgesehen werden. Die Aus=
übung dieser Gerichtsbarkeit mochte sich ohne=
hin meistens in jener verliehen, die ihnen in
ihren Diöcesen nach ihrem Charakter als welt=
liche Herrn zustand; doch darf man im allge=
meinen gewiß annehmen, daß auch schon die
eine und die andere für einzelne Gattungen von
Menschen wohlthätig genug wurde, die mei=
stens in den Gerichts=Höfen der Kirche ein
billigeres und gerechteres Recht als in den
weltlichen finden könnten. Weit mehr in das
Große gieng hingegen der Einfluß, durch den
sie vorzüglich in zwey besonderen Beziehungen
auf

auf die bürgerliche Rechts = Pflege mittelbar
und unmittelbar einwürken konnten.

§. 3.

Einmahl nahm man es ja in dieser Pe=
riode noch fortdauernd als Grundsatz an, daß
auch die bürgerliche Rechts=Pflege und die öf=
fentliche Polizey unter der Aufsicht und der
Gesetzgebung der Religion stehen müsse. Die=
sem Grundsatz zufolge räumte man den Bi=
schöffen auch noch fortdauernd in ihrem geist=
lichen Charakter das Censor=Amt über die welt=
lichen Obrigkeiten und Richter ein, das man
ihnen in der vorigen Periode an einigen Oer=
tern förmlich übertragen hatte; wenigstens pro=
testirte niemand dagegen, wenn sie es selbst
unter ihre Amts=Pflichten rechneten, daß sie
auch über die Handhabung des Rechts und der
Gerechtigkeit und über die Erhaltung der äus=
seren Zucht und Ordnung in ihren Diöcesen
wachen müßten. Aber diesem Grundsatz zu=
folge räumte man ihnen selbst ein würkliches
Verbesserungs=Recht der bestehenden Gesetze,
Einrichtungen und Gebräuche ein, denn man
gestattete ihnen, daß sie alles, was sie dabey

Ll 3   mit

mit der Religion streitend fänden, auszeichnen, und die Abschaffung oder Aenderung davon nicht nur vorschlagen, sondern im Nahmen Gottes gebieten dürften. Und davon machten sie auch in diesen Jahrhunderten bey einigen Gelegenheiten einen Gebrauch, von dem sich höchst = glückliche Würkungen nicht nur auf dieß Zeitalter, sondern noch weiter herab verbreiteten.

§. 4.

So waren es ja die Bischöffe und die Bischöffe allein, welche durch eine eben so weise als kühne und entschlossene Anwendung dieses Rechts dem Zeitalter die unschätzbare Wohlthat des schon erwähnten Gottes-Friedens verschafften. Durch die Anordnung dieses Friedens sollten dem unseligen Faust = Recht einige Grenzen gesetzt werden, welches in der Vorstellung des Zeitalters nicht nur furchtbarer und mächtiger, sondern auch so heilig als jedes andere geworden war. Keine Gewalt in der Welt, außer der Gewalt der Religion, konnte daher etwas dagegen ausrichten, aber auch die Gewalt der Religion reichte, wie man dabey

er-

erfuhr, für jetzt noch nur dazu hin, einige Einschränkungen dabey anzubringen, durch welche es wenigstens unschädlicher gemacht werden konnte. Man begnügte sich, gewisse Tage in der Woche festzusetzen, in welchen es gleichsam still stehen sollte, und wählte diejenigen Tage dazu aus, in welche die Zeit des Leidens, der Begräbniß und der Auferstehung Christi hinein fiel [1]). Diesen Umstand benutzten nehmlich die Bischöffe, um das neue Gesetz zu motiviren, daß niemand in dieser Zeit Waffen tragen, niemand den andern angreifen, niemand wegen

einer

[1]) "Ut ab hora vespertina diei Mercurii inter omnes Christianos amicos et inimicos, vicinos et extraneos fit firma pax et stabilis Treuga usque in secundam feriam id est die Lunae, ad ortum Solis, ut istis quatuor diebus et noctibus omni hora securi fint et faciant, quicquid erit opportunum, ab omni timore, inimicorum abfoluti." S. Sermo de Treuga Dei bey *Dom. Mansi* in Suppl. Concil. T. I. p. 1267. Der Gottesfriede sollte also vom Mittwoch Abend bis Montag Morgen dauern; doch war dieß nicht überall gleich bestimmt.

einer Beleidigung sich rächen dürfe, und durch
dieß religiöse Motiv, das sie freylich durch
mehrere andere Mittel noch verstärken mußten,
verschafften sie endlich auch dem Gesetz so viel
Kraft, daß es allgemein respektirt wurde.
Von dieser bloßen Suspension des Faust-Rechts,
die man den Gottes-Frieden nannte, flossen
aber Jahrhunderte hindurch die beglückendsten
Folgen für die Menschheit und für die Menschlichkeit aus.

§. 5.

Doch es war nicht die Schuld der Kirche,
wenn sie sich außer diesem Haupt-Verdienst
nicht noch mehrere dieser Art um die bürgerliche Gesellschaft machte, denn sie zeichnete wenigstens von Zeit zu Zeit auch noch manches
andere aus, das in der Verfassung, in den
Einrichtungen und besonders in der Justiz-Ver-
waltung des Staats eine Verbesserung bedürf-
te, und sie drang oft genug im Nahmen der
Religion darauf, daß es verbessert werden
müsse. War es denn nicht die Kirche, welche
zuerst auf einen höchst schändlichen, für die Sittlichkeit äußerst verderblichen und zugleich alles
Recht

Recht vernichtenden Mißbrauch aufmerksam
machte, der einige Zeit hindurch in den bür=
gerlichen Gerichts=Höfen mit dem Eide getrie=
ben wurde ²)? Aber war es nicht die Kirche,
welche auch zuerst das Zeitalter auf das un=
vernünftige und ungerechte des am häufigsten
gebrauchten Rechts=Mittels, das seine Pro=
ceß=Ordnung zuließ, des gerichtlichen Zwey=
kampfs, aufmerksam machte ³)? Waren es nicht
Päbste

2) Auf den Mißbrauch, daß so oft in einem
Proceß beyde Partheyen zum Eid zugelassen
wurden. Mit gerechtem Unwillen eiferten da=
gegen die französischen Bischöffe schon im J.
855. auf einer Synode zu Valence, und be=
schlossen c. II. "ut quicunque uno juramento
legitime dato alterum e contrario juramentum
opponere praesumserit, ab ipsis liminibus eccle.
siae, quae sua impietate profanavit, exclusus om.
nium christianorum consortio reddatur extra.
neus." Conc. T. TIII. p. 140.

3) Auch darüber erklärte sich schon die angeführte
Synode zu Valence äußerst stark can. 12. und
beschloß zugleich: "christianissimi Imperatoris
pietatem communi supplicatione implorandam
esse, ut tantum malum a populo fidelium pu-

Ll 5   blicis

Päbste und Synoden, welche ohne Furcht vor
dem Entgegenstreben des allgemeinen Zeitgeists
mehr als einmahl auf die Abschaffung des Uebels antrugen? und muß es ihnen nicht als
größeres Verdienst angerechnet werden, daß sie
nach hundert Erfahrungen von der Unwürksam-
keit ihrer Bemühungen dennoch weder den Willen noch den Muth, gegen das Uebel fortzu-
kämpfen, verlohren?

§. 6.

Schwerlich wird man hingegen irren, wenn
man jenen Einfluß für noch wichtiger und bedeutender hält, den die Kirche mittelbar auf
die bürgerliche Rechts-Pflege äusserte und äus-
sern konnte. Es läßt sich wenigstens leicht
glaublich machen, daß er weit häufiger, als
ihr unmittelbarer Einfluß, für einzelne Indivi-
duen wohlthätig wurde; nur muß man dabey
jenen besondern Umstand, durch welchen sie die
häufigste Gelegenheit dazu erhielt, von einer
etwas andern Seite ins Auge fassen, als man
ihn

blicis suis sanctionibus amoveat, et nostrum super hoc tam necessarium ecclesiasticum decretum
propria auctoritate confirmat." eb. das. p. 141.

ihn meistens zu betrachten gewohnt ist. Dieser Umstand, der es der Kirche am häufigsten möglich machte, auf die Verwaltung der Justiz mittelbar einzuwürken, war kein anderer, als jene seltsame Eigenheit in der Gerichts-Verfassung des Zeitalters, die unter dem Nahmen der Ordalien oder Gottes-Gerichte so bekannt ist.

§. 7.

Einige der verschiedenen Formen, in welchen man diese wunderbaren Rechts-Proben anwandte, mochten wahrscheinlich aus einem sehr entfernten, noch vorchristlichen Alterthum herrühren; doch läßt es sich leicht begreifen, wie die ungebildeten Völker, unter denen sie so lange im Gebrauch waren, auch durch dasjenige, was sie zuerst und allein von dem Christenthum auffaßten, in dem Glauben daran bestärkt werden mußten. Alles, was man sich dabey dachte, oder denken wollte, lief ja bloß darinn zusammen, daß der göttlichen Gerechtigkeit dadurch Gelegenheit verschafft werden sollte, das zweifelhafte Recht durch ihre unmittelbare Dazwischenkunft ins klare

zu

zu setzen, und die verborgene Wahrheit durch
ein Wunder an den Tag zu bringen; waren
es aber nicht allein die Wunder-Geschichten
des Christenthums, wodurch sich die Anhänger,
die es hier fand, dafür gewinnen ließen?
Daraus erklärt sich auch, wie es kommen konnte, daß nach der Anpflanzung des Christenthums in diesen Ländern der Gebrauch der
Ordalien in ihrem gerichtlichen Verfahren ohne
die mindeste absichtliche Mitwürkung des christlichen Klerus oder der Kirche noch häufiger,
und in mehreren Formen als vorher gewöhnlich
wurde 4); denn der Wunder-Glaube hatte ja
überhaupt dadurch eine neue Richtung und zugleich einen neuen Schwung erhalten: freylich
kann man sich aber dabey auch nicht versucht
fühlen, erst noch zu fragen, warum sich der
Klerus oder die Kirche nicht gerade gedrungen
fand, auf die schleunige Abschaffung des Ge-
brauchs anzutragen?

§. 8.

4) Die Geschichte dieser Ordalien und ihres Ge-
   brauchs in der Kirche ist vielleicht am gelehrtesten ausgeführt in des Abt Gerbert Monu-
   mentis Veter. Liturgiae Allemann. P. II. Dis-
   quis. VI. c. 3. p. 553.

§. 8.

Durch diese Ordalien wurde ja die Reli=
gion in das Justiz=Wesen eingemischt; mithin,
mußten auch ihre Priester dabey zu thun be=
kommen, und gerade das wichtigste zu thun
bekommen. Durch wen als durch diese konnte
dann die Sache an die Gottheit gebracht,
und das göttliche Orakel oder die göttliche
Entscheidung erbeten werden? Man mußte es
daher am schicklichsten finden, die Gottes=Ge=
richte gewöhnlich in der Kirche anzustellen,
und da sich die Kirche der Theilnahme daran,
die man ihr aufdrang, weder entziehen konnte
noch wollte, so war es der Klugheit gemäß,
daß sie es auch über sich nahm, alles selbst
dabey anzuordnen. Sie bestimmte also alle
Ceremonien und Förmlichkeiten, die dabey ge=
braucht, sie schrieb die Gebets=Formeln vor,
durch welche das Wunder herbeigezaubert; sie
behielt sich noch bedächtlicher auch das Urtheil
über den Erfolg, oder die Erklärung des gött=
lichen Urtheils vor, das sich aus dem Aus=
gang der Proben ergeben sollte 5). Alles war
mit

5) S. Benedictio ignis et ferri sive aquae — Judicium

mit einem Wort darnach eingerichtet; daß ihre Priester bey jedem Gottes = Gericht die handelnden Haupt = Personen vorstellen mußten.

§. 9.

Durch diese Einrichtung war es aber nicht nur eingeleitet, daß ihre Dazwischenkunft bey jeder nur etwas bedeutenden Rechtssache nothwendig wurde, sondern durch diese Einrichtung wurde eigentlich die Entscheidung jeder nur etwas bedeutenden Rechts = Sache in ihre Hände gespielt, und dieß war es, wie man kühnlich behaupten darf, was für tausende unsäglich wohlthätig wurde, die ohne die Dazwischenkunft der Kirche die beklagenswerthesten Opfer des stupidesten und eben deßwegen grausameren und unmenschlicheren Aberglaubens geworden seyn würden. Es läßt sich nehmlich unmöglich bezweifeln, daß die Kirche dabey den Aber-

cium aquae frigidae — Ordo probandi per aquam — ignitos vomeres — Benedictio ferri ferventis ad judicium Dei. eb. daf. P. III. p. 121-123. Aehnliche Formeln, die dabey gebraucht wurden, findet man auch bey Martene De antiq. ecclef. rit. T. II. p. 942.

Aberglauben um tausend Opfer betrog, denn
es läßt sich unmöglich bezweifeln, daß sie sich
nicht nur in einer Menge einzelner Fälle eine
fromme Volks = Täuschung erlaubte, sondern
daß es bey dem Ganzen nur auf eine fromme
Täuschung von ihrer Seite angelegt war.

§. 10.

Würde man auch durch keine historische
Spuren auf diesen Verdacht geleitet, und
ließe es sich auch nicht als Thatsache bewei=
sen, daß man jetzt schon zuweilen Betrug da=
bey witterte 6), so müßte man sich doch
schon durch dasjenige, was man von dem
Ausgang der meisten Gottes = Gerichte dieses
Zeitalters weiß, zu der Voraussetzung ge=
zwungen fühlen. Fast in allen von der Ge=
schichte aufbewahrten Fällen, wobey die Orda=
lien in Anwendung gebracht wurden, ließ sich
die Gottheit bewegen, das Wunder zu thun,

das

6) Behauptete doch der König Lothar ganz laut,
daß bey dem Gottes=Gericht, durch das seine
Gemahlin Teutberge gereinigt werden sollte,
ein Betrug gespielt worden sey.

das man ihr zumuthete. Es mag seyn, daß
man nur diese Fälle für würdig hielt, von
der Geschichte aufbewahrt zu werden, und daß
dazwischen hinein immer mehrere andere vorkamen, wobey alles seinen natürlichen Gang
gieng; aber die Wunder-Fälle finden sich doch
auch zu hunderten in der Geschichte, und es
finden sich mehrere darunter, bey denen man
noch dazu die zwecklöseste Vervielfältigung des
Wunders annehmen müßte. Als Carl der Kahle im J. 876. nach dem Tode Ludwigs des
Deutschen in seine Staaten einfiel, so erbot
sich derjenige von Ludwigs Söhnen, der am
stärksten von ihm gedrängt wurde, die Gerechtigkeit seiner Sache durch ein Gottes-Gericht
ausmachen zu lassen, und stellte zu diesem
Ende nicht weniger als dreyßig Männer,
mit welchen es in den drey verschiedenen Formen, die damahls im Gebrauch waren, angestellt werden sollte. Zehen von ihnen unterwar-
fen sich also dem Gottes-Urtheil des glühenden Eisens, zehn andere der Probe des heis-
sen, und die zehn übrigen der Probe des kal-
ten Wassers, und durch ein dreyßigfaches
Wunder fiel das Gottes-Urtheil bey allen

gleich-

gleichförmig aus [7]). Dieß hätte wohl da=
mahls schon den ehrlichsten Aberglauben arg=
wöhnisch machen mögen [8]): wie kann also
jetzt die Geschichte zweifeln, ob? und von
wem? das Wunder gemacht war?

§. 11.

Aber die Gewißheit des dabey gespielten
frommen Betrugs läßt sich ja noch durch meh=
rere Anzeigen verstärken. Aus der besonderen
Beschaffenheit der am häufigsten gebrauchten
Ordalien läßt es sich einerseits leicht begrei=
fen, durch welche Mittel und Künste das
Wunder dabey gemacht, und für die Einfalt
des Zeitalters täuschend genug gemacht werden
konnte? und wie läßt es sich andererseits ver=
kennen, daß bey allen Neben=Umständen der
Zurüstungen und der Feyerlichkeiten, die man
dabey anbrachte, und bey allen den Bestim=
mungen, die man im zehnten und eilften Jahr=
hundert

7) *Aimon* L. V. c. 34. Annal. Bertin. ad ann. 876.
8) Aimon erzählt aber auch selbst, daß die
Höflinge Karls des Kahlen darüber gelacht
hätten.

hundert darüber gesetzmäßig machte, nur die
Absicht zum Grunde lag, die Täuschung leichter, und ihre Entdeckung schwüriger zu machen? War nicht zum Beyspiel die ganze
Vorbereitung derjenigen, mit denen sie angestellt wurden 9) — waren nicht die Vorschriften über die Art, wie das Gottes = Urtheil
dabey gefunden — waren nicht die Verordnungen, daß sie nur in dem heiligen Dunkel
des Innersten der Kirche und daß sie nie an
hohen Festtagen, wo das Gedränge des Volks
in den Kirchen zu stark war, angestellt werden
sollten? — war nicht alles dieß zunächst dafür berechnet 10)? doch wer kann wohl diese
Anzeigen zu der Bestimmung seines Urtheils
noch bedürfen?

§. 124

9) Sie wurden unter anderem auch drey Tage
vorher im Verschluß der Kirche gehalten.

10) Die meisten und genauesten Vorschriften darüber finden sich in den Legibus ecclesiasticis des
englischen Königs Aethelstan vom J. 928. cap. 8.
bey *Labbé* T. IX. p. 587. *Wilkins* Conc. Magn.
Britann. T. I. p. 206.

§. 12.

Wie man nun aber auch über das Ent=
schuldbare oder Unentschuldbare der Täuschung
denken mag, welche sich die Kirche dabey er=
laubte, oder wenn man auch noch so streng
darüber denken mag, so wird man es doch
unmöglich finden, sich die schon gegebene An=
sicht von dem Wohlthätigen dieser Täuschung
aus dem Auge zu rücken. Je häufiger der
Gebrauch jener seltsamen Gottes = Gerichte in
diesem Zeitalter war, desto mehr Unheil hätte,
ja nothwendig daraus entstehen müssen, wenn
es nicht die Kirche durch ihr Zwischenspiel ab=
gewandt hätte. War es doch nichts geringe=
res, als das Leben oder doch die Ehre von
Tausenden, welche sie dadurch rettete, und
wenn man auch annehmen will, daß sie viel=
leicht eben so viele Schuldige dadurch der
verdienten Strafe entzog, als sie Unschuldige
rettete, wenn man auch vermuthen will, daß
sie sich wohl auch zuweilen die Rettung der
Unschuldigen noch besonders bezahlen ließ,
wenn man überhaupt bezweifeln will, ob sie
nicht mehr auf ihren besonderen, als auf den
allgemeinen Vortheil dabey Rücksicht nahm,

so blieb es doch immer auch noch Wohlthat
für das Ganze, so oft ein Unschuldiger durch
sie gerettet wurde. Höchstens darf man dieß
dagegen abrechnen, daß sie durch ihr Zwischen=
spiel das unselige Uebel dieser Gottes = Gerichte
länger erhielt, denn die entsetzlichen Folgen,
die es nach sich ziehen mußte, würden sonst
unfehlbar seine Abschaffung viel früher er=
zwungen haben; dann aber darf man auch
nicht unerwähnt lassen, daß es die Kirche
war, welche schon in diesem Zeitalter auf seine
Aufhebung antrug [11]), und auch das meiste
dazu

[11] Schon Abogard schrieb gegen das Ende des
neunten Jahrhunderts einen eigenen Traktat:
Contra damnabilem opinionem putantium divini
judicii veritatem igne vel aquis vel conflictu ar-
morum patefieri. Im J. 895. sanktionirte
aber doch die Synode zu Tribur noch das
Gottes = Gericht des glühenden Eisens c. 22.
und von englischen Synoden geschah es noch
mehrmahls im zehenten Jahrhundert. Hin=
gegen hatte es der Pabst Stephan V. in ei=
nem Brief an den Erzbischoff Heribert von
Maynz vom J. 890. auch schon mißbilligt.
S. *Baronius* ad h. a. nr. 7.

dazu beytrug, daß sie in der nächsten Periode
würklich erfolgte.

§. 13.

Wie man es jedoch ansehen mag, so legt
sich wenigstens dies höchst deutlich zu Tag,
daß die Kirche durch dasjenige, was sie bey diesen Gottes-Gerichten zu thun bekam, einen zwar
nur mittelbaren, aber dennoch sehr bedeutenden
Einfluß auf den Justiz-Gang und die Rechts-
Pflege der bürgerlichen Gesellschaft erhielt. Es
legt sich noch deutlicher zu Tag, daß sie dadurch, wie durch alles in den zwey letzten
Kapiteln erwähnte zusammen, auch eine mehrfache Gewalt über den Staat, oder doch mehrere Gelegenheiten erhielt, eine würkliche Gewalt
über den Staat auszuüben; aber fast noch
deutlicher geht doch zugleich daraus hervor,
daß es mit dieser Gewalt sehr zweydeutig aussah. Allerdings wurde es in der Theorie den
Bischöffen schon eingeräumt, daß sie in ihrem
geistlichen Charakter oder als die Repräsentanten
der Kirche auch manches in dem Staat zu reguliren befugt seyen. Es wurde ihnen eingeräumt, daß sie in diesem Verhältniß auch eine

Mm 3 gewis-

gewisse Criminal = Jurisdiction über alle seine Mitglieder auszuüben befugt seyen, und es würde ihnen selbst eine mittelbare Einwürkung auf die bürgerliche Criminal = Gerichtsbarkeit möglich gemacht, wodurch sie diese fast ganz nach ihrer Willkühr administriren konnten: aber wie verhielt es sich in der würklichen Aus= übung? Bekümmerte man sich dann auch immer um dasjenige, was sie im Staat regulir= ten und anordneten? Konnten sie selbst durch ihre Interdikte erzwingen, daß man nur ihre geistliche Gewalt allgemein gefürchtet und re= spektirt hätte? Und wie viel durften sie wohl auf ihren mittelbaren Einfluß rechnen, der nach mehreren Beziehungen nur von der Fortdauer einer Täuschung abhieng, die nothwendig ein= mahl verschwinden mußte?

§. 14.

Dahin war es also wahrhaftig noch nicht gekommen, daß das ehemahlige Verhältniß zwi= schen der Kirche und dem Staat würklich schon umgekehrt und der letzte der ersten subordinirt oder abhängig von ihr geworden wäre: aber es läßt sich auch leicht erkennen, warum es jetzt

noch

noch nicht dazu kommen konnte? So lange
der Staat noch von so vielen Seiten her auf
die Kirche einwürfen, so lange die Könige noch
durch ihren Antheil an der Ersetzung der Bisthümer, durch ihren Einfluß auf das Synodal-
Wesen, und besonders durch das Vasallen=Ver-
hältniß, in welchem die Bischöffe mit ihnen
standen, ihr so vielfach beykommen konnten,
so konnte es ihnen nie an Mitteln fehlen, dem
Streben der Kirche nach einer Obermacht mit
überwiegender Kraft und also auch mit un-
fehlbarem Erfolg entgegen zu arbeiten. Mochte
man es immer als Rechts=Theorie aufstellen,
daß die Kirche und das Priesterthum etwas
weit erhaberneres als der Staat und die königliche Würde sey, ja mochte man selbst die
neue Rechts=Theorie scheinbar anerkennen; aber
sie konnte nicht nur niemahls realisirt, sondern es konnte nicht einmahl eine völlige Unabhängigkeit der Kirche von dem Staat er-
stritten werden, ehe sie aus jener vielfachen
Berührung mit ihm gekommen war. Dieß
schienen aber auch ihre Repräsentanten höchst
lebhaft zu fühlen, denn sie arbeiteten nun die
ganze nächste Periode hindurch an der Weg-

räu-

räumung dieser Hindernisse, die ihr Empor-
kommen aufhielten, mit einem Eifer und mit
einer Stetigkeit, die das klare Bewußtseyn
eines sehr bestimmten Zwecks verrieth.

Erste

Erste Abtheilung.

Zweyter Abschnitt.

II.

Veränderungen, die in mehreren Einrichtungen und Verhältnissen der kirchlichen Gesellschaft selbst während dieses Zeitraums vorgehen.

Kap. I.

Veränderungen, welche in diesem Zeitraum die hierarchische Verfassung und Organisation des Klerus betreffen.

§. 1.

Alles was sich in dieser Periode in der inneren und äußeren, in der häußlichen oder sonstigen Verfassung der Kirche selbst veränderte, oder zu einer Veränderung anließ, kann füglich unter vier Haupt=Titel gebracht werden. Es betraf entweder die besondere Verfassung das Klerus und des klerikalischen Körpers, oder das Güter= und Güter=Administrations=Wesen der Kirche, oder ihr Disciplinar=Wesen und ihre Pönitenz=Praxis, oder das Kloster= und Mönchs=Wesen. Jede nur etwas bedeutende Veränderung, die in diesen

Jahr=

Jahrhunderten eintrat, läßt sich wenigstens nach dieser Eintheilung ohne Zwang in die Beziehung bringen, in welcher sich ihre Wichtigkeit und ihre Tendenz am sichtbarsten darstellt: dieß letzte ist es aber vorzüglich, was dabey die Aufmerksamkeit auf sich ziehen muß.

§. 2.

In Beziehung auf das erste verdient hier vorzüglich dasjenige ausgezeichnet zu werden, was in diesem Zeitraum in der Absicht veranstaltet wurde, um die Bande fester zusammenzuziehen oder loser zu machen, welche den klerikalischen Körper zusammenhielten: oder überhaupt dasjenige ausgezeichnet zu werden, was in Ansehung dieser Bande eine verstärkende oder eine schwächende Würkung hatte, denn in einigen Fällen trat die Absicht ohne die Würkung, und in andern auch die Würkung ohne die Absicht ein.

In dieser Hinsicht müssen vor allem andern die Anstalten erwähnt werden, durch welche die hierarchisch = monarchische Gewalt der Bischöffe über den ganzen Klerus gewisser gesichert und befestigt werden sollte. Nach demjenigen,

jenigen, was schon in der vorigen Periode
dafür gethan worden war, sollte man zwar
um so weniger erwarten, daß es nöthig gewor=
den seyn könnte, noch weiter dafür sorgen, da
doch auch alle jene Umstände noch fortwürkten,
welche hier die Bischöffe so besonders begünstig=
ten: allein bey einer näheren Beleuchtung wird
man bald überzeugt, daß es doch nicht ganz
überflüssig war.

§. 3.

Darunter mag zunächst dieß gehören, daß
man sich so beeilte, aus dem Kirchen=Recht
des falschen Isidors jene neuen Grundsätze in
das würkliche herüber zu tragen, wodurch die
Bischöffe fast für alle Anklagen, und besonders
für alle Anklagen des niedrigeren Klerus uner=
reichbar gemacht wurden. Nicht ohne Ver=
wunderung findet man ja in den Akten meh=
rerer Synoden aus dem Ende des neunten und
aus dem Anfang des zehnten Jahrhunderts,
daß sie sich schon das meiste zugeeignet hat=
ten, was hin und wieder in den Decreten des
falschen Isidors oft nur gelegenheitlich über
den Proceß=Gang in bischöflichen Sachen be=
stimmt

stimmt war. Daß zum Beyspiel ein Bischoff niemahls von weniger als zwölf andern Bischöffen gerichtet — daß er niemahls auf die Aussage von weniger als 72 Zeugen, und zwar unverwerflichen Zeugen verurtheilt — daß er von keinem Presbyter angeklagt werden dürfe [1]), dieß war unstreitig alles zunächst aus den falschen Decreten geschöpft, so wie auch dieß daraus genommen war, daß von gar keinem Gericht in der Welt über einen Bischoff gesprochen werden dürfe, sobald er einmahl die Erklärung eingelegt habe, daß er von dem Pabst gerichtet seyn wolle. Einem bloßen Zufall wird man es doch nicht zuschreiben wollen, daß gerade dieß zuerst und am begierigsten daraus aufgefaßt wurde; was man aber dabey abzwecken konnte? darf man noch weniger fragen, sobald man einmahl einen Zweck dabey gewahr wird.

§. 4.

[1]) Dieß alles zusammen bestimmte schon die Synode zu Maynz vom J. 888. c. 12. und die zwey ersten Bestimmungen wiederholte die Synode zu Tribur vom J. 895. c. 10.

§. 4.

Etwas zweifelhaft könnte es hingegen zu= erst scheinen, ob dadurch, daß sich die Päbste nach einem anderen Princip der neuen isidori= schen Rechts=Theorie das Kognitions=Recht über alle bischöfliche Sachen ausschließend vor= behielten, für die Bischöffe in jener Beziehung einiges gewonnen wurde? Von Seiten der Päbste war es wohl schwerlich auf den Vor= theil der Bischöffe dabey abgesehen; doch ist es sichtbar genug, wie? und was sie zuerst dabey zu gewinnen hoffen konnten? Wenn je= der, der einen Proceß mit einem Bischoff an= fangen wollte, zuletzt ihn nur zu Rom anhän= gig machen konnte, oder auch nur der Gefahr ausgesetzt war, daß er zuletzt nach Rom ge=, schleppt werden könnte, so ließ sich voraus= sehen, daß sich mancher auch bey der gerech= testen Sache zehnmahl für einmahl bedenken würde. Schon die Entfernung mochte man= chen abhalten, den sonst die Nähe des Me= tropoliten, bey dem er seine Klage hätte an= bringen können, dazu verführt haben dürfte; wenn also die Judikatur über die Bischöffe den Metropoliten völlig entzogen wurde, so wurde

auch)

auch denjenigen, die zunächst unter dem Druck
der Bischöffe standen, die nächste Hülfe entzogen, die sich ihnen sonst dagegen angeboten
hatte, und was blieb ihnen nun übrig, als
sich zahmer unter dem Druck zu schmiegen?
Man mag daher immer glauben, daß es die
Bischöffe auch deßwegen, wenn schon gewiß
nicht allein deßwegen nicht ungern gesehen haben würden, wenn der Grundsatz von dem
ausschließenden Kognitions=Recht der Päbste in
ihren Angelegenheiten völlig in die Praxis eingeführt worden wäre: aber ehe es noch ganz
dazu gekommen war, mußten sie schon mehrmahls erfahren haben, daß doch von dieser
Seite her nicht so viel für sie zu gewinnen
sey.

§. 5.

Der Obere, bey welchem man nun nach
der neuen Theorie allein Schutz gegen sie finden konnte, war allerdings weiter, als ihr
bisheriger entfernt, und schien weniger zugäng-
lich als dieser; aber dafür hatte auch sein
Schutz und seine Dazwischenkunft ungleich
mehr Gewicht; man konnte gewisser hoffen, sie
zu

zu erhalten, und man konnte sicherer auf die Würkung davon zählen, wenn man sie einmahl erhalten hatte. Der Presbyter, der ehemahls über die Bedrückungen seines Bischoffs bey dem Metropoliten und bey der Provinzial=Synode klagen mußte, riskirte zehnmahl für einmahl, daß er seine Sache bey diesen Richtern verlohr, die mit seinem Unterdrücker so nahe zusammen hiengen, oder daß ihm ihr günstigster Spruch nichts half, weil sie ihm nicht Kraft genug geben konnten oder wollten. Bey dem höheren Oberen fielen hingegen diese Besorgnisse weg, denn die Höhe seines Standpunkts stellte für ihn den Bischoff und den Presbyter, den Unterdrücker und den Unterdrückten fast in eine gleiche Linie, und nie konnte es ihm an Macht fehlen, seiner Verwendung Kraft zu geben. Auch für die Schwürigkeiten, die aus der Entfernung dieses Oberen entsprangen, wußte man in der Folge leicht Rath zu finden, und nun zeigte es sich würklich aus der Erfahrung, daß für die Bischöffe in dieser Hinsicht nichts dadurch gewonnen war. Ihrem Despotismus wurden vielmehr allerdings Schranken dadurch gesetzt, welche sie weniger, als die ehemahli=

Planck's Kirchengesch. B. III.   Nn   gen

gen durchbrechen könnten; aber damit zeigte
es sich auch, daß doch das Ganze dabey gewonnen hatte. Die Päbste hatten nehmlich
kein Interesse dabey, ihre Judikatur über die
Bischöffe zu der Herabsetzung der bischöfflichen
Gewalt überhaupt zu benutzen. Sie begnügten
sich also bloß, jeden gesetzwidrigen Mißbrauch
davon zu verhindern; unterstützten sie aber in
ihrem rechtmäßigen Gebrauch selbst noch durch
ihr Ansehen, und trugen dadurch am meisten
dazu bey, daß alles in der berfassungsmäßi-
gen Ordnung und das Ganze in seinen Fugen
blieb.

§. 6.

Dies trug aber desto mehr aus, da sich
doch in diesem Zeitraum auch Spuhren genug
von Bewegungen finden, welche hier und da
von dem übrigen Klerus zu der Auflösung der
Bande, die ihn zusammenhielten, oder doch
zu dem Abstreifen von jenen, worinn ihn die
Bischöffe hielten, gemacht wurden. Man muß
dieß schon aus den Vorkehrungen schließen,
welche die Bischöffe dagegen trafen; aus der
öfteren Wiederholung dieser Vorkehrungen muß

man

man aber zugleich schließen, · daß sie die er=
wartete Würkung nicht immer oder doch nicht
auf die Dauer hervorbrachten.   Doch von
den meisten, weiß man dies auch sonst noch
gewiß genug.

So kann man sich schwerlich der Vermu=
thung erwehren, daß es die deutschen Bischöf=
fe im J. 868. gewiß nicht ohne eine besondere
Veranlassung für nöthig hielten, auf einer Sy=
node zu Worms die Presbyter wieder an den
Unterschied zwischen ihrem und dem bischöffli=
chen Amt zu erinnern, und die ausschließend=
bischöffliche Verrichtungen auf das neue aus=
zuzeichnen ²), die sich kein Presbyter, ohne
ein Verbrechen zu begehen, anmaaßen könne.
Diese

2) "Noverint presbyteri, ipsis auctoritate legis ec-
clesiasticae quaedam esse prohibita. Consecra-
tio enim virginum, et benedictio vel unctio al-
taris a presbyteris minime fiat. Similiter non
licet eis ecclesias consecrare, nec ordinare, nec
chrisma conficere, nec chrismate baptizatorum
frontem signare, sed nec publice quidem quem-
quam poenitentium absolvere." S. Conc. Wormat. c. 8.

Dieſe mußten ſich alſo — denn welche andere
Veranlaſſung konnten ſie ſonſt dazu haben —
an einigen Oertern erkühnt haben, in das Amt
der Biſchöffe einzugreifen, und das Volk zu
überreden verſucht haben ³), daß ſie eben ſo
kräftig als die Biſchöffe ordiniren, und Kir‐
chen und Altäre konſecriren, oder wenigſtens
das heil. Chriſma verfertigen könnten. Hätte
man dieß aber zur Obſervanz werden laſſen,
wie bald würde ſich das ganze hierarchiſche
Verhältniß der Biſchöffe zu den Presbytern,
und ſelbſt auch zu dem unteren Klerus ver‐
rückt haben.

§. 7.

3) Ein Schriftſteller des zehnten Jahrhunderts,
der Biſchoff Ratherius von Verona, ſagt es
auch ganz beſtimmt, denn in ſeiner Schrift
de contemtu Canonum, oder in ſeinem Volu‐
men perpendiculorum klagt er unter andern
auch bitterlich darüber, daß die Presbyter
den Biſchöffen in alle ihre Amts‐Rechte ein‐
gegriffen, und ihnen höchſtens noch die Ver‐
fertigung des heil. Chriſma und das Salben
damit als ausſchließenden Amts‐Actus über‐
laſſen hätten. S. *Dacher.* Spicileg. T. II. p. 346.

§. 7.

Mehr als gewiß weiß man hingegen, was
die Bischöffe dieses Zeitalters dazu drang, die
Gesetze des vorigen gegen die sogenannten Clericos acephalos so häufig zu wiederholen. Das
Uebel, das diese anrichteten, nahm immer zu,
und wurde immer nachtheiliger für die Bischöffe. Jeder Ritter hielt sich nun einen eigenen Burg=Pfaffen oder Caplan, und jeder
dieser Caplane wollte eben so unabhängig von
dem Bischoff der Diöcese seyn, als die Geist=
lichen in der Capelle des Herzogs oder des
Königs; je größer aber ihre Anzahl wurde,
desto bedenklicher mußten die Folgen werden,
die nicht nur für die Diöcesan=Rechte der Bi=
schöffe, sondern auch für die ganze hierarchisch=
klerikalische Subordination daraus entspringen
konnten. Es kam ja so weit, daß diese Burg=
und Haus=Geistlichen den Bischöffen kaum
noch eine Superiorität des Grades, aber keinen
Schatten von würklicher Jurisdiktion über sich
einräumen wollten; das Bedenklichste aber
war dieß dabey, daß die Herren, in deren
Diensten sie standen, es sich gewöhnlich zu einem eigenen Ehren=Punkt machten, sie in ih-

ren

rem Trotz gegen die Bischöffe zu unterstützen, und sich selbst gekränkt glaubten, wenn jene ihre Rechte gegen sie behaupten wollten.

§. 8.

Als im J. 1013. — denn wie weit der Unfug gieng, läßt sich nur durch eine spezielle Thatsache ganz fühlbar machen — der Bischoff Arnulf von Halberstadt einen der Burg = Pfaffen des Markgrafen Gero von Magdeburg, der ihm mit dem Falken auf der Hand als Jäger begegnet war [4], wegen seines unkanonischen Aufzugs nur zur Rede stellen, und ihn an die Gesetze erinnern wollte, welche allen zum Klerus gehörigen Personen das Jagen verboten, so hielt sich der Markgraf so empfindlich dadurch beleidigt, daß er Genugthuung dafür von ihm fordern, und auf eine erhaltene nur dilatorische Antwort sogleich

---

4) Dieß war sogar an einem kirchlichen Festtag, und bey dem Austritt aus der Kirche geschehen, in welcher der Bischoff ein feyerliches Hochamt gehalten hatte. Die ganze Geschichte erzählt *Dietmar* L. VI. p. 388.

gleich seine Leute in das Kloster, in welchem
sich der Bischoff befand, einfallen ließ, um
ihn aus diesem herauszuholen. Dieß geschah
selbst unter der frommen Regierung Heinrichs
II. oder des Heiligen; man kann also leicht
denken, daß es überhaupt nicht selten vorkommen mochte, und noch leichter begreifen, was
die Vorkehrungen motivirte, die man dagegen
traf. Diese Vorkehrungen durften jedoch nicht
erst gemacht, sondern nur erneuert werden.
Es war bereits ein Gesetz vorhanden, worinn
nicht nur ausdrücklich erklärt war, daß auch
alle Hof= und Haus=Geistliche der Großen
den Bischöffen unterworfen bleiben müßten,
sondern auf das bestimmteste verboten war;
daß kein Laye einen Haus=Geistlichen anstellen
und halten dürfe, der nicht zuerst von dem
Bischoff geprüft und ihm von diesem empfoh=
len worden sey. Durch dieß letzte konnte
dem Uebel am gewissesten vorgebeugt werden,
denn es konnte den Bischöffen selten an Mit=
teln fehlen, die Geistlichen, welche sie den
Layen gaben, auf eine mehrfache Art zu vin-
kuliren. Die Verordnung wurde daher mehr-

mahls

mahls wiederholt 5); aber durch das bloße Wiederholen konnte sie freylich nicht in Kraft gesetzt werden.

§. 9.

Doch es war zum Theil die Schuld der Bischöffe selbst, daß sie nicht in Kraft kam, denn sie unterhielten ja selbst ein anderes Uebel, durch das jene Unordnung und noch mehrere andere nur allzusehr begünstigt wurden; ja sie unterhielten das Uebel — was sie noch unentschuldbarer macht, — mit dem vollen Bewußtseyn seiner nachtheiligen Würkung; denn dieß Bewußtseyn preßte ihnen ja selbst von Zeit zu Zeit den Entschluß ab, dem Uebel ein Ziel zu setzen. Es entsprang aus einer Neuerung, die man in die Ordinations-Praxis eingeführt hatte, nehmlich aus den neuen Ordinationibus absolutis, die jetzt in diesem Zeitalter immer allgemeiner in Gebrauch kamen.

§. 10.

Schon aus den ältesten Zeiten der Kirche schrieb sich das Gesetz her, daß jeder, der

in

5) Schon auf einer Synode zu Pavia vom J. 850. c. 18.

in den Klerus aufgenommen werden wollte,
sich einer bestimmten Kirche zuschreiben lassen
mußte, oder nur für eine bestimmte Kirche ordinirt werden durfte. Nach dieser Einrichtung
sollte jeder Geistliche durch die Ordination nicht
nur die Fähigkeit oder die Vollmacht, die heiligen Handlungen — die actus sacros —
seines klerikalischen Grades überhaupt zu verrichten, sondern auch das Recht und die Verpflichtung erhalten, sie in einer bestimmten
Kirche zu verrichten; schon dadurch sollte er
aber auch gewissermaßen an diese Kirche auf
immer gebunden werden, selbst wenn ihm bey
seiner Ordination das Versprechen der Stabi-
lität nicht besonders abgenommen wurde. In
den sechs ersten Jahrhunderten schien man selten — wenigstens nachdem die Einrichtung
einmahl befestigt war — nur selten davon abgewichen zu seyn; denn es kam zwar jetzt zuweilen vor, daß man einen von den außerordentlichen Mönchs = Heiligen des Zeitalters,
auch wohl wider seinen Willen zum Presbyter ordinirte, ohne ihn an eine bestimmte
Kirche binden zu wollen; meistens aber mochte
es doch dabey die Absicht des Bischoffs seyn,

Nn 5   der

der ihm die Ordination ertheilte, ihn dadurch ſeiner Kirche gleichſam zu affiliiren, wenn er ihm auch die ordentlichen und gewöhnlichen Dienſte erließ. Kam es hernach ſchon im ſechſten Jahrhundert weit häufiger vor, daß ſich auch Mönche die heiligen Weihen ertheilen ließen, ſo ſetzte man doch jetzt meiſtens dabey voraus, daß ſie für ihre Kloſter-Kirche ordinirt würden, oder ſie wurden es würklich auch für eine beſtimmte Kirche, bey der ſie die Biſchöffe anſtellten; nur darf nicht unbemerkt gelaſſen werden, daß man bey der beſtimmten Kirche doch nicht allein an eine einzelne, ſondern an die Kirche des ordinirenden Biſchoffs in dem kollektiven Sinn dachte, der ſeine ganze Diöceſe in ſich ſchloß.

§. II.

Im ſiebenten Jahrhundert trat aber ſchon eine wahre Aenderung in der bisherigen Ordnung ein, jedoch unter Umſtänden ein, durch welche ſie eben ſo unbedenklich als nöthig zu werden ſchien. Jetzt giengen ja ſo viele Mönche auf das Heyden-Bekehren aus, oder ließen ſich darauf ausſchicken. Dieſe mußten alle ordinirt werden, ehe

ehe man sie zu ihrer Bestimmung abfertigte,
denn sie hätten ja sonst die Proselyten, welche sie
dem Christenthum gewinnen mochten, nicht einmahl ordnungsmäßig taufen können; aber sie
konnten für keine bestimmte Kirche ordinirt
werden, weil in dem Würkungs-Kreise, den
man ihnen anwies, noch keine existirte. So
wie man also jetzt einige als Missions-Bi-
schöffe, als Episcopos regionarios, konse-
crirte, ohne ihnen noch einen eigenen Sprengel anweisen zu können, so sah man sich auch
genöthigt, Diakonen und Presbyter gleichsam
im Vorrath zu machen, welche durch die em-
pfangene Weihe nur im allgemeinen das Recht
und die Vollmacht erhielten, die heiligen Verrichtungen ihres Amts überall, wo man sie
zulassen und anstellen würde, auszuüben.

§. 12.

Ohne Zweifel dauerte dieß noch im achten
Jahrhundert fort, denn bis über seine Mitte
hinaus findet man ja noch Episcopos regionarios in Deutschland [6]); nun aber ist gewiß
nichts

6) Von einem solchen Missions-Bischoff zu Mel-
tis

nichts wahrſcheinlicher, als daß man ſich allmählig verleiten ließ, auch um der bloßen
Konvenienz willen zu thun, was man bis jetzt
bloß aus Nothwendigkeit gethan hatte. An
den Miſſions = Biſchöffen und Preßbytern war
die Probe ſo oft gemacht worden, daß man
der Ordination immer noch eine Bedeutung
und eine Würkſamkeit geben könne, wenn auch
ſchon derjenige, der ſie empfange, bey keiner
beſtimmten Kirche angeſtellt werde: man konnte
ſich alſo leicht überreden, daß von der alten
Praxis auch noch in mehreren Fällen unbedenklich abgewichen werden dürfe, ſobald ſich für
die Abweichung nur irgend ein Grund anführen laſſe. An Schein = Gründen dazu konnte
es aber den Biſchöffen niemahls fehlen, und
der heilloſeſte erhielt nur allzuviel Gewicht
durch den Vortheil, den ihre — freylich
höchſt kleinlichte — Habſucht dabey fand. Lei-
der! war es ja im achten Jahrhundert ſchon
allgemein befeſtigte Gewohnheit, daß jede Or-
dina-

tis oder Metlesheim im Zweybrückiſchen hat
man noch eine Urkunde aus dem achten Jahrhundert, in *Grandidier* Hiſt. de l' Egliſe de
Strasb. T. I. p. 298.

dination bezahlt werden mußte. Die Gebüh-
ren dafür machten also eine eigene Einnahme
der Bischöffe aus, und wie kann man zweifeln, daß dieß am meisten die neue Praxis
begünstigte, durch welche sie so bequem ver-
vielfältigt werden konnten?

§. 13.

Gegen die Mitte des neunten Jahrhunderts mußte es aber schon weit genug damit
gekommen seyn, denn nun fand man sich ja
schon auf mehreren Synoden gedrungen, auf
Hülfs = Mittel gegen die Unordnungen zu denken, die bereits daraus entsprungen waren.
Dabey wird man sehr deutlich gewahr, daß
die Bischöffe zuerst versuchen wollten, ob man
diesen Unordnungen nicht steuern könnte, ohne
gerade die Quelle, aus der sie ausflossen, ganz
zu verstopfen. Sie wiederholten und schärften
daher nur die älteren Gesetze gegen herumva-
girende Kleriker, deren Vermehrung die nächste
Folge der neuen Ordinations = Praxis werden
mußte 7). Sie drangen mit neuem Ernst darauf, daß sich keiner unterstehen dürfe, in einer
frem-

7) S. Conc. Wormat. a. 868. c. 18. 62.

fremden Kirche ohne die beſondere Erlaubniß
des Biſchoffs eine religiöſe Amts = Handlung
zu verrichten. Sie beſtimmten auch, daß dieſe Erlaubniß keinem ertheilt werden ſollte, der
nicht ſeinen beglaubigten Ordinations = Schein
und ein Zeugniß des Biſchoffs aufweiſen könnte, von dem er ordinirt worden ſey: zugleich
aber ſuchten ſie vorzüglich dieß wieder in Erinnerung zu bringen, daß der Ertheilung der
heiligen Weihen immer eine ſtrenge und ſorg-
fältige Prüfung vorhergehen müſſe 8), damit
ſie keinem Unwürdigen ertheilt würden.

§. 14.

Durch dieß letzte hätte allerdings die neue
Praxis am unſchädlichſten gemacht werden können; allein eben damit würden die Biſchöffe
auch um den Vortheil gekommen ſeyn, den ſie
daraus zogen; daher half es eben ſo wenig,
daß man ſie daran erinnerte, als daß man
auch die alten Geſetze von Zeit zu Zeit erneuerte, in welchen es für formale Simonie erklärt
war, wenn ſie ſich für die Ordination etwas
bezah-

8) S. Conc. Nannetenſ. c. II. Labbé T. IX.
P. 471.

bezahlen ließen 9). Dafür wurden aber auch
die Unordnungen immer größer und bedenklicher, welche daraus entsprangen, und wurden
es besonders dadurch, weil sie das Uebel mit
den sogenannten Clericis acephalis fast un-
wegräumbar oder unheilbar machten. Durch
die neue Observanz des unbestimmten Ordinirens wurde es ja jedem Burg = Herrn und
jedem Layen, der sich einen eigenen Haus-
Geistlichen halten wollte, höchst leicht gemacht,
einen zu bekommen, ohne daß er seinem Bischoff ein gutes Wort darum geben dürfte 10).
Auf allen Landstraßen konnte man genug wan-
dernde Priester finden, die zu keiner besondern
Kirche gehörten, aber doch alles, was zu dem
prie-

---

9) S. Conc. Meldens. a. 845. c. 43. und Conc.
Roman. a. 983. bey *Labbé* T. IX. p. 1243.

10) „Quidam Comites et Vaffi domiuici — so
klagte schon eine Synode zu Pavia vom J.
855. — presbyteros ac Clericos fine noftra li-
centia recipiunt. Immo etiam ubicunque ordi-
natos, et quosdam, de quibus dubium eft,
utrum ordinati fint, absque examinatione noftra Miffas celebrare faciunt. S. *Labbé* T.
VIII. p. 147.

priesterlichen Amt gehörte, kraft der erhaltenen
Ordination, wenn auch nicht auf eine rechtmäßige, doch auf eine gültige Weise verrichten, konnten. Um den Bischoff der Diöcese,
in welche diese Vagabunden kamen, bekümmerten sie sich meistens am wenigsten, denn sie
wußten voraus, daß sie zu demjenigen, was
sie suchten, nehmlich zu Brodt, schwerlich
durch ihn kommen würden. Sie bedachten sich
daher keinen Augenblick, es von jedem andern
anzunehmen, der es ihnen, dem Bischoff zum
Trotz geben wollte. Sie nahmen nun, bey jeder Gelegenheit auch die Parthie ihres Brod-
herrn gegen den Bischoff, denn sie durften auf
den Schutz von jenem rechnen, und das Aeußerste, was sie im schlimmsten Fall zu fürchten hatten, bestand ja nur darinn, daß sie
wieder weiter wandern, und in einer andern
Provinz eine ähnliche Versorgung aufsuchen
mußten, wo sie vielleicht einem andern Bischoff ein ähnliches Kreuz machen könnten.

§. 15.

Dieß mußte man bald als ein Uebel der
schlimmsten Art fühlen, das selbst, wenn man

es

es weiter einreißen ließ, dem Klerus im Ganzen, oder dem ganzen klerikalischen Stand unsäglich nachtheilig werden konnte; aber eben so
bald mußte man erfahren, daß man von den
Mitteln, die man dagegen ergriffen hatte, nur
wenig Hülfe erwarten durfte. Mochte man es
hundertmal zum Gesetz machen, daß die Herzoge und die Grafen, die Ritter und die
Burgherrn keine andere als solche Haus-Geist-
liche halten dürften, die ihnen von dem Bischoff der Diöcese zugewiesen, oder doch von
diesem approbirt seyen: aber wie konnte man
hoffen, daß das Gesetz respektirt werden würde, so lange sie noch andere bekommen konnten? Man mußte also darauf denken, ihnen
dieß unmöglich zu machen, und davon empfan-
den auch die Bischöffe die Nothwendigkeit so
lebhaft, daß sie sich hier und da schon zu dem
Entschluß aufrafften, es mit der Aufopferung
der neuen Ordinations-Praxis zu erkaufen.
Von einigen Synoden [11] wurde daher beschlossen, daß die alte Ordnung völlig wieder hergestellt, und kein Geistlicher mehr anders,

als

[11] S. Conc. Ravennat. a. 877. c. 14.

als für eine bestimmte Kirche ordinirt werden
sollte, denn dadurch konnte am gewissesten ver=
hütet werden, daß keine Clerici acephali mehr
auffamen; allein diese Hülfe kam jetzt schon zu
spät. Die neuere Observanz des absoluten
Ordinirens war in der Zwischenzeit durch meh=
rere Umstände so befestigt [12]), und sie war
besonders, wie noch in der Folge vorkommen
wird, in die Veränderungen, die mit dem Be=
neficien=Wesen vorgiengen, so sehr verflochten
worden, daß sie jetzt nicht mehr abgeschaft
werden konnte. Von irgend einer anderen
Seite her mußte also gegen das Uebel Rath
geschafft werden, und dieß geschah erst in der
nächsten Periode durch die Päbste, die es
nachdrücklicher als die Bischöffe angreifen
konnten.

12) Wie sehr sich zu Ende des zehnten Jahr=
hunderts die Bischöffe an das absolute Ordi=
niren schon gewöhnt hatten, ersieht man be=
sonders auch aus einem Umstand, den Ma=
billon aus der Geschichte des Klosters von
Clugny anführt. Annal. T. IV. p: 134.

Kap. II.

Kap. II.

Fruchtlos verschwendeter Eifer, womit man die
Gesetze gegen den Ehestand der Geistlichen in
Kraft zu setzen sucht. Ursachen und Grün-
de dieses Eifers.

§. 1.

Eben diese waren es dann auch, welche erst in
der folgenden Periode eine andere, den Klerus
betreffende Veränderung erzwangen, wozu man
auch schon in dieser mehrere sehr ernsthafte,
aber immer fruchtlose Versuche machte. Von
der Mitte des zehnten Jahrhunderts an wurde
wenigstens schon mit wahrem Eifer daran gearbeitet, die allgemeine Befolgung der Gesetze, welche den Klerus zum Cölibat verdammten, zu erzwingen. Die neuen Veranlassungen, durch welche er erweckt und gereizt
wurde, legen sich auch offen genug in der Geschichte dar, und erproben zugleich, daß es

jetzt

jetzt schon sehr ernstlich damit gemeynt war;
doch kam nur wenig oder nichts dabey heraus.

§. 2.

So lange noch im neunten Jahrhundert
der erste Eifer für das neue Institut des ka=
nonischen oder gemeinsamen Lebens dauerte,
das man unter dem Klerus eingerichtet hatte,
so mußte und konnte zwar dieser am natür=
lichsten bewürken, daß gelegenheitlich auch die
Gesetze in Kraft kamen, die jeden Geistlichen
zur Kontinenz und Abstinenz verpflichteten.
Ein Kanonikus konnte nicht heyrathen, und
wenn er schon verheyrathet war, ehe er Kano=
nikus wurde, so mußte er wohl die gesetzmä=
ßige Abstinenz halten, denn das Brüder=Haus,
in welchem er nun eingeschlossen lebte, durfte
von keiner Frau betreten werden. Doch ein=
mahl kam es ja nie dazu, daß alle Geistliche
in den Zwang des kanonischen Lebens hinein=
gedrängt werden konnten. Die Parochen auf
dem Lande z. B. waren unmöglich alle hinein=
zubringen, und wenn man noch so oft verord=
nete, daß auch sie, so weit es ihre Lage zu=
ließ, nach der kanonischen Regel leben sollten,
so.

so ließ ja diese jene beschwerlichsten Einschränkungen gerade am wenigsten zu. Der Cölibats-Zwang konnte also auch bey ihnen nicht besonders dadurch verstärkt werden. Außer diesem aber ist es nur allzugewiß, daß gerade durch diese zufällige Würkung des kanonischen Lebens der Verfall des ganzen Instituts am meisten beschleunigt wurde.

§. 3.

Daraus läßt sich schon schließen, daß es auch um diese Zeit genug einzelne Kleriker gab, die den Gesetzen zum Trotz im Ehestand und zwar öffentlich im Ehestand lebten; aber man findet es auch als Thatsache vielfach in der Geschichte bestätigt. Der unwidersprechlichste Beweis geht jedoch daraus hervor, weil man es vom Anfang dieser Periode an bis zu ihrem Ende fast auf jeder Synode nöthig fand, die Gesetze, die darauf Beziehung hatten, zu wiederholen, genauer zu bestimmen, auch zum Theil weiter auszudehnen, und durch eine verstärkte Poenal-Sanktion ihre Kraft zu vermehren. Aus den verschiedenen Formen, die man ihnen jetzt gab, und aus den verschiedenen Bestim-

Dd 3   mungen,

mungen, die man dabey anbrachte, läßt sich
aber auch sehr schön ersehen, daß man sich
zwar überall, jedoch nicht überall auf gleiche
Art darüber hinwegsetzte.

§. 4.

So mochte es nach den Capiteln, welche
der Erzbischoff Hincmar von Rheims für den
Klerus seines Sprengels zusammentrug, in
der französischen Kirche, oder doch in der
Rheimsischen Diöcese, selten vorkommen, daß
ein Presbyter oder ein Diakon in einem öffentlichen Ehestand gelebt hätte. Wenn sie
auch — was meistens der Fall seyn mochte —
zur Zeit ihrer Ordination schon verheyrathet
waren, und sich dann nach ihrer Ordination
auch nicht völlig von ihren Weibern trennten,
so gaben sie sich doch das Ansehen, als ob sie
dennoch den Gesetzen genug thäten, welche nur
Enthaltsamkeit von ihnen forderten. Wie es
sich damit verhielt, oder wie sie es damit hielten, war dann freylich notorisch genug; aber
äußerlich schienen sie doch das Gesetz zu ehren,
das auch würklich zuweilen nur so gefaßt worden war, daß es den vor seiner Ordination
ver-

verheyratheten Geistlichen nicht zu der Aufhe=
bung jeder Verbindung, sondern nur zu der
Aufhebung der ehelichen Verbindung mit seiner
Frau verpflichtete. Hincmar setzte es also auch
in denjenigen seiner Kapitel, die von der
Keuschheit der Geistlichen handelten, als etwas
undenkbares voraus, daß ein Presbyter oder
ein Diakon darauf verfallen könnte, zu heyra=
then; aber er kündigte zugleich an, daß er in
seiner Diöcese mit der äußersten Strenge über
der Beobachtung jener Canonen halten würde,
wodurch den Geistlichen nicht nur das eheliche
Zusammenleben, sondern überhaupt das Zusam=
menleben mit allen Personen des weiblichen
Geschlechts, die nicht zu ihren nächsten Bluts=
Verwandten gehörten, untersagt sey. Ja er
erklärte mit weiser Bedachtsamkeit 1) voraus,
daß er bey jeder deßhalb anzustellenden Inqui=
sition

1) Non igitur de hoc inverecunde quaeremus, quod
etiam Apostolus non nudo sed velato nomine
apud legitime conjugatos studuit appellare —,
sed tantummodo de accessu et frequentatione
et cohabitatione Clericorum cum foeminis inqui=
remus. S. Labbé T. VIII. p. 576.

Do 4

sition sich gar nicht auf die Frage: wie ein
Geistlicher mit einer Frau zusammen gelebt?
sondern nur auf die Untersuchung: ob er mit
ihr zusammen gelebt habe? einlassen, und das
Urtheil bloß nach diesem sprechen würde.

§. 5.

Daß aber dabey Hincmar — gegen die
ursprüngliche Absicht des Gesetzes — nicht bloß
jenen Presbytern und Diakonen, welche nie
verheyrathet gewesen waren, das Zusammenleben mit Konkubinen unter irgend einem Nahmen, sondern daß er auch verehlichten Presbytern und Diakonen das Zusammenleben mit
ihren rechtmäßigen Weibern unmöglich machen
wollte, dieß wird aus den schönen Gründen
unverkennbar, wodurch er bey dieser Gelegenheit zu beweisen suchte, daß es nicht bloß
eine menschliche, sondern eine wahrhaftig göttliche Anordnung sey, durch welche im Neuen
Testament alle Diener des Altars zu beständi-
ger Erhaltung einer unverletzten Keuschheit verpflichtet würden [2]. — Hingegen muß zugleich
beson-

[2] "Si priscis temporibus Sacerdotes anno vicis
sue

besonders bemerkt werden, daß doch auch Hinc=
mar bey der gänzlichen Entfernung von allem
weiblichen Umgang, auf welche er bey seinen
Geistlichen drang, noch die Ausnahmen zulas=
sen wollte ³), welche die älteren Gesetze ge=
stattet hatten; denn gerade darinn glaubte
man in der Folge eine Aenderung anbringen
zu müssen, aus der man sehr schlimme Ver=
muthungen ziehen muß.

§. 6.

In der deutschen Kirche schienen sich nehm=
lich eben so wie in der französischen die Geist=
lichen allmählig darein gefügt zu haben, daß
sie nach dem Antritt des Diakonats und nach
Empfangung der Priester = Weihe mit ihren
Weibern in keinem förmlichen und öffentlichen
Ehestand mehr leben dürften; jedoch auch hier

hatten

suae de templo non discedebant nec domum
suam tangebant — quanto magis novi foede-
ris Sacerdotes et Levitae perpetuam pudicitiam
servare debeant, quibus nulla praeterit dies, quo
a sacrificiis divinis vacent." eb. des.

3) eb. das. 575.

Oo 5

hatten. sie sich nur scheinbar darein gefügt.
Sie lebten jetzt mit ihnen in vorgeblicher Enthaltsamkeit, aber sie behielten sie doch in ihren
Häusern; und auf die nehmliche Art glaubten
nun auch solche Presbyter und Diakonen, die
keine eigene Weiber hatten, mit andern leben
zu können, deren Dienste man ihnen, wie sie
meynten, unter jener Bedingung eben so wenig
als ihren verheyratheten Brüdern mißgönnen
werde.   Dieß führte aber, wie sich voraussehen ließ, in kurzer Zeit zu dem allgemeinsten Konkubinat der Geistlichen, und das daraus entstandene Skandal nöthigte den Bischöffen
einige Vorkehrungen dagegen ab, welche sie
auch einige Zeit hindurch mit sehr nachdrückli-
chem Ernst zu behaupten schienen.   Sie erneu-
erten⁴) nicht nur ebenfalls die Gesetze, welche den Geistlichen verboten, außer ihren Müt-
tern, Schwestern, Töchtern und Tanten noch
eine andere weibliche Person in ihren Häusern
zu haben, sondern sie schienen es würklich auf
einige Zeit erzwungen zu haben, daß sie sich
auf die Gesellschaft von diesen einschränken
                                        muß-

4) Conc. Wormat. a. 868. c. 9.

mußten. Aber der Erfolg zeigte bald, daß man das Uebel nur schlimmer gemacht hatte.

§. 7.

Nicht nur eine zweifelhafte Synode zu Nantes, deren eigentliche Epoche wenigstens unbekannt ist [5]), sondern eine sehr gewiß im J. 888. zu Metz und eine andere im nehmlichen Jahr zu Maynz gehaltene Versammlung fand es nothwendig, zu verbieten, daß die Geistlichen in Zukunft gar keine weibliche Personen, nicht einmahl ihre Mütter oder Schwestern mehr im Hause behalten dürften. Wodurch man sich zu dieser unnatürlichen Schärfung des Gesetzes gedrungen glauben konnte, darf nicht erst gesagt werden [6]). In dem wahrscheinlich älteren Canon der Synode zu Nantes wird es aber schon ganz unumwunden gesagt,

5) S. *Labbé* Tom. IX. p. 468.

6) Aber die Synode sagte es sehr deutlich. "Saepe, quod multum dolendum est, audivimus per illam concessionem plura scelera esse commissa, ita ut quidam Sacerdotum cum propriis sororibus concumbentes filias ex eis generassent." Can. 10.

gesagt, daß man sich dazu habe entschließen
müssen, um dem größeren Skandal zu begegnen, das aus der in den älteren Gesetzen gestatteten Ausnahme, entstanden sey [7]). Will
man sich jedoch auch nicht gerade das aller-
skandalöseste dabey vorstellen, sondern nur der
natürlicheren Vermuthung Raum geben, daß
die Geistlichen, so lange die Ausnahme gestattet war, unter dem Nahmen ihrer Schwestern und Tanten sich noch andere weibliche Gesellschaft zu verschaffen wußten, so ergiebt sich
doch daraus am auffallendsten, welche Folgen
und Würkungen aus jedem Versuch entsprangen, durch den der Cölibats-Zwang verstärkt
werden sollte. Der Priester und Diakonen
mochten immer wenigere werden, die mit rechtmäßigen Weibern in einem öffentlichen Ehestand
lebten; aber vom Bischoff bis zum untersten
Dorf-Priester herab lebten fast alle Geistliche
in einem öffentlichen Konkubinat, und hielten
sich

7) "Nullus Sacerdos foeminas in domo habeat
neque illas, quas Canones concedunt, quia in-
stigante Diabolo etiam in illis frequenter scelus
perpetratum reperitur, aut etiam in pedissequis
illarum." Cau. 3.

sich selbst für halbe Heilige, ja wurden auch hier und da von dem Volk würklich für ganze gehalten, wenn und weil sie nur in einem einfachen lebten.

§. 8.

Diese Würkung kann jedoch kein Befremden erregen, denn die rohe Sittenlosigkeit des ganzen Zeitalters, und der wilde Geist des zehnten Jahrhunderts machte sie ja noch natürlicher, als sie schon an sich war: jetzt aber wird man auch schwerlich mehr fragen, warum durch die vorhandenen Gesetze nichts mehr ausgerichtet werden konnte? Wenn auch einzelne Bischöffe in ihren Diöcesen mit den Geistlichen, die im Ehestand oder im Konkubinat lebten, nach dem Buchstaben der Gesetze verfähren, und sie von ihren Kirchen verjagen wollten, was konnten sie für das Ganze damit bewürken? Was konnte der einzelne Bischoff ausrichten, wenn in jedem Metropoliten=Sprengel zehn seiner Mitbrüder ihre Geistlichen gar nicht einmahl an die alten Keuschheits=Gesetze erinnern durften, weil sie von ihnen selbst auf die schmählichst=notorische Art übertreten wurden?

Wenn

Wenn sich aber auch die Bischöffe vereinigt hätten, überall mit gleicher Strenge und mit gleichem Eifer ihre Geistlichen zum Fortschaffen ihrer Weiber oder ihrer Konkubinen zu zwingen, wie durften sie es wagen, sie auf das äußerste zu treiben, da sie befürchten mußten, einen ganz allgemeinen Widerstand dabey zu finden? Nur das einzige gewaltsame Mittel konnte würken, zu dessen Anwendung sich der heilige Dunstan in England gegen das J. 964. von dem König Edgar bevollmächtigen ließ. Dieß Mittel bestand darinn, daß er an einem Tage die sämmtlichen Geistlichen einer Diöcese von ihren Aemtern vertrieb, und diese mit Mönchen besetzte [8]: aber diese Procedur ließ sich nicht überall anbringen, und ihre Würkung war ja selbst in England nur von kurzer Dauer [9]. Nach dem Verlauf von vierzig Jahren fand eine Synode zu Enham es schon wieder nöthig, über die Unenthaltsamkeit der englischen Geistlichen zu eifern, und aus der Art, womit sie es that, kann man fast vermuthen, daß sie sich glücklich geschätzt

---

8) S. *Labbé* T. IX. p. 661. 664. 696. 714.

9) S. Conc. Aenhamens. a. 1009. c. 2.

schätzt haben würde, wenn sie es nur dahin
hätte bringen können, daß sich jeder mit einer
rechtmäßgien Frau begnügt hätte 10).

§. 9.

Ganz eben so mochte es sich um diese
Zeit, nehmlich zu Anfang des eilften Jahrhunderts in allen übrigen Staaten verhalten,
woraus sich auch die Erscheinung erklärt, daß
man jetzt, besonders in Deutschland und Italien, der Geistlichen mehr als vorher findet,
die in einem öffentlichen und förmlichen Ehestand
lebten. Da man der Frechheit, womit sich
die größere Anzahl über alle Keuschheits=Ge-
setze hinwegsetzte, keine Gränzen stecken konnte,
so durfte man diejenigen nicht beunruhigen,
die es noch mit dem möglichst=geringen Skandal thaten, und dieß war sicherlich mit jenen
der Fall, welche bloß ihre Weiber behielten,
die

10) "In more est — klagt die Synode — ut
quidam duas, quidam plures uxores habeant,
et nonnullus, quamvis eam dimiserit, quam
antea habuit, aliam tamen ipsa vivente ac-
cipit."

die ihnen vor der Ordination rechtmäßig an-
getraut waren. Es läßt sich selbst sehr wahrscheinlich annehmen, daß jetzt manche einzelne
Bischöffe in ihren Diöcesen, und daß gerade
die besseren Bischöffe am häufigsten diese Klasse von Geistlichen nicht nur stillschweigend dul-
deten, sondern mehrfach begünstigten; aber
wenn sich auch noch so viele Beyspiele davon
anführen ließen, so kann und darf doch deßwegen nie behauptet werden, daß der Ehestand
der Geistlichen iemahls in diesem Zeitraum erlaubt und gesetzmäßig geworden sey.

§. 10.

Außer den bereits erwähnten Versuchen,
die im neunten und zehnten Jahrhundert von
Seiten der Kirche auf eine so verschiedene Art
angestellt wurden, um die älteren Gesetze dagegen theils zwingender theils vollziehbarer zu
machen, wurden ia noch mehrere Vorkehrungen in dieser Absicht getroffen, und bis in die
Mitte des eilften hinein fortgesetzt. Schon
der erste Pabst dieses Zeitalters, Nicolaus I.,
schien sich mit der ihm eigenen Kraft dafür verwenden

wenden zu wollen ¹¹). Einige der folgenden
Päbste nahmen sogar das Ansehen an, als ob
sie sich schon darüber gewaltig ärgerten, daß
die Verpflichtung zum Cölibat noch nicht überall auch schon auf den Grad des Subdiakonats
ausgedehnt sey, und durch ihr Eifern dagegen
bewürkten sie auch, daß die Ausdehnung von
einigen französischen und deutschen Synoden gesetzmäßig gemacht, oder als gesetzmäßig anerkannt wurde ¹²): ja etwas später machte man
selbst die ganz neue Verordnung, daß keiner
mehr zum Subdiakonus ordinirt werden sollte,
der sich nicht durch ein feyerliches Gelübde
zur Enthaltsamkeit von dem Ehestand oder in
den Ehestand verpflichten würde ¹³). In der
Mitte

11) In einem Brief an den Erzbischoff Abo von
Vienne eiferte er schon sehr stark darüber,
daß der Bischoff nur einem Subdiakonus das
Heyrathen erlaubt habe. Conc. T. VIII. p. 515.

12) Es geschah schon im J. 868. von der Synode zu Worms c. 9.

13) Concil. Bituric. a. 1031. c. 6. "Ut episcopi
nullum amplius ad subdiaconatus gradum ordin-
nent, nisi in praesentia Episcopi ante altare,

Mitte des zehnten Jahrhunderts ſchien eine
deutſche Synode zu Augſpurg die Strenge des
Keuſchheits = Eifers noch weiter zu treiben,
denn ſie gab zu verſtehen, daß man auch die
Geiſtlichen aus den unteren Graden des Kle=
rikats, die nach den Geſetzen heyrathen dürf=
ten, ſobald ſie über die Jugend = Jahre hinaus
ſeyen, zur Enthaltſamkeit verpflichten müſſe [14]).
Im J. 1022. aber ließ nicht nur der Pabſt
Benedikt VIII. das Eheſtands = Verbot für die
Geiſtlichen auf einer Synode [15]) zu Pavia
durch den Zuſatz einer neuen Poenal = Sanktion
verſtärken, ſondern er erhielt auch von dem
Kayſer Heinrich II., daß er ſich bereit erklär=
te, die Kirche bey der Behauptung des Ver=
bots durch ſein Anſehen und ſeine Macht zu
unterſtützen [16]).

§. II.

Deo promittat, nunquam ſe habiturum uxorem
aut concubinam, et ſi nunc eam habuerit, mox
ei abrenuntiet."

14) "Caeteri Clerici, quando ad maturiorem aeta-
tem pervenerint, licet nolentes, ad continen-
tiam cogantur." Conc. Aug. a. 952. c. II.

15) S. Concil. Ticinenſ. bey Labbé T. IX. p. 819.

16) eb. daſ. p. 831. Dieſe Beſtätigung des Kay=
ſers

§. 11.

Dabey läßt sich nur schwer begreifen, wie
man jemahls in der Geschichte dieses Zeitalters,
finden konnte, daß darinn den Geistlichen der
Ehestand erlaubt [17]) gewesen sey. Höchstens
möchte sich sagen lassen, daß er zuweilen ein
Paar Jahrzehende hindurch stillschweigend von
den Instanzen, denen die Vollziehung der kirchlichen Gesetze dagegen oblag, geduldet wurde.
Wenn man aber auch noch so viele einzelne
Bischöffe anführen könnte, die ihn nicht nur
geduldet, sondern selbst begünstigt, wenn man
auch Bischöffe und Päbste [18]) anführen könnte,

fers verlangte aber der Pabst wahrhaftig nicht
deßwegen, weil er geglaubt hätte, wie J.
G. Körner in seiner Schrift von dem Coeli-
bat der Geistlichen (Leipzig. 1784.) p. 371.
sagt, "daß die päbstliche Unterschrift ihren
Werth und ihre Gültigkeit nicht allein bewürken könne."

17) Den Ausdruck gebraucht Baumgarten in
seiner Erläuterung der christl. Alterthümer
p. 204.

18) Von verheyratheten Bischöffen möchten sich

meh-

te, die ihn selbst durch ihr Beyspiel begünstigt, ja wenn man auch Bischöffe und Päbste
anführen könnte, die sich zuweilen ausdrücklich
gegen das Ehestands = Verbot erklärt hätten [19];
so

mehrere Beyspiele anführen lassen: aber man
kennt auch einen Pabst, der zu der Zeit seiner Wahl noch eine lebende Frau und eine
Tochter hatte, die zwar schon erwachsen, aber
doch nicht allzualt seyn mochte, weil sie noch
einen Liebhaber zu einer Handlung der wilde=
sten Verzweiflung bringen konnte. Dieß war
Hadrian II. Indessen ist es doch bloße Muth=
maßung, die man aus seinem damähligen
Alter und dem Alter der Tochter herausrech=
nen kann, daß er zur Zeit ihrer Geburt schon
längst die Priester = Weyhe erhalten, also auch
als Priester im Ehestand gelebt haben dürfte.

19) Wie z. B. den Bischoff Ulrich von Augspurg,
der sich in einem berühmten Brief an den
Pabst Nicolaus I. so stark gegen das Ehe=
stands = Verbot erklärt haben soll. Diesen
Brief ließ zuerst Flacius (Magdeburg. 1550.
in 8.) drucken, und er findet sich auch in dem
Werk von G. Calixt: De Conjugio Clericorum
p. 547. (nach der Henkischen Ausgabe) aber
nach allem, was man zum Beweis seiner
Aecht=

so dürfte doch deßwegen nicht von einem erlaubten Ehestand der Geistlichen gesprochen
werden, so lange die Gesetze, die ihn verboten, nicht von einer Autorität, welche das
Recht und die Macht dazu hatte, abrogirt
waren. Diese Gesetze wurden aber nie abrogirt. Es verfloß kein Viertel-Jahrhundert,
in welchem sie nicht wieder erneuert worden
wären. Es verfloß kein Viertel-Jahrhundert,
in welchem man nicht einen neuen Versuch gemacht hätte, sie in Kraft zu setzen; ja die
hartnäckige, durch hundert fruchtlose Versuche
nicht geschwächte Festigkeit, mit welcher die
Kirche darauf beharrte, macht sogar eine Erscheinung in der Geschichte dieses Zeitraums
aus, bey welcher der nachdenkende Beobachter
nicht ohne Verwunderung verweilen kann, bis
er die Quelle aufgespührt hat, aus der sie
entsprang.

§. 12.

Aechtheit vorgebracht hat, scheint sie doch
mir wenigstens noch mehr als zweifelhaft zu
seyn.

Pp 3

§. 12.

Jenes Interesse wenigstens, das die Kirche dazu bewog, auf ihrem Ehestands=Verbot
für die Geistlichen der höheren Ordnungen so
unerschütterlich zu bestehen, deckt sich nicht sogleich auf. So leicht man begreift, wie viel
ihr daran gelegen war, und zwar nicht nur um
der Religion willen daran gelegen war, jedes
Aergerniß zu verhüten, das die Unzucht und
die Sittenlosigkeit eines Geistlichen dem Volk
geben könnte, so schwer kann man sich in den
Eigensinn finden, womit sie ihnen den Cölibat
aufzwingen wollte. Sie hätte ja selbst durch
den dringenden Wunsch, jenem Aergerniß zu begegnen, von diesem Eigensinn abgebracht werden sollen, denn je lebhafter sie fühlen mußte,
wie nachtheilig die Ausschweifungen einzelner
Geistlichen auf den ganzen Stand zurückwürk-
ten, zu dem sie gehörten, und je öfter sie
schon die Erfahrung gemacht hatte, daß alle
dagegen angewandte Mittel nichts hälfen, desto
natürlicher hätte sie darauf verfallen mögen,
sie selbst in einen regelmäßigen Ehestand hin-
einzuzwingen; da sie den Banden, welche ihnen dadurch angelegt werden konnten, die stärkste

sie zurückhaltende Kraft zutrauen durfte.
Wenn ihr auch nach den Begriffen einer
schwärmerischen Mönchs = Moral der Ehestand
als ein Uebel erschien, so mußte er ihr doch
unter diesen Umständen und nach diesen Erfah=
rungen nothwendig als das kleinere erschei=
nen; aus ihrem ganzen Benehmen muß man
aber schließen, daß er ihr würklich als das
größere erschien, und dieß konnte nur von ir=
gend einem geheimen Grund herrühren, der
ihr die unnatürlichere Ansicht vor das Auge
schob. Diesen geheimen Grund, auf den man
nicht so leicht verfallen möchte, deckte sie aber
selbst bey einer der neuen Maaßregeln, wo=
durch sie in diesem Zeitraum den Geistlichen
das Heyrathen zu erschweren suchte, sehr ehr=
lich, oder sehr unbedachtsam=offenherzig auf.

§. 13.

Es war mit einem Wort das Eigenthum
der Kirche oder ihre Besitzungen, für welche
man von den Heyrathen der Geistlichen Ge=
fahr befürchtete. Auf der Synode zu Pavia
vom J. 1012. oder 1022., auf welcher Bene=
dikt VIII. so heftig dagegen eiferte, sprach er

wenig=

wenigstens bloß davon, wie unermeßlich der
Schade sey, der für diese daraus entspringe:
aus den Erfahrungen aber, auf welche er sich
dabey bezog, ersieht man auch deutlich genug,
wie sie von dieser Seite her bedenklich wer=
den, und daß sie es wahrhaftig in einem sehr
hohen Grade werden konnten. Die verheyra=
theten Geistlichen begnügten sich nehmlich nicht
bloß damit, von den Einkünften ihrer Stellen
und Beneficien ein Erbtheil für ihre Kinder
zusammen zu sparen, sondern sie mußten seit
einiger Zeit daran gearbeitet haben, ihre Be=
neficien selbst in Familien=Güter zu verwan=
deln, und auch dieß mußte ihnen hin und
wieder schon gelungen seyn [20]). Wahrschein=
lich war dieß auch schon früher, nur auf eine
weniger bedenkliche Art geschehen, denn im
neunten und zehnten Jahrhundert suchten sie,
wie es scheint, diese Absicht nur dadurch zu
errei=

---

[20]) "Ampla praedia — heißt es in der Vorrede
  des Pabsts zu den Akten — ampla patrimo-
  nia, et quaecunque bona possunt, de bonis
  ecclesiae, neque enim aliunde habent, infames
  patres infamibus filiis relinquunt." S. Conc.
  T. IX. p. 820.

erreichen, daß sie ihre Söhne wieder in den
Klerus brachten ²¹), und ihnen die Nachfolge
in ihren Stellen versicherten, wodurch die Fa=
milie dennoch auch im Genuß des Beneficiums
blieb. Nachdem es aber wenigstens an eini=
gen Oertern dazu gekommen war ²²), daß die
Söhne der Geistlichen nicht mehr in den Kle=
rus aufgenommen wurden, so waren sie ge=
zwun=

21) Dieß mußte in Deutschland sehr allgemein
gewesen seyn, denn im J. 937. fragte der
Bischoff Gerhard von Lorch bey dem Pabst Leo
VII. an: ob man die Söhne verheyratheter
Geistlichen in den Klerus aufnehmen dürfe?
So sehr aber auch der Pabst in seiner Ant=
wort die Heyrathen der Geistlichen verdammte,
so war er doch so billig, zu entscheiden, daß
man die Söhne nicht die Missethat der Vä=
ter tragen lassen dürfe. S. *Labbé* T. IX.
p. 698.

22) Die schon erwähnte Synode zu Bourges
vom J. 1031. verbot es der mildern päbstli=
chen Entscheidung ungeachtet ausdrücklich can. 8.
weil ja in der Schrift selbst alle außer einer
rechtmäßigen Ehe erzeugte Kinder ein semen
maledictum genannt würden.

zwungen, zu andern Mitteln ihre Zuflucht zu
nehmen, und diese mußten sie auch gefunden
haben, denn die Synode zu Pavia konnte von
ganzen Landgütern sprechen, welche der Kirche
durch sie entzogen, und Familien = Eigenthum
geworden seyen.

§. 14.

Aus einigen besondern von der Synode
dabey angedeuteten Umständen geht es selbst
sehr auffallend hervor, wie weit es schon mit
dem Uebel gekommen war. Auch solche Geistliche, welche unter die Leibeigenen und Knechte
einer Kirche gehörten, hatten bereits auf eine
Auskunft speculirt, wodurch sie ihren Kindern
nicht nur die Befreyung von dem Nexus der
kirchlichen Leibeigenschaft, sondern auch noch
eine Erbschaft versichern könnten. Sie heyratheten freye Personen, und prätendirten, daß
ihre von einer freyen Mutter gebohrne Kinder
die Vorrechte von dieser genießen, also ebenfalls als frey und somit auch als erbfähig
erkannt werden müßten. Um sie aber gegen
die möglichen Ansprüche, welche doch vielleicht
die Kirche an ihre Personen oder an ihre Güter

ter machen möchte, gewiſſer zu ſichern, ließen
ſie ihre Söhne in den Dienſt eines Ritters
oder eines andern Großen treten, übergaben
auch wohl die Güter, welche ſie ihnen hinter-
laſſen wollten, ſeinem Schutz, und verſchafften ihnen dadurch einen Vertheidiger, der ſich
deſto eifriger in dem Streit mit der Kirche
ihrer annahm, je mehr ihm oft ſelbſt damit
gedient war [23]).

§. 15.

Daraus mußte aber ſo viel Nachtheil für
die Kirche entſpringen, und davon hatte ſie,
wenn dem Uebel nicht geſteuert werden konnte,
noch für die Zukunft ſo viel mehr Nachtheil zu
befürchten, daß es jetzt mehr als begreiflich
wird, was ſie gegen das Ende dieſes Zeitraums immer eifriger und immer entſchloſſe-
ner machte, die Geſetze gegen den Eheſtand
der Geiſtlichen durch jedes Mittel zur Vollziehung zu bringen. Doch ſie verhehlte auch
nicht, daß jetzt ihr Eifer dagegen bloß dadurch

23) "Et ut liberi non per rapinam appareant, faciunt eos mox in militiam transire nobilium."
S. Acta Conc. Ticin. am. a. O.

durch so rege und lebendig erhalten wurde, weil man der Erfahrungen immer mehrere gemacht hatte, in welche Gefahr das Eigenthum, und damit am Ende die ganze Selbstständigkeit, ja die ganze Existenz der Kirche dadurch kommen könne. Die Synode zu Pavia ließ es ja selbst deutlich genug merken, daß ihrethalben die Geistlichen immer heyrathen könnten, wenn nur das heilige Erbgut der Kirche nicht Gefahr liefe, dabey verschleudert zu werden [24]. Sie traf auch bloß solche Verfügungen, wodurch zunächst dieß Uebel abgewandt werden sollte [25], und so kündigt auch

24) Sie schien sich ja bloß darüber zu ärgern, daß Geistliche aus dem Knechts = Stand freye Personen heyratheten, denn sie bemerkte ausdrücklich "quod ancillas ecclesiae hac sola fraude devitent, ut matrem liberam filii quasi liberi sequantur" und deutete eben damit an, daß sie nicht so viel dagegen haben würde, wenn sie nur auch ihre Weiber unter den Leibeigenen der Kirche aussuchen wollten.

25) Die Hauptverfügung, welche sie traf, bestand in dem neuen Gesetz, das sie machte, daß

auch alles, was man sonst noch in diesem
Zeitalter dagegen that, die nehmliche Ansicht
der Sache und den nehmlichen Zweck an ²⁶).

§. 16.

daß alle auch mit einer freyen Mutter er=
zeugte Kinder solcher Geistlichen, die der
Kirche dienstbar seyen, ebenfalls der Kirche
dienstbar und verhaftet bleiben sollten. Can. 3.
Diese Beziehung des Gesetzes auf die Clericos servos ecclesiae und de familia ecclesiae über=
sah Körner am a. O. p. 372. ganz, und mach=
te deßwegen eine Bemerkung dazu, die er
sich füglicher hätte ersparen können: aber
um dieses Gesetzes willen oder zunächst für
dieß Gesetz brauchte auch der Pabst die Sank=
tion des Kaysers. Denn wie wohl sich der
Pabst auf ein Rescript des Kaysers Justinian
bezog, welches vielleicht das nehmliche war,
das *Cujacius* Observation. L. IV. c. 28. an=
führt, so war es doch, wie eben dieser Ge=
lehrte bemerkt, schwerlich in den würklichen
Rechts = Gebrauch gekommen.

26) Wie die Verordnung der Synode zu Bourges, daß kein Laye einem Geistlichen eine
Tochter geben, oder die Tochter eines Geistlichen heyrathen soll.

§. 16.

Dabey muß man aber jetzt auch gestehen, daß sich die Kirche wahrhaftig durch sehr starke, wenn auch nicht durch lauter rechtmäßige und edle Gründe gedrungen fühlen konnte, gegen den Ehestand der Geistlichen überhaupt fort= dauernd zu eifern, sobald sie einmahl die Ue= berzeugung hatte, daß sie nur durch seine gänzliche Abschaffung gegen jene nachtheiligen Folgen davon hinreichend gesichert werden könn= te. Es erklärt sich auch jetzt daraus, in welchen Beziehungen sie in einem ordnungs= mäßigen Ehestande ihrer Priester zuweilen ein größeres Uebel, als in ihren wildesten Aus= schweifungen sehen konnte: nun aber darf man nur noch dazu wissen, daß sie doch in diesem Zeitraum durch alle ihre Bemühungen nichts dagegen ausrichtete, so ist man auch schon vor= aus auf die neuen gewaltsameren, und zu= gleich glücklicheren Versuche vorbereitet, durch welche sie endlich in der nächsten Periode ihren Endzweck erreichte.

Kap. III.

Kap. III.

Mittel zu der Erhaltung und Vermehrung des kirchlichen Güterwesens, von denen man in diesem Zeitalter Gebrauch machen kann.

§. 1.

Nach diesen Veränderungen, die man in dem Verlauf dieser zwey Jahrhunderte in der besonderen Lage und in den Verhältnissen des Klerus anzubringen strebte, und zum Theil würklich anbrachte, mögen jetzt vorzüglich diejenigen in Betrachtung kommen, welche auf das kirchliche Güter-Wesen Bezug haben. Dabey dürfte besonders dasjenige auszuzeichnen seyn, was sich in Hinsicht auf die Erhaltungs-Vermehrungs- und Verwaltungs-Art des kirchlichen Güter-Wesens als eigenthümliche Einrichtung dieses Zeitalters, mithin als neue Erscheinung wahrnehmen läßt; dieß läßt sich aber kurz genug in die folgenden Bemerkungen zusammenfassen.

§. 2.

§. 2.

Von mehreren Seiten her sah man sich
zwar im neunten und zehnten Jahrhundert genöthigt, auf neue Mittel zu denken, durch
welche die Erhaltung des kirchlichen Eigenthums gewisser gesichert werden konnte, denn
die alten bisher gebrauchten schienen nirgends
mehr hinzureichen. Noch schaamloser als in irgend einem früheren Zeitalter streckte überall
die gierigste Habsucht ihre räuberischen Hände
nach den Gütern der Kirche aus, denn je mehr
sie zusammengebracht hatte, desto ungescheuter
glaubte man ihr nehmen zu können, und nahm
es meistens mit der brutalsten Gewalt, die
auch weiter keinen Vorwand als ihre Willkühr
zu bedürfen glaubte. Aber es waren auch nicht
bloß gemeine Räuber, vor denen sie ihre Reichthümer zu bewahren hatte, sondern es waren
meistens ihre Nachbaren von dem Herren- und
Ritter-Stande, es waren nur allzuoft die
Grafen und Herzoge der Provinzen selbst, welche auf dieß oder jenes Grundstück, das zu ihrem Eigenthum gehörte, ein lüsternes Auge
geworfen hatten, und dann gewöhnlich eine
Fehde mit ihr anfiengen, um sich durch das

Recht

Recht des Krieges in den Besitz davon bringen zu können.

§. 3.

Dabey ließ sich voraussehen, daß die der Kirche eigenthümlichen Vertheidigungs = Mittel zum Schutz ihres Eigenthums nur wenig ausrichten würden, und wenn man es auch nicht voraussah, oder nicht sehen wollte, so wurde man bald durch so viele Erfahrungen davon überzeugt, daß keine Selbst = Täuschung dagegen aushalten konnte. Fast jede Synode, die von der Mitte des neunten Jahrhunderts an zu Stande kam, erfand einen neuen Bann=Fluch gegen die Räuber der Kirchen=Güter; denn es kam keine Synode mehr zusammen, auf der nicht mehrere Bischöffe mit Klagen und Beschwerden über Raub und Plünderung auftraten, die auf ihren Gütern begangen worden waren [1]). Um diesen Bannflüchen mehr Furchtbarkeit oder mehr Nachdruck zu geben, vereinigten

1) S. Conc. Tullense II. a. 860. c. 4. und Epist. Synod ad rerum ecclesiasticarum raptores. Conc. Valentin. III. c. 8.

einigten sich die Bischöffe mehrerer Provinzen,
sie gemeinschaftlich auszusprechen ²), so wie
sie mehrmahls eine förmliche Konföderation dar=
auf schlossen, daß bey jedem Angriff, der auf
einen einzelnen unternommen würde, alle zu=
sammen zu seiner Vertheidigung aufstehen soll=
ten ³). Zu andern Zeiten forderten sie selbst
die Dazwischenkunft der Päbste auf, würkten
Dehortatorien und Inhibitorien ⁴) von diesen
aus, erhielten auch wohl, daß sie sich kräfti=
ger für sie verwandten, aber erfuhren mei=
stens, daß sich auch von dieser Seite her keine
ganz würksame Hülfe erwarten ließ.

§. 4.

Man kann es daher eben so wenig be=
fremdend finden, als den Bischöffen verdenken,
daß sie von dem Ende des neunten Jahrhun=
derts an andere Vorkehrungen zu der Verthei=
digung des kirchlichen Eigenthums trafen, und
dabey

2) S. Epistola Syn. Parisiens. ad Ducem Nomen-
cium. Conc. T. VIII. p. 58.

3) S. Conc. Valentin. III. c. 13. Conc. Tricassin.
II. ann. 878. c. 4.

4) S. Nicolai I. Ep. ad Aquitanos eb. das. 501.

dabey von ihren geiſtlichen Schutz-Waffen nur
noch einen ſubſidiariſchen Gebrauch machten.
Sie konnten ſich berechtigt genug halten, den
gewaltſamen Räuber auch mit Gewalt abzutrei-
ben, da er ſich durch nichts anderes ſchrecken
ließ.⁵); ſetzten ſich alſo jetzt in eine Verfaſſung,
in der ſie im Nothfall ſich ſelbſt helfen konnten, und verſchafften ſich dadurch allerdings
mehr Sicherheit, als ſie vorher gehabt hatten,
aber mußten doch dieſe Sicherheit hin und wieder um einen hohen Preis erkaufen. Die
neue Art der gewaffneten Selbſtvertheidigung,
zu der ſie nothgedrungen ihre Zuflucht nehmen
mußten, machte ihnen jetzt ihre Vögte und
Advokaten unentbehrlicher, machte ihnen ihre
Dienſte wichtiger, aber machte ſie eben dadurch auch theurer und köſtbarer. Der
Schirms-Vogt eines Biſchoffs oder eines Abts

muß te

---

5) "Is eſt — ſchreibt der Erzbiſchoff Gerbert
ep. 45. — rerum noſtrarum ſtatus, ut ſub juga
tyrannorum turpiter eſſet eundum, et ſi ſti
viribus tentamus, clientelae undique ſunt procu-
randae, caſtra munienda, rapinae, homicidia,
incendia exercenda.

mußte jetzt faſt immer im Felde liegen, um
einen Nachbar, der in die Ländereyen der Kirche
oder des Stifts eingefallen war, zurückzuſchla-
gen, oder ihm die ſchon gemachte Beute wieder
abzujagen, oder die Genugthuung für irgend
einen zugefügten Schaden abzunöthigen. Dieß
that er natürlich nicht umſonſt. Er benutzte
vielmehr oft den Augenblick, wo er der Kirche
gegen einen neuen Feind helfen ſollte, um einen
neuen Kontrakt mit ihr zu ſchließen, durch den
ſie vielleicht eben ſo viel verlohr, als ſie in
der Fehde mit dem neuen Feind verliehren
konnte. Wenn er aber auch dazu zu billig
oder zu großmüthig war, ſo wurde doch der
Biſchoff deſto abhängiger von ihm, je öfter
er ſeine Dienſte brauchte. Der Vogt fühlte
ſich nehmlich ſelbſt auch als wichtigere Perſon
für den Biſchoff, je häufiger die Fälle vorkamen, wobey er ihn zu ſchützen und zu vertheidigen hatte. Er nahm ſich dann unvermerkt immer mehr gegen ihn heraus. Er gewöhnte ſich, das Gut der Kirche, zu deſſen
Schutz er gemiethet war, immer mehr als Eigenthum anzuſehen; und ſo kam dieſe allmählig unter einen immer härteren Druck ihrer

Vögte,

Vögte, von dem sie sich in der folgenden Pe=
riode nur mit äußerster Mühe und zum Theil
nur durch höchst theure Opfer wieder loskau=
fen konnte.

§. 5.

Aber durch diese Vögte konnte erst das
Gut der Kirche nicht immer geschützt werden,
denn oft genug kamen auch Fälle vor, wo die
ganze Macht, die der Bischoff und sein Vogt
aufbringen konnten, zu der Abtreibung eines
mächtigeren Räubers nicht hinreichend war.
Machte man in diesen Fällen dennoch einen
Versuch, ihm Gewalt entgegenzusetzen, so
schlug er gewöhnlich nur zum größeren Scha=
den der Kirche aus, denn die Folge war mei=
stens nur diese, daß unter dem längeren und
dennoch fruchtlosen Kampf ihre Güter auf eine
wildere Art verwüstet wurden. Man mag
also vielleicht mit Recht behaupten, daß sie in
diesem ganzen Zeitraum noch nicht in den völ=
lig ruhigen und sicheren Besitz ihres Eigen=
thums kam, denn in diesen kam sie würklich
nicht eher, als bis die Gesetze Kraft genug
erlangt hatten, sie dabey zu schützen, und bis

Qq 3   der

der Zeit-Geist menschlich und gebildet genug geworden war, um den Begriff von einer Heiligkeit des Eigenthums auffassen zu können: in dieser Periode kam es aber zu dem einen noch so wenig als zu dem andern.

§. 6.

Wenn man jedoch noch kein Mittel fand, das der Kirche die Erhaltung ihrer Güter gegen gewaltsamen Raub zuverlässig sichern konnte, so machte man doch eines ausfindig, durch das ihr von einer andern Seite her eine größere Sicherheit, als sie bisher gehabt hatte, gewährt wurde. Es wurde nehmlich besser als vorher dafür gesorgt, daß das Gut der Kirche nicht von seinen Verwaltern selbst verschleudert werden konnte, denn in der Mitte des neunten Jahrhunderts, oder im J. 853., gaben die französischen Bischöffe auf einer Synode zu Soissons selbst ihre Beystimmung zu einem Gesetz, durch das ihnen verboten wurde, ohne Vorwissen und Erlaubniß des Königs von dem Eigenthum ihrer Kirche auch nur das mindeste zu vertauschen, also noch viel weniger

ger auf eine andere Art zu veräußern ⁶). Dadurch wurde wenigstens verhütet, daß verschwenderische Bischöffe das Immobiliar-Vermögen und die liegende Güter-Masse ihrer Kirche nicht mehr angreifen konnten, denn wiewohl sich vielleicht das Gesetz auch auf ihr bewegliches Vermögen erstrecken sollte, so konnte es doch zu der Sicherung von diesem niemahls in gleichem Grade würksam werden. Doch es war schon unendlich viel gewonnen, wenn nur jenes gesichert wurde; dieß wurde aber desto unfehlbarer durch die neue Einrichtung bewürkt, da sie bald durch die Formen der Lehens-Verfassung, in welche auch die Kirche mit ihren Gütern hineinkam, eine noch größere bindende Kraft erhielt.

§. 7.

Aus mehreren Anzeigen und Umständen läßt sich indessen schließen, daß in diesem Zeitraum das Eigenthum der Kirche noch von mehre-

---

6) S. Concil. Suession. II. can. 13. und die königliche Bestätigung dieses Canons Conc. T. VIII. p. 94.

mehreren Seiten her gefährdet wurde, und
zwar, durch ihre eigenen Leute, oder durch
Haus-Diebstähle gefährdet wurde, die selbst
hin und wieder ins Große giengen. Um die
Mitte des zehnten Jahrhunderts schien fast
überall der höhere Klerus, der in der nächsten
Linie nach den Bischöffen stand, von dem kleinlichten Geist eines bloß selbstsüchtigen Eigen-
nutzes ergriffen, nur auf Künste zu spekuliren,
durch die er von dem Vermögen der Kirche
etwas für sich abbekommen könnte. Nachdem
es ihm, wie noch an einem andern Ort gezeigt werden muß, bereits gelungen war, die
Bischöffe zu einer neuen Theilung von dem
Ertrag des Guts zu nöthigen, so legte man
es an mehreren Orten auf eine Theilung des
Haupt-Guts selbst an, die in kurzer Zeit seine gänzliche Zersplitterung zur Folge gehabt
haben würde, wenn ihr nicht ein Ziel gesetzt
worden wäre. Nicht nur die verheyratheten
Geistlichen suchten, wie bereits vorgekommen
ist, die Lehen, welche sie von der Kirche
hatten, erblich zu machen, sondern auch andere folgten dem Beyspiel, da sie ein gleiches
Recht wenn auch keinen gleichen Grund dazu zu

haben

haben glaubten. Wie sehr aber der Klerus überhaupt von der wilden Raubsucht des Zeit= geists angesteckt war, dieß geht wohl äm stärksten aus dem folgenden Zuge hervor. Sobald man einem verstorbenen Bischoff die Augen zugedrückt hatte, so hatten die Geist= lichen seiner Kirche nichts angelegeneres zu thun, als eine General = Plünderung seines hinterlassenen Mobiliar = Vermögens vorzuneh= men, ehe noch die Anstalten zu seinem Be= gräbniß gemacht wurden [7]).

§. 8.

Bey diesen Umständen sah es würklich etwas zweifelhaft aus, ob die Kirche ihr schon erwor=

[7] Dieß war selbst zu Rom nach dem Tode eines Pabsts zur Gewohnheit geworden. In dem Canon einer Römischen Synode vom J. 904. unter Johann IX., in welchem dagegen geeifert wurde, wird jedoch ausdrücklich gesagt: "quod omnia Episcopia idem patiantur, unius cujusque ecclesiae Pontifice obeunte." Can. XI Aber es war auch schon von der Synode zu Ponticon vom J. 886. can. 14. verboten worden.

erworbenes Eigenthum auch nur beysammen erhalten, und in das nächste Zeitalter unvermindert würde hineinbringen können; allein
eben darinn mußte sie freylich auch einen sehr
starken Antrieb finden, auf neue Mittel zu
seiner Vermehrung zu denken, oder wenigstens
seine Vermehrung emsiger zu betreiben, um
dadurch auf einer Seite wieder einzufüllen,
was auf einer andern ausgeschöpft wurde.
Konnte dieß durch neu = erfundene Erwerbs-
Mittel, oder konnte es dadurch geschehen, daß
man die alten ergiebiger machte, so ließ sich
doch dem Ausschöpfen etwas ruhiger zusehen;
daher that auch die Kirche in dieser Hinsicht
ihr möglichstes, und that es auch nicht ohne
Erfolg, aber doch bey weitem nicht mit dem
glänzenden Erfolg, durch den ihre Bemühungen deßhalb in der vorhergehenden Periode belohnt worden waren, und in der nächstfolgen-
den wieder belohnt wurden.

§. 9.

Die kleinen Neben = Mittel, durch welche
hier und da der einzelne Geistliche, der Archidiakonus, der Parochus, auch wohl der Bischoff

schoff seine kasuellen Einnahmen oder seine Accidentien zu vermehren wußte, verdienen hier gar nicht in Betrachtung zu kommen, denn sie kamen ja, wenn sie auch noch so viel abwarfen, doch nicht der Kirche selbst zu gut. Ein neues Haupt = Mittel ließ sich aber schwerlich mehr erfinden, das zu der Vermehrung ihres wahren Grund = Eigenthums oder ihres eigentlichen Fundus benutzt werden konnte, denn nach der ganzen Natur ihrer Verhältnisse konnte sie einen Zuwachs zu diesem nur von der freywilligen Freygebigkeit der Layen erwarten, und für diese ließ sich kein Reiz= Mittel mehr anbringen, das nicht schon gebraucht worden wäre. Doch man konnte es sich selbst unmöglich verbergen, daß sogar einige dieser Reiz= Mittel schon verbraucht seyen, indem sie nicht mehr halb so stark zogen, als sie ehemahls gezogen hatten.

§. 10.

So verhielt es sich am sichtbarsten mit den religiösen Gründen, durch welche sich sonst die Andacht der Layen die reichsten Schenkungen an die Kirche abdrängen ließ. Wenn man

es

es auch noch fortdauernd glaubte, daß man durch eine Schenkung oder durch ein Vermächtniß an die Kirche die Strafe seiner Sünden am gewissesten abkaufen, oder sich einen kürzeren Aufenthalt im Fegfeuer erkaufen könne, so schien doch der Glaube unendlich viel von seiner Kraft und Würksamkeit verlohren zu haben, und gerade bey der Menschen-Classe, bey welcher er ehemahls am ergiebigsten gewesen war, am meisten verlohren zu haben. Die Könige und die Fürsten, die Großen und die Reichen berechneten jetzt weit genauer als ehemahls, wie sie bey der Ausgleichung ihrer Rechnung mit dem Himmel mit den wenigsten Kosten abkommen könnten, machten auch wohl selbst von den wohlfeileren Ausgleichungs = Mitteln Gebrauch, welche die Kirche der ärmeren Klasse, die nichts zu geben hatte, anweisen mußte, oder thaten doch gerade nicht mehr, als sie nach einer sehr mäßigen eigenen Schätzung für nöthig hielten. So kam wohl die Kirche noch zu manchem einzelnen Grundstück, für das sie im Nahmen Gottes oder in dem Nahmen ihres Heiligen, dem es geschenkt wurde, zu quittiren hatte; aber

die

die großen Vermächtniſſe, durch welche ſie ehemahls zu der Univerſal=Erbin ſo manches reichen Sünders eingeſetzt, und die Capital= Schenkungen, durch welche ihr ſonſt ganze Villen und Landgüter auf einmahl zugeworfen wurden, kamen immer ſeltener vor.

§. II.

Die Stiftung ſo mancher neuen Kirchen und Bisthümer im zehnten und zum Theil noch im eilften Jahrhundert kann nicht als Gegen=Beweis angeführt werden. Einmahl fand ſie faſt nur in Deutſchland ſtatt, und dann fand ſie hier aus Gründen ſtatt, bey denen die Religion weit weniger zu thun hatte, als die Politik. Es war nicht An= dacht, welche den Kayſer Otto I. dazu bewog, die Bisthümer zu Brandenburg und zu Ha= velberg, zu Zeiz und zu Merſeburg, zu Meiſ= ſen und zu Magdeburg zu ſtiften, und es war noch weniger Andacht, welche ihn und ſeine nächſten Nachfolger dazu antrieb, den deut= ſchen Biſchöffen ſo viele weltliche Rechte und Regalien, die freylich auch zum Theil höchſt einträglich waren, zu verleihen. Wenn aber auch

auch noch) im eilften Jahrhundert der fromme
Heinrich II. aus lauterer Andacht das Bisthum zu Bamberg ſtiftete, und wenn auch)
noch) hin und wieder zur Ehre Gottes, ein
neues Collegiat = Stift um dieſe Zeit dotirt
wurde, ſo konnte doch dieß gar nicht mit
dem Seegen in Vergleichung kommen, welcher
der Kirche in der vorhergehenden Periode zuge-
ſtrömt war.

§. 12.

Doch es war auch ſehr natürlich, daß die
Freygebigkeit der Layen gegen die Kirche etwas
abnahm; denn wie konnten es die Layen ſich
ſelbſt verhehlen, daß ſich die Umſtände der Kirche geändert hätten? Mochte auch das Zeitalter noch keinen klaren Begriff davon haben,
daß und warum man die Kirche nicht allzu-
reich machen dürfe: aber wenn ſie doch in jeder Provinz und in jedem Gau ſchon das
meiſte und das beſte Land beſaß, wenn es
ſchon biſchöffliche Kirchen gab, welche die Einkünfte einer Grafſchaft, und Dorf-Kapellen
gab, welche an Zinſen und Gülten eben ſo

viel

viel als ein Herren=Hof einzunehmen hatten,
so konnte man sich wenigstens nicht mehr ge=
drungen fühlen, ihre Armuth zu bedenken.
Auch mochte manchen ein dunkles Gefühl vor=
schweben, daß eine Schenkung an die reiche
Kirche nicht mehr halb so verdienstlich seyn
könne, als einst eine Schenkung an die ärmere
gewesen war; und wenn man endlich noch dazu
nimmt, daß auch in diesem Zeitalter die Klö=
ster unendlich viel auffiengen, das sonst in den
Haupt=Kanal der Kirche geflossen seyn würde,
so kann man es gar nicht befremdend finden,
daß sich jetzt das Haupt=Gut der Kirche
nicht mehr in einer gleichen Progression oder
nicht mehr mit der Schnelligkeit vermehrte,
mit welcher es seinen gegenwärtigen Stand
erreicht hatte.

§. 13.

Indessen mag dieß doch nur von dem Gan=
zen, aber nicht von einzelnen Kirchen gelten,
und selbst in Beziehung auf das Ganze bleibt
es gewiß, daß die Kirche auch in diesem Zeit=
alter noch Zufluß genug, und Erwerbs=Mittel
genug

genug hätte, wodurch sie doch selbst bey einer
nicht sehr guten Haushaltung, bey vermehrten
Ausgaben und bey einem vergrößerten Auf=
wand ihr Eigenthum unvermindert erhalten
konnte. Schon dieß trug sehr viel aus, was
ihr jetzt — aber freylich nur an einigen Oer=
tern, und vorzüglich in Deutschland — nicht
mehr die Andacht, sondern die Politik der
Könige zuwarf. Auch hinderte man sie noch
lange nicht, vermittelst der schönen Erwerbs=
Methode durch die sogenannten contractus pre-
carios ihren Güterstock zu vermehren, denn
man ließ sie selbst noch lange von dem feinen
Mittel Gebrauch machen, durch das sie die
Liebhaberey dazu so künstlich zu reizen wußte [8].
Eben so viel mochte sie durch die feuda oblata
gewinnen, die man ihr von so vielen Seiten her
aufdrang; aber am meisten mußte ihr jene ein=
zige Haupt=Quelle von Einkünften eintragen,
deren Besitz ihr vollends in diesem Zeitalter
gesichert, und jetzt auf immer gesichert wurde.
Dabey kann man wohl an nichts anders als
an

---

8) S. B. II. p. 390-394. Beyspiele solcher Kon=
trakte aus dem zehnten Jahrhundert s. bey
Hontheim in Hist. Trevir. T. I. p. 275. 335.

an die Zehenten denken, die für die Kirche ein weit wichtigeres Objekt ausmachten, als selbst ihr Grund=Eigenthum jemahls werden konnte.

Kap. IV.

Neue Gesetze und Einrichtungen wegen der Zehenten, wodurch diese Quelle von Einkünften ergiebiger gemacht und mehr gesichert wird.

---

§. I.

Gegen das Ende des neunten Jahrhunderts mochte es wohl den Layen nach gerade glaublich geworden seyn, daß die Kirche ein Recht habe, den Zehenten von dem Ertrag aller ihrer Güter zu fordern, denn man hatte es ihnen gar zu oft vorgesagt: aber bey dem unwilligen Wiederstand, womit sie sich so lange gegen diese Abgabe gewehrt hatten, muß man es sehr begreiflich finden, daß sie doch an ihre würkliche und ehrliche Entrichtung nicht so schnell

gewöhnt werden konnten. Es wurde daher
zwar nothwendig, daß sie von Zeit zu Zeit
auf das neue daran erinnert werden mußten,
aber man durfte es jetzt von Seiten der Kirche auch schon genauer nehmen, und theils gegen die mancherley Ausnahmen von der Zehent-
Verpflichtung, welche die Layen bereits erfunden, theils gegen die kleinen Künste des Betrugs, die sie sich schon dabey ausgedacht hatten, bestimmtere Vorkehrungen treffen. Dieß
unterließ sie auch nicht, ja sie zeigte selbst
dabey einen so bedachtsam speculirenden und
rechnenden Finanz = Geist, daß man sich fast,
indem man ihren Operationen zusieht, in ein
anderes Zeitalter hinein versetzt glaubt.

§. 2.

Aus den neuen kirchlichen Zehent = Gesetzen,
die noch vor dem Ende des neunten Jahrhunderts mehrmahls wiederholt wurden, muß
man vermuthen, daß es vorzüglich zweyerley
Gattungen von Menschen waren, welche sich
selbst um diese Zeit von der Entrichtung des
Zehenten an die Kirche dispensiren zu können
und zu dürfen glaubten. Dieß waren auf der
einen

einen Seite ihre eigenen Zinsleute, welche Gü=
ter von ihr in Pacht oder in irgend einer Art
von Bestand hatten, und auf der andern Seite
die Guts = Besitzer, welche eigene Haus = Ka=
pellen auf ihren Burgen, oder Patronat = Kir=
chen auf ihrem Grund und Boden hatten.
Dabey behaupteten zwar die letzten, daß sie
gar nicht zehentfrey seyn wollten, aber sie
prätendirten, daß es ihnen frey stehen müsse,
den Zehenten von ihren Gütern ihrer eigenen
Kirche zuzuwenden; die ersten hingegen fanden
es höchst unnatürlich, daß die Kirche von
ihren eigenen Gütern den Zehenten verlangen
könnte, und sahen zugleich in der Forderung
die gröbste Verletzung des ursprünglichen Kon=
trakts, den sie mit ihr geschlossen hatten.

§. 3.

Zu dieser letzten Ansicht konnten sie ja
wohl natürlich genug kommen, denn es ist
unverhehlbar, daß etwas dieser Art würk=
lich in der Forderung lag. Wenn z. B. der
Pächter eines Ackers, der zu dem Eigenthum
der Kirche gehörte, die neunte Garbe nach
seinem Kontrakt an sie abzugeben hatte, und

jetzt

jetzt die zehnte noch dazu geben sollte, so
war es ja fast eben so, als ob sein Pacht
um die Hälfte erhöht worden wäre. Allein
auf der andern Seite war allzuviel daran ge=
legen, daß keine Ausnahme von der Zehent=
Pflichtigkeit autorisirt werden durfte, als daß
man Rücksicht darauf hätte nehmen können.
Ohne Bedenken machte also die Kirche auch an
ihre Pächter und Zinsleute das Ansinnen, daß
sie sich um Gottes willen der kleinen Unbillig=
keit unterziehen, und ihr zu der neunten Garbe
auch die zehnte geben sollten; wohlbedächtlich
aber ließ sie es nicht bloß auf ihre Gutwillig=
keit ankommen, sondern im J. 853 ließen
die französischen Bischöffe die Verordnung,
welche sie auf einer Synode ¹) zu Soissons
deßhalb gemacht hatten, auch in aller Form
von ihrem König sanktioniren ²). Zwey Jahre
später bestätigte dann der Kayser Ludwig II.
auch die Verfügung einer Synode zu Pavia,
durch welche allen Guts=Besitzern, welche ei=
gene Haus= und Burg=Kapellen hatten, an=
gekün=

1) Conc. Suession. II. c. 9.
2) S. Mandata Missis Dominicis per regnum di-
rectis data cap. 6. Conc. T. VIII. p. 91.

gekündigt wurde, daß sie von ihrem Zehenten durchaus nichts zum Behuf von diesen abzuziehen befugt, sondern ihn ganz an die Parochial = Kirche des Diſtrikts abzuliefern ſchuldig ſeyen ³).

§. 4.

Auch noch vor dem Ende dieſes Jahrhunderts wurde die Kirche auf den wichtigen Gegenſtand, den die Noval = Zehenten für ſie ausmachen mußten, aufmerkſam, und wahrſcheinlich durch eine ähnliche Veranlaſſung aufmerkſam gemacht. Allem Anſehen nach hatten hie und da einige Anbauer neuer Ländereyen, welche erſt urbar gemacht werden mußten, ſich geweigert, den Zehenten davon zu entrichten, oder es wenigſtens für billig gehalten, daß ihnen einige Frey = Jahre zugeſtanden werden müßten. Dieß letzte ſchien auch würklich nicht nur die Billigkeit, ſondern ſelbſt die Gerechtigkeit zu fordern; allein vermuthlich eben deßwegen fanden es die deutſchen Biſchöffe auf einer Synode zu Tribur vom J. 895. räthlicher, ſich gar nicht auf die Frage einzulaſ-

---

3) Conc. Ticinenſ. a. 855. eb. daſ. p. 149.

zulassen: ob auch von Noval=Gütern der Zehente entrichtet werden müsse? Sie nähmen es vielmehr als ausgemacht an, daß sich daran gar nicht zweifeln lasse, bestimmten bloß, wie es mit dem Einzug und mit der Ablieferung dieser Noval=Zehenten, zu halten sey 4)? und schnitten eben damit alle weitere Fragen über die Haupt=Frage ab.

§. 5.

Desto ausführlicher ließen sie sich hingegen im J. 909. auf einer Synode zu Trosley auf den Beweis, daß ihnen Gott selbst die Zehenten zugesprochen habe, auf die Natur

der

---

3) S. Conc. Tribur. c. 14. Wenn in der Nachbarschaft einer alten Kirche — bestimmte die Synode — neues Land umgebrochen würde, so müßte der Zehente an diese Kirche entrichtet werden. Würde hingegen in einer Entfernung von vier oder fünf Meilen ein Wald ausgereutet, oder ein bisher ganz unbewohnter Ort angebaut, so sollte zugleich eine neue Kirche hingebaut werden, welcher alsdann der Bischoff den Zehenten zusprechen möchte.

der Verpflichtung, welche alle Layen dazu
verbinde, und gelegenheitlich auch auf eine nä=
here Bestimmung von dem Umfang dieser Ver=
pflichtung ein [5]). Diesen letzten hatte man
zwar immer weit genug abgesteckt, denn die
Kirche hatte niemahls weniger behauptet, als
daß ihr die Layen den Zehenten von dem Er=
trag ihres ganzen Vermögens schuldig seyen.
Ehe jedoch die Layen etwas daran gewohnt
waren, durfte die Schuld nicht mit ganz ge=
nauer Schärfe eingetrieben werden, und deß=
wegen hatte man sich weislich begnügt, sie
nur zuerst mit dem Land=Zehenten in die heil=
same Gewohnheit hineinzubringen, der ohne=
hin am meisten abwerfen mußte. Nebenher
konnte immer auch schon von den Ansprüchen
der Kirche auf den Ertrag ihrer Heerden ge=
sprochen werden, denn der Landmann selbst
war ja längst daran gewöhnt, sich sein Vieh
und seinen Acker zusammenzudenken, und
mochte also leichter zu überreden seyn, daß
sich seine Zehentpflichtigkeit auf das eine so
gut, als auf den andern erstrecken müsse.
Man

5) S. Conc. T. IX. p. 520. fg.

Rr 4

Man hat Ursache zu glauben, daß es wirklich auch damit noch leicht genug gieng; sobald man aber noch mehr erhalten wollte, so
dürfte jetzt desto weniger mehr gezaudert werden; denn je länger man sich damit begnügte,
dem Landmann bloß den Land- und Vieh-Ze-
henten abzufordern, desto mehr mußte sich die
Vorstellung befestigen, daß die Kirche nur
diesen und daß sie ihn nur von diesem zu
fordern habe.

§. 6.

Jetzt hielt man es also für Zeit, auch
die Layen in Frankreich und Deutschland
zu belehren, wie man es in England [6] schon
etwas früher gethan hatte, daß die Zehent-
Verpflichtung weit mehr umfasse, als sie bisher geglaubt hätten. Es erhellt aus den Akten der angeführten Synode zu Troßley, daß
man wirklich schon hier und da den Glauben
aufgefaßt hatte, die Zehentpflichtigkeit sey nur

auf

---

[6] Der Erzbischoff Egbert von York hatte es
hier schon im achten Jahrhundert in seinen
Capiteln gethan. S. *Wilkins* Conc. Brit. T. I.
p. 107.

auf Land = Besitzer eingeschränkt 7); daher war
es würklich schon hohe Zeit zu ihrer besseren
Belehrung; aber diese gab man ihnen jetzt
auch desto vollständiger und ausführlicher.
Die Synode bewies ihnen nicht nur, daß Gott
selbst der Kirche ausdrücklich das Recht zuge=
sprochen habe, von jeder nur irgend denkbaren
Art ihres Erwerbs den Zehenten zu for=
dern 8), sondern sie übernahm es auch, den
schwerern Beweis zu führen, daß die inneren
und gleichsam natürlichen Verpflichtungs=Grün=
de

7) "Fortaßis dicet aliquis: ego non sum agricola,
ergo non habeo, unde poßim dare decimas
fructuum terrenorum vel etiam armentorum."

8) "Quoniam sunt nonnulli, qui ignorantes immo
contemnentes Dei justitiam — ausu sacrilego
surripiunt ac defraudant Deo debitam decima=
rum partem, ad suam ipsorum perniciem di=
centes, non se debere decimas dare de militia, de negotio, de artificio, de lanarum ton=
sione et de caeteris sibi a Deo largitis commer=
ciis — audiant non nostra sed Dei ipsius per
sacras scripturas mandata, et cognoscant, nos
nequaquam, ut illi ajunt, nova exigere, sed
potias repetere Dei legibus instituta." p. 538.

be zu dieser Abgabe auf jede Art von Erwerb und von Eigenthum mit gleicher Stärke sich erstreckten [9], und dabey gieng sie mit solcher Genauigkeit in das Besondere hinein, daß sich schwerlich ein zehentbarer Artikel mehr ersinnen ließ, der nicht von ihr specificirt worden wäre. Vergaß sie doch selbst nicht zu bemerken, daß sie Gott auch den Zehenten von ihrer Zeit zu opfern schuldig seyen; aber noch weniger vergaß sie, daß sie im Nahmen Gottes außer den Zehenten auch noch die Erstlinge eines jeden Gewinns von ihnen zu fordern habe [10].

§. 7.

Damit war man von dieser Seite her mit dem Zehnt=Wesen in der Ordnung, in der man es haben wollte, und ja wohl in der

schön=

[9] "Audi, quicunque es, miles sis, negotiator sis, artifex sis. Ingenium de quo pasceris, Dei est, et ideo inde dare debes ei decimas. p. 539."

[10] Sie führte auch an, daß Gott ausdrücklich befohlen habe, die Zehenten und Erstlinge nicht zu spät einzuliefern, und schloß daraus: "Si praevaricatio legis est, tardius dare, quanto pejus est, nihil dedisse." p. 540.

schönsten, in die es möglicher Weise gebracht werden konnte; wenn sie aber auch im Gange erhalten werden sollte, so war es nothwendig, daß noch von einer andern Seite her eine Neuerung dabey angebracht werden mußte. Diese Neuerung betraf den Proceß=Gang und die Exekutions=Ordnung in Zehent=Sachen; denn darauf mußte man doch rechnen, daß die schöne Zehent=Ordnung sich nie ganz ohne gerichtlichen Zwang erhalten lassen würde, und dieß hatte man schon mehrfach erfahren, daß durch den Rekurs an den weltlichen Gerichts= Zwang, an den bisher die Kirche gewiesen war, oft nur eine langsame, im günstigsten Fall nur eine theure, und in den meisten Fäl= len gar keine Hülfe zu erhalten sey. Hier mußte also eine Auskunft ausgemittelt werden; aber es bot sich nur Eine an, von der sich eine sichere Würkung erwarten ließ. Sie bestand darinn, daß sich die Kirche zur Selbst=Hülfe autorisiren lassen mußte, und dieß erhielt we= nigstens die deutsche Kirche im J. 948. durch Otto I. auf der Synode zu Ingelheim 11).

In

11) Otto I. war selbst nebst dem König Ludwig von

In dem neunten Canon dieſer Synode wurde es zum Geſetz gemacht, daß kein weltlicher Richter mehr in Zehent=Sachen ſprechen, ſondern alle darüber entſtandene Streitigkeiten der Entſcheidung der Biſchöffe überlaſſen bleiben ſollten [12]); und nur vier Jahre darauf wurde die neue Verordnung auf einer großen Verſammlung zu Augſpurg vom J. 952. noch einmahl ſanktionirt [13]).

§. 8.

Nun läßt ſich doch leicht berechnen, oder vielmehr — es läßt ſich gar nicht mehr berechnen,

von Frankreich und einem päbſtlichen Legaten auf der Verſammlung gegenwärtig, die zunächſt um der Händel willen, welche über das Bisthum zu Rheims entſtanden waren, veranſtaltet worden war. S. Conc. T. IX. p. 623.

[12] "Si decimae eccleſiis non fuerint redditae, ſecularia ſuper hoc non exerceantur judicia, ſed in ſancta ſynodo ab ipſis ſacerdotibus, quarum deputatae ſunt uſibus, quicquid exinde debeat agitari, definiatur."

[13] S. Conc. Auguſt. c. 10. "Ut omnis decimatio in poteſtate Epiſcopi ſit, et ſi neglecta fuerit,

rechnen, welchen ungeheuren Zuwachs von Einkünften diese einzige neue Zehent=Ordnung der
Kirche eintragen mußte? Mochte es immer
physisch=unmöglich seyn, daß sie jemahls in
ihrem ganzen Umfang und nach ihrer ganzen
Schärfe in die Praxis eingeführt werden konnte. Mochte ihr immer durch Unterschleif und
Defraudationen aller Art die volle Hälfte von
demjenigen unterschlagen werden, was sie nach
dieser Ordnung zu fordern hatte, ja mochte
sie es selbst politisch räthlich finden, von hundert Artikeln, die in ihrem unermeßlichen Tarif begriffen waren, die Abgabe des Zehenten
niemahls würklich einzufordern! Aber wenn
ihr auch nur ein Drittheil von dem Ganzen
blieb, das der zehnte Theil von dem Ertrag
des Landbaus, der Viehzucht und des Kunst=
Fleißes in jedem Staat ausmachen mußte,
wer kann den Gewinn noch schätzen wollen,
der allein daraus ihr zufloß? Nimmt man
aber noch dazu, in welcher ungeheuren Pro-
greſſion dieser Gewinn erſt in der Zukunft
noch ſteigen konnte, und mit jedem Fortſchritt

der

rit, quicquid inde emendandum eſt, coram Episcopo ejusve miſſo corrigatur."

der Cultur, der Industrie, und der Bevöl-
kerung unfehlbar steigen mußte — wer kann
sich eines kleinen Schreckens über das unnatürliche Uebermaaß von Einkünften erwehren,
dem sie entgegensah?

Doch dieser Schrecken verliehrt sich wieder, sobald man jetzt noch die Aufmerksamkeit auf einige Veränderungen richtet, die zu
gleicher Zeit in der Administrations- und Verwaltungs-Art des kirchlichen Güter-Wesens
vorgiengen, denn dabey macht man bald die
Entdeckung, wie gut dafür gesorgt war, daß
der Kirche das Uebermaaß ihres Reichthums
nicht allzulästig werden konnte.

***

Kap. V.

Kap. V.

Veränderungen in der Verwaltungs-Art der Kirchen = Güter, durch ihre mehrfache Vertheilung,
welche jetzt erzwungen wird, veranlaßt.

§. I.

In der kirchlichen Rechts=Theorie blieb es
hier freylich allgemein angenommener und anerkannter Grundsatz, daß den Bischöffen allein
die Administration des Kirchen=Guts zustehe,
und in dieser Theorie blieb auch noch ihr Ad-
ministrations = Recht auf das ganze kirchliche
Eigenthum ihrer Diöcese oder ihres Sprengels ausgedehnt. Doch diesen Grundsatz ließen sie selbst in dieser Periode mehrmahls auf
das neue sanktioniren, und sehr geflissentlich
in dieser Ausdehnung sanktioniren. Besonders
oft erneuerten sie die Erinnerung daran, daß
der Ertrag des Zehenten von der Diöcese nur
ihnen gehöre, und daß sie höchstens bey seiner

ner Verwendung und Vertheilung an gewiſſe
Regeln gebunden ſeyen; aber gerade davon war
ihnen durch das Aufkommen einer neuen Pra=
xis vielleicht am meiſten entzogen und aus der
Hand gewunden worden. So verhielt es ſich
indeſſen nicht bloß mit dieſer, ſondern mit je=
der andern Gattung des kirchlichen Eigenthums:
und dieſe Veränderung wurde zunächſt durch
die folgenden, die in der kirchlichen Haushal=
tung eingetreten waren, herbeygeführt.

§. 2.

Einmahl wurden die Biſchöffe ſchon in
der erſten Hälfte dieſer Periode gezwungen,
zu einer Theilung ihres Kirchen = Guts die
Hände zu bieten, denn ſie wurden wenigſtens
gezwungen, das Adminiſtrations = Recht über
diejenigen Güter, die zu dem Unterhalt ihres
Kapitel ausgeſetzt waren, auszugeben, und
dieſen ſelbſt die Verwaltung davon zu über=
laſſen. Der Gang dieſer wichtigen Verände=
rung kann und wird erſt in dem folgenden Ab=
ſchnitt gezeichnet werden, in welchem noch das
neue und eigenthümliche zuſammengeſtellt wer=
den muß, das auch in die kirchliche Verbin=
dungs=

bungs = Form der Diöcesan = Verfassung während dieses Zeitraums hineinkam; aber ihr Eintritt selbst muß hier schon erwähnt werden, weil auch auf das Ganze der kirchlichen Oekonomie die bedeutendsten Folgen davon ausflossen. Indessen läßt sich wohl auch schwerlich ganz bestimmt angeben, wenn? und wo sie zuerst durchgesetzt wurde.

§. 3.

Schon bey der ersten Einführung des ka= nonischen Lebens unter dem Klerus, also bey der ersten Organisation der neuen Kapitel bey den bischöfflichen Kirchen, hatten zwar mehrere Bischöffe, welche das Institut begünstigten, eigene Güter dazu ausgesetzt, oder eigene Ein= künfte dazu angewiesen, daß die Unterhaltungs= Kosten des Kapitels davon bestritten werden sollten; ja einige mochten wohl auch schon aus= drücklich dabey erklärt haben, daß sie auf ewige Zeiten dazu bestimmt bleiben, mithin auch von ihren Nachfolgern niemahls zu einem andern Zweck verwandt werden sollten. Doch dieß war gewiß nicht allgemein geschehen, und auch da, wo es geschehen war, hielten sich

die nachfolgenden Bischöffe nicht immer dadurch
gebunden; überall aber sahen sie diese Güter
und Einkünfte noch als ihre eigenen an, und
hielten es nicht nur für ihre Sache, die Verwaltung und die Verwendung davon anzuordnen, sondern glaubten auch ihren Canonicis
keine weitere Rechnung schuldig zu seyn, wenn
sie nur für ihren Unterhalt nothdürftig gesorgt
hatten. Dadurch bekamen zugleich die Bischöffe
das unfehlbarste aller Mittel in die Hände,
sie beständig in der Abhängigkeit von sich zu
erhalten; daher ist es wohl schwer zu glauben,
daß sie zu einer Aenderung dieser Einrichtung
freywillig die Hände boten; dennoch scheint
man es der Geschichte glauben zu müssen.

§. 4.

Im J. 873. legte der Erzbischoff Wilibert von Cöln einer daselbst versammelten
Synode einen Kontrakt vor, den sein Vorgänger, der durch seine Händel mit Nicolaus I.
so berühmt gewordene Erzbischoff Günther, mit
seinem Kapitel geschlossen hatte; in diesem
Kontrakt aber war von ihm außer andern Be-
willigungen dem Kapitel auch die völlig freye

Dispo-

Disposition über die zu seinem Unterhalt aus=
gesetzten Güter überlassen worden [1]. In der
Cessions=Urkunde war selbst der Ausdruck ge=
braucht, daß jedem Mitglied des Kapitels sein
Antheil an den Gütern als erbliches Eigenthum
und mit dem Recht, unter gewissen Bestim=
mungen darüber zu testiren, zugeschrieben wer=
den sollte [2]; also enthielt sie zugleich die un=
eingeschränkteste Verzichtleistung des Bischoffs
auf alle Rechte, die ihm sonst darüber zuge=
standen seyn möchten. Dabey dürfte sich wohl
desto leichter vermuthen lassen, wie der Erzbi=
schoff Günther dazu kam, da die wahre Zeit
der von ihm ausgestellten Urkunde unbekannt
ist. Jetzt wird man nehmlich durch nichts ab=
gehalten, zu glauben, daß er sie nach seiner
Abset=

1) S. Conc. T. IX. p. 252.

2) "Hoc illis quasi in jus haereditarium firmiter
concedens, quatenus quisque illorum — liberum
haberet arbitrium, mansionem suam cum caeteris quibuscunque rebus donare, seu etiam tra-
dere cuicumque suo confratri voluisset post obi-
tum suum possidendam, absque ullius Episcopi
consultu- sive contradictione."

Absetzung durch den Pabst ausgestellt, also den großmüthigen Kontrakt mit seinem Kapitel zu einer Zeit geschlossen habe, da ihm alles daran gelegen war, es auf seiner Seite zu behalten. Setzt man allenfalls noch voraus, daß es nach seiner Zurückkunft von seiner zweyten Reise nach Italien, geschehen sey, so begreift man noch besser, was ihn bewegen konnte, die fortdauernde Anhänglichkeit seines Kapitels durch ein solches Opfer zu erkaufen, da er zugleich den gerechtesten und vorher auf das äußerste von ihm gereizten Unwillen des Kapitels aussöhnen mußte ³). Allein wenn es auch damit erklärt ist, was den Erzbischoff Günther zu dem ersten Schluß des Vergleichs gedrungen haben konnte, so fragt sich jetzt erst noch, wodurch sich sein Nachfolger Wilibert bewogen fühlen mochte, den Vergleich nicht nur zu bestätigen, sondern ihm auch die feyerliche

Sank-

---

3) Vor dem Antritt dieser Reise hatte der Erzbischoff seine Kirche rein ausgeplündert, und alle ihre Schätze mitgenommen, um sich dadurch zu Rom seine Restitution zu erkaufen. Dadurch mußte sein Clerus auf das äußerste erbittert worden seyn.

Sanktion einer Synode geben zu laſſen, und
darüber iſt man völlig im Dunkeln; denn die
Vermuthungen 4), die ſich vielleicht aus der
Geſchich=

4) Einige Umſtände aus ſeiner Wahl=Geſchichte
geben allerdings eine ſtarke Vermuthung. Der
Bruder des verſtorbenen Günthers war be=
reits durch den Einfluß des Königs von Frank=
reich zum Erzbiſchoff ernannt, aber noch nicht
ordinirt worden. Ludwig von Deutſchland,
dem ſehr viel daran gelegen war, dieß zu
verhindern, ſchickte den Erzbiſchoff Luitbert
von Maynz im J. 870. nach Cöln, um durch
dieſen den Cölniſchen Klerus überreden zu
laſſen, daß er ſelbſt einen andern wählen
ſollte, der auf der Stelle von ihm konſecrirt
werden könnte. Dieſer wählte dann Wilibert
nach einigen Unterhandlungen mit dem Erzbi=
ſchoff von Maynz, und was iſt glaublicher,
als daß dabey auch eine Art von Capitula=
tion mit dem neuen Erzbiſchoff geſchloſſen wur=
de, durch die er ſich verpflichten mußte, alles
zu beſtätigen, was ſein Vorgänger dem Ka=
pitel bewilligt hatte. S. Annal. Metenſes ad
ann. 870. und Annal. breves Colonienſ. bey
Eckart Rer. Wirzburg. T. II. p. 918.

Sſ 3

Geschichte seiner Wahl darüber ziehen ließen, können schwerlich zur Gewißheit erhoben werden.

§. 5.

Darüber bedarf man hingegen fast keinen historischen Aufschluß, wie es nun mit der allmähligen allgemeineren Einführung der neuen Einrichtung zugieng. Sobald nur einmahl eines dieser größeren Collegien, welche die Kapitel der Cathedral-Kirchen bildeten, seinem Bischoff das freye Dispositions-Recht über seine Güter abgerungen hatte, so mußte das Beyspiel alle andere zur Nachfolge reizen, und die Wichtigkeit desjenigen, was sich dabey für sie gewinnen ließ, mußte sie zugleich zu einer Beharrlichkeit in dem darum zu bestehenden Kampf reizen, gegen welche der Widerstand der Bischöffe nicht in die Länge aushalten konnte. An Gelegenheiten und Veranlassungen dazu konnte es auch keinem, so wenig als an weiteren Aufmunterungen dazu fehlen. Schon bey dem Anblick so mancher Collegiat-Stifter, denen meistens durch ihre Fundatoren eine freyere Disposition über ihre Güter zugesichert, oder bey denen wenigstens den Bischöffen die

Hände

Hände etwas mehr gebunden waren, mußte
sich den Domkapiteln der Wunsch höchst ge=
waltsam aufdrängen, sich in eine gleiche Lage
mit ihnen zu versetzen: aber man kann auch
schon in der Geschichte von dem Ende des
neunten Jahrhunderts an den mehrfachen An=
stalten zusehen, welche sie zu der Realisirung
dieses Wunsches machten. Schon aus diesem
Zeitraum finden sich Schenkungs=Urkunden über
einzelne an Domkapitel verliehene Güter, wel=
che die ausdrückliche Clausel enthalten, daß
sich der Bischoff niemahls eine Einmischung in
ihre Verwaltung erlauben dürfte 5). Schon
um diese Zeit kamen also die Kapitel noch auf
einem andern Wege und ohne Zuthun der Bi=
schöffe zu Besitzungen, über welche ihnen ein
ganz freyes Dispositions = Recht zustand: so=
bald sie aber nur einmahl einige dieser Art
hatten, so ließ es sich schon leichter einleiten,
daß

5) Diese Clausel findet sich schon in einer Schen=
kungs=Akte des Kaysers Arnulf über einige
Güter, die er im J. 894. dem Kapitel zu
Bergamo schenkte. S. *Lupi* Cod. Diplom. ecclef. Bergomat. T. I. p. 1018.

daß ihnen die Bischöffe auch über jene, welche sie bisher noch in ihrer eigenen Hand behalten hatten, das nehmliche Recht überlassen mußten. Vielleicht gab es daher am Ende des eilften Jahrhunderts kein Domkapitel mehr, das nicht zum Theil wenigstens die Selbst = Administration seiner Güter bereits erkämpft hätte; nur versteht sich von selbst, daß es nicht bey allen zu gleicher Zeit und auch nicht bey allen auf gleiche Art und unter gleichen Umständen erfolgt seyn mochte.

§. 6.

Damit war aber wahrhaftig eine Veränderung in der Administration des kirchlichen Güter = Wesens durchgesetzt, die schon an sich bedeutend genug erscheinen kann, wenn man auch gar nicht an die zahllosen Folgen denkt, welche sich mittelbar daraus entwickelten: hingegen kann es doch zweifelhaft scheinen, ob man die nächsten Folgen, die in Beziehung auf das kirchliche Eigenthum selbst davon ausflossen, für günstig oder für ungünstig halten muß. Den Bischöffen wurde es zwar auf der einen Seite durch die Theilung der Masse zu

der

der sie sich entschließen mußten, am würksamsten .unmöglich gemacht, von dem Ganzen ihres Güterstocks allzuviel zu verschwenden oder
zu verschleudern, denn wiewohl sie nur ungleich mit ihren Kapiteln theilten, und überall
das meiste für sich behielten, so trug es doch
schon etwas aus, daß nur dasjenige, was sie
ihnen überlassen mußten, jetzt auf immer vor
ihren Griffen gesichert war. Außerdem bekamen jetzt mehrere Menschen — denn alle Mitglieder der Kapitel bekamen jetzt ein stärkeres
und lebhafter gefühltes Interesse, für die Vermehrung des Guts angelegener zu sorgen, was
für das Ganze noch mehr austragen mochte.
Aber auf der andern Seite wurde doch auch
die Anzahl der Theilnehmer und der Verzehrer
— der Participanten und der Consumenten —
dadurch vermehrt. Unter der vergrößerten Anzahl von diesen fanden sich auch wieder mehrere, deren Verschwendung und deren Geiz
gleich nachtheilig für das Eigenthum der Kirche wurde; und wie viel hätten nicht diese
verderben können, wenn nicht die Quelle, aus
der jetzt so viel mehr Hände schöpften, bereits
so ergiebig gewesen wäre, und wenn man nicht

Ss 5   end-

endlich Mittel gefunden hätte, ihnen das Ableiten der Quelle in fremde Kanäle zu erſchweren.

§. 7.

Aehnliche bedenkliche Folgen konnten nur allzuleicht aus einer zweyten Veränderung entſpringen, durch welche in dieſem Zeitraum das Adminiſtrations = Weſen der kirchlichen Güter und Einkünfte mehr vereinfacht wurde. Dieſe zweyte Veränderung beſtand nicht ſowohl in der Einführung als in der jetzt erfolgten Generaliſirung des Beneficien = Syſtems, wodurch jedes kirchliche Amt gewiſſermaßen in ein Lehen verwandelt, oder doch mit einem Lehen= vereinigt wurde. Schon im ſiebenten und achten Jahrhundert war es nicht ſelten geſchehen, daß die Biſchöffe einzelnen Geiſtlichen, und beſonders jenen, die bey den Kirchen auf dem Lande angeſtellt waren, anſtatt desjenigen, was ſie ihnen zu ihrer Unterhaltung hätten geben müſſen, den Ertrag gewiſſer Grundſtücke aſſignirten, die zu dem Kirchen = Gut gehörten, oder ihnen auch die Grundſtücke ſelbſt zum nutznießlichen Beſitz überließen[6]). Man konnte

6) S. B. II. p. 450. 451.

te also leichter darauf verfallen, die Einrich=
tung allgemein zu machen; aber sie wurde
noch außerdem durch den ganzen Zeitgeist auf
das äußerste begünstigt.

§. 8.

Man kannte ja überall in diesem Zeital=
ter keine andere Vergeltungs=Art für geleistete
Dienste — mochten sie dem Staat oder moch=
ten sie Privat=Personen geleistet seyn — als
durch die Anweisung von Grundstücken, oder
von Pertinenzien, die zu den Grundstücken ge=
hörten, wie z. B. Zehnten, Zinsen, oder
gewisse lukrative Gerechtsame, die man dem
Dienenden als Lehen übertrug. Der Lehens=
herr glaubte sich dadurch die fortdauernden
Dienste des Belehnten am gewissesten versichern
zu können, und der Belehnte konnte würklich
wegen der Belohnung, die er erwartete, nicht
gewisser gesichert werden. Beyde Theile fan=
den außerdem noch mehrere Konvenienzen bey
der Einrichtung; und alle diese Konvenienzen
traten auch ganz besonders in den gegenseiti=
gen Verhältnissen der Kirche und ihrer Diener
ein. Ueberall ordnete es sich also allmählig
fast

fast, von selbst, daß zu jedem kirchlichen Amt
ein Beneficium geschlagen, und darüber unmerklich der größte Theil der Kirchen = Güter
in jeder Diöcese als Lehen ausgethan wurde.
Dieß hieß nichts anders, als daß nun jedem,
der ein Amt — ein officium — bekam, entweder ein Grundstück, oder die Hebung des
Zehenten von einer bestimmten Markung, oder
die Einnahme der Gilten von einem der Kirche
zinsbaren Lande angewiesen wurde; aber darüber leitete es sich bald genug ein, daß nun
auch Beneficien ohne Officien vergeben wurden.
Es gab ja immer in jeder Diöcese der Geistlichen mehrere, als man in bestimmten Aemtern anbringen konnte. Es gab auch unter
diesen immer mehrere, die zu keinem Amt
brauchbar waren, und die man doch auch
versorgen mußte, oder versorgen wollte. Man
gab ihnen also ein Beneficium ohne ein Amt,
und weil man sich etwas zu voreilig an den
Spruch gewöhnt hatte: Beneficium datur.
propter officium: so verpflichtete man sie,
um diesen Spruch bey Ehren zu erhalten,
nur zu dem täglichen Abbeten der kanonischen
Horen, indem man nun den Nahmen Officium

ganz

ganz besonders auf dieß wichtige Geschäft
übertrug.

§. 9.

Dazu würkten aber die Bischöffe auf eine
mehrfache Art selbst mit, woraus sich schon
schließen läßt, daß sie bey der neuen Einrich=
tung nichts zu verliehren glaubten. Für jetzt
war es auch würklich noch nicht sehr viel,
was sie dabey verlohren. Es verstand sich
von selbst, daß sie sich von den meisten Bene=
ficien einen gewissen Lehens=Zins vorbehielten,
der mit ihrem Ertrag im Verhältniß stand.
Dieser Zins mußte ihnen frey geliefert werden.
Sie hatten gar keine Verwaltungs= und Ad=
ministrations=Kosten dabey zu bestreiten. So
oft aber das Beneficium vakant wurde und
auf das neue vergeben werden konnte, so ließ
sich auch leicht eine Extra=Einnahme dabey
machen, bey welcher man nicht so laut über
Simonie schreyen konnte. Wenn sie also be=
rechneten, was sie ohne diese Einrichtung doch
immer zur Unterhaltung der Geistlichen hätten
aussetzen und hergeben müssen, so konnten sie
leicht finden, daß auch für sie noch ein Vor=
theil dabey herauskam.

§. 10.

§. 10.

Wer hingegen sieht nicht das Bedenkliche, das für die Kirche und für ihr Eigenthum überhaupt daraus entspringen konnte? Die Anzahl der Consumenten, die jetzt nur allzu leicht in Versuchung kommen konnten, das Eigenthum der Kirche als ihr eigenes anzusehen, wurde ja durch diese Veränderung noch unendlich beträchtlicher als durch die zuerst angeführte vermehrt, und zwar zu einer Zeit und unter Umständen vermehrt, welche die Versuchung fast unwiderstehlich machen mußten. So wie sich im neunten und noch zu Anfang des zehnten Jahrhunderts alles gedrängt hatte, in Lehens = Verhältnisse hinein zu kommen, so arbeitete von der Mitte des zehnten an alles nur dahin, diese Lehens = Verhältnisse erblich zu machen. Dieß wurde allgemeines Streben des Zeitgeists, und wie war es verhütbar, daß nicht auch die geistlichen Beneficiaten der Kirche davon ergriffen und hingerissen wurden? Aber aus mehreren Erscheinungen in der Geschichte dieses Zeitraums, die zum Theil schon berührt worden sind, ergiebt sich ja, daß auch sie nur allzustark davon ergriffen wurden.

Zu

Zu Anfang des eilften Jahrhunderts war es doch bereits dahin gekommen, daß die Geistlichen recht förmlich auf ihre Beneficien heyratheten, oder in der Absicht heyratheten, um sie in ihrer Familie behalten zu können. In dieser einzigen Erscheinung fällt es unstreitig am stärksten auf, wie unverdeckt es die Geistlichen schon darauf angelegt hatten, sich in das Gut der Kirche zu theilen. Dabey läßt sich auch nicht verkennen, wie sehr ihnen der schöne Plan durch die Einrichtung mit dem Beneficien-Wesen erleichtert wurde: aber wer kann zweifeln, wohin es zuletzt gekommen seyn würde, wenn man nicht in der nächsten Periode so gewaltsame Maaßregeln gegen das Uebel ergriffen, und von oben herab so mächtig dagegen gewürkt hätte?

§. II.

Doch der größte Nachtheil entsprang jetzt schon für die Kirche aus einer dritten Einrichtung, oder wurde ihr jetzt schon als Folge einer dritten Einrichtung fühlbar, die sich in diesen Jahrhunderten unter dem Einfluß des nehmlichen Zeit-Geists in ihrer Haushaltung

vol-

vollends ausbildete. Sie wurde nehmlich gezwungen, sich noch von einer andern Seite
her in die Formen der Lehens = Verfassung hin-
einzuschmiegen, denn sie wurde gezwungen,
auch die Dienste der Layen, welche sie bedurfte, durch abgerissene Stücke von ihrem Güterstock, die sie ihnen als Lehen überlassen müßte,
zu erkaufen. Allerdings war auch dieß nicht
ganz neu, denn schon im siebenten Jahrhundert konnten die Bischöffe die freyen Leute,
welche sie zum Heer=Zug zu stellen hatten, um
keinen andern Preis bekommen, als daß sie ihnen Land gaben. Auch die Dienste ihrer Vögte
und Advokaten mußten sie auf diese Art bezahlen; aber ganz anders kam es damit; sobald man sich allgemeiner in das Lehens=We-
sen hineingeworfen, und eine festere Ordnung
darein gebracht hatte.

§. 12.

Einerseits war zu gleicher Zeit der Güterstock der größeren Kirchen auf das beträcht-
lichste vermehrt worden, woraus die Folge
entsprang, daß die Bischöffe auch mit einer
ungleich größeren Anzahl freyer Leute als vorher

her dem Heerzug folgen mußten. Andererseits waren sie dadurch immer größere weltliche Herrn geworden, und das neue Verhältniß, in welches sie damit hineinkamen, die vielfachen Collisionen, in welche sie dadurch verflochten wurden, selbst das Bedürfniß, das für sie daraus entsprang, nun auch eine Art von weltlichem Hof zu halten, machte ihnen die Dienste noch von mehreren nothwendig. Sie mußten jetzt zu Besetzung ihrer Hof=Aemter eigene Ministerialen haben, sie mußten um des Glanzes willen Ritter und Edelgebohrne dazu haben, und sie mußten noch nothwendiger um der Fehden willen, in welche sie fast immer verwickelt waren, Ritter in ihren Diensten haben; aber sie konnten keinen bekommen, ohne ihn zu ihrem Vasallen zu machen, und in dieß Vasallen=Verhältniß konnten sie keinen hineinbringen, ohne ihm ein Lehen zu übertragen.

§. 13.

Doch das Schlimmste dabey war erst dieß, daß diese Layen, deren Dienste man beburfte, jetzt so unendlich viel höhere Preise, als vorher

her

her dafür forderten. Alles wurde nun nach
einem größeren Maaßſtab dabey geſchätzt. Der
freye Mann, der ehemahls für ein Paar Aek-
ker oder Wieſen die Verpflichtung übernommen
hatte, unter der Fahne des Biſchoffs zu dem
Heer zu ziehen, mußte jetzt mit einer ganzen
Hube belehnt werden. Ein Ritter koſtete noch
mehr, denn ihm durfte oft nicht weniger als
ein halber Wald oder der Zehente einer ganzen
Markung geboten werden. Die Miniſterialen
der Biſchöffe wollten auch ſtandesmäßig belohnt
ſeyn; und die Vögte prätendirten mehr als
alle zuſammen, und wußten ſich auch meiſtens
bey der Konvenienz, die ihnen ihr Verhältniß
machte, mehr zu verſchaffen. Wie viel es
aber im Ganzen austragen mochte, was auf
dieſem Wege von dem geweihten Eigenthum
der Kirche wieder an Layen zurückfiel, dieß
fällt am ſtärkſten in einem Beyſpiel auf, bey
dem freylich des faſt unglaublichen nur allzuviel zuſammenkommt. Im J. 1023. fand es
der Kayſer Heinrich II. für nöthig, die Haushaltung des reichen Stifts Skt. Maximin zu
Trier in eine beſſere Ordnung zu bringen,
weil es wahrſcheinlich mit der Entrichtung ſeiner

ner Abgaben und mit andern Prästationen all=
zusehr im Rückstand geblieben war. Um da=
her diese für die Zukunft dem Reich am ge=
wissesten zu sichern, ließ er sich selbst von dem
Abt mit so viel Stifts=Land belehnen, als zu
seinem Zweck hinreichend schien, gab es wie=
der an einige Grafen und Herzoge zum Lehen,
die sich dafür verpflichten mußten, alle Reichs=
und Heer=Dienste für das Stift zu prästiren,
und dieß Land betrug nicht weniger, als —
sechstausend, sechshundert und funfzig
Huben [7])!

§. 14.

Dabey begreift man wohl, wie es zu=
gieng, daß manche Bischöffe und Aebte schon
in

[7) Die Urkunde darüber s. in Hontheims Hist.
Trevir. Diplom. T. I. p. 358. Hontheim ge=
steht zwar selbst dabey, daß die Anzahl der
Huben kaum glaublich sey; aber er äußert
deßwegen keinen Zweifel an der Aechtheit der
Urkunde, und auch der Verfasser des Chron.
Gottvicens. konnte nicht daran zweifeln, weil
er sich p. 235. wegen einem andern Umstand
darauf beruft.

in diesem Zeitalter zu so großen Lehens-Höfen kamen, oder so viele Ritter und Herrn, ja selbst schon Grafen und Herzoge: als ihre Vasallen aufführen konnten; aber man begreift auch, wie theuer der Kirche die Ehre zu stehen kam, und man begreift noch besser, warum man jetzt wenig mehr Ursache zu der Besorgniß hatte, daß ihr Grund-Eigenthum und ihre Reichthümer jemahls zu einer allzu unverhältnißmäßigen Größe anschwellen könnten. Durch die Einrichtung mit diesen Beneficien, welche sie an Layen vergeben mußte, waren so viele Abzugs-Kanäle für den Strohm eröffnet worden, daß er bey dem reichsten Zufluß nicht mehr leicht überlaufen konnte, und zugleich war dafür gesorgt, daß keiner dieser Kanäle so leicht verstopft werden konnte, denn sie mußte es ja geschehen lassen, daß auch die meisten dieser Layen-Beneficien erblich wurden 8). Dieß letzte an sich brachte zwar für
jetzt

8) Noch im neunten Jahrhundert war dieß eingeleitet worden, denn schon Hincmar von Rheims räumte selbst ein, daß ein Bischoff keinem Vasallen, der durch Krankheit oder
Alter

jetzt der Kirche keinen besondern Nachtheil, denn sie hätte doch die Güter, wenn sie auch durch den Tod des einen Innahabers ihr heim‐ gefallen wären, wieder an andere verleihen müssen. Es wurde ihr nur durch den zufäl‐ ligen Umstand beschwerlich, daß bey dieser Ge‐ legenheit auch ihre Vogts‐ und Advokaten‐Stel‐ len mit den dazu gehörigen Lehen erblich wur‐ den, wodurch ihr die Möglichkeit, diese theu‐ ren Beschützer los zu werden [9]), unendlich er‐

Alter unfähig zum Dienst geworden sey, sein Lehen nehmen könne, wenn er einen Sohn habe, der die Lehensdienste zu versehen im Stande sey. S. Hincmari Quaterniones ad Carolum Calvum bey *Labbé* T. VIII. p. 1747.

[9]) Wie gern man sie schon im zehnten Jahr‐ hundert wieder los geworden wäre, erhellt auch daraus, weil sich jetzt mehrere Stifter und Klöster von den Kaysern das Privilegium erkauften, daß sie ihre Advokaten nicht nur einsetzen, sondern auch absetzen dürften. S. Hist Trevirent T. I. p. 306. Aber dies mochte wenig helfen, denn jetzt befestigten sie sich erst so stark, daß sie es nun zu Anfang des eilften Jahrhunderts wagen durften, ihre

Tt 3 Vog‐

erschwert wurde. Dagegen hatte sie auch den Vortheil davon, daß durch diese erblichen Lehen ganze Familien und Geschlechter, und zwar mehrere der edelsten Geschlechter fester an sie angeknüpft und in ihr Interesse verschlungen wurden; aber wenn man dasjenige berechnet, was ihr doch immer von dem Ertrag ihres Eigenthums dadurch entzogen wurde, so wird man ihre reine Einnahme wenigstens nicht mehr so ungeheuer finden, als sie freylich in einer Schätzung, in welcher dieser Abzug nicht in Anschlag gebracht wäre, erscheinen könnte.

Vogteyen wieder an Andere als After=Lehen zu verleihen, oder Pro=Advokaten zu ernen= nen, durch welche der Druck verdoppelt wuide. In [der angeführten Urkunde vom J. 1023. verfügte daher Heinrich II. ebenfalls] zu Gun= sten des Stifts Skt. Marimin, daß seine Vögte "nullum post se ponere audeant, qui vocetur proadvocatus."

Kap. VI.

Kap. VI.

Eigenthümliches in der kirchlichen Gesellschafts-
Polizey.   Größere Strenge ihrer Ehe-Gesetze.
Buß- und Ablaß-prixis dieser Periode.

§. 1.

Nach dem Eigenthümlichen in der spezielleren
kirchlichen Haushaltung dieses Zeitraums verdient jetzt zunächst dasjenige ausgezeichnet zu
werden, was sich zu gleicher Zeit in der
kirchlichen Polizey hier und da umbildete, oder
anders bestimmt und modificirt wurde.   Dabey
muß noch besonders das Disciplinar-Wesen
der Kirche nach mehreren Beziehungen in Betrachtung kommen: allein alles, was sich hier
theils durch Neuheit der Form, theils durch
Neuheit der Tendenz als bemerkungswerth anbietet, läuft in den folgenden Erscheinungen
zusammen,

§. 2.

Die erste ist die größere Strenge, welche die Kirche noch am Ende des neunten Jahrhunderts in mehreren Einrichtungen ihrer Gesellschafts-Polizey, und besonders ihrer Ehe-Ordnung für die Layen anbrachte. Diese Strenge zeigte sie vorzüglich durch die unnatürliche Ausdehnung der Heyraths-Hindernisse, welche aus der leiblichen und aus der geistlichen Verwandtschaft entspringen sollten, denn jene wurden jetzt bis auf den siebenten Grad [1]), und diese verhältnißmäßig noch weiter ausgedehnt, indem man auch eine geistliche Schwägerschaft erfand [2]), die ein Heyraths-Hinderniß

1) S. Conc. T. IX. p. 336. Aber schon eine Synode zu Maynz vom J. 847. hatte sie so weit ausgedehnt. Can. 19. 20.

2) Nicht nur die Mit-Gevattern eines Kindes durften einander selbst nicht heyrathen, sondern auch zwischen ihren Kindern sollte keine Heyrath statt finden durfen. Dieß fand jedoch eine Synode zu Tribur vom J. 895. etwas hart, und wollte daher gestatten, daß Personen, die in einem solchen Verhältniß stän-

niß machen müßte. Noch läſtiger mochte es
hingegen für die Layen werden, daß man es
jetzt von Seiten der Kirche im Ernſt darauf
anlegte, ihnen alle Eheſcheidungen unmög=
lich zu machen, indem man es nun ganz be=
ſtimmt als Rechts = Grundſatz aufſtellte, daß
eine völlige Auflöſung des ehelichen Bandes
in gar keinem Fall, alſo auch nicht in dem
Fall eines Ehebruchs möglich und zuläſſig ſey.
Ganz allgemein wurde jedoch der Grundſatz
noch nicht in den würklichen Rechts=Gebrauch
aufgenommen, denn es finden ſich noch andere
Geſetze aus dieſem Zeitalter, worinn er bloß
in einer ſehr laxen Unbeſtimmtheit angedeutet,
nur darf man dabey nicht leugnen, daß er
ſchon in andern höchſt deutlich ausgedrückt
iſt [3]).

§. 3.

ſtänden, immer einander heyrathen möchten,
wenn es ſich zufällig ſchickte — ſi fortuito
et contingente rerum caſu convenerint. S. Conc.
Tribur. c. 48.

3) Wie in einem Brief Johanns VIII. an den
engliſchen Erzbiſchoff Edered. S. Conc. T.
IX. p. 51. Ob Launoy in ſeiner bekannten

Tt 5   Schrift

§. 3.

Zu dieser Strenge in ihrer Matrimonial=
Polizey konnte sich indessen die Kirche durch
die Größe des Uebels, dem sie dabey zu
steuern hatte, stark genug gedrungen fühlen,
und es ist auch höchst wahrscheinlich, daß sie
bloß dadurch dazu gedrungen wurde. Es ist
kaum möglich, sich einen Begriff von der
wilden Licenz zu machen, mit welcher von den
rohen Menschen dieses Zeitalters die heiligen
Bande des Ehestandes sowohl geknüpft, als
zerrissen wurden; aber aus einer Menge von
Thatsachen, auf die man in der Geschichte des
Zeit=

Schrift De regia in Matrimonium potestate p.
488. in der entscheidenden Stelle, die er aus
diesem Brief allegirte, ein Paar Worte vor=
setzlich oder zufällig ausließ? mag sich schwer
entscheiden lassen; aber er konnte ja einen
Canon einer zu Rom selbst gehaltenen Sy=
node aus dem neunten Jahrhundert Conc.
T. VIII. p. 112. und eines von den Capiteln
Isaacs von Langres Tit. III. c. 1. anführen,
worinn die völlige Auflösung des ehelichen
Bandes in dem Fall eines Ehebruchs noch be=
stimmt genug für zulässig erklärt wird.

Zeitalters stoßt, muß man zugleich schließen, daß sich diese Licenz überall, und unter allen Ständen der Gesellschaft verbreitet hatte. Stoßt man nicht auf einen Zeitraum darinn, wo nicht weniger als drey Prinzessinnen auf einmahl in der Welt herumliefen, von denen sich zwey hatten entführen lassen, und die dritte ihrem Mann entlaufen war 4)? Und mußte nicht fast zu gleicher Zeit eine Synode gegen den schändlichen Gebrauch eifern, der unter den niedrigsten Volks = Classen eingerissen war, daß man unmündige Kinder mit erwachsenen Weibern verheyrathete, mit welchen die Väter der Kinder in einem öffentlichen Konkubinat lebten, bis diese mannbar geworden waren

4) Die Tochter des Kaysers Ludwig II., die sich von dem Grafen Boso, die Tochter Carls des Kahlen, die sich von dem Grafen Balduin hatte entführen lassen, und die entlaufene Ingeltrude. Wegen einer vierten Landläuferinn dieser Art schickte auch Johann VIII. einen Steck = Brief in der Welt herum, worinn die Bischöffe aufgefordert wurden, sie für ihren Mann aufzufangen. S. Johann VIII. Ep. p. 147.

ren [5])? Bey Menschen dieser Art konnte
man sich aber gewiß leicht überreden, daß es
der Klugheit gemäß sey, sie noch in engere
als die natürlichen und wahren Grenzen der
Religion und der Sittlichkeit einzuzäunen, um
es gewisser zu verhindern, daß sie nicht auch
diese gleich bey dem ersten Anlauf durchbrechen
könnten.

§. 4.

Daß es dabey von Seiten der Kirche sehr
ernsthaft gemeynt seyn mochte, ersieht man
zugleich daraus, weil sie, wo es ihr nur
möglich war, eine gleiche Strenge bey der
Behauptung ihrer Gesetze bewies. Zwar konnte sie es in hundert Fällen nicht erzwingen,
daß sie würklich respektirt wurden, weil die
Zwangs = Mittel, von denen sie allein Gebrauch
machen konnte, für hunderte keine Kraft hatten. Zwar mochte sie deßwegen auch zuweilen
einen

---

5) "Inventi sunt multi et maxime de rusticis, qui
adultas foeminas sub parvulorum filiorum nomine in domibus suis introduxerunt, et postmodum ipsi soceri nurus suas adulterasse con-
victi sunt." S. Conc. Ticinens. a. 850. c. 24.

einen vorkommenden Kontraventions = Fall,
wenn er nur nicht allzunotorisch war, still=
schweigend ignoriren: man hat jedoch Ursache
zu vermuthen, daß dieß nicht allzuoft geschah,
und man weiß gewiß, daß sie sich nur äußerst
selten zu einem Nachlaß ihrer Strenge beste=
chen ließ. Wer sich eine incestuöse, oder
sonst nach ihren Gesetzen verbotene Heyrath,
oder eine eigenmächtige Auflösung seiner recht=
mäßigen Heyrath erlaubte, der kam unfehlbar,
sobald es zur Kenntniß der Kirche kam, un=
ter ihren Bann, und wurde nicht eher des
Bannes wieder los, bis er sich zu der Wie=
derauflösung des unrechtmäßig geknüpften oder
zu dem Wiederanknüpfen des unrechtmäßig
zerrissenen Bandes verstanden hatte. Auch
nahm sie jetzt noch keine andere Buße, als
Genugthuung dafür an, oder ließ sich so leicht
eine Dispensation abkaufen. Vielleicht läßt
sich aus dem zehnten und eilften Jahrhundert
nur ein einziges gewisses Beyspiel davon durch
eine Schenkungs = Urkunde über zwölf Huben
Landes beglaubigen, welche ein Graf oder
Ritter Theutfried der Kirche zu Trier aus
Dankbarkeit dafür überließ, weil ihm der Bi=

schoff

schoff erlaubt hatte, seine Frau zu behalten, mit welcher er in einem zu nahen Grade verwandt war [6]). Es trat aber dabey der besondere Umstand ein, daß der Dispensations-Bedürftige zugleich Advokat der Trierischen Kirche war, bey dem man sich aus hundert Gründen gedrungen fühlen konnte, eine Ausnahme von der Regel zu machen; mithin darf aus diesem einzelnen Fall desto weniger geschlossen werden, daß man jetzt schon mit der schönen Praxis der späteren Dispensationen würklich bekannt war.

§. 5.

Eben so wenig war aber auch jetzt schon das Ablaß-Unwesen ganz in den schönen Gang eingeleitet, in den man es in der Folge zu bringen wußte; doch näherte sich darinn schon man-

---

6) Der Erzbischoff Poppo von Trier stellte im J. 1036. die Urkunde aus, und gestand ganz ehrlich darinn, daß er die Dispensation vorzüglich zum der zwölf Huben Landes willen ertheilt habe — quia sanctae Dei ecclesiae tanta praedia perditum iri nequaquam debeant. S. Hontheim Hist. Trevir. T. I. p. 367.

manches einer Veränderung, die in der Ge=
schichte der kirchlichen Polizey dieser Periode
eine zweyte sehr bemerkungswerthe Erscheinung
macht.

Aus mehreren Anzeigen könnte man zwar
zuerst wahrzunehmen glauben, daß die Härte
der kirchlichen Buß=Disciplin in diesem Zeit=
raum eher vermehrt als vermindert wurde.
In der Mitte des neunten Jahrhunderts er=
neuerte man auf einer Synode zu Maynz alle
jene Canonen, in welchen die ältere Kirche die
Buß=Zeit für jede Gattung von Capital=Ver=
brechen bestimmt hatte [7]. Auch in der west=
fränkischen Kirche hatten sie nach den Kapiteln
Hincmars von Rheims und Isaacs von Lan=
gres [8] noch ihre volle Kraft, und zwar auch
hier wie überall noch so weit ihre Kraft, daß
die gesetzmäßige Buße für jedes öffentliche Ver=
brechen auch öffentlich übernommen und abge=
than werden mußte. Dabey raffinirte man
selbst auf neue Mittel, durch welche es den
Verbrechern erschwert werden sollte, sich der
ihnen

7) S. Conc. Mogunt. a. 847 Can. 21·31.

8) S. Capit Hincmari. Conc. T. VIII. p. 585. Ca=
pitula Isaaci Lingonens. T. III. c. I·39.

ihnen vorgeschriebenen Buße zu entziehen 9), oder etwas davon zu unterschlagen: indem man sie zu gleicher Zeit schmerzhafter und empfindlicher zu machen suchte.

§. 6.

So verwandelte jetzt die Kirche die Buß‑zeit der meisten Verbrecher auch in eine beständige Fasten‑Zeit. Es wurde ihnen aufgelegt, daß sie das ganze Jahr hindurch, außer an den Sonn = und Festtagen, vor Untergang der Sonne nichts genießen durften, und diejenigen, die sich einer schwereren Sünde, die sich z. B. eines Vater = Mords, oder, was man für noch entsetzlicher erklärte, eines Prie‑ster = Mords 10) schuldig gemacht hatten, muß‑

9) Man verbot zum Beyspiel, daß Büßende während ihrer Bußzeit nicht aus ihrem Kirchspiel reisen dürften, damit sie von dem Bischoff beständig beobachtet werden könnten.

10) Die Buße für einen Priester = Mord war der Buße für einen Vater = Mord gleichgesetzt, nur mit dem Unterschied, daß der Priester= mörder erst nach fünf und der Vatermörder schon

mußten sich verpflichten, diese unnatürliche Enthaltsamkeit bis an das Ende ihres Lebens zu beobachten, wenn sie auch in die Gemeinschaft der Kirche früher wieder aufgenommen wurden 11). Sie mußten noch überdieß dem Genuß von Wein und Fleisch völlig entsagen, und

schon nach drey Jahren ganz absolvirt werden konnte. S. Conc. T. VIII. p. 950. 952.

11) Nach dem Decret einer Synode zu Worms vom J. 868. sollten solche Verbrecher nach einer dreyjährigen Buß = Zeit wieder zu der Communion zugelassen werden — ut desperationis non indurentur caligine — aber dann sollten sie — carnem non comedere, per omnes dies vitae illorum — jejunare usque ad nonam diei horam quotidie exceptis diebus festis et dominicis — vino, medone atque cerevisia mellita abstinere — nullo vehiculo uti, sed pedestri more tantum proficisci. Conc. Wormat. c. 30. Bey geringeren Verbrechen war es nicht gerade ein beständiges Fasten, sondern nur die Enthaltung von allen Fleischspeisen und geistigen Getränken, die man dem Büßenden vorschrieb. Dieß nannte man excommunicari a participatione vini et carnium.

und gewöhnlich war ihnen auch noch dieß
dazu vorgeschrieben, daß sie ihr ganzes Leben
hindurch kein Pferd und keinen Wagen mehr
besteigen, sondern sich nur zu Fuß von einem
Ort an den andern begeben dürften.

§. 7.

Aber aus dem Nachlaß der Strafen selbst,
zu dem sich die Kirche zuweilen bewegen ließ,
oder aus dem Ablaß, den sie hin und wieder
ertheilte, wird es ja am sichtbarsten, wie
wenig sich ihre Strenge gemildert hatte. Auch
jetzt noch bestand sehr oft dieser Nachlaß nur
darinn, daß man einem Verbrecher gestattete,
diese Bußübungen mit andern nicht weniger
schmerzhaften zu vertauschen, und noch öfter
bestand er bloß darinn, daß man ihm die
Absolution früher ertheilte, und die Gemeinschaft mit der Kirche früher wieder gestattete,
aber bloß unter der Bedingung früher ertheilte
und gestattete, daß er sich auch noch nachher
jenen Selbstpeinigungen desto länger unterziehen müßte. So kürzte Nicolaus I. [12]
einem

---

12) S. Epist. Nicolai I. ad Rivolardum Episcopum. — Conc. T. VIII. p. 503.

einem Verbrecher, der drey von seinen Söhnen umgebracht hatte, die kanonische Buß=Zeit durch einen Ablaß so weit ab, daß er nach sieben Jahren zum Genuß des Abendmahls wieder zugelassen werden sollte. Er erließ ihm auch — jedoch gewiß mehr durch seine Weisheit als durch Schonung dazu bewogen — eine von den strengsten Forderungen [13] der älteren Buß=Disciplin, aber er bestand darauf, daß er sich allen jenen schon erwähnten Poenitenzen und noch einigen weiteren dazu bis an das Ende seines Lebens unterziehen müßte.

§. 8.

Dennoch ist es dabey nur allzugewiß, daß sich in dem Verlauf dieser Periode eine neue Ablaß=

[13] Die Forderung der Trennung von seiner Gattinn. Liceat illi — schrieb Nicolaus — propriam uxorem non deserere, ne forte incidat in adulterium, et per occasionem unius delicti praecipitetur fragilitate carnis in pejus. Freylich ließ sich nur schwer ein pejus delictum denken, als ein dreyfacher Kindermord.

Ablaß = Praxis, oder, wenn man will, eine
neue Vertauschungs = Methode der kanonischen
Strafen bereits in der Kirche auszubilden an=
fieng, deren verschiedene Formen nothwendig
mit der Zeit das ganze bisherige Buß = Sy=
stem der kirchlichen Polizey umstürzen mußten,
wenn sie auch nicht gerade dazu erfunden
oder darauf berechnet wären.

Einmahl wurde es jetzt nicht nur weit
häufiger, sondern es wurde auch unter ganz
andern Umständen und aus ganz andern
Gründen, als ehemahls, zugelassen, daß man
die Bußen mit Geld abkaufen konnte. Es
war nicht mehr, wie ehemahls [14]), Nachgie=
bigkeit gegen ein allgemeines Volks=Vorurtheil,
oder gegen das Grund=Princip, auf dem das
ganze Criminal=Recht des Zeitalters beruhte,
was jetzt die Kirche zu jener Zulassung bewog,
sondern sie mußte sich durch andere Ursachen
dazu bestimmt fühlen, denn sie setzte jetzt ih=
ren Büßenden nicht mehr bloß, wie ehemahls,
zu ihren übrigen kanonischen Strafen noch eine
Geld=Strafe an, sondern sie gestattete förm=
lich, daß man jene durch diese abtragen, und
sich

14) S. B. II. p. 296-298.

sich also durch diese von jenen frey machen
dürfte.

§. 9.

Schon im zehnten Jahrhundert war es
damit so weit gekommen, daß die Taxen,
durch welche sich jede Buße abkaufen ließ, in
einen ordentlichen Tarif gebracht waren, der
sich freylich von den späteren dieser Art vielfach unterscheidet. Es war noch nicht, wie
in diesen, der nächste Preis für jede einzelne
Sünde darinn fixirt, sondern nur die Summe
bestimmt, deren Bezahlung als Aequivalent
für die zu übernehmende Buße gelten könnte,
woraus dann freylich jeder, sobald ihm seine
Buße angekündigt war, das Ganze des Aver-
sional-Quantums, das er zu entrichten hatte,
selbst berechnen konnte. So ließ sich nach den
Canonen, die unter dem König Edgar für die
englische Kirche verfaßt wurden, jeder einzelne
Fasttag mit einem Denier abkaufen, also durfte derjenige, dem ein vierzigtägiges Fasten
als Buße aufgelegt war, nur vierzig Deniers
bezahlen, so war das Ganze abgethan. Ein
ganzes Fast-Jahr konnte nach diesem Verhält-

niß

niß mit dreyßig Solidis gelößt werden [15]);
in andern Gegenden, wie in Deutschland,
konnte man aber noch etwas wohlfeiler abkommen, denn hier war es den Beicht = Priestern
nachgelassen, daß sie bey sehr armen Büßenden den Ansatz auch um etwas moderiren
durften.

§. 10.

Darinn verräth sich zugleich am sichtbarsten die Absicht der Milderung, welche damit
in die kirchliche Disciplin gebracht wurde.
Auch jetzt war es sicherlich noch keine Finanz-
Speculation, die man von Seiten der Kirche
dabey abzweckte, denn auch jetzt wurden die
Sünden = Gelder von der Kirche noch gar nicht
in ihre eigene Casse, sondern nur zum Vortheil der Armen eingezogen [16]), und es blieb
auch dabey dem Büßenden noch überlassen, sie
in

---

15) S. Canones editi sub Edgara Rege c. 18. in
   Wilkins Conc. Magn. Britann. T. I. P. 237.

16) In dem angeführten Canon Edgars ist es
   ausdrücklich bemerkt, daß man die dreyßig
   Solidos zu der Loskaufung eines armen Gefangenen verwenden könne.

in der Form von Allmoſen ſelbſt auszuſpen=
den. Was davon zuweilen für die Kirche
ſelbſt abfallen mochte, war gewiß nicht von
dem Belang, daß es ſie allein zu der Aende=
rung hätte beſtimmen können: aber bey der im=
mer zunehmenden wilden Roheit des Zeitalters
und bey dem ſteigenden Verfall aller Religio=
ſität und Sittlichkeit hatte ſie die ſchreckende
Ausſicht vor ſich, daß ſich bald kein Menſch
mehr ihrer Buß=Zucht unterwerfen würde,
und dieß war es ohne Zweifel, was ihr zu=
nächſt die Milderung abdrang. Von ihren äu=
ßeren Zwangs=Mitteln konnte ſie nur allzuoft
gar keinen Gebrauch machen, und der innere
Gewiſſens=Zwang hatte ſeine Kraft bey dem
größeren Haufen faſt völlig verlohren. Wollte
man alſo die Leute nicht ganz aus der Ge=
wohnheit kommen laſſen, daß ſie ſich für ihre
Sünden auch mit der Kirche abfinden müßten,
ſo mußte man es ihnen jetzt ſo leicht als mög=
lich machen, denn ſonſt lief man Gefahr, daß
ſie in die Gewohnheit kamen, gar nicht mehr
darnach zu fragen. Freylich wurde das Band,
an dem man ſie bisher gehalten hatte, auf
eine höchſt bedenkliche Art dadurch geſchwächt;

Uu 4   allein

allein der völlige Riß davon wurde doch noch
verhütet, und man behielt die Hoffnung übrig,
daß es mit der Zeit wieder verstärkt werden
könnte.

§. II.

Diese Absicht gab man aber eben so deutlich durch eine andere neue Ablaß = Methode
zu erkennen, die zu gleicher Zeit aufkam,
und auch von der Kirche selbst autorisirt wurde. Man machte es dadurch den Layen möglich, die Poenitenzen, denen sie sich nach den
Gesetzen unterziehen sollten, noch auf eine andere Art, als durch eine Geld = Buße, abzu-
verdienen, denn man zeichnete gewisse religiöse
Handlungen aus, welche jeder nach seiner
Willkühr jenen Buß = Uebungen substituiren
könnte. Für sechzig Vaterunser, die ein Büßender des Tags auf den Knien, oder für
funfzehn Vaterunser und für funfzehn Mise-
rere, die er mit dem ganzen Leib auf die Erde
geworfen betete, wurde ihm ein ganzer Fasttag abgerechnet. Mit einer Messe, die er für
sich lesen ließ, konnte er ein zwölftägiges,
mit zehn Messen ein biermonathliches, und
mit

mit dreyßig Messen ein ganzes jährliches Fa=
sten abthun; hatte er aber ein Verbrechen be=
gangen, auf das eine siebenjährige Buß= und
Fasten=Zeit gesetzt war, so konnte er doch in
einem Jahr damit fertig werden, wenn er
sichs nur nicht verdrießen ließ, an jedem Tage
dieses Jahrs, wozu er jedoch auch die Nacht
nehmen konnte, den ganzen Psalter durchzu=
beten [17].

§. 12.

Damit war auch für die Konvenienz der=
jenigen gesorgt, die zu dem Abkaufen der Poe=
nitenzen zu arm waren [18], denn auch ihnen

waren

17) Auch diese Bestimmungen finden sich in den
angeführten englischen Canonen aus dem Zeit=
alter Edgars.

18) Aber auch für die Konvenienz der Großen,
welche nicht Lust hatten, ihre Bußen gerade
abzukaufen, war in jenen englischen Canonen
auf eine eigene Art gesorgt, denn sie ent=
hielten auch für diese eine eigene Anweisung,
wie sie sich ihre Buße erleichtern könnten.
Wenn nehmlich — heißt es darinn — ein
mächtiger Magnat, der viele Freunde und Va=

Uu 5   sallen

waren nun mehrere Mittel angewiesen, durch
welche sie sich Ablaß verdienen konnten, ohne
Geld dafür auszugeben. Doch man erfand
bald dieser Mittel mehrere, durch die es ihnen
noch leichter gemacht werden sollte. Man er=
klärte jetzt, daß auch schon das bloße Besu=
chen einer gewissen Kirche an bestimmten Ta=
gen — daß das Wallfahrten an einen heiligen
Ort — daß das kleinste auf einen besonders
privilegirten Altar gelegte Opfer als Aequiva=
lent für mehrere Buß=Jahre gelten, also je=
dem einen Ablaß [19]) von mehreren Jahren ver=
schaffen könnte. Man muß zwar aus Billig=
keit dazu sagen, daß die Kirche immer aus=
drücklich die Bedingung dazu setzte, diese
Hand=

fallen habe, in den Fall komme, daß er sich
einem siebenjährigen Buß=Fasten unterziehen
sollte, so dürfte er nur siebenmahl 120 Leute
zusammenbringen, die sich vereinigten, drey
Tage mit ihm zu fasten, so sey die sieben=
jährige Buße abgethan. eb. das. 238.

[19). Ein merkwürdiges Beyspiel einer solchen Ab=
laß=Promulgation von dem Erzbischoff Pon=
tius von Arles und aus dem J. 1016. hat
Mabillon Annal. T. IV. p. 250.

Handlungen dürften nicht bloß mechanisch, sondern sie müßten mit einem bußfertigen, von
Reue über die Sünde zerknirschten und von
Haß gegen das Böse durchdrungenen Herzen
verrichtet werden. Allein sie mußte doch nothwendig voraussehen, daß unter Tausenden kaum
einer an die Bedingung denken würde; mithin
darf man dennoch ohne Ungerechtigkeit annehmen, daß sie nur den Zweck dabey hatte, eine
äußere mechanische Religisität bey dem rohen
Volk noch dadurch zu unterhalten, und diesen
Zweck erreichte sie allerdings, aber leyder! auf
Kosten des sittlich = religiösen Gefühls, das
bey Tausenden vollends ganz dadurch erstickt
wurde.

§. 13.

Jetzt verdient es aber hier noch als eigene
dritte Erscheinung besonders bemerkt zu werden, wie weit sich einerseits die Päbste noch
in dieser Periode in das Ablaß=Wesen einmischten, und wie weit ihr Einfluß dabey jetzt
noch für ordnungs = und rechtmäßig erkannt
wurde. Es läßt sich leicht voraussehen, warum
es nöthig wird, das eine und das andere zu
unter-

unterscheiden; das eine wie das andere legt sich
jedoch sehr offen in der Geschichte dar.

Es ergiebt sich nehmlich aus dieser auf
das klarste, daß die Päbste selbst nicht nur
zu Anfang dieser Periode, sondern die ganze
Periode hindurch noch anerkannten, jeder Bischoff habe das Recht und die Gewalt, auch
die Bußen zu relariren, die er aufzulegen befugt sey, also mit andern Worten, in seiner
Diöcese, aber nur in seiner Diöcese, auch
Ablaß zu ertheilen. Dieß erkannten und räumten sie aber selbst ohne Einschränkung ein,
denn in diesem ganzen Zeitalter kam es noch
ihnen selbst eben so wenig als einem andern Menschen in den Sinn, daß es nur gewisse Fälle geben dürfte, in welchen kein sim-
pler Bischoff, sondern nur der Pabst allein,
Ablaß ertheilen könne, oder sie kamen selbst
noch eben so wenig als ein anderer Mensch auf
die Idee von gewissen casibus reservatis, in
welchen nur dem Pabst allein das Relarions-
Recht zustehen könnte. Hingegen ergiebt sich
eben so klar aus der Geschichte, daß sich die
Päbste zuweilen dieß Recht auch schon in einer
Konkurrenz mit den Bischöffen anmaaßten, daß
sie

sie schon den Grundsatz aufgefaßt hatten, ihr Befugniß, Ablaß zu ertheilen, müsse sich in eben dem Maaße über die ganze Kirche, wie das Befugniß jedes einzelnen Bischoffs dazu über seinen Sprengel erstrecken, daß sie auch schon mehrmahls nach diesem Grundsatz handelten, aber daß auch jetzt noch von den Bischöffen sehr starke Protestationen dagegen eingelegt, und ein sehr lauter Widerspruch erhoben wurde.

§. 14.

Schon im neunten Jahrhundert war es mehrmahls geschehen, daß die Bischöffe selbst in besondern Fällen die Päbste um Rath und Belehrung ersucht hatten, wie sie mit gewissen außerordentlichen Verbrechern, welche Ablaß von ihnen verlangten, zu verfahren hätten? Es war eben so oft geschehen, daß sie solche Personen geradezu nach Rom geschickt hatten [20]), um den Pabst über die Fälle, worin sie verwickelt waren, erkennen zu lassen, wobey

[20]) So schickte der Erzbischoff Wilibert von Cöln einen büßenden Presbyter an Johann VIII. S. Johannis VIII. Ep. 283.

bey sie es auch seiner Willkühr anheimstellten, ob er selbst ihre Buße bestimmen, und was er ihnen dabey nachlassen wolle? Dieß war aber gewöhnlich entweder bloß aus Gewissenhaftigkeit von Seiten der Bischöffe, oder es war deßwegen geschehen; weil sie sonst ihre Ursachen hatten, warum sie die Sache gern von sich ablehnen wollten, oder auch deßwegen, um den schuldigen Personen schon durch die Reise nach Rom, die man ihnen nöthig machte, eine recht beschwerliche Buße [21]) aufzulegen: doch war im Verfolg der Zeit die Würkung daraus entsprungen, daß hin und wieder Personen, die sich eines besonders schweren Verbrechens schuldig gemacht hatten, selbst nach Rom wallfahrteten, um sich von den Päbsten Ablaß zu holen, wenn ihnen ihre Bischöffe keinen geben wollten. Wahrscheinlich mochten auch die Mönche schon hier und da dem Volk vorsagen, der Ablaß des Pabstes sey kräftiger als der Ablaß seiner Bischöffe; die Züge der Büßenden, die sich Ablaß zu Rom holen wollten,

21) Gewöhnlich rechnete man ihnen auch zu Rom für die Beschwerden der Reise etwas ab. S. Johann. VIII. Ep. 12. 14.

ten, wurden also immer stärker, und nun kam
es freylich mehrmahls dazu, daß die Päbste
solchen Büßenden Ablaß ertheilten, ohne erst
mit ihren Bischöffen darüber zu kommuniciren,
aber es kam auch sogleich zu Vorstellungen,
welche die Bischöffe dagegen machten.

§. 15.

Schon der Bischoff Ahito oder Hatto von
Basel wollte in seinen Kapiteln das Volk belehrt haben, daß alle diejenigen, welche nach
Rom wallfahrten wollten, vorher zu Hause
ihre Sünden beichten und Ablaß dafür erhalten
müßten, weil sie nur von ihrem eigenen Bischoff und nicht von einem fremden gebunden
und gelößt werden könnten [22]). Im J. 970.
hatte der Pabst Johann XIII. einen englischen
Grafen, der nach Rom gekommen war, von
dem Bann losgesprochen, womit ihn der heilige

[22] Capit. 18. "Et hoc omnibus fidelibus deuun-
tiandum, ut qui ad limina Apostolorum, per-
gere cupiunt, domi confiteantur peccata sua,
et tunc proficiscantur, quia a proprio Episcopo
suo solvendi et ligandi sunt, non ab extraneo."
S. Harzheim Conc. Germ. T. II. p. 19.

lige Dunstgn. wegen einer, blutschänderischen Heyrath belegt hatte; auf die Nachricht davon, welche er dem: Erzbischoff zuschickte, schrieb ihm aber dieser zurück, daß er seinen Bann aber den Grafen nicht eher für aufgehoben halten könne, bis er vorher Buße gethan, und seine gottlose Heyrath zerrissen haben würde, worauf er ihn aber selbst aufzuheben bereit sey [23]. Noch stärker sprachen hingegen die deutschen Bischöffe, da im J. 1022. der Pabst Benedikt VIII. einen Verbrecher absolvirt hatte, der von dem Erzbischoff Aribo von Maynz mit dem Bann belegt worden war, denn sie erklärten nicht nur auf einer Synode zu Seeligenstadt, daß solche päbstliche ohne Vorwissen der Bischöffe ertheilte Abläße gar keine Würkung und keine Kraft hätten, sondern sie machten es zum Gesetz, daß kein Büßender mehr ohne Erlaubniß seines Bischoffs und ohne ein Zeugniß von diesem nach Rom reisen dürfe [24];

und

[23] S. Oswald im Leben des heil. Dunstan c. 31. bey Surius und Baronius ad. ann. 970. nr. II.

[24] S. Conc. Salegunstadt. c. 18. Auch schrieben

und jene Erklärung wie dieß Gesetz wurde auch noch zehn Jahre später von den französischen Bischöffen auf einer Synode zu Limoges wiederholt [25]).

§. 16.

Noch an dem Ende dieser Periode erkannte man es also als Rechts-Grundsatz in der Kirche, und wollte es noch ferner darinn erkannt haben, daß nicht nur jeder Bischoff Ablaß ertheilen, sondern daß in jeder Diöcese nur der Bischoff allein Ablaß ertheilen könne. Es wurde eben damit auch als Eingriff in die Ordinations-Rechte der Bischöffe erklärt, wenn sich der Pabst herausnähme, einem Büßenden, der nicht in seinen Sprengel gehörte, Ablaß zu

ben, hernach die sämmtlichen Bischöffe des Maynzischen Metropoliten-Sprengels sehr ernsthaft an den Pabst, daß er dem widerrechtlich aufgehobenen Bann ihres Erzbischoffs seine Kraft wieder geben möchte. S. Harzheim T. III. p. 63. 64.

25) S. Conc. T. IX. p. 909. "Inconsulto Episcopo suo Apostolico nemini poenitentiam et absolutionem accipere licet."

zu ertheilen, ohne mit seinem Bischoff kom-
municirt zu haben, denn alles, was man ihm
zugestehen wollte, bestand darinn, daß er es
in jenen Fällen thun möchte, in welchen ihn
die Bischöffe selbst dazu auffordern, und ihm
eben damit ihre Rechte gleichsam übertragen
würden.²⁶). Wer aber sieht nicht, auch sogleich, daß und warum dieser Grundsatz nicht
mehr in der Praxis erhalten werden konnte?
Die Bischöffe hatten ja die Päbste schon so oft
dagegen handeln lassen, daß sie durch keine
Protestation mehr aus dem Besitzstand gebracht
werden konnten. Die Päbste konnten selbst
mehrere Fälle anführen, in welchen sie das
Recht

---

26) Dieß drückte die Synode zu Limoges sehr
bestimmt aus. "Si parochiano suo Episcopus
poenitentiam imponit, eumque Papae dirigit,
ut judicet, utrum poenitentia sit digna tali
reatu, potest eam confirmare, auctoritas Papae,
aut levigare, aut superadjicere. Item, si Episcopus parochianum suum cum testibus vel literis Apostolico ad poenitentiam accipiendam di-
rexerit, ut multoties fieri solet, cum Episcopi
de digna poenitentia imponenda haesitaat, hic
talis licenter a Papa remedium sumere potest."

Recht ihrer konkurrirenden Ablaß-Gewalt aus=
drücklich anerkannt hatten, denn es war ja oft
genug vorgekommen, daß sie fremden Büßen=
den, die gar nicht von ihren Bischöffen nach
Rom geschickt worden waren, Ablaß ertheilt,
daß sie selbst den Bischöffen Nachricht davon
gegeben, und daß diese die Nachricht mit
schweigender Ehrfurcht angenommen hatten [27].
Es war auch schon vorgekommen, daß die
Bischöffe den Päbsten selbst Nachrichten von
Personen zugeschickt hatten, von denen sie be=
sorgten, daß sie sich nach Rom wenden wür=
den [28], und in einer Form zugeschickt hatten,
durch welche sie zugleich ihr Recht, die Ablaß=
Gesuche dieser Personen anzunehmen, als un=
bestreitbar erkannten. Schon dadurch wurde
es unmöglich, daß der alte Grundsatz noch
behauptet werden konnte, aber noch aus hun=
dert

27) Wie selbst der Erzbischoff Hincmar, da Ni=
colaus I. einem Priester = Mörder aus seiner
Diöcese einen Ablaß ertheilt hatte. S. Conc.
T. VIII. p. 513.

28) Wie der Bischoff Fulbert von Chartres an
Johann XIX. S. Baronius ad a. 1007. nr. 8.

dert, andern Zeichen ließ sich unfehlbar voraussehen, daß er in der nächsten Periode auch
vollends aus der Rechts = Theorie herausfallen
müßte.

Kap. VII.

**Veränderungen im Kloster = Wesen. Gänzlicher
Verfall der Klosterzucht. Wodurch veranlaßt?
Kloster = Reformation, die vom Anfang des zehn-
ten Jahrhunderts betrieben wird. Einige
Folgen dieser Reformation.**

§. 1.

In der besondern Geschichte des Kloster = und
Mönchs = Wesen, das in der kirchlichen Haushaltung immer wichtigeres Institut werden mußte, giebt es wohl der neuen Erscheinungen
auch nicht mehrere, welche die Aufmerksamkeit
des Beobachters in diesem Zeitraum auf sich
ziehen konnten. Alles Bemerkungswerthe kann
sich hier nur auf dasjenige beziehen, was sich

in

in der inneren Verfaſſung der Klöſter und was ſich in ihren äußeren Verhältniſſen während dieſer Jahrhunderte veränderte; aber die Folgen von einigen der Veränderungen, welche in der einen und in den andern eintraten, giengen dafür deſto mehr ins Große, und breiteten ſich in der Folge noch weiter aus.

§. 2.

Die Umſtände, welche ſchon in der erſten Hälfte des neunten Jahrhunderts in allen chriſtlichen Ländern von Europa das Mönchs=Weſen in den kläglichſten Verfall gebracht [1]), und faſt das gänzliche Verſchwinden des alten Mönchs=Geiſts veranlaßt hatten, würkten auch in der zweyten Hälfte noch überall fort. Die Reichthümer, zu denen die meiſten Klöſter gelangt waren, reizten jetzt die Habſucht derjenigen, deren blinde Andacht ihnen zuerſt dazu geholfen hatte, nehmlich die Habſucht der weltlichen Großen deſto ſtärker, je leichter ſie es fanden, ſich ſelbſt in den Beſitz davon zu bringen. Sie durften ja nur fortfahren, ſich von den

1) S. B. II. p. 551.

Xx 3

den Königen die reicheren Klöſter empfehlen, oder ſich zu Commendatar-Aebten davon ernennen zu laſſen, ſo waren ihnen ihre Einkünfte Preiß gegeben: die Könige aber fanden ſich faſt immer in einer Lage, in welcher ihnen ſehr damit gedient war, wenn ſie die Dienſte und die Anhänglichkeit eines Großen mit fremdem Gute erkaufen konnten. Alle nur etwas beträchtliche Klöſter blieben daher bis tief in das zehnte Jahrhundert hinein in Layen-Händen, oder kamen nur, beſonders in Frankreich, von einer Layen-Hand in die andere, denn da die Biſchöffe ſahen, daß ſie durch alle ihre Klagen und Vorſtellungen dem Uebel nicht abhelfen könnten, ſo begnügten ſie ſich zuletzt, nur darauf zu bringen, daß die Könige in jedem Kloſter, das einem Layen empfohlen war, auch zugleich einen würklichen Mönchs-Abt einſetzen ſollten [2]). Unter der ſteigenden Unordnung des zehnten Jahrhunderts kam aber auch dieß auf einige Zeit wieder in Abgang; denn in Frankreich theilten ſich jetzt die größeren Dynaſten ſelbſt in die reicheren Klöſter, und

[2]) S. Epiſtola Synodi Cariſiacae ad Ludovicum regem German. c. 8. 9. Conc. T. VIII. p. 659.

und in Deutschland ließen sie sich von den Kö‐
nigen ohne weitere Umstände damit belehnen.

§. 3.

Unter‐diesen Umständen war es unmög‐
lich, daß sich in den Klöstern die alte Zucht
und Ordnung, und noch unmöglicher, daß sich
der alte Geist darinn erhalten konnte. Den
Layen‐Aebten war es zwar zur Pflicht ge‐
macht, daß sie nicht nur in jedem Kloster die
Mönche selbst, sondern daß sie sie auch bey ih‐
rem Institut und bey ihrer Regel erhalten soll‐
ten, aber die meisten hatten eben so wenig
Willen als Macht, und noch weniger Willen
als Macht dazu. Was lag ihnen daran, wie
die Mönche im Inneren des Klosters lebten,
wenn sie nur mit den Gütern und Einkünften
schalten konnten? Es war sogar desto bes‐
ser für sie, wenn sie ganz davon liefen, denn
sie hatten nun weniger auf ihre Unterhaltung
zu verwenden, und wenn die Mönche fort wa‐
ren, so konnten sie ihre Wohnungen zu Stäl‐
len für ihre Jagdhunde gebrauchen 3). Aber
wenn

3) So hatte ja selbst der fromme Herzog Wil‐
helm

Xx 4

wenn sie auch die Mönche weder drückten,
noch stöhrten, so führten sie doch ihr eigenes
wüstes und wildes Leben in ihrer Nähe; sie
brachten den verführerischen Anblick der Ungebundenheit, der zügellosen Verschwendung, der
Völlerey und der Unzucht in ihre Nähe; und
was mußte die Folge davon werden? In den
meisten Klöstern — dieß wurde die Folge davon — verwilderten auch die Mönche, und
verwilderten bis zu einem kaum glaublichen
Grad. Die religiösen Vorsteher, welche sie
noch hatten, konnten dem Uebel nicht Einhalt
thun, denn sie wurden von niemand unterstützt; an den meisten Oertern mochte aber die
Verwilderung durch sie selbst am meisten begünstigt werden, denn die Ansteckung hatte sie
zuerst und am stärksten ergriffen; daher kam
es dann bald so weit, daß sich die Mönche
überall über ihre Regel hinwegsetzten, an diese
Regel gar nicht mehr dachten, ja zuletzt gar
nicht mehr wußten, daß nur einmahl eine

Regel

helm von Aquitanien seine Jagdhunde in dem
Kloster, das in der Folge das Stamm-Klo-
ster der Cluniacenser wurde. S. *Mabillon*
Acta SS. Ord. S. Benedicti Sec. V. p. 78.

Regel existirt habe, nach welcher sie zu leben verbunden seyen.

§. 4.

Doch bald nach dem Anfang des zehnten Jahrhunderts war ja das Uebel schon so hoch gestiegen, aber auch das daraus entstandene Aergerniß so hoch gestiegen, daß sich selbst der rohe Zeit-Geist dadurch empört fühlte. Auch die Läyen fiengen jetzt schon davon zu sprechen an, daß man nothwendig eine Reformation der Klöster vornehmen müsse, und sobald sich nur einige Werkzeuge dazu anboten, so beeilte man sich von allen Seiten her, ihnen dazu zu helfen. Einige einzelne Mönche, die sich noch vom alten Schlage erhalten hatten, waren um diese Zeit aus dem verdorbenen Haufen herausgetreten, und hatten sich vereinigt, eine neue Gesellschaft für sich zu bilden, welche der Welt den so lange vermißten Anblick ächter Nachfolger und Söhne des heil. Benedikt wieder darstellen sollte. Zu einem solchen Entschluß hatte auch der Abt Berno von Beaume⁴) die Mönche seines Klosters und

4) Aus dem Geschlecht der Grafen von Bur-

X x 5

gund

noch eines benachbarten zu Gigny, welchem
er ebenfalls vorstand, überredet. Der Ruf
davon verbreitete sich bald in der Nachbarschaft, und bewog den Herzog Wilhelm von
Aquitanien, ihn zu ersuchen, daß er auch auf
seinem Grund und Boden ein neues Kloster
von der alten Art anlegen möchte. Dieß veranlaßte im J. 910. die Entstehung des neuen
Klosters zu Clugny, und in diesem erhielt der
Mönchs = Geist in kurzer Zeit nicht nur ein
neues Leben, sondern zugleich einen neuen
Glanz, der ihm auch seine ganze ehemahlige
Ansteckungs = Kraft wieder zu geben schien.

§. 5.

Der bloße Anblick von Mönchen, die wieder buchstäblich nach der Regel des heil. Benedikts lebten, würkte so gewaltig, daß das
Kloster zu Clugny schon nach wenigen Jahren
einen Zulauf erhielt, den es nach allen Erwei-
terungen, die man darinn anbrachte, nicht
mehr fassen konnte. Aber in der nehmlichen
Zeit hatte es auch schon einen Zufluß von Schenkungen

gund. S. das Leben des heil. Berno bey
Mabillon am a. O. p. 66. fg.

kungen erhalten, der mit jenem Zulauf in einem gleicheren Verhältniß als der Umfang seiner Mauern stand, denn schon der zweyte Abt
des Klosters, der betriebsame heilige Odo,
konnte seinem selbst gewählten Nachfolger. 5)
bey seinem Tode nicht weniger als zwey hundert und acht und siebzig Donations=Urkunden
von Königen und Fürsten, Herzogen und Grafen, edeln und unedeln Wohlthätern übergeben,
welche in einem Zeitraum von zwey und dreyßig Jahren auf den Altar der Kloster=Kirche
gelegt worden waren. An dieser Würkung hatte
jedoch zuverlässig das allgemeine Aergerniß an
dem in den meisten älteren Klöstern eingerisse-
nen Verderben den größten Antheil, denn sie
nahm ja bald eine Wendung, durch welche
auch eine Reformation in diesen erzwungen
wurde.

§. 6.

Auch mehrere der Layen=Aebte und der
weltlichen Herrn, welche sich der reicheren Klöster

5) Dieser Nachfolger, den sich Odo im J. 941.
wählte, hieß Aymard. S. *Mabillon* Annal.
T. III. p. 458.

ster bemächtigt hatten, fanden sich durch das neue Kloster zu Clugny so erbaut, oder durch den Kontrast, den es mit den ihrigen machte, so beschämt, daß sie den Entschluß faßten, nicht eher zu ruhen, bis auch die ihrigen nach dem Muster von jenem umgebildet seyn würden. Einige von ihnen opferten selbst diesem Entschluß alle die Vortheile auf, welche sie bisher von den Klöstern gezogen hatten, denn sie setzten sich selbst zuerst aus den Verhältnissen heraus, worinn sie mit ihnen gestanden waren, und gaben den neuen religiösen Aebten, welche sie wieder anstellten, alle dem Kloster gehörigen Güter und Besitzungen zurück. So verfuhr Hugo Capet mit den großen Abteyen von Skt. Germain und Skt. Denis, die er schon von seinem Vater geerbt hatte [6]). Andere mochten sich wohl das gute Werk nicht so viel kosten lassen; aber alle leiteten es fast auf die nehmliche Art ein. Sie ersüchten den Abt von Clugny, daß er sich dem gottgefälligen Geschäft unterziehen möchte, ihre Mönche in die nehmliche Ordnung hineinzubringen, die er in seinem Kloster eingeführt habe, und dazu ließen

6) eb. daf. T. IV. p. 87.

ßen sich die fünf oder sechs erſten Aebte von
Clugny ſowohl um Gottes als um ihres Klo=
ſters willen recht gern gebrauchen ⁷). Von
einem Kloſter in das andere verſchrieben zogen
ſie jetzt die Hälfte des Jahrs herum, und
wo ſie nicht ſelbſt hinkommen konnten, ſchick=
ten ſie einige ihrer Mönche, die ſchon am be=
ſten abgerichtet, und daher am tauglichſten da=
zu waren, auch andere abzurichten. Sobald
dann auf dieſe Art nur einige der älteren Klö=
ſter umgeſchaffen waren, ſo mußte ſich die
Reformation nothwendig weiter verbreiten, und
dieß geſchah auch würklich; aber dabey kam
es auch erſt ganz an den Tag, wie weit es
mit dem Uebel gekommen war.

§. 7.

7) Schon der heil. Berno hatte die Reformation
noch in ſieben Klöſtern eingeführt. Sein
Nachfolger, der heil. Odo, brachte ſie noch viel
weiter herum; denn auf einigen Reiſen nach
Italien gelang es ihm, auch einige der ange=
ſehenſten dortigen Klöſter zu ihrer Annahme
zu bewegen: noch mehr wurde aber durch den
vierten und fünften Abt von Clugny, durch
den heil. Majolus und Odilo, ausgerichtet.

§. 7.

An den meisten Oertern kostete es einen äußerst harten Kampf, ehe die verwilderten Mönche sich reformiren ließen. Man verlangte zwar nichts von ihnen, als daß sie sich nur wieder in die äußere, mechanische Ordnung schmiegen sollten, welche ihre Regel ihnen vorschrieb, und dazu mußten sie sich auch sehr bald durch den stärksten aller Gründe, durch den Instinkt der Selbst-Erhaltung gedrungen fühlen. Sobald es wieder ächte Mönche gab, so wurden die ausgearteten Gegenstand der allgemeinen Verachtung und des allgemeinen Unwillens. Sobald nur in einer Provinz ein einzelnes Kloster die Reformation bey sich eingeführt hatte, so war es um den Credit, um den Einfluß und um den Zufluß geschehen, den alle übrigen vorher gehabt hatten. Dieser Umstand hätte selbst hinreichen mögen, einen wahren Wett-Streit über das frühere und schnellere Reformiren zwischen ihnen zu veranlassen; aber unter zwanzig Klöstern, in denen es dazu kam, fanden sich immer neunzehn, worinn es nur mit dem äußersten Zwang durchgesetzt werden konnte. In mehreren kam es dar=

darüber zu den empörendsten Auftritten. Mehrere Aebte, die es bloß durch ihr Ansehen erzwingen wollten, wurden von ihren wüthenden Mönchen nicht nur verjagt, sondern auf die grausamste Art ermordet [8]). Fast überall wurde daher die äußere Gewalt irgend eines weltlichen Arms dazu nothwendig; jedoch selbst diese mußte dabey meistens ein Mittel zu Hülfe nehmen, dessen Würkung am deutlichsten verrieth, wie tief die Unordnung eingewurzelt war. Man mußte den Mönchen die Wahl lassen, ob sie sich wieder zu einem ihrer Regel gemäßen Leben verstehen, oder aus den Klöstern austreten wollten [9])? Hunderte traten

[8]) Man darf nur zum Beyspiel anführen, wie die Mönche des berühmten Klosters zu Lob oder Laubes in der Lüttichischen Diöcese ihren Abt Erluin mißhandelten. Zuerst prügelten sie ihn halbtodt, hernach aber stachen sie ihm die Augen aus, und schnitten ihm die Hälfte der Zunge ab. S. *Fulcuin* de Gestis Lobiens. Abbat. c. 26. bey *Calles* T. IV. p. 371.

[9]) So ließ man unter andern auch den Mönchen zu Hersfeld diese Wahl, da man sie

im

traten darauf würklich aus, und nun erst war es möglich, in den halb=entvölkerten Klöstern die alte Disciplin wieder herzustellen.

§. 8.

Würklich war es nehmlich bloß die ursprüngliche Verfassung, oder jene Verfassung, welche der heilige Benedikt dem Kloster=Wesen gegeben hatte, die man jetzt wieder einführte, und einführen wollte. Die Mönche zu Clugny hatten zwar in ihrem ersten Reformations=Eifer manche neue Bestimmungen in dem äußeren ihrer Lebens=Ordnung und ihrer Ascetik angebracht, wovon die Regel des heil. Benedikts nichts wußte [10]. Sie setzten auch selbst

auf

im J. 1005. durch den heil. Godehard reformiren lassen wollte. Alle aber bis auf die Greise und Knaben, die im Kloster waren, zogen darauf fort. S. Lambert. Schafnab. Chron. und Annal. Hildesheim. ad h. a.

10) Man findet sie beysammen in einer Schrift aus dem eilften Jahrhundert: Antiquiores consuetudines Cluniacensis Monasterii Libri III. collectore S. Udalrico in Dachery Spicileg. T. I. p. 641-703.

auf diese zum Theil kleinlichten Eigenheiten, ei=
nen sehr hohen Werth, wiewohl sie nur zu
dem mechanischen oder zu der äußeren Maschi=
nerie der letzten gehörten, und höchstens ein
Aussehen von einer heiligeren Strenge der er=
sten mittheilen konnten. Sie wandten deßwe=
gen auch mehrere Künste und Bemühungen
an, um es dahin zu bringen, daß ihre beson=
dern Einrichtungen und Gebräuche noch von
andern Klöstern freywillig angenommen wur=
den 11): allein dabey erklärten sie dennoch die
Regel des heil. Benedikts auch als das Grund=
Gesetz ihres Instituts, und behaupteten selbst,
daß sie durch ihre Zusätze nicht verbessert oder
vollkommener gemacht, sondern daß nur ihr
Geist etwas mehr dadurch ausgesprochen wor=
den sey. In mehreren Klöstern, in denen man
sonst das Reformiren mit scheinbar gleichem
Eifer

---

11) Die meisten solcher Künste ließ man es sich
vielleicht kosten, um das große Kloster zu
Farfa bey Rom zu bewegen, daß es die Ge=
bräuche von Clugny annahm, wozu es sich
endlich auch im J. 998. bringen ließ. S.
Mabillon Annal. T. IV. p. 121. 206.

Eifer betrieb, wurden ſie daher nie angenommen; mithin wurde doch eigentlich das
Mönchs - Weſen jetzt nur wieder auf den alten
Fuß hergeſtellt: allein aus der Reformation
ſelbſt, aus den Umſtänden, unter welchen ſie
eingeleitet, und aus der Art, mit welcher ſie
betrieben wurde und betrieben werden mußte,
entſprangen ein Paar Folgen, welche doch
auch in der inneren Verfaſſung der Klöſter einige, und zwar zum Theil ſehr bedeutende
Veränderungen herbeyführten.

§. 9.

Einmahl verbreitete ſich die erſte glückliche
Folge, die aus der Reformation entſprungen
war, immer weiter, ſo wie ſie ſich ſelbſt immer weiter verbreitete. Die reformirten Klöſter wurden allmählig von dem Layen = Druck
befreyt, unter dem ſie ſo lange geſtanden waren. Die bisherigen Layen = Aebte gaben ihre
Anſprüche zum Theil freywillig auf, und die
Fürſten erlaubten [12]) ſich nicht mehr ſo leicht,
ein

---

12) Otto der Große erklärte bald nach dem Antritt ſeiner Regierung auf eine ſehr feyerliche
Art,

ein Kloster, das wieder die Gestalt eines Gotteshaufes bekommen hatte, an einen Ritter oder einen andern weltlichen Herrn als Lehen zu verschenken. So wurde eines nach dem andern in seine Rechte und in seine Güter, in die Verwaltung und in den Genuß von diesen wieder eingesetzt; aber mehrere bekamen zugleich einen neuen Zuwachs von Gütern, wodurch sie für alles Verlohrne übermäßig schadlos gehalten wurden. Der neue Schwung, den die Mönchs=Schwärmerey bekommen hatte, äußerte sich bald wieder durch die nehmlichen Erscheinungen, welche einst ihr erstes Erwachen begleitet hatten. Alles drängte sich wieder in die Klöster. Wer nicht selbst hinein kommen konnte, der brachte wenigstens seine Kinder [13], und brachte sie jetzt als ein wahres Opfer, denn in der Verblendung der neuen Schwärmerey erklärte man jetzt mit frommer Un= mensch=

Art, daß er niemahls einer deßhalb an ihn gebrachten Bitte Raum geben würde.

[13] S. *Du Fresne* Glossar. ad voc. Donati und Oblati Monasterior.

menschlichkeit, daß das Opfer unwiderruflich
sey, wenn auch der eigene Wille der Geopfer-
ten niemahls hinzukommen sollte [14]). Doch
damit begnügten sich Hunderte nicht einmahl,
sondern sie übergaben sich mit ihrer ganzen
Familie auf ewige Zeiten einem Kloster zum
unbedingten Dienst [15]), und hielten sich durch
die heilige Knechtschaft geehrt, für welche sie
einst im Himmel desto höher gesetzt zu werden
hofften. Wenn es aber Menschen gab, bey
denen der Schwindel zu dieser Höhe stieg,
wie groß mußte die Anzahl derjenigen seyn,
die sich die Ehre, unter den Wohlthätern eines
Klosters aufgeführt zu werden, zwar etwas
weniger, jedoch immer auch noch etwas kosten ließen?

§. 10.

[14]) Dieß erklärte man leyder! schon im J.
868. auf einer deutschen Synode zu Worms
can. 22. S. Conc. T. VIII. p. 950.

[15]) Das erste Beyspiel einer ganzen Familie,
die sich mit ihren Gütern dem Kloster zu
Clugny zum Dienst übergab, fand Mabillon
im J. 948. S. Annal. T. III. p. 490.

§. 10.

Außer diesem findet man einige Klöster, welche dafür, daß sie sich reformiren ließen, im eigentlichsten Sinn bezahlt wurden. Ihre frommen Schutzherrn glaubten ihnen, die Lust dazu am gewissesten machen zu können, wenn sie sich erboten, ihnen etwas an Gütern und Einkünften zuzulegen, sobald sie sich wieder zu der Beobachtung ihrer Regel entschließen würden. Gewöhnlich giengen auch die Mönche den Akkord willig genug ein, und der äußere Schein, mit dem man sich dabey begnügen mußte, wurde doch immer auf einige Zeit erhalten; in andern Klöstern hingegen brauchte man ein anderes Bestechungs=Mittel, das eine den Mönchen sehr vortheilhafte Veränderung in der bisherigen klösterlichen Haushaltung nach sich zog. Einige Aebte [16]) machten ihren Mönchen den Antrag, daß sie nach der von ihnen angenommenen Reformation die Klo=ster=Güter ungefähr eben so mit ihnen thei=len

---

16) Wie der Abt des großen und reichen Klo=sters zu Skt. Denis zu Paris und noch einige andere. S. *Mabillon* Annal. IV. p. 120.

len wollten, wie die Bischöffe die Güter ihrer
Kirche mit ihren Kapiteln zu theilen gezwun=
gen wurden. Sie wollten also darein willi=
gen, daß ein Theil der Güter, worüber ihnen
bisher das ausschließende Dispositions = Recht
zugestanden war, den Mönchen zur Selbst=
Administration überlassen, oder doch auf eine
unverbrüchliche Art ihnen zugesichert und für
jeden künftigen Abt unantastbar gemacht wer=
den sollte. Dieser Antrag mußte für die Mehr=
heit der Mönche fast noch verführerischer als
die reichste Schenkung seyn, die man ihrem
Kloster hätte machen können. Es läßt sich
daher leicht glauben, daß er nirgends abge=
wiesen wurde, aber es läßt sich noch leichter
glauben, daß es der Aebte nicht allzuviele
gab, die ihr Reformations = Eifer zu einem
solchen Antrag uneigennützig genug machte.
Die neue Einrichtung in der Kloster=Oekonomie
kam also gewiß nicht allgemein zu Stande; aber
wo sie zu Stande kam, da mußte sie unfehl=
bar noch mehrere Veränderungen nach sich zie=
hen, und wenn sie sich auch nur in einigen
Klöstern eine Zeitlang erhielt, so konnte es noch
weniger fehlen, daß sie sich noch in mehreren,

wenn

wenn auch nicht ganz in gleicher Form, Ein=
gang verschaffen mußte.

§. 11.

Noch wichtiger und folgenreicher für das
Ganze des Mönchs=Wesens und auch für das
Ganze der Kirche war jedoch eine andere Ver=
änderung in der klösterlichen Verfassung, die
ebenfalls noch durch den neu=erwachten Re=
formations=Eifer veranlaßt wurde, oder we=
nigstens auch noch — und gewiß nicht ganz
zufällig — daraus entsprang. Sie bestand
darinn, daß jetzt die Mönche mehrerer ganzen
Klöster durch vorher unbekannte Bande unter
einander selbst enger verknüpft, in größere
Kongregationen vereinigt, und zum Theil jetzt
schon in die wahre, nur noch nicht ganz aus=
gebildete Ordens=Verfassung hineingebracht wur=
den. Diese Veränderung wurde zuerst durch
die neue Stiftung von Clugny eingeleitet.
Sobald nehmlich diese in einigen Ruf gekom=
men war, so zog sich einerseits alles, was
nur einen Ansatz zur Mönchs=Schwärmerey
fühlte, nach Clugny, und meldete sich dort um
die Aufnahme, und andererseits wollte man zu

Yy 4   glei=

gleicher Zeit so viele der alten Klöster nach
dem Muster des neuen umgebildet haben. Dieß
letzte gab dann die nächste Veranlassung, daß
mehrere solcher Klöster von denjenigen, welche
darüber zu disponiren hätten, dem Abt von
Clugny unterworfen ¹⁷) — durch das erste
aber sah man sich gezwungen, mehrere neue
Klöster anzulegen, die mit dem Zufluß, den
man zu Clugny nicht behalten konnte, bevöl=
kert, jedoch eben deßwegen nur als Colonien
des Stamm=Klosters betrachtet wurden, und
diesem beständig affiliirt, aber eben deßwegen
auch untergeordnet bleiben sollten.

§. 12.

Man kann sich leicht vorstellen, daß meh=
rere Klöster, besonders in der Folge, auch noch
auf

17) Ein langes Verzeichniß von Klöstern, die
dem Kloster zu Clugny unterworfen wurden,
läßt sich zusammenbringen aus Mabillons
Annal. T. IV. p. 604. 667. 678. 522. 542. 543.
626. 628. 647. In einer Bulle von Gregor
V. vom J. 996. findet man aber alle nah=
mentlich aufgezählt, welche damahls zu der
Kongregation gehörten. S. Bullar. Cluniac,
p. 10.

auf eine andere Art und unter andern Um=
ständen in diese Verbindung mit dem Kloster
zu Clugny hineinkamen. Wer jetzt z. B. ein
neues Kloster stiften wollte, übergab bloß dem
Abt von Clugny den Grund und Boden, den
er dazu bestimmt, und die Güter, die er da=
zu ausgesetzt hatte, überließ ihm den Bau,
die Einrichtung und die Besetzung, und er=
klärte eben damit, daß es beständig dem Klo=
ster zu Clugny inkorporirt oder aggregirt blei=
ben sollte. Manche ältere Klöster traten auch
wohl, nachdem sie sich einmahl hatten bewegen
lassen, die Gebräuche und Statuten des Klosters
zu Clugny anzunehmen [18]), freywillig in die
Association mit ihm ein, und opferten der Ehre
oder den solideren Vortheilen, welche sie davon
erwarteten, gern etwas von der Unabhängig=
keit auf, welche sie bisher behauptet hatten.
Dabey mochten zwar auch die Formen und
Bedingungen der Association nicht bey allen
Klöstern ganz gleich seyn; so wie überhaupt
das ganze Verbindungs=System nicht auf ein=
mahl

18) Wie außer dem schon erwähnten Kloster zu
Farfa auch mehrere Klöster in Spanien.

man es nie zu verbergen, daß man immer etwas ungleiches in der Verbindung erhalten wollte.

§. 13.

Das Stamm-Kloster zu Clugny sollte immer das Haupt vorstellen, durch das die Bewegung des ganzen Körpers geleitet werden müßte, wobey nur den einzelnen Gliedern des Körpers, oder den einzelnen Klöstern, die zu der Kongregation gehörten, noch mehr oder weniger Freyheit der Selbst-Bewegung vorbehalten blieb. Einige wurden z. B. fast ganz von Clugny aus regiert, indem ihnen ihre Aebte und Prioren aus dem Stamm-Kloster zugeschickt [19]), oder doch von dem Abt des Stamm-Klosters ernannt wurden; andere behielten

19) Sie wurden daher auch nur Proabbates oder Coabbates genannt, indem der Abt von Clugny auch zugleich als der ihrige angesehen wurde. Die kleineren Klöster dieser Art wurden gewöhnlich nur Cellae, Obedientiae und später Priorate genannt. S. *Mabillon.* IV. p. 58.

hielten das Recht, ihre unmittelbaren Oberen
selbst zu wählen, welche nur in dem Abt zu
Clugny den höheren Oberen erkennen mußten.
Die Klöster der letzten Art konnten auch noch
in andern Beziehungen für sich allein handeln;
die ersten hingegen waren so gebunden, daß
sie nicht einmahl einen Novizen annehmen durften, ohne vorher nach Clugny berichtet, und
von dort aus die Erlaubniß dazu erhalten zu
haben. Alle aber waren ohne Ausnahme verpflichtet, die Statuten und Gebräuche des
Klosters von Clugny auch zu den ihrigen zu
machen.

§. 14.

Daraus bildete sich in der Mönchs=Welt
ein ganz neues Institut, wodurch das Klo-
ster=Wesen überhaupt viel bedeutender, und
besonders in seinen politischen Verhältnissen
weit wichtiger wurde, als es vorher gewesen
war. Es ließ sich aber voraussehen, daß es
in der Folge immer wichtiger werden, denn
es ließ sich voraussehen, daß es mehrfach
nachgeahmt werden würde. So kam es schon
jetzt

jetzt dazu, daß man auch an andern Oertern
dem Abt eines einzelnen Klosters mehrere andere, und zuweilen alle Klöster eines Distrikts
oder einer Provinz unterwarf [20]); nur hatte
man dieß freylich nicht allein von dem neuen
Institut von Clugny abgesehen. Man würde
hier und da schon durch Lokal=Ursachen und
Konvenienzen auf die Einrichtung gebracht, und
an anderen Oertern empfahl sie sich dadurch,
weil man darinn das sicherste Mittel zu der
gewisseren Erhaltung der neuen Ordnung erblickte, die man durch die Reformation in
einem Kloster eingeführt hatte. Allein der
Konföderations=Geist, der sich von Clugny
aus in die übrige Mönchs=Welt verbreitete,
zeigte sich schon unverkennbarer in einigen andern Erscheinungen. Es war dieser Geist,
der die vielfachen religiösen Allianzen und Ver-
brüderungen schloß, in welche noch im zehnten Jahrhundert so viele Klöster mit einander
ein=

---

20) So waren die meisten Klöster der Marca
Hispanica einem einzigen Abt unterworfen,
der den Titel Abbas generalis führte.

eintraten [21]). Es war dieser Geist, der im eilften Jahrhundert in das neue Institut der Camaldulenser [22]) so viel ähnliches mit dem Cluniacensischen hineinbrachte. Und wie hätte er im folgenden zwölften in so vielen neuen Erscheinungen und dabey in so vielen neuen Formen auf einmahl sich zeigen können, wenn er nicht schon dieß Zeitalter eben so mäch= tig als allgemein ergriffen hätte?

21) Einige Formeln solcher Kloster=Konfoedera= tionén aus dem zehnten und eilften Jahr= hundert finden sich auch in des Abt Gerbert Monument. veter. Liturg. Allemannicae P. II. pe 139. 140.

22) Gestiftet von dem heil. Romuald. S. Ma= billon Act. SS. Ord. S. Bened. Sec. VI. P. I. p. 247. ss.

Kap. VIII.

Kap. VIII.

Veränderungen in den äußeren Verhältnissen der Klöster gegen die Landesherrn, gegen die Diöcesan-Bischöffe, und gegen die Päbste.

§. 1.

Diese Veränderungen, die in der inneren Verfassung des Kloster-Wesens vorgiengen, mußten aber nothwendig auch auf seine äußeren Verhältnisse einigermaßen zurückwürken, und eine mehr oder weniger merkliche Verrükkung von diesen nach sich ziehen. Am sichtbarsten, möchte man glauben, mußte dieß in jenen Beziehungen werden, in welche die Mönche mit den Landesherrn und mit den Grundherrn ihrer Klöster, mit den Bischöffen und mit den Päbsten hineinkamen; und es zeigte sich auch in allen diesen Beziehungen sichtbar genug, daß sich schon manches verrückt hatte; doch ist es würklich nur erst der Anfang der

begin=

beginnenden Veränderung, was sich hier in
dieser Periode beobachten läßt.

§. 2.

Am wenigsten schienen die Verhältnisse verrückt zu werden, worinn bisher die Klöster
mit ihren Grundherrn, oder mit den Landesherrn gestanden waren. Wenn es diese letzten von dem Schluß des zehnten Jahrhunderts
an sich nicht mehr erlaubten, so willkührlich
als vorher und so gewaltsam-widerrechtlich
darüber zu disponiren, so fuhren sie doch immer fort, alle jene sonstigen Rechte darüber
auszuüben, die man nur irgend einmahl aus
den Verhältnissen der Schutz = und Grund-Herr-
schaft, des Patronats und der obersten Advo-
katie abgeleitet hatte. Dieß fand am auffallendsten bey jenen Klöstern statt, die durch
ihre Stiftung, oder durch eine besondere Exemtion, oder durch einen andern Umstand in
die Liste der königlichen Klöster gekommen, und
Monasteria regalia geworden waren. Diese
hatten nicht nur fortdauernd die jährlichen Zinsen
und Geschenke an den König oder an die Kö-

nigin [1]) zu entrichten, die ihnen angesetzt was ren, sondern sie mußten noch von Zeit zu Zeit etwas zulegen, wenn eine außerordentliche Requisition an sie gebracht wurde. Eben so verhielt es sich mit dem Kontingent, das sie zu dem Heer=Zug zu stellen hätten [2]): und dabey kam es nur allzuoft auch noch dazu, daß sich die Könige auf eine sehr zudrängliche Art in ihre inneren und häuslichen Angelegenheiten einmischten.

§. 3.

Völlig gesetzmäßig konnte dieß in allen jenen Fällen geschehen, wo sie durch Klagen, die über ein Kloster eingelaufen waren, oder auch

1) Das Kloster zu Prüm mußte immer der Königin oder der Kayserin das servitium geben. S. Hontheim Hist. Trevir. T. I. p. 294.

2) Bey *Muratori* Annal. T. V. p. 69. findet sich das Formular eines Aufgebots von Ludwig II., worinn auch alle Aebte und Aebtissinnen, wenn sie nicht alle ihre Vasallen zum Heerzug schickten, mit der Absetzung, und die Vasallen mit der Einziehung ihrer Beneficien bedroht wurden.

auch nur durch das Gerücht von einer besonders skandalösen Unordnung, die in einem
Kloster eingerissen war, dazu aufgefordert wurden. Niemand zweifelte daran, daß es Sache
des Königs sey, sein Ansehen und seine Macht
auch zur Erhaltung der Ordnung in den Klöstern zu verwenden; daher fand es niemand
befremdend, daß sie auch so häufig bey der
Reformation, zu der man die Mönche in diesem Zeitalter nöthigte, dazwischen kamen. Dabey sahen es die königlichen Klöster als eigenen Vorzug an, daß sie einem Kläger nur
vor dem Könige zu Recht stehen, also ein
Proceß gegen sie nur in dem Gerichtshof des
Königs anhängig gemacht werden durfte. In
den häufigen Zwistigkeiten, in welche die Aebte
mit ihren Mönchen und die Mönche mit ihren
Aebten verwickelt wurden, wandten sie sich
auch meistens selbst an den König: mithin
konnte es zugleich diesen selten an einem Vorwand fehlen, wenn sie ihre Konvenienz dabey
fanden, sich in die Angelegenheiten eines Klosters einzumischen.

§. 4.

Diese Konvenienz fanden sie aber am häufigsten bey den Abts = Wahlen, daher warteten sie auch nicht immer eine besondere Veranlassung zu ihrer Einmischung dabey ab. Würklich kann man sich kaum einer Anwandlung von Erstaunen erwehren, wenn man gewahr wird, wie häufig die Könige noch bis an das Ende dieser Periode hin das uneingeschränkte Nominations = Recht der Aebte sich anmaßten [3]). Unter den Privilegien, welche sie ihren Klöstern ertheilt hatten, stand gewöhnlich jenes voran, wodurch ihnen das Recht der eigenen und freyen Abts = Wahl zugesichert wurde. Mehrere Klöster erkauften sich sogar eine mehrmahlige neue Bestätigung dieses Rechts, und

such=

---

[3] Am stärksten fällt es wohl bey dem folgenden Vorfall auf, wie fest die Könige noch selbst überzeugt waren, daß das Nominations = Recht der Aebte in allen solchen Klöstern ihnen zustehe. Im J. 999. setzte der Kayser Otto III. einen Abt von Farfa, den der Pabst ernannt hatte, wieder ab, weil es dem Pabst gar nicht zustehe, einem königlichen Kloster einen Abt zu geben. S. *Mabillon* IV. p. 118.

suchten ihm noch durch die päbstliche Sanktion eine unverbrüchlichere Festigkeit zu geben; aber das eine half ihnen so wenig als das andere. Bis in die Mitte des eilften Jahrhunderts setzten die Könige noch sehr häufig, besonders in Deutschland, nach ihrem Gutdünken Aebte ein, und wenn sie dazwischen hinein die freyen Wählen von anderen zuließen, so kamen dafür auch Fälle vor, in welchen sie förmlich diese Wahlen kassirten, oder auch einen Abt absetzten, um dem Kloster einen andern aufzudrängen 4). Dabey erkennt man zwar leicht, wie sehr ihnen dieß durch die Lehens = Beziehungen erleichtert wurde, die man auch hier anzubringen gewußt hatte, und noch leichter läßt sich errathen, auf welche Konvenienz es von Seiten

4) So setzte der fromme Heinrich II. im J. 1013. den Abt Brantholius von Fuld ohne weitere processualische Förmlichkeit ab, und einen Mönch Poppo für ihn ein. Eben so verfuhr er im J. 1015. mit dem Abt Walo von Corbey, dem er einen Mönch Drutmar zum Nachfolger gab. S. *Calles* T. V. p. 135. 147.

ten der Könige vorzüglich dabey abgesehen war? aber aus dem einen und aus dem andern geht es nur desto sichtbarer hervor, daß würklich nur wenig oder nichts in ihrem alten Verhält- niß zu den Klöstern sich verrückt hatte.

§. 5.

Weniger gelangen in dieser Periode den Bischöffen ihre Bemühungen, sich wieder in ihre ursprüngliche Stellung gegen die Klöster hineinzusetzen, und die Mönche auf das neue in die alte Abhängigkeit von ihnen hinabzu- drücken, wiewohl das löbliche Vorhaben durch mehrere Umstände merklich begünstigt wurde. Am günstigsten wurde dafür das Verderben selbst, das in den Klöstern eingerissen war, und das allgemeine Aergerniß, das man daran genommen hatte. Dieß gab nehmlich den Bischöffen den scheinbarsten Vorwand, darauf zu bringen, daß man ihnen ihre ehemahligen Rechte über die Klöster in ihrem ganzen Um- ang zurückgeben müsse, weil ja das ganze Uebel nur aus der Ungebundenheit der aus ihrem Gehorsam ausgetretenen Mönche ent- sprungen sey. Allein von diesem Umstand

konn-

konnten die Bischöffe aus mehreren Ursachen nur wenig Gebrauch machen.

§. 6.

Zu Anfang des zehnten Jahrhunderts, wo das Uebel am höchsten gestiegen war, war die Mehrheit der Bischöffe eben so notorisch ausgeartet und verwildert, als die Mehrheit der Mönche, und gab dem Volk kein geringeres Aergerniß als diese; außerdem aber war es notorisch, daß sie selbst zu dem Verderben der Klöster nur allzuviel beygetragen hatten. Sie selbst hatten sich ja mit den weltlichen Großen in die Klöster getheilt, und noch dazu sehr ungleich getheilt. Wenn ein Herzog oder ein Graf ein Kloster an sich riß, so legten sich die Bischöffe zuweilen ein halbes Dutzend bey. Der Erzbischoff Hatto von Maynz, der im J. 913. starb, hatte neben seinem Erzstift nicht weniger als zwölf Abteyen beysammen [5]). Einige Erz=

5) S. *Eikehardus* jun. de Caf. Monaft. S. Galli. L -1. c. 15. *Mabill.* Annal. III. p. 119. Un= ter diesen zwölf Abteyen aber waren mehrere der reichsten in Deutschland, wie Reiche= nau, Lauresheim, Elwangen.

bischöffe von Cöln und von Trier wußten sich
eben so gut zu bedenken. Die Bischöffe von
Kostanz sahen schon die Klöster von Reichenau
und Skt. Gallen, die Bischöffe von Regenspurg
das Kloster von Skt. Emmeran als ihr recht=
mäßiges Eigenthum an, und eben so verhielt
es sich in Ansehung anderer Klöster mit den
Bischöffen von Lüttich, von Speyer, von
Straßburg, und mit einer Menge von andern.

§. 7.

Wahrscheinlich bekümmerten sich nun wohl
diese bischöfflichen Aebte um dasjenige, was
in dem Inneren der Klöster vorgieng, wenn
auch nur Wohlstands halber, noch etwas mehr
als die gewöhnlichen Layen=Aebte. Durch ihr
gedoppeltes Verhältniß mußte es ihnen selbst
noch leichter werden, als den eigentlichen
Mönchs=Aebten, Zucht und Ordnung darinn
zu erhalten: allein was sie auch dafür thaten,
so war es doch immer einem andern Zweck
untergeordnet, und wurde eben dadurch wür=
kungslos. Auch den Bischöffen war es mit
einem Wort bloß um die Güter und Einkünfte
der Klöster zu thun. Die Prokuratoren, wel=
che

che sie ihren vorsetzten, mochten daher mei=
stens nur darauf instruirt seyn, die Mön=
che zu hüten, daß sie ihnen so wenig als
möglich von dem Ueberschuß des reinen Er=
trags unterschlagen könnten, und auch wohl
durch eine sparsame Oekonomie diesen Ueber=
schuß zu vergrößern. Auch in dem Bischoff
sahen also die Mönche nur den Räuber 6)
ihres Eigenthums, und nicht den rechtmäßigen
Oberen. Der Zwang, mit dem er sie viel=
leicht in Ordnung zu halten suchte, mußte sie
deßwegen nur noch mehr gegen ihn empören.
Schon dieß mußte ihn unwürksam machen.
Noch außerdem mochte er selten mit der gehö=
rigen Stetigkeit angewandt und behauptet wer=
den. Wer kann sich nun wundern, wenn es
auch in meisten dieser bischöfflichen Klöster nicht
besser, als in den übrigen aussah?

§. 8.

6) Sie konnten aber auch oft nichts anders in
ihm sehen. Wenn der Bischoff Michael von
Regensburg im J. 971. den ganzen Schatz des
Klosters von Skt. Emmeran wegführen ließ,
was war er anders als ein Räuber? S.
Codex IV. p. 514.

Zz 4

§. 8.

Eben deßwegen ließ sich auch nicht hoffen, daß der einmahl erwachte Reformations-Geist in diesen Klöstern einen leichteren Eingang finden würde; wenigstens weiß man sehr gewiß, daß er nicht zuerst darinn erwacht, und daß er nicht durch die Bischöffe geweckt worden war. Nachdem aber das Reformations-Wesen einmahl in Bewegung gekommen war, so mußten sie wohl sich das Ansehen eines eigenen Amts-Eifers dafür geben; und bald faßten sie auch vielleicht die Vortheile ins Auge, die ihnen selbst daraus zufließen könnten. Einzelnen Bischöffen mochte es zwar würklich damit Ernst seyn, denn ihr Eifer für die Wiederherstellung der alten Ordnung gieng so weit, daß sie selbst zuerst aus dem ordnungswidrigen Verhältniß heraustraten, in das sie sich mit mehreren Klöstern gesetzt hatten, wieder eigene Aebte darinn anstellen ließen, und alles, was dem Kloster gehörte, an diese zurückgaben. Man darf daher auch den Klagen einiger Mönche, welche aus diesem Zeitalter auf uns gekommen sind, nichts weniger als blindlings trauen, wenn sie die Bemühungen einiger Bischöffe,

schöffe, die Klosterzucht wiederherzustellen, als eine Verfolgung vorstellen 7), die bloß die bischöffliche Herrschsucht gegen sie erregt habe. Jedoch in andern völlig erwiesenen Thatsachen läßt es sich unmöglich verkennen, daß sich die Bischöffe an einigen Oertern recht förmlich dazu vereinigt haben mußten, sich bey dieser Gelegenheit wieder in' den Besitz ihrer ursprünglichen und gesetzmäßigen Rechte über die Klöster zu bringen. Noch im zehnten Jahrhundert brachten sie es daher in Frankreich würklich dazu, daß ihnen jeder neue Abt bey seiner Einführung Gehorsam und Unterwürfigkeit geloben mußte. 8), und mehr als einmahl halfen sie noch im eilften einander sehr eifrig, ihre Ordinariats-Gerechtsame gegen die Exemtions-Privilegien zu behaupten, wodurch sich ihnen

7) Wie der Mönch Wittichind von Corbey die Bemühungen des Erzbischoffs Friederich von Maynz für die Reformation des Klosters zu Fuld vorstellte. S. Wittichind. Annal. L. II. in *Meibom.* Scriptor. rer. Germ. T. I. p. 650.

8) S. *Mabillon* Annal. T. IV. P. 48.

ihnen die Mönche entzogen zu haben, oder
entziehen zu können glaubten.

§. 9.

Diese Bemühungen der Bischöffe hatten
aber nur einen sehr zweydeutigen, oder doch
keinen daurenden Erfolg.   Wenn es ihnen auf
einige Zeit gelang, die durch die Reforma=
tions=Proceduren etwas schüchtern und demü=
thig gewordenen Mönche wieder in das alte
Verhältniß hineinzubringen, so hielt dieß nicht
lange vor.   Sobald die reformirten Mönche
nur merkten, daß sie das Haupt wieder erhe=
ben dürften, weil die Stimmung des Volks=
und des Zeit=Geists ihnen wieder günstig ge=
worden war, so erhoben sie es zuerst gegen
die Bischöffe, denn die Erinnerung an den
alten Druck, den sie einst von ihnen erdulden
mußten, zeigte ihnen am schreckendsten, was
sie für die Zukunft auf das neue zu fürchten
hatten.   Noch am Ende des zehnten Jahrhun=
derts gab daher der heilige Abbo von Fleury
das Signal zu dem neuen Kampf mit den
Bischöffen, indem er sich auf das bestimmteste
weigerte, seinem Diöcesan=Bischoff von Or=
leans

leans das ihm abgeforderte Versprechen des
Gehorsams und der Unterwürfigkeit auszustellen [9]). Um die nehmliche Zeit [10]) wagten
es schon die Mönche, eine ganze Synode von
Bischöffen gewaltsam auseinander zu jagen,
weil sie es zum Gesetz hatte machen wollen,
daß die Klöster alle Zehenten, in deren Besitz
sie gekommen seyen, wieder herausgeben müßten. Bald darauf ließ es das Kloster von
Clugny, zum offenen Streit mit dem Bischoff
von Maçon, in dessen Diöcese es gehörte,
über sein Exemtions = Privilegium kommen [11]),
und in allen diesen Kämpfen behielten zuletzt
die Mönche die Oberhand. Die Bischöffe mußten sich am Ende mit dem Erbieten der Aebte
begnü-

***

9) S. *Aimoin.* in Vita S. Abbon. c. 19.

10) Im J. 995. Die Synode wurde zu Paris
im Kloster des heil. Dionysius gehalten. Der
alte Erzbischoff Seguin von Sens kam am
schlimmsten dabey weg, denn weil er nicht so
schnell, wie seine jüngeren Kollegen, entfliehen
konnte, so wurde er beynahe todt geschlagen.
Mabillon T. IV. P. 93.

11) Auf einer Synode zu Anse vom J. 1024.
S. *Conc.* T. IX. p. 859.

begnügen, daß ſie ihnen kanoniſchen Gehorſam verſprechen wollten [12]), worunter ſich gerade ſo viel und ſo wenig, als man wollte, begreifen ließ. Die Klöſter behielten nicht nur die Zehenten, welche ſie ſchon hatten, ſondern bekamen immer mehrere dazu. Aus Veranlaſſung des Streits mit dem Kloſter zu Clugny ſahen ſich aber die Biſchöffe gezwungen, auf eine recht feyerliche Art die Gültigkeit ſeines Exemtions = Privilegiums anzuerkennen [13]).

§. 10.

12) Sie hatten zuerſt das Verſprechen einer gedoppelten Unterwürfigkeit von ihnen verlangt — ſubjectionis Canonicae et Clientelaris — die Aebte der koniglichen Klöſter aber, die zugleich ein päbſtliches Exemtions = Privilegium hatten, wie Abbo von Fleury, prätendirten, daß ſie ihnen weder die eine noch die andere ſchuldig ſeyen: doch mußten ſie ſich endlich dazu verſtehen, ihnen kanoniſchen Gehorſam zu verſprechen. S. *Mabillon* T. IV. p. 48.

13) Im J. 1063. auf einer Synode zu Chalons, zu welcher Alexander II. den Cardinal Peter Damiani als Legaten geſchickt hatte, S. Conc. T. IX. p. 1177.

§. 10.

Bey dieser letzten Gelegenheit zeigte es sich jedoch auch am sichtbarsten, wie merklich in diesem Zeitraum jene Beziehungen, in welche sich die Mönche mit den Päbsten und die Päbste mit den Mönchen zu bringen gewußt hatten, nicht verrückt oder verändert, sondern befestigt worden waren; denn gerade dadurch wurden die Versuche der Bischöffe, sich in die alten mit ihnen hineinzubringen, am würksamsten vereitelt. Dennoch kam es auch mit jenen Beziehungen für jetzt noch nicht ganz dahin, wohin es die Mönche, und vielleicht auch die Päbste, gern gebracht hätten; aber alles leitete sich schon dazu ein, daß es bald dahin kommen mußte.

§. 11.

Von der Mitte des neunten Jahrhunderts an geschah es schon viel häufiger als vorher, daß sich die Klöster eigene Privilegien von den Päbsten ausbaten, oder diejenigen, welche sie von den Bischöffen oder von den Königen bekommen hatten, noch besonders von den Päbsten bestätigen ließen. Daran mochten zwar die

die Umstände der Zeit den größten Antheil ha=
ben. Alles stürmte ja auf die Klöster los,
um sie jetzt schon zu — seculariſiren; also
war es sehr natürlich, daß sich die Mönche
auch ihrerseits überall hinwandten, wo sie nur
mit einem Schatten von Wahrscheinlichkeit
Schutz und Hülfe erwarten konnten; die Päb=
ste aber boten sich ihnen hier noch allein an,
da sie selbst gegen die Könige und gegen die
Bischöffe Schutz bedurften. Ohne Zweifel mun=
terte sie indessen die Bemerkung, die sich auch
ihnen aufdrängen mußte; noch mehr dazu auf,
daß mit der überhaupt so viel höher gestiege=
nen Pabst=Idee des Zeitalters auch das An=
sehen des Römischen Stuhls in allen Ver=
hältnissen so viel bedeutender geworden war.
Glaubte doch selbst ein Bischoff dieses Zeital=
ters gegen ein Kloster davon Gebrauch machen
zu können; denn als im J. 862. die Mönche
des heil. Karilef zu Mans von Karl dem Kah=
len ein Privilegium ausgewürkt hatten, durch
das der Bischoff seine Rechte über ihr Kloster
verletzt glaubte, so wandte er sich an den
Pabst Nicolaus I., forderte ihn zur Dazwi=
schenkunft in der Sache auf; und erhielt zuerst
auch

auch würklich von ihm, daß er sowohl an den
König als an die Mönche Dehortatorien erge=
hen ließ [14]. Wie viel leichter aber, konnten
und mußten die Mönche darauf verfallen, sich
von den Päbsten helfen zu laffen?

§. 12.

Noch mehr war es dann in der Ordnung,
daß die Päbste den Mönchen recht gerne hal=
fen, und noch gerner als den Bischöffen hal=
fen. Dieß gab auch Nicolaus bey der er=
wähnten Gelegenheit auf eine eigene Art zu
erkennen, denn auf die erste Gegen=Vorstel=
lung der Mönche nahm er alles wieder zu=
rück, was er schon zum Vortheil des Bischoffs
verfügt — und gab ihnen jetzt selbst das Pri=
vilegium, das sie von dem König verlangt
hatten [15]: indessen that er doch für sie noch
nicht mehr, und auch die Päbste des zehnten
Jahr=

14) S. Labbé T. VIII. p. 458. 490.

15) Es ist nicht ganz bekannt, wie es mit der
Umstimmung des Pabstes zugieng, aber er
machte sie in einem eigenen Brief ad universos Episcopos Galliae bekannt. eb. daf. p.
459. 460.

Jahrhunderts thaten noch nicht mehr für die
Mönche, als ſich ſchon durch das frühere Herkommen und durch eine ältere Obſervanz rechtfertigen ließ. Auch jetzt dachten ſie noch nicht
daran, daß die Klöſter der geſetzmäßigen Auf-
ſicht der Biſchöffe völlig entzogen werden könnten, ſondern ſie wollten ihnen nur gegen die
geſetzwidrigen Bedrückungen Sicherheit verſchaffen, denen ſie von dieſer, wie von andern
Seiten her ausgeſetzt ſeyn möchten. Die Privilegien, welche ſie ihnen ertheilten, enthielten
daher auch jetzt noch ſelten etwas mehr, als
daß ihre Güter eben ſo wenig von den Biſchöffen als von jemand anders angetaſtet, daß
die freyen Wahlen der Aebte nicht durch ſie
geſtört, und daß die innere Regierung der
Klöſter dieſen allein überlaſſen bleiben ſollte ¹⁶).
Nur

---

16) S. Privilegium Benedicti VII. pro Monaſterio
S. Walarici bey *Mabillon* T. IV. p. 685. und
eb. deſſ. Bulla pro Monaſterio S. Hilarii Car-
caſſonenſi p. 688. Ueberhaupt kann und darf
man ſich aber hier auf eine ſo entſchiedene
Mehrheit von noch vorhandenen päbſtlichen
Privilegien aus dieſem Zeitraum berufen, daß
ſich

Nur einige Klöster ließen es dabey noch besonders in ihre päbstlichen Schutzbriefe einrücken, daß ihnen die Bischöffe auch unter keinem anderen Vorwand etwas abpressen, daß
sie ihnen auch mit ihrem Besuch nicht allzuoft
zur Last fallen, und daß es daher, um sich
gewisser dagegen zu sichern, dem Klöster frey
stehen müsse, auch zu den bischöfflichen Handlungen, die zuweilen in seiner Kirche vorfallen möchten, nicht gerade den Diöcesan-Bischoff, sondern auch jeden andern zu requiriren. Allein
auch dieß war schon in den Privilegien mehrerer älteren Klöster enthalten, und würde
vielleicht jetzt nur zuweilen aus dem alten Formular in ein neues hineingetragen.

§. 13.

sich mehrere neue Kanonisten und Historiker
dadurch verleiten ließen, zu zweifeln, ob auch
nur der Begriff von einer immunitas ecclesiastica der Klöster jetzt schon aufgefaßt worden sey? S. *Espen* Jus ecclef. univ. P. III.
Tit. XI. cap. 4. nr. 21. *Hontheim* Hist. Tre-
virens. T. I. p. 285.

§. 13.

Dieß kann hingegen als neue Erscheinung betrachtet werden, daß jetzt mehrere Klöster sogleich bey ihrer Stiftung dem Römischen Stuhl oder den Päbsten unmittelbar unterworfen wurden, wie es auch mit dem Kloster zu Clugny der Fall wär [17]). Es geschah jedoch nicht allein mit neu-gestifteten, sondern auch ältere Klöster suchten sich auf diese Art in ein besonderes und näheres Verhältniß mit den Päbsten hineinzubringen: aber es ist nicht ganz leicht zu bestimmen, was für ein besonderes Verhältniß dadurch begründet wurde und begründet werden sollte. Mehrere dieser Klöster schienen selbst nicht daran zu denken, daß sie dadurch aus aller Verbindung mit ihrem Diöcesan-Bischoff herausgesetzt werden könnten, sondern sie rechneten, oder ihre Stifter rechneten dem Ansehen nach bloß darauf, daß sie durch ihre Uebergabe an den Römischen Stuhl jeder andern Dienstpflichtigkeit auf immer entzogen

17) Dieß wär von dem Stifter des Klosters, von dem Herzog Wilhelm von Aquitanien, geschehen. S. *Mabillon* Annal. III. p. 335.

zogen werden sollten. Gewöhnlich verpflichtete
sich daher auch ein solches Kloster, einen jähr=
lichen Zins an den Römischen Stuhl zu bezah=
len [18]; um eben dadurch zu erklären, daß
es nur diesem dienstbar und pflichtig sey; mit=
hin schien es dabey, bloß auf seine Sicherung
gegen jeden andern Dienst=Zwang abgesehen zu
seyn, und zunächst sollte vielleicht seine Ueber=
gabe an den Römischen Stuhl von Seiten des
Stifters eine Verzichtleistung auf alle die Rech=
te vorstellen, die ihm selbst und seinen Erben
aus diesem Charakter oder aus der Grundherr=
schaft zuwachsen könnten.

§. 14.

Man hat auch Ursache zu vermuthen, daß
mehrmahls eine solche Uebergabe eines Klosters
an

[18] Das Kloster zu Clugny bezahlte alle fünf
Jahre zehn Solidos. Das Kloster des heil.
Severus zu Rustau, das der Graf Wilhelm
Sancius im J. 982. errichtete, verpflichtete
sich hingegen zu einer jährlichen Abgabe von
fünf Solidis. S. *Mabillon* T. IV. P. 10.

Aaa 2

an den Römischen Stuhl gänz ohne die Dazwischenkunft und ohne Vorwissen des Diöcesan Bischoffs erfolgte, mithin als etwas diesen gar nichts angehendes behandelt wurde. Man findet noch außerdem, daß sich zuweilen solche Klöster bey der Behauptung besonderer Exemtionen, welche ihnen ihre Bischöffe streitig machten, nicht auf ihre Unterwerfungs-Akte oder auf die päbstliche Acceptations-Akte ihrer Unterwerfung, sondern auf besondere Privilegien bezogen [19]), welche sie auch mit andern Klöstern gemein hatten, die dem Römischen Stuhl gar nicht unmittelbar unterworfen waren. Doch hat man auch auf der andern Seite das eigene Geständniß eines Pabsts aus diesem Zeitalter, daß die freywillige Uebergabe eines Klosters an den Römischen Stuhl keine Gültigkeit oder doch keine Würkung in Beziehung auf den Diöcesan-Bischoff haben könne, wenn sie nicht mit seiner Einwilligung erfolgt sey

19) Wie es ebenfalls die Mönche zu Clügny in dem Streit thaten, welchen sie mit dem Bischoff von Maçon, ihrem Ordinarius, durchzufechten hatten.

ſey 20). Es iſt alſo ſehr wahrſcheinlich, daß man nicht immer und nicht überall das nehmliche dabey dachte, und das nehmliche davon erwartete. Sie zog wenigſtens nicht bey allen gleiche Folgen nach ſich, denn die Verhältniſſe mehrerer Klöſter, die ſich dem Römiſchen Stuhl auf eine ſcheinbar gleiche Art unterworfen hatten, blieben noch ſehr verſchieden beſtimmt, weil verſchiedene Lokal-Umſtände dabey einwürkten; wie aber konnte dieß anders kommen, ſo lange in der Rechts-Theorie des Zeitalters von den Pabſt-Verhältniſſen überhaupt noch ſo viel unbeſtimmtes und ſchwankendes war?

§. 15.

Daraus erklärt ſich auch von ſelbſt, daß und warum der Schutz und die Verwendung der

20) Dieß geſtand der Pabſt Sylveſter II. in einem Proceß, der im J. 1002. über die Exemtion eines Kloſters zu Perugia geführt wurde. S. *Ughelli* Ital. ſacr. T. IX. p. 918.

Aaa 3

der Päbste für die Mönche überhaupt nicht zu
allen Zeiten gleich würkfam und kräftig war.
Am wenigsten konnten sie ihnen gegen die Be-
drängniffe helfen, welche sie von den Königen,
als obersten Lehens = und Landesherrn, zu erdulden hatten. Selbst bey jenen Klöstern, welche man am allgemeinsten als dem Römischen
Stuhl unterworfen anerkannte, setzten sich diese
nur allzuoft über die Rechte hinweg, die ihnen zunächst aus jenem Verhältniß zuwachsen
mußten; denn nahmen sich nicht zum Beyspiel
die deutschen Könige mehrmahls heraus, selbst
in dem Kloster zu Fuld Aebte einzusetzen und
abzusetzen? Noch weniger bekümmerten sie sich
bey den sogenannten königlichen Klöstern um
die Privilegien, die sie sich von den Päbsten
ertheilen ließen; aber nur allzuoft geschah es,
daß sich auch die Bischöffe nichts darum bekümmerten. Findet man doch, daß selbst zuweilen einzelne Aebte von ihren Bischöffen gezwungen wurden, auf gewisse Privilegien und
Vorrechte förmlich Verzicht zu thun, die ihnen
von den Päbsten ertheilt worden waren [21]);

bey

21) So hatten die Päbste den Aebten einiger
deut=

bey dem schon berührten Handel aber, in welchen das Kloster zu Clugny mit seinem Diöcesan = Bischoff verwickelt wurde, war zuerst die ganze Frage von der Gültigkeit solcher Privilegien auf eine höchst bedenkliche Art zur Sprache gebracht worden. Auf einer Synode zu Anse im J. 1024. hatte der Bischoff von Macon die Klage angebracht, daß die Mönche von Clugny die Ordinationen, die im Kloster vorfielen, nicht durch ihn, als den Diöcesan = Bischoff, sondern bald durch diesen bald durch jenen andern Bischoff verrichten ließen, und wiewohl darauf von dem anwesenden Abt des Klosters das päbstliche Privilegium producirt

deutschen Klöster das Tragen von bischöfflichen Insignien durch besondere Privilegien gestattet; die Bischöffe aber setzten es mit Hülfe des Kaysers durch, daß sie keinen Gebrauch davon machen durften. Dieß gelang wenigstens den Bischöffen von Costanz bey den Aebten von Reichenau. S. *Callas* T. V. p. 239.

ducirt worden war; wodurch ſie dazu be=
vollmächtigt wurden, ſo beſchloß die Sy=
node dennoch, daß ſich das Kloſter für die
Zukunft in allen ſolchen Fällen an den
Diöceſan = Biſchoff allein zu wenden habe,
und zwar aus dem ſehr weitgreifenden
Grund, weil der Pabſt kein Privilegium
gegen die Geſetze der Kirche ertheilen, oder
dieſe durch kein Privilegium aufheben kön=
ne 22).

§. 16.

Allein bey der nehmlichen Gelegenheit
kam es doch zugleich an den Tag, daß
man die Mönche zu Clugny ſchon in meh=
reren

22) "Huic privilegio oppoſitae ſunt ab Epiſcopis
Chalcedonenſis Concilii, aliorumque ſanctiones,
quibus praecipitur, ut Abbates et Monachi proprio ſubſint Epiſcopo, et ne Epiſcopus in alte-
rius parochia ordinationes vel conſecrationes absque permiſſu ipſius Epiſcopi facere audeat: cen-
ſueruntque privilegium *non* eſſe *ratum,* quod
canonicis ſententiis *contrairet.*" S. *Mabillon*
T. IV. p. 313.

reren Fällen ihr Privilegium ohne Wider=
fpruch hatte ausüben laffen. Faft um die
nehmliche Zeit fah fich ein Erzbifchoff von
Tours gezwungen, bey einer andern Ge=
legenheit einzuräumen, daß die Ordinariats=
Rechte eines Bifchoffs über ein Klofter in
eben dem Augenblick aufhörten, in welchem
ein Klofter dem Pabft unmittelbar unterwor=
fen, und die Unterwerfung von diefem an=
genommen worden fey [23]). Bald dàrauf
mußte der Bifchoff von Maçon felbft das
Privilegium des Klofters zu Clugny in fei=
nem ganzen Umfang und zunächft in dem
beftrittenen Punkt für gültig erkennen, und
dabey noch demüthig um Verzeihung bitten,
daß er jemahls feine Gültigkeit zu bezwei=
feln gewagt habe [24]). Diefe Erfcheinun=
gen zufammen aber kündigten gewiß den
Ein=

---

23) Aus Veranlaffung des Klofters zu Beau=
lieu, das der berüchtigte Graf Fulco von
Angers im J. 1007. geftiftet hatte. S. Gall.
chrift. T. I. p. 756.

24) S. *Mabillon* T. IV. p. 636.

Eintritt des Zeitpunkts als sehr nahe an,
wo das neue Pabst=Recht, das sich un=
merklich gebildet hatte, auch in Beziehung
auf das Kloster = und Mönchs=Wesen allge=
mein anerkanntes Recht werden würde.

Erste

Erste Abtheilung.

Zweyter Abschnitt.

III.

Veränderungen in dem Zustand des größeren, aus mehreren vereinigten Gesellschaften erwachsenen Kirchen-Körpers, und in den verschiedenen Formen seiner Verbindung.

Kap. I.

Haupt = Veränderung in der Diöcesan = Verfassung.
Verrückte Stellung der Dom = Kapitel gegen die
Bischöffe. Was der Verfall des kanonischen
Lebens in jenen dazu mitwürkte?

§. I.

In der Verfassung der durch die Diöcesan-
Verbindung gebildeten kleineren kirchlichen Staaten gieng in dem Verlauf dieser Periode nur
eine einzige Haupt = Veränderung vor, nehmlich jene, durch welche die Kapitel der bischöfflichen Kathedral = Kirchen etwas so sehr
verschiedenes von demjenigen wurden, was sie
ursprünglich gewesen waren. Einiges, was
sich in den Formen der Diöcesan = Regierung,
in den Verhältnissen des Parochial = Wesens,

in

in den Patronat-Beziehungen und in andern
Punkten dieser Art umstellte und verrückte,
verdient und erfordert zwar ebenfalls eine Er=
wähnung; aber es kann seiner Wichtigkeit und
seinen Folgen nach in gar keine Vergleichung
mit jener Haupt=Veränderung kommen.

§. 2.

Der Grund dazu war allerdings schon in
der vorigen Periode gelegt worden, denn sie
entsprang zu allernächst aus dem Institut des
neuen kanonischen Lebens, in das man gegen
das Ende des achten Jahrhunderts den Kle=
rus hineingezwungen hatte, und sie entsprang
daraus so natürlich, daß man fast fragen
möchte, wie es möglich war, daß man sie
nicht voraussah?

So ungern sich zuerst die Geistlichen der
neuen Kloster=Ordnung unterwerfen mochten,
die man ihnen dabey aufdrang, so mußten
sie doch bald die Entdeckung machen, daß sie
ihnen auch einige Vortheile gewähren könnte.
Sie konnten nicht lange in einem Brüderhause
vereinigt seyn, ohne mehrfach erfahren zu ha=
ben, daß sie jetzt etwas anders vorstellten,

als

als vorher, da sie unter sich selbst in keiner
engeren Verbindung gestanden waren, denn die
Bischöffe selbst mußten ihnen zu diesen Erfahrungen helfen. Nach der ursprünglichen Regel des kanonischen Lebens sollte ja nun jeder
Bischoff das Collegium, oder das Kapitel, in
das er den Klerus seiner Kirche vereinigt hatte, beständig um sich haben. Er sollte den
Abt der neuen Mönchs-Gesellschaft vorstellen.
Er sollte der Ordnung nach in einem Hause
mit ihnen wohnen [1], und an einem Tisch mit
ihnen speisen. Nun mußte er aber schon Wohlstands halber seine Brüder, die er immer um
sich hatte, auch öfter zu Rath ziehen, häufiger mit ihnen kommuniciren, und ihrem Gutachten mehr Achtung erzeigen; denn sie konnten nun ebenfalls nachdrücklicher als vorher
sprechen und handeln, eben weil sie gemeinschaftlich sprechen und handeln konnten. Wenn

jetzt

[1] Dieß war noch im J. 876. auf der Synode
zu Ponticon den Bischöffen auf das neue befohlen worden: "Episcopi in civitatibus suis
proxime ecclesiam claustrum instituant, in quo
ipsi cum Clero secundum canonicam regulam
Deo militent." can. 8.

jetzt das Kapitel dem Bischoff eine Vorstellung machte, wenn das Kapitel etwas von dem Bischoff verlangte, wenn sich das Kapitel über den Bischoff beschwerte, so hatte dieß ein ganz anderes Ansehen; als wenn vorher ein oder ein Paar einzelne Presbyter sich über ihn beschwert, oder etwas von ihm verlangt hatten. Wohin dieß aber führen mußte, konnte den Bischöffen selbst am wenigsten lange verborgen bleiben.

§. 3.

Es führte mit einem Wort dahin, daß in kurzer Zeit die bischöffliche Gewalt bey der Regierung ihrer Diöcesen wieder in jene Gränzen zurückgedrängt zu werden schien, welche sie in den drey ersten Jahrhunderten gehabt hätte. Das Kapitel eines jeden Bischoffs wurde nun ungefähr dasjenige, was ehemahls das Presbyters-Collegium in jeder Kirche gewesen war. So wie dieses in der älteren Verfassung den beständigen Senat des Bischoffs vorstellte, ohne dessen Zuziehung und Beystimmung er nichts von Wichtigkeit vornehmen durfte, so war nun sein Kapitel fast in das nehmliche Ver=

Verhältniß mit ihm gekommen, und zwar sehr
von weitem her dahin zurück. — aber doch
würklich schon zu Ende des neunten Jahrhunderts in einigen Beziehungen nahe genug dahin zurückgekommen. Schon um diese Zeit
findet man nicht ohne Verwunderung, daß
die Bischöffe in manchen Fällen ihre Kapitel zu
Rath zogen, in denen sie sonst ganz nach
Willkühr gehandelt hatten. Schon um diese
Zeit findet man, daß selbst der Erzbischoff
Hincmar von Rheims zu einer dem Ansehen
nach sehr unbedeutenden Sache, zu dem Schluß
eines Pacht=Contrakts über ein Paar Güter
seiner Kirche, die Genehmigung seines Kapitels zu bedürfen glaubte. Aber schon um
diese Zeit findet man Spuhren, welche die
beginnende Veränderung noch unzweydeutiger
erkennen lassen. Bey manchen öffentlichen
Verhandlungen wurden ja schon die Kapitel den
Bischöffen an die Seite gesetzt. Man hat
Briefe von Kaysern und Königen, welche zugleich an die Bischöffe und Kapitel, und man
hat andere, welche an die Kapitel allein 2)

gerich=

---

2) S. *Lupi* Cod Diplom. ecclef. Bergom. T. I.

Planck's Kirchengesch. B. III.   B b b   p. 1059.

gerichtet sind. Aber man hat aus selbst noch
die Dokumente, und zwar in sehr großer Menge, worinn ihnen von Kaysern, von Königen
und von Päbsten mehrere Vorrechte eigener
für sich bestehender Kollegien und Korporatio-
nen eingeräumt wurden.

§. 4.

Diese Veränderung, wodurch die Kapitel
zu einer so viel größeren Wichtigkeit und selbst
zu einem Antheil an der Diöcesan-Administra-
tion kamen, zog aber bald eine andere nach
sich, welche für das Institut des kanonischen
Lebens selbst sehr nachtheilig war. Sie zog
in kurzer Zeit den ganzen Verfall des Instituts nach sich, und auch damit gieng es höchst
natürlich zu.

Dieß kanonische Leben, wie es Chrode-
gand eingerichtet hatte, mußte ja wohl, für
jeden, der sich dazu gezwungen sah, unendlich
viel lästiges haben. Schon das beständige Bey-
sammen-Wohnen, Schlafen und Essen mußte
die

p. 1059. und mehrere andere in *Muratori*
Antiqq. Ital. med. aevi. T. V. Dissert. 62. p.
183-272.

die Geistlichen, die vorher in Freyheit gelebt
hatten, vielfach geniren. Noch beschwerlicher
mochten sie die Disciplin, die in ihrer neuen
Gesellschaft beobachtet werden mußte, das ewige
Zusammenkommen zum Chorsingen, die ängstlich
genaue Bestimmung jeder Stunde zu einem eigenen Geschäft und die argusartige Aufsicht finden, deren jeder von dem andern und alle von
jedem ausgesetzt waren; aber siebenfach beschwerlich mußte alles dieß für Menschen seyn,
die von der Roheit, Wildheit und Barbarey
des Zeitalters so viel angenommen hatten, als
die meisten Kleriker, die es um diese Zeit gab.
Nichts war also dem gewöhnlichen Lauf der
Dinge gemäßer, als daß diese Menschen, so
bald sie nur etwas Gewalt bekamen, diese
Gewalt dazu benutzten, ein Band des für sie
so beschwerlichen Instituts nach dem andern
abzustreifen. Es war eben so in der Ordnung, daß es ihnen bald gelingen mußte, weil
sie gemeinschaftlich dabey zu Werk giengen;
aber es ist sehr unterhaltend, zu beobachten,
wie sie dabey zu Werk giengen.

§. 5.

§. 5.

Schon zu Ende des neunten Jahrhunderts findet man, daß zwischen einigen Bischöffen und ihren Kapiteln Irrungen wegen der Verwaltung der Güter ausgebrochen waren, durch welche bereits die Collegiat = Verfassung von weitem her, aber sehr würksam untergraben wurde.

An Anlaß zu Irrungen darüber könnte es am wenigsten fehlen. Wenn auch in jeder Kirche ein bestimmter Theil der Güter und Einkünfte ausdrücklich dazu ausgesetzt war, daß alles davon bestritten werden sollte, was zu der Nahrung, Kleidung und dem sonstigen Unterhalt der Canonicorum erfordert wurde, so hieng es doch immer von den Bischöffen ab, ob sie das nöthige dazu mit einer freygebigeren, oder sparsameren Hand hergeben wollten [3]? Sie hatten ja meistens die Güter selbst

[3] Man findet daher auch selbst bey benachbarten Kirchen eine sehr verschiedene Einrichtung. So setzte zu Ende des neunten Jahrhunderts der Bischoff Rathald von Verona den dritten Theil aller Zehenten, der Bischoff

selbst dazu hergegeben. Sie waren auch deß=
wegen — sie waren ohnehin gar nicht ver=
pflichtet, irgend jemand Rechnung davon ab=
zulegen. Oft genug mochte es also auch ge=
schehen, daß sie es entweder aus einem eigen=
nützigen oder auch wohl aus einem andern Grund
darauf anlegten, die Kapitel=Haushaltung et=
was wohlfeiler einzurichten. Um seine Brüder
an die schöne Tugend der Mäßigkeit besser zu
gewöhnen, machte hier ein Bischoff ihre Por=
tionen im Essen und Trinken unmerklich klei=
ner, ließ dort ein Anderer auf Ostern anstatt
eines Ochsen ein Kalb schlachten, führte ein
Dritter mehr Fasttage im Stift ein, oder schaf=
te ein Vierter den Schlaftrunk ab, der ihnen
vorher gereicht worden war. Dieß erzeugte
natürlich Beschwerden und Klagen der Kapitel
über die Bischöffe, und brachte sie dann bald
genug auf die Auskunft, die dem Uebel am
gewissesten abhelfen konnte. Die Kapitel mach=
ten jetzt die Forderung, daß ihnen die Bischöffe
den=

schoff Leodinus von Modena aber nur den
vierten Theil davon zum Unterhalt seines Ka=
pitels aus. S. Lupi p. 324.

Bbb 3

denjenigen Theil der Güter und Einkünfte, der zu ihrer Unterhaltung ausgesetzt sey, zur eigenen Verwaltung übergeben und sich gar nicht mehr darein mengen sollten. Der Erzbischoff Günther zu Cöln ließ sich zuerst, wie schon erzählt worden ist, zu der Bewilligung dieser Forderung bewegen. Nachdem das Beyspiel einmahl gegeben war, mußten sich bald noch mehrere Bischöffe dazu verstehen. An einem Ort nach dem andern wurden also jetzt die Güter der Kapitel von denjenigen, die dem Bischoff noch übrig blieben, oder, wie man sie in der Folge nannte, von den bischöfflichen Tafel-Gütern abgesondert, und den Kapiteln zur Selbst-Administration überlassen; aber eben dadurch wurde nun auch überall der Grund zu dem totalen Verfall des kanonischen Lebens gelegt.

§. 6.

Sobald nehmlich die Canonici wegen ihres Unterhalts unabhängiger von den Bischöffen geworden waren, so trugen sie jetzt weniger Bedenken, auch durch andere Zeichen zu verrathen, wie lästig ihnen die Einschränkungen

gen ihres mönchsartigen Beysammenlebens seyen, und fiengen sich bald einer Forderung ihrer Regel nach der andern zu entziehen an.

Meistens mochte man dabey die Veränderung mit der gemeinschaftlichen Wohnung anfangen, wozu sich auch am leichtesten ein Vorwand finden ließ. Der Brüderhof oder das Münster wurde bald baufällig, wurde auch wohl absichtlich nicht im Bau erhalten, oder es war auch nicht mehr geräumig genug [4]), das ganze Kapitel, das sich vergrößert hatte, aufzunehmen. Man trug also darauf an, daß wohl einigen Brüdern, welche eigene Häuser hatten, in diesen zu wohnen verstattet, die übrigen aber in andere Häuser, welche zu der

Kir-

---

4) An einigen Oertern mochte es gleich anfangs an Raum gefehlt haben, daher traf man hier die Einrichtung, daß sich in dem Brüderhof oder in dem Kloster nur diejenigen Geistlichen, die den Wochen=Dienst an der Kirche hatten, diese Woche hindurch darinn aufhalten mußten. Dieß erhellt aus einem placito des Bischoffs Adelbert von Bergamo vom J. 897. bey Lupus p. 1018.

Kirche gehörten, allenfalls vertheilt werden könnten. Der Vorschlag, der allen willkommen war, wurde dann bald, so weit es die örtlichen Umstände gestatteten, überall durchgesetzt, ja man traf selbst schon die Einrichtung, daß mit gewissen bestimmten Stellen in dem Kapitel auch bestimmte Wohnungen auf immer verbunden wurden [5]).

§. 8.

Nachdem diese Hauptveränderung einmahl durchgesetzt war, fieng man bald an, noch eine weitere einzuleiten. Auch nachdem die Canonici nicht mehr beysammen wohnten, mußten sie doch noch eine Zeitlang beysammen speisen, und ihrer Regel nach zu bestimmten Stunden des Tages theils zum studiren, theils zum Kapitel =, theils zum Chorhalten zusammenkommen. Diesem letzten konnte man sich, wie es schien, nie entziehen, denn es machte ja eigentlich ihre einzige Amtsverrichtung aus; aber auch das erste, das gemeinschaftliche Speisen, ließ sich nicht so leicht abändern, weil die ganze bisherige

---

5) Auch diese Einrichtung traf man schon zu Cöln im J. 873: S. Conc. T. IX. p. 253.

herige Oekonomie des Stifts darauf eingerich=
tet war.   Man fand jedoch bald auch dieß so
beschwerlich, daß man auf Mittel dachte, sich
ebenfalls davon frey zu machen, und machte
dann noch bälder ein solches Mittel ausfindig,
das aber auch jeden Schatten des kanonischen
Lebens vollends vernichtete.   Man theilte jetzt
die zu dem Unterhalt des Kapitels ausgesetzten
Güter und Einkünfte in so viele Portionen, als
Canonici vorhanden waren, gab jedem dasje=
nige in natura, was davon auf seinen An=
theil kam, und ließ ihn nun selbst zusehen,
wie er damit zurecht kam.   Diese neue Thei=
lung der Kirchen=Güter wurde indessen nicht
überall zu gleicher Zeit und auf eine gleiche
Art vorgenommen.   In einigen Stiftern moch=
te sie sogleich, nachdem man die Bischöffe da=
zu gebracht hatte, in die Absonderung der Ka=
pitel=Güter von ihren Tafel=Gütern zu willi=
gen — in andern später erfolgt seyn.   Man
hat auch Ursache zu glauben, daß es zuerst
nicht nur sehr partheyisch, sondern selbst sehr
gewaltsam dabey zugieng, denn aus mehreren
Einrichtungen, die man in der folgenden Pe=
riode treffen mußte, bekommt man Gründe zu

Bbb 5   vermu=

vermuthen, daß bey der ersten Theilung ein=
zelne Glieder der Kapitel, die durch ihr per=
sönliches Ansehen, durch ihre Würden im Stift,
oder auch durch ihre Familien=Verbindungen das
Uebergewicht darinn erlangt hatten, fast alles
allein an sich rissen [6]), und den übrigen bloß
die Hofnung ließen, mit der Zeit in ihre bes=
seren Stellen einzurücken. Darüber aber fin=
det gar kein Zweifel statt, daß schon im zehn=
ten Jahrhundert die neue Theilung an mehre=
ren Oertern durchgesetzt wurde [7]).

§. 9.

Damit hatte aber auch das gemeinsame
Leben der Geistlichen, die zu den bischöfflichen
Kirchen gehörten, völlig ein Ende, und nun
leiteten sich alle jene weiteren Veränderungen,

durch

6) So kommt in einem Brief Gregors VII.
   Epp. L. IV. ep. 36. ein Dechant des Kapitels
   von Lyon vor, dem das Gewissen so gerührt
   worden war, daß er alle die Güter wieder
   herausgab, quae sine communi consensu fra-
   trum acquisiverat.

7) S. *Ickstadt* De Capit. orig. et prag. in Opusc.
   jurid. T. II. op. 7.

durch welche sich die Kapitel-Verfaſſung ihrer
jetzigen Form immer mehr näherte, beynahe
von ſelbſt ein. Von dem urſprünglichen In-
ſtitut blieb rein nichts übrig, als die engere
kollegialiſche Verbindung, in welche dadurch
der obere Kleruß jeder biſchöfflichen Kirche gekommen war. Die Canonici lebten und wohnten und ſpeißten zwar nicht mehr beyſammen,
aber betrachteten ſich doch fortdauernd als ein
eigenes für ſich beſtehendes Collegium, das in
allem gemeinſchaftlich handelte, und beſonders
darauf beſtand, daß ihm ein Miteigenthums-
Recht an allen Gütern der Kirche und ein
ausſchließendes Verwaltungs-Recht der zu ſeiner Unterhaltung ausgeſetzten gebühre. Darüber wurden die Kapitel immer unabhängiger
von den Biſchöffen, und ſo wie ſie dieß wurden, bekümmerten ſie ſich freylich auch immer
weniger um ihre gottesdienſtliche und religiöſe
Beſtimmung, ließen die kirchliche Verrichtung
des Chorhaltens, wozu ſie ihr Amt zunächſt
verpflichtete, durch Vikarien verſehen und das
ganze Geſchäft eines Dom- oder Chorherrn
ſchränkte ſich endlich darauf ein, die Einkünfte
ſeiner Präbende in Ruhe zu verzehren. Aber

ſo

so wie die Kapitel in diesem Zustand auch allmählig reicher wurden, so strebten sie auch immer mehr Macht an sich zu reissen, und bekamen zugleich immer mehr Mittel dazu in die
Hand, kauften sich nun von den Kaysern und
von den Päbsten — auch wohl von den Bischöffen selbst — immer mehr Begünstigungen,
maßten sich jetzt besonders das Recht an, die
erledigten Stellen im Kapitel durch eine freye
Wahl besetzen zu dürfen, zwangen auf diese
Art die Bischöffe, eines ihrer wichtigsten Amts-
Rechte, das Collations-Recht erledigter Beneficien, wenigstens mit ihnen zu theilen, erhielten schon dadurch mehr mittelbaren Einfluß auf
die Regierung der Kirche, und führten auf
diesem Wege schon in dieser Periode die Kapi-
tel-Aristokratie in der Diöcesan-Verfassung
recht vollständig ein, durch welche die bisher
von den Bischöffen ausgeübte monarchische Gewalt so vielfach eingeschränkt wurde.

§. 10.

Daraus erklärt sich auch, warum sich das
verfallene Institut des kanonischen Lebens niemahls mehr auf die Dauer wiederherstellen,
wenig-

wenigstens in seiner alten Form niemahls mehr
wiederherstellen ließ [8]). Zu Ende des zehnten Jahrhunderts versuchten es zwar besonders
einige deutsche Bischöffe, wie der Bischoff
Wolfgang von Regenspurg, der Erzbischoff
Willigis von Maynz und mehrere Andere, ihre
zerstreuten Domherrn wieder zum gemeinschaftlichen Zusammenleben zu zwingen. Mit der
äußersten Anstrengung, zu der sich die Bischöffe
durch mehrere Gründe gereizt fühlen mochten,
wurde es auch würklich an einigen Oertern
erzwungen [9]), aber noch vor der Mitte des
eilften

8) Nach dem Zeugniß von Trithemius fand das
kanonische Leben noch in der Mitte des zehnten Jahrhunderts in den meisten der größeren
deutschen Kirchen statt. Bey dem J. 965.
erzählt er aber, daß zu Trier unter dem
Erzbischoff Theoderich die Canonici majoris ecclesiae abjecta vita canonica facti sunt no
et conversatione seculares — und ihrem Beyspiel sey man bald zu Coblenz, Maynz,
Worms, Speyer und sonst gefolgt — diverso
quidem tempore, sed uno impietatis spiritu.

9) An einigen Oertern, wie zu Hildesheim,
hatte

eilften Jahrhunderts war auch an diesen Oertern das Institut zum zweytenmahl wieder
verfallen ¹⁰). Um die nehmliche Zeit war
es auch schon in den meisten Collegiat-Stif-
tern, wenn schon vielleicht nicht in allen in
gleit

hätte es sich doch bis dahin noch erhalten.
Der Sächsische Annalist erzählt wenigstens bey
dem J. 1043., daß Heinrich II. bey der Stiftung des Bisthums zu Bamberg die Geistlichen der neuen Kathedral-Kirche zu dem gemeinschaftlichen Leben —— ad claustri rigorem —
verpflichtet habe, weil es ihm in dem Stift
zu Hildesheim gar zu wohl gefallen hätte.
Aber er gab doch sogleich bey der Stiftung
dem Bischoff eigene Tafel-Güter, und dem
Kapitel auch eigene, wodurch er am wurk-
samsten veranlaßte, daß sich das Institut des
kanonischen Lebens auch zu Bamberg bald
wieder verlohr.

10) Es konnte daher weniger gelingen, da einige
Bischöffe in der Mitte des dreyzehnten Jahr-
hunderts das Institut zum zweytenmahl wie-
derherstellen wollten, wie der Erzbischoff
Conrad von Cöln um das J. 1260. S.
Harzheim T. III. p. 591. 627.

gleichem Grade verfallen; wenigstens hatten die Canonici auch schon in mehreren dieser Stifter die Güter und Einkünfte unter sich getheilt. Die alte Kapitel = Verfassung, wie sie durch die Regel Chrodegangs und Ludwigs I. bestimmt war, wurde also würklich schon in diesem Zeitraum überall aufgelößt, daher traten auch die Veränderungen, die daraus in so manchen Verhältnissen entspringen mußten, schon überall ein; nur mag sich in einer andern Beziehung nicht unscheinbar behaupten lassen, daß die Unordnung erst in der folgenden Periode zur Ordnung gemacht, weil die neue Verfassung, die sich aus der Unordnung herausgebildet hatte, erst in dieser förmlich regulirt, und dadurch mehrfach sanktionirt wurde.

Kap. II.

Kap. II.

Archi-Diakonen und Archi-Presbyter. Patronats-Wesen. Erstes Aufkommen der Weih-Bischöffe in diesem Zeitraum.

---

§. 1.

Unter den übrigen Veränderungen in der Form der Diöcesan-Regierung aus diesem Zeitraum zeichnet sich vorzüglich noch jene aus, die mit den Archidiakonen, und in ihren Verhältnissen vorgieng. Auch diese gelangten nehmlich zu einem viel größeren Einfluß und zu einer weit bedeutenderen Macht, als ihnen jemahls zugedacht worden war; aber von der Lage aus, in welche man sie im achten Jahrhundert versetzt hatte, mußten sie fast unfehlbar, oder konnten sie doch nur allzuleicht dazu gelangen.

§. 2.

§. 2.

Von der erſten Zeit an, da man die biſchöfflichen Diöceſen in mehrere Archidiakonate oder in mehrere Diſtrikte vertheilt hatte, über deren jeden ein eigener Archidiakonus geſetzt wurde, ſtellten dieſe Archidiakonen die General-Vikarien der Biſchöffe vor, welche in ihrem Nahmen die ganze Episkopal-Jurisdiktion in den Diſtrikten, die ihnen angewieſen waren, auszuüben hatten. — Dazu wurden ſie eigentlich angeſtellt, indem man durch die neue Einrichtung mehr Ordnung in die Diöceſan-Regierung zu bringen hoffte; und mehr Ordnung kam auch würklich auf einige Zeit dadurch hinein; aber zugleich kam aus der neuen Einrichtung noch etwas heraus, das man nicht abgezweckt hatte. Die Biſchöffe überließen bald das ganze Regierungs-Geſchäft ihrer Diöceſen, und überhaupt alles, was zu ihrem Amt gehörte, den Archidiakonen, und die Archidiakonen benutzten dieß ſo gut, daß ſie bald auch den Biſchöffen über die Köpfe wuchſen.

§. 3.

Schon zu Anfang des zehnten Jahrhunderts waren die Archidiakonen in jeder Diöcese die ersten Geistlichen nach den Bischöffen, sie waren die erklärten Oberen aller übrigen; sie waren selbst von den Bischöffen gewissermaßen unabhängig geworden *). Sie prätendirten wenigstens jetzt schon, daß sie in ihrem Würkungs-Kreise nicht bloß als die Vikarien und Delegirte der Bischöffe handelten, nicht bloß die Gewalt und die Rechte von diesen, sondern eine eigene Amts-Gewalt und eigene Amts-Rechte ausübten, die ihnen von der Willkühr der Bischöffe durchaus nicht mehr geschmählert, und noch viel weniger entzogen werden dürften. Aber um diese Zeit waren sie auch schon in den Besitz einer sehr ausgedehnten Gewalt und höchst wichtiger Rechte gekommen. Alle kirchliche Sachen in der Diöcese mußten schon in der Maaße an sie gebracht werden, daß zwar von ihrer Instanz noch an den Bischoff appellirt, aber daß sie durchaus

nicht

1) S. *Schmitt* de Synodis Archidiac. in Thes. Jur. eccl. T. III. nr. IX.

nicht übergangen werden durfte. Das Recht, die Kirchen ihres Distrikts zu visitiren, hatten sie sich selbst von einigen Synoden dieses Zeitalters so weit übertragen lassen, daß sie es zu jeder Zeit, ohne Vollmacht und Auftrag der Bischöffe, nach eigenem Gutbefinden thun konnten. In einigen Provinzen war ihnen selbst das Ernennungs=Recht der Parochen und die Besetzung aller in den Parochial=Kirchen erledigten Stellen überlassen worden 2); allgemein aber wurde es anerkannt, daß ihnen alle andere Geistliche der Diöcese suborbinirt seyen. Sie wurden daher auch schon häufig durch den Nahmen Principes Cleri ausgezeichnet; aber ihre Gewalt war auch um diese Zeit so groß geworden, daß man sich schon von allen Seiten her gewaltsam in ihre Stellen eindrängte; daher mußten schon mehrere Synoden die Verordnung

2) Nach den Capiteln Hincmars von Rheims hatten sie sich bereits noch mehr herausgenommen, denn Hincmar mußte ihnen verbieten, daß sie keine Parochial=Kirchen mehr eingehen lassen, oder mit andern uniren sollten. S. Conc. T. VIII. p. 591. 592.

ordnung machen, daß niemand als Archidiakonus angestellt werden dürfe, der nicht würklich
als Diakonus ordinirt sey [3]).

§. 4.

Dabey trugen jedoch zwey Neben = Umstände vielleicht eben so viel, als der schon bemerkte Haupt = Umstand dazu bey, daß die
Macht der Archidiakonen immer höher stieg.
Sehr merklich wurde dieß einmahl durch die
Einrichtung befördert, durch die man es vielleicht ursprünglich verhindern zu können gehofft
hatte, nehmlich durch die Einrichtung, daß
jede Diöcese in mehrere Archidiakonate vertheilt,
also in jeder mehrere Archidiakonen angestellt
wurden; denn dieß zog die Folge nach sich,
daß sie jetzt in jeder Diöcese eine eigene Kaste
bildeten, deren einzelne Glieder bey jeder Gelegenheit einander unterstützten, und alle mit
vereinigten Kräften an der Vergrößerung ihres
Würkungs = Kreises arbeiteten. Noch leichter
begreift man aber, wie es mit dieser Vergrößerung

3) Auch noch im J. 1031. eine Synode zu Bourges Can. 4. Vergl. *Thomassini* P. I. L. II,
c. 18.

ßerung so schnell gehen konnte, sobald man
nur noch dazu weiß, daß die Archidiakonen
meistens auch Mitglieder der Domkapitel waren, und gewöhnlich aus diesen genommen
wurden. Dadurch bekamen ja diese auch ein
eigenes Interesse, die Vermehrung ihrer Gewalt zu begünstigen, denn sie konnten darauf
zählen, daß die Archidiakonen in jedem Fall,
in welchem das Kapitel-Interesse mit dem bischöfflichen in Kollision kommen könnte, ihre
Parthie nehmen würden. So wie sie selbst
mächtiger wurden, konnten sie auch ihrerseits
die Archidiakonen nachdrücklicher gegen die Bischöffe unterstützen; und dieß war es ohne
Zweifel, was die Bemühungen der letzten, ihre
Gewalt wieder etwas einzuschränken, noch zwey
Jahrhunderte hindurch fruchtlos machte.

§. 5.

Am lästigsten mußte übrigens das Uebergewicht, das die Archidiakonen in der Diöce-
san-Administration erhalten hatten, den armen
Parochen werden, die ihrem Druck am nächsten und stärksten ausgesetzt waren. Freylich
wurde auch am würksamsten dadurch verhindert,

daß

daß sich in der Lage der Parochen, und in der Ordnung, die man in das Parochial=We=sen überhaupt gebracht hatte, nichts verrük=ken und verändern konnte, denn es war nun den Archidiakonen selbst damit gedient, diese Ordnung zu erhalten, weil ihnen die Ausübung ihrer Gewalt am meisten dadurch erleichtert wurde. Besonders erhielt sich die sehr zweck=mäßige Einrichtung der kleineren Associationen, in welche die Parochen eines jeden Distrikts unter dem Nahmen von Rural=Kapiteln ein=getheilt waren, deren jedem ein Archipresby=ter vorstand. Man sorgte selbst dafür, daß sie vollends überall eingeführt wurde [4], wo sie vorher noch nicht statt gefunden hatte. Aber indem sie es den Archidiakonen möglich machte, eine regelmäßigere und eben damit genau=

---

[4] Schon im J. 850. war auf dem sogenannten Synodo Regia-Ticina den Bischöffen befohlen worden, daß sie überall Archi=Presbyter an=stellen sollten; denn — heißt es Can. 13. — wenn sie auch vorwenden möchten, daß sie selbst die Aufsicht über die Kirchen auf dem Lande führen könnten, decet tamen ut partian-tur onera sua.

genauere Aufsicht über jeden einzelnen zu führen,
so gab sie ihnen auch Gelegenheit, den Druck
ihrer Gewalt jedem einzelnen fühlbarer zu
machen.

§. 6.

Wozu sie dieß am häufigsten benutzten,
darf nicht erst gesagt werden. War man es
doch in diesem Zeitalter so allgemein gewohnt,
den Schwächeren von dem Stärkeren geplündert
zu sehen, daß es der Schwächere selbst in der
Ordnung fand; daher kann man aus den Klagen, welche doch auf mehreren Synoden über
die Erpressungen der Archidiakonen vorkamen,
nur den Schluß ziehen, wie weit sie es zuweilen über alle Ordnung hinaustreiben mochten. Indessen läßt sich aus einigen andern
Anzeigen schließen, daß doch die Macht der
Archidiakonen auch für die Parochen von einer
andern Seite her wohlthätig würde, indem sie
ihnen gegen den Druck und gegen die Erpressungen der Bischöffe einigen Schutz verschaffte.
Dieß mußte schon Folge der ganzen Stellung
werden, in welche sie gegen die Bischöffe gekommen waren: aber man wird es auch bey

Ccc 4   mehre-

mehreren Gelegenheiten sehr deutlich gewahr, daß sich jetzt irgend jemand der Parochen gegen die Bischöffe annehmen mußte, und dieß läßt sich am natürlichsten von den Archidiakonen erwarten, deren eigener Vortheil dabey in das Spiel kam.

§. 7.

Aus diesem letzten Umstand darf man vielleicht vermuthen, daß es vorzüglich die Archidiakonen waren, welche von zwey Päbsten aus dem Anfang des neunten und des zehnten Jahrhunderts ein Paar Synodal=Decrete zum Vortheil der Parochial=Kirchen auswürkten, wodurch ohne Zweifel dem sonst unabwendbaren gänzlichen Ruin von Hunderten vorgebeugt wurde. Im J. 826. machte es der Pabst Eugen II. auf einer Römischen Synode zum Gesetz, daß sich kein Bischoff von den unbeweglichen Gütern und Grundstücken, die zu einer Parochial=Kirche seines Sprengels gehörten, etwas zum eigenen Gebrauch und Genuß vorbehalten dürfe [5], also der Kirche selbst oder

[5] Conc. Roman. Can. 16. "Nullus Episcopus audeat res immobiles de subjectis plebibus in proprio usu habere."

oder dem Parochus die Einkünfte davon lassen müsse. Im J. 904 verfügte aber Johann IX. noch dazu auf einer Synode zu Ravenna, daß die Bischöffe auch keinen ihrer Vasallen, und überhaupt keinen Layen mit den Gütern und Grundstücken einer Parochial-Kirche belehnen dürften 6). Durch diese letzte Verordnung wurde höchst wahrscheinlich den Bischöffen eine Auskunft abgeschnitten, wodurch sie die erste zum größeren Nachtheil der Parochial=Kirchen nur allzuoft eludirt haben mochten; wenn sie aber würklich dadurch nothwendig geworden war, so geht es auch daraus am klarsten hervor, wie dringend es nöthig war, daß sich jemand gegen die Bischöffe ihrer annahm.

§. 8.

Weniger würksam und weniger wohlthätig schien für sie der Schutz der Archidiakonen

6) Can. 10. Ut plebes ecclesiae nullatenus aut Comitibus, aut Episcoporum Vasallis aut ullis Laicis in beneficia tribuantur. Das Verbot wurde wahrscheinlich schon von einer älteren Synode erlassen. S. Conc. T. IX. p. 507.

nen, in einem andern Verhältniß zu werden,
das zwar nicht bey allen, aber doch gewiß
in jeder Diöcese bey mehreren Kirchen statt
fand, nehmlich in dem Patronat-Verhältniß,
das für die meisten, die darinn standen, ungleich drückender als jedes andere war. Es
ist nur allzugewiß, daß die Patrone, und besonders die Layen-Patrone, auch in diesem Zeitraum fortfuhren, die Rechte und Befugnisse,
die man ihnen zugestanden hatte, mit einer
gewaltsamen Frechheit auszudehnen, die sich
eben so wenig um den Ruin der Kirchen, als
um die bischöfflichen Diöcesan-Rechte bekümmerte. Sie fuhren besonders fort, sich bey
der Besetzung der Kirchen eine Gewalt anzumaßen, welche für die letzten völlig vernich-
tend war. Man mußte sie daher immer auf
das neue daran erinnern, daß ihnen nur das
Präsentations-Recht, und den Bischöffen allein
das Collations-Recht der kirchlichen Aemter
zustehe 7), und daß sie das erste nur auf eine

Art,

7) Schon im J. 853. hielt es Leo IV. besonders nöthig, auf einer Römischen Synode auch
die patronos ecclesiasticos daran zu erinnern.
Conc. T. VIII. p. 119.

Art, womit auch das letzte noch bestehen könne, auszuüben befugt seyen. Aber sie begnügten sich nicht bloß damit, das Collations-
Recht der Bischöffe zu einer bloßen Förmlichkeit herabzusetzen. Sie machten ihnen nicht
bloß das gesetzmäßige Befugniß streitig, die
Collation auch verweigern zu dürfen, wenn sie
den präsentirten Candidaten zu der Stelle, die
ihm ertheilt werden sollte, untauglich oder un-
würdig fanden; sondern es kam gewiß äußerst
häufig vor, daß die Bischöffe bey der Besetzung einer Stelle gar nicht von den Patronen gefragt oder um die Collation requirirt
wurden. Patrone, die zu dem Herren-
stand gehörten, setzten meistens diejenigen, die
sie bey einer von ihnen abhängigen Kirche angestellt haben wollten, ohne weiteres in den
Besitz der dazu gehörigen Güter ein, führten
sie auch wohl mit Gewalt in die Kirchen selbst
ein, und setzten dann gewöhnlich ihre Ehre
darein, sie auch mit Gewalt in dem Besitz zu
behaupten, wenn sich die Bischöffe gegen das
ordnungs- und rechtswidrige Verfahren setzen
wollten.

§. 9.

§. 9.

Dazu kam aber noch, daß die Patrone meistens mit den Kirchen-Aemtern einen offenen Handel trieben, der auch für die Kirchen selbst höchst verderblich werden mußte; doch darf das Uebel, das daraus entsprang, nicht besonders auf ihre Rechnung gesetzt werden. Das arme Volk bekam zwar dabey die untauglichsten und unwürdigsten Menschen zu Pfarrern, zu Lehrern und zu Seelsorgern; denn die Patrone fragten nicht nach ihrer Tauglichkeit und Würdigkeit, sondern nur nach ihrem Geld: allein es würde nicht anders gekommen seyn, wenn auch keine Patronat-Verhältnisse existirt hätten, und es kam nicht anders bey jenen Kirchen, die in gar keinem Patronat-Nexus standen, denn die Bischöffe machten es überall eben so wie die Patrone, da das Uebel der Simonie allgemeinstes Zeit-Uebel geworden war [8]). Dafür führten hingegen die letzten den Ruin der Kirchen noch auf einem andern eigenen Wege herbey.

§. 10.

---

[8]) Schon Johann VIII. klagte bitterlich darüber
ep. 93. 95.

§. 10.

Sie betrachteten nicht nur die Güter ihrer Kirchen, sondern auch die Kirchen selbst häufig als ihr Eigenthum, und zwar als willkühr= lich nutzbares Eigenthum. Dabey dachten sie nicht daran, sich auf jene Gesetze beziehen zu wollen, worinn ehemahls von einigen ältern Synoden den Nachkommen derjenigen, die eine Kirche gestiftet und dotirt hatten, ein gewisses Mitbenutzungs = Recht ihrer Güter in besonderen Fällen zugestanden worden war, sondern sie handelten ganz in dem Geist derjenigen von ihren Vorfahren, welche die neuen Kirchen, die ihnen ihr Daseyn verdankten, im eigent= lichsten Sinn auf Speculation gebaut und fun= dirt hatten. Auch sie sahen die Kirchen, über welche sie das Patronat = Recht geerbt hatten, bloß als eines der lukrativsten Per= tinenz = Stücke an, die zu dem Familien= Vermögen gehörten, und gewöhnlich wußten sie auch das lukrativste daraus zu machen, denn sie eigneten sich nicht nur den Ertrag ih= res Grund = Eigenthums, sondern auch den größten Theil von demjenigen zu, was auf dem Altar einer jeden geopfert wurde. Dieß

wurde

wurde von einigen Patronen so weit getrieben,
daß eine französische Synode zu Valence im
J. 855. die Parochen und Presbyter, die un=
ter ihnen standen, aufforderte, daß sie ihre
Kirchen verschließen, und davon laufen sollten,
weil sie, ihnen nicht anders helfen konnte 9).
Im Ganzen aber ergiebt sich freylich aus al=
lem zusammen nur dieß, daß sich in Ansehung
des Patronat=Wesens in der kirchlichen Diöce=
san=Verfassung die nehmliche Ordnung und
die nehmliche Unordnung, wie in der vorigen
Periode, erhielt. Alle Gesetze, durch welche
es in dieser regulirt worden war, blieben fort=
dauernd im Kirchen = Recht, und erhielten
mehrmahls eine neue Sanktion; aber ihre Voll=
zie=

---

9) Conc. Valentin. can. 9. "Illi autem — mit
dieser weiteren Drohung schließt sich der Canon
— qui dotes ecclesiarum auferre, dure servitium ab eis exigere, et periculum intentare,
Sacerdotibus non metuunt, eorum excommuni-
cationi hos addere, noverint destructionem ecclesiarum, locumque alium sub pace meliore,
situm quaesituros, ibique pacificam basilicam
consecraturos."

ziehung könnte auch jetzt so wenig als ehemahls durchgängig erzwungen werden.

§. II.

Jetzt hingegen mag noch eine würklich neue Einrichtung erwähnt werden, die am Ende dieser Periode in der Diöcesan-Verfassung angebracht, und zwar für jetzt nur erst in einem einzigen deutschen Bisthum, aber in der Folge sehr allgemein angebracht wurde.

Um das J. 1036. hatte der Erzbischoff Poppo von Trier den Pabst Benedikt IX. ersucht, daß er ihm einen Mann schicken möchte, der ihm in seinem Amt assistiren, und auch die eigentlich bischöflichen Amts-Handlungen, die actus Pontificales, für ihn verrichten könnte. Allen Umständen nach hatte Poppo die Absicht, ihn noch zu andern Diensten zu gebrauchen; der Pabst aber schickte ihm einen gewissen Gratian, der ihm auch in pontificalibus assistiren sollte, der also vorher von ihm zum Bischoff ordinirt worden seyn mußte, und somit den ersten Titular- oder Weyh-Bischoff vorstellte, welcher, so viel man weiß, von Rom aus in eine fremde Diöcese ge-

geschickt wurde 10). Das ganz Neue dabey
lag auch zunächst nur darinn, daß sich ein
Bischoff an den Pabst wandte, um einen solchen Vikar zu bekommen, denn man hat schon
ältere Beyspiele von Bischöffen, die von andern
als ihre Koadjutoren und Vikarien gebraucht
wurden; doch hatte auch die Sache selbst ungewohntes und neues genug.

§. 12.

Solcher älteren Beyspiele finden sich nur
zwey oder drey aus dem achten Jahrhundert,
und bey allen hätten, wie man vermuthen
kann, ganz besondere, zum Theil lokale Veranlassungen statt gefunden. Im neunten und
zehnten Jahrhundert fand gewiß auch das Bedürfniß eines solchen Koadjutors oft genug
bey den Bischöffen statt, denn so leicht auch
die Geschäfte an sich waren, welche sie in ihrer Qualität als Bischöffe allein verrichten
konnten; und so wenig auch außer dem mechanischen Hersagen gewisser Formeln dazu gehörte,

---

10) S. *Hontheim* Hist. Trevir. T. I. p. 373. 376.
Calles Aunal. eccl. germ. T. V. p. 382.

hörten, so mußte es doch in einer großen Diöcese oft dazu kommen, daß der vielleicht sonst beschäftigte, oder der alte und schwäch= liche Bischoff nicht damit fertig werden konnte. Dennoch fiel es in diesen Jahrhunderten nie= mand ein, daß man deßwegen einem solchen Bischoff einen andern adjungiren müßte, son= dern die Bischöffe halfen sich selbst durch eine andere Auskunft, die sich ihnen natürlicher anbot. Sie kamen einander selbst in solchen Fäl= len nachbarlich zu Hülfe. Zwischen einigen fan= den vielleicht förmliche Verträge statt, wodurch sie sich gegenseitig verpflichteten, einander zu assistiren; oder es war, ohne eine weitere Kon= vention zur Observanz geworden, daß der eine gewöhnlich den andern um seine Assistenz an= sprach. So findet man, daß von den Erzbi= schöffen von Maynz fast immer der Bischoff von Eichstedt als ihr Stellvertreter in pon= tificalibus gebraucht wurde, und so hatten sich zuverlässig die Erzbischöffe von Trier vor= her ebenfalls der Dienste von einem ihrer Suf= fragan=Bischöffe in solchen Fällen bedient; mit= hin war es doch etwas sehr ungewohntes, daß sich jetzt Poppo einen eigenen Vikar dazu hal=

ten wollte, und mehr als ungewohnt, daß er sich ihn von dem Pabst geben ließ. Aber aus einem andern Umstand wird es noch sichtbarer, wie stark das Neue davon seinen Mitbischöffen auffiel. So wenig es ihnen entgehen konnte, daß sie sich durch die Neuerung eine mehrfache Bequemlichkeit machen könnten, so stand es doch noch über ein Jahrhundert an, bis sie sich durch das von Poppo gegebene Beyspiel zur Nachfolge reizen ließen. Erst im dreyzehnten entschlossen sie sich allgemeiner zu der Annahme oder Zulassung solcher eigenen Weih=Bischöffe. Selbst jetzt würde es noch nicht dahin gekommen seyn, wenn nicht eigene Umstände dazu geholfen hätten: und dieß kam ohne Zweifel bloß daher, weil ihnen die Neuheit der Einrichtung das Bedenkliche, das sie dabey sahen, vergrößerte. Eben deßwegen kann aber die Veränderung, welche sie in der Diöcesan=Verfassung nach sich zog, auch erst in der nächsten Periode bemerklich gemacht werden.

Kap. III.

Kap. III.

Bemühungen des Zeitgeists, die Bande des Me-
tropolitan-Vereins loser zu machen.

§. 1.

Dafür werden jetzt schon jene Veränderungen desto bemerklicher, durch welche die kirchlichen Metropolitan-Verhältnisse in diesem Zeitraum so vielfach verrückt wurden, nur stehen
sie mit einer andern, die von einer andern
Seite her eintrat, in einem so innigen Zusammenhang, daß sie sich nicht füglich davon trennen lassen.

Von dem Ende des neunten Jahrhunderts
an wird man bereits höchst deutlich gewahr,
daß an einigen Oertern sehr planmäßig daran
gearbeitet wurde, die gesetzmäßige Form der
bisher bestandenen Metropolitan-Verfassung
etwas umzubilden, und noch deutlicher wird
man gewahr, was man bey diesen Umbil-

dungs-

dungs-Versuchen abzweckte? und wer sie am
eifrigsten betrieb? Dieß waren die Bischöffe,
die sich durch das Band des Metropolitan-
Nexus allzusehr eingeengt fühlten, aber es
deßwegen nicht ganz zerrissen, sondern nur
etwas loser und damit bequemer gemacht haben
wollten. Sie wünschten dadurch vereinigt zu
bleiben, weil sie aus der Erfahrung wußten,
daß die Vereinigung auch jedem einzelnen
mehrfache Vortheile gewähren könne, aber sie
wünschten die Bedingungen der Vereinigung
gleicher bestimmt zu sehen, als sie durch das
ältere Kirchen-Recht, das die Verhältnisse
der Metropoliten festgesetzt hatte, bestimmt
waren.

§. 2.

Die Gewalt von diesen wollte man mit
einem Wort vermindert, und die würklichen
Vorrechte, die ihnen verfassungsmäßig zustan-
den, bloß auf einige honoräre Vorzüge eingeschränkt haben, die man ihnen noch zu lassen
geneigt war. Der Metropolit sollte noch fernerhin als der erste Bischoff in jeder Provinz
ausgezeichnet bleiben. Er sollte fernerhin das
aners

anerkannte Oberhaupt aller übrigen bleiben.
Er sollte in diesem Charakter noch fernerhin
den Mittelpunkt ihrer Union — das centrum
unitatis des größeren durch ihre Vereinigung
gebildeten kirchlichen Körpers vorstellen; aber
er sollte dadurch keine wahre Gewalt und keine
würkliche Jurisdiktion über die einzelnen Glieder der Union, oder über die darinn begriffe-
nen Bischöffe bekommen, mithin doch in Beziehung auf diese nur Titular-Oberer seyn.
Dieß war es, was schon im Jahr 868. der
Bischoff Hincmar von Laon seinem Metropoliten, dem älteren Hincmar von Rheims ganz
unumwunden erklärte, und dieß wurde auch
im Verlauf des zehnten und eilften Jahrhunderts ziemlich vollständig durchgesetzt.

§. 3.

Man kann wohl nicht erst fragen wollen, was die Bischöffe so allgemein zu dem
Streben reizte, die Gewalt der Metropoliten
etwas einzuschränken? Sie fühlten sich dadurch gedrückt, und hatten nicht Verstand genug, um einzusehen, daß es nothwendiger und
wohlthätiger Druck sey, dem sie sich unter-

Ddd 3. ziehen

ziehen müßten: doch ist es nicht unwahrschein=
lich, daß zu dieser allgemeinen Veranlassung
hier und da noch eine besondere hinzukam.
Man hat Ursache zu vermuthen, daß sich einige
Metropoliten gegen die Mitte des neunten Jahr=
hunderts etwas mehr Gewalt über ihre Bi=
schöffe herausnahmen, als ihnen nach dem äl=
teren Recht zukam. Ließen sie sich doch im
J. 855. von einer Synode zu Valence zu förm=
lichen Aufsehern über das Leben und über den
Wandel der unter ihnen stehenden Bischöffe kon=
stituiren [1]); aber aus einigen Vorfällen in der
Geschichte Hincmars von Rheims legt es sich
ja zu Tag, daß sie sich auch zu der unmit=
telbaren Ausübung einer mehrfachen Jurisdik=
tion in den Diöcesen ihrer Provinzial=Bischöffe
berechtigt hielten. So setzte er zu Soissons
einen von dem Bischoff abgesetzten Preßbyter
durch seine höhere Autorität wieder ein. So
kassirte er durch ein bloßes Metropolitan=De=
cret eine Verfügung [2]), die der Bischoff von
Laon

1) Can. 19. "Ut singulis Metropolitanis cura sit prae=
   cipua de vita et opinione suorum Episcoporum."

2) Die Verfügung mit dem Interdikt, welche
                                            der

Laon für seine Diöcese getroffen hatte. Einige Metropoliten in Italien maßten sich sogar das Recht an, ihre Bischöffe förmlich zu visitiren, schrieben selbst zuweilen Kontributionen von ihnen aus [3]), und mißbrauchten ihre Gewalt über sie fast zu den nehmlichen Erpressungen, zu denen sie ihre eigene nur allzuoft in Ansehung der armen Parochen mißbraucht hatten.

§. 4.

An mehrern Oertern mochte man also auch sehr gerechte Ursachen haben, sich über den Metropoliten-Druck zu beschweren; allein diesen Beschwerden, so weit sie gerecht waren, hätte man leicht abhelfen können, ohne ihnen das mindeste von demjenigen zu nehmen, was ihnen verfassungsmäßig zukam. Man durfte bloß darauf bestehen, daß kein Metropolit gegen einen Bischoff einen würklichen Jurisdiktions-

der Bischoff auf den Fall getroffen hatte, wenn er von dem König in der Gefangenschaft behalten werden würde.

3) Beyspiele von den Erzbischöffen von Ravenna f. bey *Muratori* Annal. T. V. p. 58.

Ddd 4

tions = Art ohne Zuziehung der Privinzial = Synode auszuüben befugt sey, so konnten sie nicht
nur alles bleiben, was sie der ursprünglichen
Verfassung nach seyn sollten, sondern das Ue=
bergewicht von Gewalt, das ihnen zugetheilt
war, konnte auch auf keinen einzelnen stärker
drücken, als es gerade zum Zusammenhalten
des Ganzen, also zum Vortheil von allen nö=
thig war. Aber unverkennbar gieng man dar=
auf aus, sie auch um dieß konstitutionelle Ue=
bergewicht selbst zu bringen, und die Art,
wie man dabey zu Werk gieng, verrieth eben
so unverkennbar, daß man sich noch eines
weiteren besonderen Antriebs dazu bewußt war.

§. 5.

War es nicht die ganze Judikatur über
ihre Provinzial = Bischöffe, und jede Art von
Judikatur, welche Hincmar von Laon den Me=
tropoliten streitig machte? Er appellirte nicht,
wie es noch Rothad von Soissons gethan
hatte, von einem Urtheil seines Metropoliten
an den Pabst, sondern er behauptete, daß der
Metropolit gar kein Urtheil über ihn sprechen
könne. Er behauptete zugleich, daß er es
nicht

nicht einmahl mit Zuziehung der Provinzial=
Synode, und an der Spitze von dieser, oder
als das Oberhaupt der Provinzial=Union sprechen könne; und diese Behauptung gründete er
ganz allein auf das neue Recht der falschen
Decrete, worinn dem Pabst das ausschließende
Kognitions=Recht in allen bischöfflichen Sachen
vorbehalten sey. Er befliß sich recht angelegen, es der Welt bekannt zu machen, daß er
sie aus dieser Quelle geschöpft habe; was ist
also glaublicher, als daß er auch würklich zuerst durch die falschen Decrete darauf gebracht
worden war? So lästig der junge ehrgeizige
Hincmar vielleicht schon seit langer Zeit die
Abhängigkeit von seinem Metropoliten gefunden haben mochte, so würde er es doch schwerlich gewagt haben, gerade über dasjenige mit
ihm zu streiten, was ihm das ältere Recht
und das entschiedenste Herkommen am bestimmtesten zusprach, wenn er nicht eine Möglich=
keit, etwas dabey auszurichten, gesehen hätte.
Diese Möglichkeit aber zeigten ihm die falschen Decrete, indem sie ihm neue bisher unbekannte Gesetze anboten, die er den bekannten entgegenstellen, und zugleich als die älteren

Ddd 5 ent-

entgegenſtellen konnte. Dieſe Möglichkeit zeigten ſie dann im Verfolg der Zeit noch mehreren Biſchöffen, ſo wie ſie ſelbſt weiter in
Umlauf kamen. Sie faßten alle den Gedanken,
auf den ſie zuerſt dadurch gebracht wurden,
deſto williger auf, ſie ſtrebten alle deſto eifriger, ihn zu realiſiren, je mehr er ſchon an
ſich anziehendes für ſie hatte, und ſo weit
war es zuverläſſig die Erſcheinung der neu-
fabricirten Geſetz-Sammlung, durch welche
die jetzt eintretende allmählige Verrückung der
bisherigen Metropolitan-Verhältniſſe vorzüglich
eingeleitet und befördert wurde.

§. 6.

Dieß beſtätigt ſich auch dadurch, weil es
ſo ſichtbar in eben dem Verhältniß weiter und
ſchneller damit kam, in welchem die Sammlung weiter bekannt und verbreitet wurde; wobey es jedoch nicht unbemerkt bleiben darf,
daß es nicht überall gleich ſchnell und gleich
weit damit kam. Sehr ſichtbar iſt aber auch
der Einfluß der Lokal-Urſachen, welche die
Veränderung an dem einen Ort aufhielten,
und an dem andern beſchleunigten. In der
engli-

englischen Kirche zum Beyspiel wurde jetzt noch
der Metropolitan-Gewalt am wenigsten, und
vielleicht gar nichts entzogen, denn die Me=
tropoliten=Rechte der Erzbischöffe von Canter=
bury waren in die ganze erste Verfassung,
welche sie bekommen hatte, so vielfach hinein=
geschlungen, daß sie nicht ohne Verletzung von
dieser — und die Erzbischöffe selbst hatten
durch das ihnen zuerst eingeräumte verfas=
sungsmäßige Uebergewicht von kirchlicher Ge=
walt auch eine so bedeutende politische Wich=
tigkeit im Staat erhalten, daß sie überhaupt
nicht leicht angetastet werden konnten.

§. 7.

In der deutschen Kirche konnten ähnliche
Umstände auch eine Zeitlang zum Vortheil der
Metropoliten, aber bey weitem nicht in dem
nehmlichen Grad würken. Auch hier war es
ursprünglich sehr planmäßig darauf angelegt
worden, daß die Metropoliten von Mäynz und
von Cöln, von Trier und von Salzburg so=
wohl durch eine größere kirchliche als politi=
sche Macht ausgezeichnet bleiben sollten, wie=
wohl sie wieder unter ihnen selbst sehr ungleich
ver=

vertheilt war. Hier war es aber bald dazu
gekommen, daß sich die Bischöffe überhaupt
um ihre politische Verhältniße ungleich mehr,
als um ihre kirchliche bekümmerten. Auch
das Streben der Metropoliten gieng jetzt nur
dahin, ein größeres Gewicht in der Reichs-
Versammlung und einen bedeutenderen Einfluß
auf die Angelegenheit des Staats zu bekommen, daher fragten sie wenig darnach, ob sie
seltener oder öfter Gelegenheit bekamen, einen
Actus ihrer kirchlichen Obergewalt auszuüben.
Die Erzbischöffe von Maynz glaubten z. B.
selbst in ihrer Qualität als Erzkanzler des
Reichs etwas größeres, als in ihrem Metropo-
liten-Charakter vorzustellen, und sorgten deßwegen viel eifriger dafür, die Vorrechte des
Erzkanzlers als des Metropoliten zu behaupten. Darüber gewöhnten sie sich allmählig,
selbst, dieß letzte Verhältniß nur als ein se-
kundäres zu betrachten, und die Folge davon
war, daß man allgemein in Teutschland eine
geringere Idee von der Metropoliten-Würde
auffaßte, ohne sich gerade der geringeren Idee
deutlich bewußt zu seyn.

§. 8.

§. 8.

Eben deßwegen kam es aber auch hier nur selten zu einem Streit über die Metropoliten= Rechte. Einige darunter, wie das Consecra= tions=Recht ihrer Provinzial=Bischöffe, ließ man ihnen aus Gewohnheit, weil man doch jemand dazu haben mußte, und bey der gewöhnlichen Besetzungs=Art der Bisthümer durch die Kö= nige, nicht viel mehr als eine religiöse Cere= monie darinn erblickte. Andere waren ganz in Abgang, und vielleicht in Deutschland gar nie zur Ausübung gekommen, denn schwerlich war es z. B. hier jemahls einem Bischoff ein= gefallen, daß er sich zu einer Reise außer sei= ner Diöcese die Erlaubniß seines Metropoliten und einen Paß — literas formatas — aus= bitten müsse. Zu der Ausübung einer richter= lichen Gewalt über die Bischöffe bekamen sie eben so selten Gelegenheit, weil die Händel von diesen meistens vor den König und auf den Reichstag gebracht wurden. Dieß letzte zog aber die Folge nach sich, daß auch das Institut der Provinzial=Synoden fast ganz aus seinem Gang kam, mithin sah man sie auch von ihrem Vorrecht, diese auszuschreiben und

zu

zu dirigiren, nur selten Gebrauch machen;
und so kam es überhaupt nur selten dazu, daß
man sie als Metropoliten handeln sah. Wenn
sich dann dazwischen hinein ein Erzbischoff Hatto oder Willigis von Maynz, oder ein Erzbischoff Wolfgang von Cöln den übrigen Bischöffen auch in seinem kirchlichen Verhältniß re-
spektabler zu machen wußte, so war es doch
nicht der Metropolit, sondern es war der
mächtigere, durch die Gunst des Königs, durch
seinen Einfluß im Reich, durch seine Fami-
lien=Verbindungen, oder durch die allgemeinere
Achtung ausgezeichnetere Bischoff, vor dem sie
sich beugten; mithin kam davon auch nur
wenig dem Metropoliten=Charakter überhaupt
zu gut.

§. 9.

Dabey ergiebt sich jedoch aus mehreren
Zeichen, daß die deutschen Erzbischöffe an dem
allgemeinen Begriff einer Superiorität über
ihre Provinzial=Bischöffe, die ihnen zustehe,
fest genug hiengen, und zugleich einen hohen
Werth darauf setzten. Dieß letzte zeigte sich
besonders bey solchen Gelegenheiten, wo einige
von

von ihnen, wie die Erzbischöffe von Cöln und von Salzburg, sich gegen Einrichtungen zu wehren hatten, wobey man etwas von ihrem Metropoliten = Sprengel abschneiden wollte, denn sie thaten dieß mit einer Heftigkeit und mit einer Beharrlichkeit, zu welcher sie bloß ein höchst lebhaft gefühltes Interesse begeistern konnte. Aber dafür ließen es auch hier die Bischöffe noch vor dem völligen Ablauf dieser Periode zum offenen Widerstand gegen sie kommen, sobald es ein Metropolit darauf anlegte, von jener allgemeinen und unbestimmten Superiorität einen bestimmten Gebrauch zu machen. Die erste Erfahrung davon machte, so viel man weiß, der Erzbischoff Poppo von Trier.

§. 10.

Als im J. 1026. der neue Bischoff Bruno von Toul die Konsecration von ihm erhalten sollte, so forderte ihm Poppo ein eidliches Versprechen ab, wodurch er sich verpflichten müßte, in seiner künftigen Amtsführung nichts ohne den Rath und die Beystimmung seines Metro=

Metropoliten vorzunehmen [4]). Ohne Zweifel war dieß eine neue Forderung; doch konnte das Neue nur in der Form und dem Inhalt des Versprechens, oder auch darinn liegen, daß es der Erzbischoff beschworen haben wollte, denn ein allgemeines Versprechen, der kanonischen Unterwürfigkeit hatten sich von jeher die Metropoliten von ihren Provinzial-Bischöffen bey ihrer Konsecration ausstellen lassen [5]), und die Observanz war auch noch im neunten Jahrhundert von einigen Synoden nur mit der Klausel approbirt worden, daß kein eidliches Versprechen gefordert werden dürfte [6]). Wenn indeß=

4) Nach Guibert im Leben Leo's IX. — oder Bruno's — hatte der Erzbischoff erklärt: "Suffraganeorum nulli se manus impositurum prius, quam Sacramento sibi promitteret, nihil se Metropolitae sui sine consilio in Episcopatu acturum." Cap. 7.

5) So hat man noch die Formel, in welcher die Bischöffe der Provinz von Rheims ihrem Metropoliten Gehorsam versprechen mußten, und Hincmar beschreibt auch die Feyerlichkeit, womit es gewöhnlich geschah. S. Conc. Gall. T. II. p. 655. Hincm. Opp. T. II. p. 389. 412.

6) S. Thomassini P. II. L. II. c. 44.

indeſſen Poppo auch das letzte gefordert hät=
te, ſo mochte es wahrſcheinlich der neue Bi=
ſchoff nicht halb ſo bedenklich finden, als die
neue Form des Verſprechens, das er beſchwö=
ren ſollte; er proteſtirte aber gegen das eine
wie gegen das andere, und beharrte auch ſo
hartnäckig auf ſeiner Proteſtation, als der Me=
tropolit auf ſeiner Weigerung, ihm die Kon=
ſecration zu ertheilen. Dieſe Weigerung konnte
jedoch Poppo nicht länger als bis zu der Zu=
rückkunft des damahls in Italien befindlichen
Kayſers Conrads II. behaupten, denn dieſer
miſchte ſich ſogleich zum Vortheil des Biſchoffs
von Toul, der in hoher Gunſt bey ihm ſtand,
in den Handel, und machte dem Erzbiſchoff
die Nothwendigkeit fühlbar, zu einem Vergleich
die Hände zu bieten, bey dem er ſich mit
ſehr wenigem begnügen mußte. Er mußte
ſich nehmlich mit dem Verſprechen begnügen,
das Bruno ausſtellte, daß er in allen wich=
tigeren Vorfällen, die in ſeiner Amts=Füh=
rung vorkommen möchten, ſeines Raths ſich
bedienen wolle [7], und darinn lag nicht viel
weiter,

---

7) Wie ſich Wibert ausdrückt, cap. 12. ſo hätte

weiter, als daß er ihn zu Rath ziehen wolle, wenn er es für gut finde, denn das Urthejl über die Wichtigkeit der Fälle blieb ja ihm selbst überlaffen.

§. II.

Bey diesen Umständen bleibt es jedoch immer noch zweifelhaft, ob es den Bischöffen dieses Zeitalters würklich gelungen seyn würde, die Metropolitan = Verhältniffe aus ihrer ursprünglichen verfaffungsmäßigen Stellung zu ver=

fich der Erzbischoff jetzt mit dem Versprechen begnügt, und Bruno auch zu dem Verspre= chen verstanden, "quod in ecclesiasticis ne= gotiis agendis uti vellet auctoritate consilii ejus." Hontheim Hist. Trevir. T. I. p. 341. hat dar= aus geschloffen, daß der Erzbischoff vorher verlangt haben müffe, der Bischoff sollte nicht nur in allen kirchlichen, sondern auch in al= len weltlichen und politischen Angelegenheiten sich von ihm leiten laffen: aber es läßt sich gewiß wahrscheinlicher annehmen, daß sich Wibert allzuunbestimmt ausgedrückt, als daß der Erzbischoff seine Anmaßungen so weit getrieben haben dürfte.

verrücken, wenn sie nicht dabey durch eine
fremde höchst mächtige Hülfe unterstützt wor=
den wären. Einem einzelnen Bischoff konnte
es unter günstigen Umständen schon zuweilen
möglich werden, sich der Gewalt seines Me=
tropoliten und auch seiner rechtmäßigen Ge=
walt zu entziehen. Hier und da konnten sie
auch selbst gewisse Rechte, die ihnen zustan=
den, auf einige Zeit gleichsam ruhen lassen;
aber dadurch konnten sie noch nicht ganz
aus ihrem Besitz gebracht, oder völlig von
dem Platz verdrängt werden, den nicht nur
der Buchstabe, sondern auch der ganze Geist
der kirchlichen Gesellschafts = Verfassung ihnen
angewiesen hatte. So lange sich diese letz=
te noch erhielt, konnte mit einem Wort
das Gegenstreben der Bischöffe höchstens nur
eine lokale und temporäre Verrückung der
Metropolitan = Verhältnisse erzwingen, und
selbst eine solche, wie das Beyspiel Hinc=
mars von Laon bewieß, nicht immer er=
zwingen: hingegen dem Druck einer höhe=
ren Gewalt, der zu gleicher Zeit das Gan=
ze der bisherigen Verfassung aus seinen Fu=
gen drängte, mußten sie nothwendig nach=

geben.

geben. Diese höhere Gewalt war aber keine andere als die Römische, welcher es endlich in dieser Periode gelang, das neue Verbindungs-System eines allgemeinen kirchlichen Supremats, oder das System des eigentlichen Pabstthums wenigstens in Beziehung auf den christlichen Occident auch in der Würklichkeit aufzustellen, und welche dabey gerade mit der Metropolitan-Gewalt in die stärkste Kollision kam, mithin auch ihrem Würkungs-Kreise am meisten entziehen mußte.

———————

Kap. IV.

Kap. IV.

Neue Supremats-Rechte, auf welche die Päbste Ansprüche machen. Recht der gesetzgebenden Macht, und der ausschließenden richterlichen Gewalt über die Bischöffe.

§. I.

Der Gang dieser letzten und wichtigsten kirchlichen Veränderung, welche in diese Jahrhunderte hineinfiel, kann nach demjenigen was bereits von dem Antheil der Römischen Bischöffe an der ganzen Zeit-Geschichte vorangeschickt worden ist, mit wenigen Zügen gezeichnet werden. Um eine recht klare Vorstellung von demjenigen zu erhalten, was sie in diesen Jahrhunderten im Verhältniß gegen die Kirche wurden, muß man sich freylich zuerst mit möglichster Lebhaftigkeit vergegenwärtigen, was sie bey dem Anfang dieser Periode bereits waren; alsdann aber darf bloß zusam-

men-

mengestellt werden, in welchen Beziehungen sie sich jetzt mehr Gewalt und mehr Rechte als vorher über die Kirche herausnahmen, und wenn man dabey noch beobachtet, in welcher Ausdehnung und unter welchen Umständen die neuen Rechte, welche sie ansprachen, ihnen würklich auch zugestanden wurden, so hat man alles, was zu der reinen Geschichte der Veränderung gehört.

§. 2.

Zum Behuf des ersten ist es bloß nöthig, die Erinnerung zurückzurufen, daß die Römischen Bischöffe in der Mitte des neunten Jahrhunderts mit allen Kirchen des Occidents schon in ein wahres, nur noch vielfach unbestimmtes Superioritäts = Verhältniß gekommen waren. Schon jetzt zweifelte niemand mehr daran, und wollte niemand mehr daran zweifeln, daß ihnen nicht nur der erste Rang unter allen Bischöffen der christlichen Welt, sondern daß ihnen auch über alle eine gewisse Obergewalt zustehe, die aus der ihnen von Gott übertragenen Oberaufsicht über die ganze Kirche ausfließe, oder in dieser gegründet sey.

fey. Es ließ sich daher auch niemand einfallen, das göttliche Recht [1] dieser Obergewalt zu bestreiten, sondern mit willigem Glauben nahm man es allgemein an, daß sie dem Apostel Petrus von Christo selbst übergeben, und von diesem auf die Römischen Bischöffe, als seine Nachfolger fortgeerbt sey; aber darüber war man nicht nur mit den Päbsten noch gar nicht einverstanden, sondern darüber war man überhaupt noch nicht im Klaren, in welchem Umfang und in welcher Form jene Obergewalt von ihnen ausgeübt werden dürfe, oder wozu sie im besondern dadurch autorisirt würden? Manches, was sie schon selbst daraus abgeleitet hatten, machte man ihnen immer noch streitig; und wenn man auch allgemein

[1] Wie treflich die Päbste selbst den Begriff von einem göttlichen Recht ihres Supremats und von den Privilegiis Sedi romanae non a Conciliis sed a Deo datis aufgefaßt hatten, ersieht man am deutlichsten aus dem berühmten Brief Nicolaus I. an den griechischen Kayser Michael III. vom J. 865. S. Conc. T. VIII. p. 314.

mein anerkannte, daß ihnen gewisse Rechte daraus zugewachsen seyen, wenn man z. B. auch
allgemein anerkannte, daß ihnen als der höchsten Instanz in der Kirche auch das Recht
der letzten Entscheidung in allen wichtigeren
zweifelhaften Fällen zustehen müsse, so war
es bisher immer im würklichen Rechts-Gebrauch noch unbestimmt geblieben, wenn? und
für wen? und wie weit es pflichtmäßig oder
zulässig sey, an sie zu rekurriren?

§. 3.

Dabey ließ sich indessen schon an dem Ende der vorigen Periode leicht voraussehen, wohin es in dieser kommen würde. Sobald es
einmahl anerkannt war, daß den Römischen
Bischöffen eine würkliche Obergewalt über die
ganze Kirche zustehe, und nach der eigenen
Anordnung Christi zustehen müsse, so stand es
fast nur bey ihnen, sich so viele besondere
Rechte herauszunehmen, als sie wollten, denn
es konnte ihnen nicht schwer werden, fast bey
jedem den Beweis zu führen, daß man es
ihnen ohne Inkonsequenz nicht absprechen könne.
Sie hatten daher nicht einmahl nöthig, den
Be=

Beweis immer voraus zu führen, sondern
durften geradezu darnach handeln, als ob niemand erst nach dem Grund ihres Rechts fragen könnte? Kam es aber auch zuweilen dazu, daß man doch darnach fragte, und kam
es selbst dazu, daß man ihren neuen Anmaßungen das alte Herkommen entgegenhielt, so
waren sie doch bey dem Streit immer im Vortheil; sie konnten meistens noch mehrere äußere
Umstände zu ihrem Vortheil benutzen, und
wenn es ihnen unter der Begünstigung dieser
Umstände nur einmahl gelang, ein neues Recht
zu behaupten, so war es fast unmöglich, sie
wieder aus dem Besitz zu verdrängen. Solcher neuen Rechte, welche sie aus dem Begriff ihres Supremats ableiteten, und in deren Besitz sie würklich in dieser Periode, und
zuerst in dieser Periode kamen, können aber
drey oder vier ausgezeichnet werden, in deren jedem wieder andere eingeschlossen lagen,
die sie sich für die Zukunft desto gewisser durch
die Weisheit zu sichern wußten, womit sie sich
jetzt noch Gebrauch davon zu machen enthielten.

§. 4.

Es ist bereits bemerklich gemacht worden, daß schon der erste Pabst dieses Zeitraums mit zwey neuen Anmaßungen auftrat, die bisher im christlichen Occident unerhört gewesen waren. Schon Nicolaus I. forderte für den Römischen Stuhl nichts geringeres, als einmahl — die legislative Gewalt in Beziehung auf die ganze Kirche, und zweytens nicht nur die höchste, sondern die ausschließend richterliche Gewalt über alle Bischöffe, und in allen bischöfflichen Sachen. Es darf nicht wiederhohlt werden, unter welchen Umständen und bey welcher Veranlassung, und wie weit diese Forderungen von ihm behauptet wurden; aber es ist nöthig und zweckmäßig, hier das neue dabey und die Würkungen, welche davon auf das Ganze der kirchlichen Verfassung und Regierung ausfließen mußten, in ein helleres und bestimmteres Licht zu setzen.

§. 5.

Zu dem ersten dieser Rechte, zu dem Recht der gesetzgebenden Gewalt, schien sich Nicolaus selbst nur durch einen Umweg verhelfen

helfen zu wollen, der ihn jedoch durch eine sehr kurze Wendung dazu führen konnte. Er behauptete nicht geradezu, daß es dem Pabst kraft seines Supremats zustehe, der ganzen Kirche Gesetze zu geben, aber er bestand darauf, daß alle Decrete der Päbste von der ganzen Kirche als verbindende Gesetze angenommen werden müßten. Er wollte es von den französischen Bischöffen in dem Handel Rothads ausdrücklich anerkannt haben, daß nicht nur die Decretalen einiger älteren Päbste, die in den Dionysischen Codex aufgenommen seyen, sondern ohne Ausnahme die Decrete aller Päbste dafür angenommen werden müßten, und darinn lag wenigstens dieß sehr bestimmt, daß es auch dem Pabst zustehe, der Kirche Gesetze zu geben, wiewohl es noch nicht damit entschieden war, daß es nur ihm allein zustehen könne oder müsse. Doch dieß war ja auch schon von älteren Päbsten des vierten und fünften Jahrhunderts, es war schon von Damasus, und von Siricius und von Innocenz I. in jenen Decretalen selbst, die man in das kirchliche Gesetzbuch von ihnen aufgenommen hatte, so laut und so bestimmt gesagt worden,

daß

daß man sich zuerst wundern möchte, warum
Nicolaus einige Zurückhaltung dabey für nöthig hielt; allein die Bewegung, in welche
die französische Bischöffen dadurch kamen, verrieth am deutlichsten, wie viel neues und über-
raschendes die Behauptung für sie hatte.

§. 6.

Noch nie hatte man in der Kirche daran
gedacht — dieß kam bey dieser Gelegenheit so
unwidersprechlich an den Tag, daß alle schon
angewandte Bemühungen, es ins Dunkle zu
stellen, fruchtlos verschwendet wurden — noch
nie hatte man daran gedacht, daß den Römischen Bischöffen eine würkliche gesetzgebende
Gewalt zukommen könnte. Wenn ehemahls
die älteren Päbste in ihren Decretalen erklärt
hatten, daß sich alle Kirchen nach dem Glauben, nach der Lehre und nach den Vorschriften der Römischen, also im Grunde nach den
ihrigen zu richten hätten, so glaubte man allgemein, daß sie dieß nur in so fern und nur
aus dem einzigen Grund behaupten wollten,
weil der Glaube, die Lehre und die Vorschriften der Apostel und der Apostolischen Kirche
am

am unverfälschtesten in der Römischen und von
ihren Bischöffen aufbewahrt worden seyen.
Man hielt sich daher gar nicht deßwegen ver=
bunden, ihre Decrete und Anweisungen anzu=
nehmen, weil sie von ihnen kamen, son=
dern weil man voraussetzte, daß sich die Kennt=
niß desjenigen, was Ordnung und Recht in
der Kirche sey, am reinsten bey ihnen erhalten
habe; also wollte man ihnen durchaus keine
eigene gesetzgebende Gewalt, sondern nur das
Befugniß, die Gesetze zu bewahren, und höch=
stens das Recht einer authentischen Gesetz=
Interpretation einräumen, das ihnen als
Nachfolgern des ersten der Apostel zustehen
sollte [2]).

§. 7.

Selbst der Erzbischoff Hincmar von Rheims
konnte dieß gegen die Behauptung von Ni=
colaus nicht so stark ausführen, wiewohl er
es seinem Widerspruch dagegen nicht an Nach=
druck fehlen ließ, als es aus den Grundprin=
zipien

---

[2]) Was *Marca* De Conc. Sacerd. L. I. c. 8. 9.
dagegen vorbringt, ist sehr unnatürlich er=
zwungen.

zipien des bisherigen allgemein angenommenen
Kirchen = Rechts und aus der achthundertjähri-
gen diesen Prinzipien gemäßen Praxis der Kirche hervorgieng. Zuverlässig war es also etwas neues, wenn jetzt ein Pabst mit der Behauptung auftrat, daß ihm das Recht der
würklichen Gesetzgebung zukomme, oder daß
er im eigentlichen Sinn Gesetze für die Kirche machen könne; und wenn sich auch Nicolaus dieß Recht noch nicht ausschließend an-
maßte, wenn er es auch noch unbestimmt ließ,
ob der Pabst allein Gesetze machen könne?
so konnte man ihm doch nicht einmahl einräumen, daß er nur auch welche machen könne,
ohne die ganze bisherige Regierungs = Form
der Kirche aufzugeben ³). Als das erste konstitutive

_____

3) Wenn es also auch die Synode zu Ponticon
   Johann VIII. eingeräumt hätte, wie Marca
   behauptet, daß jeder Pabst allgemein verbindende Decrete machen könne, so würde nichts
   daraus folgen, als daß sich schon diese Synode eines Hochverraths an der bisherigen
   Konstitution schuldig gemacht hätte. Allein
   ihr

stitutive Prinzip von dieser war es ja immer angenommen worden, daß die allgemeine Kirche nur durch die Geſetze regiert werden könne, oder daß die Totalität aller einzelnen Kirchen nur an jene Geſetze gebunden ſey, welche ihr Chriſtus durch die Apoſtel oder der heilige Geiſt durch eine allgemeine Synode vorgeſchrieben habe, jede Partikular=Kirche hingegen für ſich ſelbſt durch ihre Biſchöffe die weiteren machen könne, welche ſie nach ihren Umſtänden bedürfen möchte. Damit aber ſtand die Behauptung, daß auch die Decrete und Verordnungen der Päbſte von allen Kirchen als verbindende Geſetze erkannt, und zwar deßwegen, weil ſie von ihnen kämen, dafür erkannt werden müßten — damit ſtand dieſe Behauptung in direktem Widerſpruch, worauf ſie auch gebaut, und wie ſie auch eingeſchränkt werden mochte.

§. 8.

ihr erſter Canon, den Marca anführt, enthält es ganz und gar nicht, und wenn er es auch enthielte, ſo kann man ſich nie auf ihre Akten berufen,

§. 8.

Doch sobald man nur das neue in der Anmaßung erkannte, welche Nicolaus I. damit aufstellte, so mußte man auch das weitgreifende davon fühlen; denn wer konnte nur einen Augenblick zweifeln, daß es dabey absichtlich darauf angelegt war, die Päbste in ein ganz neues Verhältniß gegen die Kirche hineinzurücken? Diese Absicht ließ sich aber desto weniger verkennen, da sie der nehmliche Pabst zu gleicher Zeit noch in einer andern Anmaßung aufdeckte, die zwar nicht so unmittelbar in das Ganze der bisher bestandenen Verfassung einzugreifen schien, aber durch ihre Neuheit eben so viel Erstaunen, und durch ihren schneller und merklicher zerstöhrenden Einfluß auf einige besondere Verhältnisse dieser Verfassung fast noch mehr Aufsehen erregen mußte.

§. 9.

Durch diese zweyte Anmaßung eignete Nicolaus dem Römischen Stuhl nicht nur das Recht der höchsten, sondern gewissermaßen der ausschließenden Judikatur über alle Bischöffe
zu,

zu, indem er alle bischöfliche Sachen, oder doch das Befugniß, die Absetzung eines Bischoffs zu erkennen, dem Pabst allein reservirt haben wollte. In Kraft dieses Vorbehalts sollten also alle Criminal-Processe, in welche ein Bischoff verwickelt werden könnte, nicht nur in der Appellations- oder Revisions-Instanz nach Rom kommen, und zu der letzten Entscheidung an den Pabst gebracht werden, sondern es konnte wenigstens, sobald man wollte, auch heraus erklärt werden, daß sie nirgends anders als zu Rom anhängig gemacht und instruirt, und daß ein Bischoff nicht nur allein von dem Pabst gerichtet, sondern auch allein bey dem Pabst angeklagt werden könne. Von einem solchen Vorbehalt hatte man aber noch viel weniger, als von einer legislativen Gewalt der Päbste, in der Kirche etwas gewußt oder gehört, bis man ihn in den Decreten des falschen Isidors sanktionirt fand. Es ließ sich daher auch außer diesen nicht einmahl eine scheinbare ältere Autorität zu der Begründung davon aufführen, hingegen war es unmöglich, daß irgend einem Auge seine destruktive Einwürkung auf das Ganze der bis-

her bestandenen Metropolitan-Verfassung entgehen konnte.

§. 10.

Wurde dann nicht durch diesen Vorbehalt
den Metropoliten die ganze Judikatur, welche
ihnen das alte Kirchen-Recht über ihre Pro-
vinzial-Bischöffe eingeräumt hatte, und eben
damit alles entzogen, was sie in den Stand-
setzen konnte, sich in ihrem konstitutionellen
Verhältniß gegen sie zu behaupten? Diese Judikatur allein hatte ihnen bisher, so sehr sie
auch beschränkt war, eine würkliche Superiorität über die unter ihnen stehenden Bischöffe
verschafft; mithin müßten sie unvermeidlich zu
bloßen Titular-Oberen herabsinken, sobald sie
ihnen genommen würde. Sobald der Bischoff
in seinem Metropoliten den Richter gar nicht
mehr zu fürchten hatte, so war es mehr als
gewiß, daß er sich auch um den Aufseher
nichts mehr bekümmern würde, und somit
wurde auch der ganze Metropolitan-Verband
so gut als völlig dadurch aufgelößt, denn es
war unmöglich, daß er von ganz machtlosen
Metro-

Metropoliten noch zusammen gehalten werden
konnte. Die leere Form davon mochte bleiben; aber das wesentliche und der Zweck davon war vernichtet; und war es nach mehreren Beziehungen. Durch jenen Vorbehalt
wurde ja der Pabst zugleich zum unmittelbaren
Oberen aller Bischöffe konstituirt. Eben damit
war auch jede intermediäre Autorität zwischen
diesen und ihm auf die Seite gebracht, und
was konnten jetzt die Metropoliten noch vorstellen, als eine nutzlose Sprosse in der hierar-
chischen Leiter, die man bloß zum Schein oder
um der gewohnten Symmetrie willen noch
stehen ließ?

§. 11.

Damit deckt sich aber auch der Gewinn
am sichtbarsten auf, den die Päbste aus diesem Vorbehalt ziehen konnten. Sobald sie es
dahin gebracht hatten, daß sie auch nur in
einer Beziehung die unmittelbaren Oberen aller
Bischöffe geworden waren, so konnten sie in
der Kirche und mit der Kirche — und dazwischen hinein auch in dem Staat und mit

dem

dem Staat — anfangen was sie wollten, denn jetzt mußten sich ja die Bischöffe durch ihr eigenes Interesse auf das festeste an sie ange= knüpft fühlen. Daher war es aber auch desto mehr der Mühe werth, daß sie auf diesem Vorbehalt bestanden, wiewohl sich für die An= maßung, die darinn lag, eben so wenig ein ostensibler Grund als eine scheinbare Autorität anführen ließ. Als natürliches Recht ihres kirchlichen Supremats konnten sie es unmöglich ausgeben, daß ihnen die Judikatur über die Bischöffe ausschließend gehören müsse. Höch= stens konnte Nicolaus selbst die Welt zu über= reden hoffen, daß er die Gränzen seiner Su= premats= Gewalt nicht überschritten habe, da er über die Erzbischöffe von Cöln und von Trier das Absetzungs=Urtheil ausgesprochen hatte; denn höchstens ließ es sich noch wahr= scheinlich machen, daß der höchsten Autorität in der Kirche auch eine richterliche Gewalt zu= komme, oder daß der Pabst als das Ober= haupt der Kirche sich unter gewissen Umstän= den auch befugt halten möge, eine rich= terliche Gewalt über Bischöffe auszüüben, aber keinem Menschen in der Welt ließ sich
die

die Nothwendigkeit fühlbar machen, daß er allein dazu befugt seyn, oder daß sie ihm ausschließend zustehen müßte. Dieß hatte sich nur der falsche Isidor träumen lassen; daher konnte die Anmaßung nur auf sein Ansehen gebaut werden, worauf zuverlässig die Päbste selbst nicht viel rechneten. Aber sie rechneten darauf, daß ihnen die Bischöffe selbst zu der Behauptung der Anmaßung nicht ungern helfen würden, und daß sie sich damit nicht getäuscht hatten, bewieß der Erfolg.

Fff 3

Kap. V.

Kap. V.

Zwey weitere Supremats = Rechte, welche die Päbste sich anmaßen — das Recht einer konstitutiven Gewalt und eines allgemeinen Episkopats — jedoch dieß letzte nur erst mittelbar.

§. I.

Etwas anders verhielt es sich mit einem dritten Supremats = Recht, daß sie gewissermaßen auch erst in dieser Periode acquirirten, nehmlich mit dem Recht einer gewissen konstitutiven Gewalt, zu deren bestimmteren Anerkennung man sich jetzt allgemeiner als vorher bewegen ließ. Ihr Gewinn dabey erwuchs aber eigentlich nur daraus, daß man sich jetzt willig finden ließ, diese Gewalt als etwas zu ihrem Supremat gehöriges anzuerkennen, denn ihre Ausübung selbst war ihnen auch schon vorher gestattet worden, und konnte für

für sie niemahls so wichtig seyn, als die
Folgen, zu welchen sich jene Anerkennung be=
nutzen ließ.

§. 2.

Schon seit dem achten Jahrhundert war
in dem christlichen Occident schwerlich mehr ein
Bisthum und noch weniger ein Erzbisthum
ohne die Dazwischenkunft der Päbste gestiftet
und eingerichtet worden. Die meisten, deren
Stiftung in das achte Jahrhundert hineinfällt,
hatten eigentlich ihnen allein ihre Entstehung
zu danken, denn sie waren nur durch ihre
Missionarien gestiftet werden, welche sie, wie
den heiligen Bonifaz, ausdrücklich dazu instru=
irt und autorisirt hatten. Dadurch konnte
man zwar noch nicht auf den Glauben gebracht
werden, und würde auch gewiß noch nicht
auf den Glauben gebracht, daß nur sie allein
neue Bisthümer errichten könnten, oder daß eine
eigene dazu erforderliche konstitutive Gewalt
ihnen allein zustehe, denn unter den Umstän=
den, unter denen ihre Dazwischenkunft dabey
eintrat, dachte man zuverlässig an kein beson=
deres Recht, welches sie damit ausübten. Die

Fff 4 Ge=

Gewohnheit aber, in die man dadurch hineinkam, den Pabst immer als die handelnde
Haupt=Person dabey zu erblicken, trug ohne
Zweifel nicht wenig dazu bey, daß man jetzt
seine Mitwürkung auch unter Umständen zuließ, und selbst seine Mitwürkung unter Umständen aufforderte, in denen sich weiter kein
Grund einer Nothwendigkeit dazu wahrnehmen
ließ. Sie fand daher auch bey der Stiftung
aller jener neuen Bisthümer statt, welche von
Carl dem Großen und seinem Sohn Ludwig I.
errichtet wurden.

§. 3.

So wenig sich aber verkennen läßt, daß
die Päbste selbst sich schon das Ansehen dabey
gaben, als ob sie nach einem eigenen nur ihnen zustehenden Recht handelten, so scheinbar
läßt sich bezweifeln, ob auch eine bestimmte
Vorstellung von einem solchen Recht bereits in
den Zeit=Glauben übergegangen war. Carl
der Große dachte es sich wenigstens gewiß nicht
deutlich, daß er bey der Einrichtung eines
Bisthums den Pabst nothwendig und deßwegen zuziehen müsse, weil der eigentliche Stif-
tungs-

tungs = Akt nur durch ihn auf eine legale Art verrichtet werden könne. Er beschied sich nur, daß der Pabst besser als er wissen müsse, wie das kirchliche und das religiöse am ordnungsmäßigsten dabey einzurichten sey, daher zog er ihn nicht nur jedesmahl zu Rath, sondern überließ auch manches seiner Disposition, oder willigte darein, daß es nach seiner Disposition gehalten werden möchte, sobald nur seine eigene Zwecke dabey gesichert waren. In der Seele seines Nachfolgers, des frommen Ludwigs, mochte vielleicht schon ein dunkler Begriff von einer gewissen Gewalt, die dem Pabst dabey zustehe, aufgeschossen seyn; wenigstens war er fest überzeugt, daß der Seegen des Pabsts zu der Stiftung eines jeden neuen Bisthums nothwendig sey, ja vielleicht selbst schon davon überzeugt, daß man ohne die Zuziehung des Pabsts kein neues stiften könne: nur glaubte auch Ludwig sicherlich noch nicht, daß der Pabst allein dabey zu sprechen und zu handeln habe; aber gerade dieß war es, was sich die Welt, und was sich die Könige selbst in dieser Periode allmählig beybringen ließen.

Fff 5 §. 4.

§. 4.

Die neue Rechts-Theorie [1]), die sich vom
Ende des neunten Jahrhunderts an darüber
ausbildete, hieng ungefähr in folgenden Ideen
zusammen: Weil Christus Petro und seinen
Nachfolgern die Sorge für die allgemeine Kirche oder für das Ganze seiner Kirche übertragen hat, so muß es auch zu ihrem Amt gehören, ja es kann nur zu ihrem Amt gehören, die Partikular-Kirchen, die von Zeit zu
Zeit zu dem großen Körper hinzukommen, zu
konstituiren, sie unter die Glieder dieses Körpers auf die schicklichste und zweckmäßigste
Art einzureihen, also auch wenigstens ihre erste Eintheilung in Bisthümer und Erzbisthü-
mer zu reguliren. Dazu können sie zwar durch
äußere Veranlassungen, sie können zum Beyspiel durch christliche Regenten und Landesherrn
dazu

---

1) Neue Theorie war es ja wohl; denn es ist
   doch ganz ungezweifelt, daß nach dem älteren
   Recht, dem wörtlichen Innhalt mehrerer Ca-
   nonen zufolge, die Errichtung eines neuen
   Bisthums von jeder Provinzial-Synode gül-
   tig beschlossen und verfügt werden konnte.
   Dieß erkennt auch Hedderich in Elem. Jur.
   Can. P. I. p. 39.

dazu aufgefordert werden, und auch nach den
Vorschlägen und Wünschen von diesen dabey
handeln; aber ihre Autorität muß immer da=
zwischen kommen, weil sie allein demjenigen,
was dabey geschieht, die gehörige Gültigkeit
geben kann, und kraft dieser Autorität können
sie auch unaufgefordert ihre konstitutive Ge=
walt ausüben, so oft es ihnen thunlich und
räthlich scheint.

§. 5.

Diese neue bestimmtere Theorie ließ man
aber nicht nur in diesen Jahrhunderten die Päb=
ste ohne Widerspruch aufstellen, man ließ sie
nicht nur mehrmahls ohne Widerspruch dar=
nach handeln, sondern man forderte sie selbst
mehrmahls zum Handeln darnach auf. So
schickten im J. 873. die spanischen in die Ge=
bürge von Asturien eingeschlossenen Bischöffe
mit ihrem König Alfons III. eine eigene Gesandt=
schaft an den Pabst Johann VIII., und ließen ihn
durch diese ersuchen, daß er einen Legaten nach
Spanien abfertigen möchte, der die nothwen=
dig gewordene Errichtung einer neuen Metro=
politan=Kirche und die neue Bestimmung der
dazu

dazu geſchlagenen biſchöfflichen Diöceſen durch
ſeine Autorität ſanktioniren könnte. [2]). Als
Otto I. in Deutſchland das Erzbisthum zu
Magdeburg und mehrere neue Bisthümer in
Sachſen eingerichtet haben wollte, ſo wandte
er ſich ebenfalls an den Pabſt [3]), wie es im
eilften Jahrhundert Heinrich II. bey dem Bisthum zu Bamberg that, das ihm ſo ſehr an
dem Herzen lag [4]). Auch bey der Organi-
ſation

[2] S. Conc. T. IX. p. 247.

[3] Johann XIII. brachte zwar die Sache im
J. 967. auf eine Synode zu Ravenna, die
ſich ohnehin verſammelt hatte. Dieß war
aber das gewöhnliche Verfahren. S. Inſtitu-
tio Archiep. Magdeburg. in Conc. Ravennat.
Conc. T. IX. p. 676.

[4] Weil es einigen der Urkunden, die zu der
Stiftungs = Geſchichte des Bisthums Bamberg
gehören, an genauen chronologiſchen Beſtim-
mungen fehlt, ſo wurde es einigen unſerer
Hiſtoriker auf einen Augenblick zweifelhaft,
ob nicht Heinrich die ganze Einrichtung wegen
des neuen Bisthums bloß mit Zuziehung der
deutſchen Biſchöffe auf einer Synode zu Frankfurt gemacht, den Pabſt aber erſt hintennach
nur

sation der neuen Kirchen in Pohlen und Ungarn, die in diesem Zeitraum ihre Existenz erhielten, wurde jene konstitutive Gewalt der Päbste nicht nur mehrfach anerkannt, sondern schon als unbestreitbar vorausgesetzt [5]): aber bey allen diesen Gelegenheiten wurde es immer auch vorausgesetzt, daß sie zu dem kirchlichen Supremat

nur gleichsam der Förmlichkeit wegen eingemischt habe? Selbst der gelehrte Neller schien dieß anzunehmen in seinem Exercitio historico-chronologico de S. Henrico I. fundatore Episcopat. Bamberg. 1771. Die Sache wurde jedoch bald in das klare gebracht durch eine weitere darüber angestellte Untersuchung in einer zu Trier erschienenen akademischen Streitschrift: Fixio certa anni, quo conditus est Episcopatus Bambergensis &c. auct. Jo. Bernhard. Aloys. Saur. 1783 in 4.

5) Der erste christliche König von Ungarn, der heil. Stephan, begnügte sich ja nicht bloß damit, im J. 1000. durch eine eigene nach Rom geschickte Gesandtschaft die päbstliche Sanktion zu allen seinen kirchlichen Einrichtungen einzuholen, sondern er wollte auch seinen Königstitel von dem Pabst bestätigt haben. S. Baronius ad ann. 1000. n. 12.

mat gehöre, oder aus der Supremats=Gewalt
ausfließe; die von Gott selbst in ihre Hände
gelegt worden sey.

§. 6.

Dieß wurde aber für die Päbste dadurch
am vortheilhaftesten, weil dadurch der Zeit=
Geist am würksamsten vorbereitet wurde, ihnen
auch noch eine vierte Anmaßung zuzugestehen,
die von unendlich größerem Belang war. Sie
schloß nicht weniger in sich, als die sämmtli=
chen Rechte eines allgemeinen oder universellen
Episkopats, welche sie auch schon aus ihrem
Supremat abzuleiten oder heraus zu erklären
anfiengen, und dieß war so ungeheuer viel,
daß ihnen selbst die Nothwendigkeit, die Welt
darauf vorzubereiten, am fühlbarsten werden
mußte: doch hier könnte es würklich noch be=
zweifelt werden, ob sich auch nur in ihrer eige=
nen Seele schon alles entfaltet hatte, was in
der Anmaßung lag? daher wird es nothwen=
dig, den reinen historischen Gang der Verände=
rung, welche dadurch eingeleitet wurde, sorg=
samer aufzufassen und darzulegen.

§. 7.

§. 7.

Auch schon vor dem neunten Jahrhundert
war zuweilen von einem allgemeinen oder universellen Episkopat der Päbste, und zwar nicht
nur von ihnen selbst gesprochen worden; was
man sich aber dabey dachte und denken wollte?,
dieß legt sich aus mehreren Anzeigen auf das
offenste dar. Man nannte sie und sie nannten sich selbst allgemeine Bischöffe, um dadurch
auszudrücken, daß ihnen die Aufsicht und die
Sorge für die allgemeine Kirche, eben so wie
jedem einzelnen Bischoff die Aufsicht und die
Sorge für seine Diöcese, übertragen sey. Man
leitete also ihren universellen Episkopat nicht
nur von ihrem kirchlichen Supremat ab, sondern man wollte eigentlich nur diesen dadurch
andeuten und bezeichnen, denn man setzte das
eigenthümliche davon nur darein, daß sie im
Verhältniß gegen die ganze allgemeine Kirche
eben das vorstellten, was jeder Bischoff für
seine einzelne Kirche sey. Dabey dachte man
aber nur an das allgemeine Verhältniß des
obersten Aufsehers, oder des Oberen überhaupt,
denn niemand ließ sich um des Namens willen einfallen, daß man gerade alle specielle

Bezie-

Beziehungen des bischöfflichen Verhältnisses auf die Päbste übertragen dürfte oder müßte.

§. 8.

Noch weniger ließ man sich aber einfallen, ihnen einen solchen allgemeinen Episkopat zuzuschreiben, nach welchem sie befugt seyn sollten, alle bischöffliche Handlungen in jeder einzelnen Kirche zu verrichten, und alle bischöffliche Rechte in Beziehung auf jede einzelne auszuüben. Die schöne Folgerung, "daß der Pabst in jeder besondern Kirche als Bischöff handeln könne, weil er der Bischoff der allgemeinen Kirche sey", war noch in keines Menschen Sinn gekommen, denn man hat auch nicht die schwächste Anzeige, daß nur eine Ahndung davon bey einem der vorisidorischen Päbste aufgestiegen wäre, und es begreift sich sehr leicht, daß und wie man durch die ganze Form der seit acht Jahrhunderten gewohnten kirchlichen Regierung abgehalten werden mußte, auf diese Folgerung zu gerathen. Auch durch diesen Umstand wird es dann etwas zweifelhafter gemacht, ob man jetzt würklich im neunten Jahrhundert darauf gerieth; nur ist dieß unbestreit-

bar,

bar, daß jetzt die Päbste schon zuweilen dar=
nach handelten, und daß man sie schon dar=
nach handeln ließ, als ob man ihnen die Fol=
gerung einräumen müßte. Doch geschah dieß
nur erst in zwey besondern Fällen oder bey
zwey besondern Veranlassungen, und bey der ei=
nen darunter kann es auch wieder bezweifelt wer=
den, ob man dabey an jene Folgerung dachte?

§. 6.

Bey dieser Veranlassung schienen die Päbste
auf Kosten der Metropoliten sich eine Gewalt
herauszunehmen, wozu ihnen dem Ansehen nach
bloß aus ihrem universellen Episkopat ein Recht
zuwachsen konnte, denn sie erlaubten sich jetzt
zuweilen, einen Actus zu verrichten, der nach
den ältesten und bestimmtesten Gesetzen den
Metropoliten allein zukam. Es kam nehmlich
einigemähle dazu, daß neu=gewählte oder neu=
ernannte Bischöffe, denen ihre Metropoliten
aus irgend einem Grund die Konsecration er=
schwerten oder verweigerten, sich mit ihren
Klagen darüber an die Päbste wandten; die
Päbste aber erkühnten sich, um den Proceß
auf dem kürzesten Wege zu schlichten, ihnen

die Konsecration selbst zu ertheilen; ja ein
Pabst dieses Zeitalters [6] machte es öffentlich
bekannt, daß man in allen Fällen dieser Art
nur nach Rom rekurriren dürfe, wo ja ein
jeder Bischoff eben so kräftig und wohl noch
kräftiger von dem Pabst als von seinem Metropoliten konsecrirt werden könne.

§. 10.

Daburch mußte das Ansehen der Metropoliten fast nicht weniger verliehren, als ihm
durch die ihnen entrissene Judikatur über die
Bischöffe entzogen wurde; aber es ließ sich
nach der bisherigen Rechts-Theorie fast weniger begreifen, wodurch sich die Päbste befugt
halten konnten, ihr Konsecrations-Recht mit
ihnen zu theilen, als ihre Judikatur zu ver-
nichten. Nur in der Voraussetzung, daß es
kraft ihres universellen Episkopats ihnen zustehe, auch die Rechte und Befugnisse aller
andern

6) Benedikt VI. auf einer Römischen Synode,
die Baluz in das J. 983. setzt, denn die
Akten dieser Synode machte er zuerst bekannt in einem Zusatz zu *Marca* De Sacerd.
L. VI. c. 10.

andern kirchlichen Autoritäten auszuüben, konnte ein Grund enthalten seyn, durch den es sich scheinbar deduciren ließ, woher sie das Recht zu dem Konsecriren fremder Bischöffe, und woher die von ihnen verrichteten Konsecrationen ihre Kraft hätten. Man machte auch in der Folge von dieser Voraussetzung mehrmahls Gebrauch; jetzt aber schienen sie selbst diesen Grund noch nicht entdeckt zu haben, sondern ihr Befugniß dazu nur aus dem allgemeinen Verhältniß des Oberen oder aus dem Supremats-Recht ihrer konstitutiven Gewalt ableiten zu wollen 7). Sie erlaubten sich auch jetzt noch die Ausübung davon nur in solchen Fällen, in welchen die Dazwischenkunft des Oberen oder die Anwendung ihre Supremats-Gewalt würklich nothwendig geworden

zu

7) Auch von neueren Kanonisten wird es nur aus jenem Verhältniß abgeleitet, und unter jenem besonderen Recht, das mit dem Nahmen: Jus supplendi negligentiam, unter den päbstlichen Supremats-Rechten aufgeführt wird, begriffen.

zu seyn schien [8]); mithin dürfte man daraus allein noch nicht schließen, daß sie selbst jene Idee bereits aufgefaßt hatten: aber lag sie nicht desto unverkennbarer einer andern Anmaßung, womit sie in die Ordinariats-Rechte aller Bischöffe eingegriffen, zum Grund?

§. II.

[8] Benedikt VI. hatte die Bischöffe vorzüglich

Rom konsecriren zu lassen, wenn ihnen die Metropoliten die Konsecration nicht umsonst ertheilen wollten. Andere Päbste hielten sich gleichmäßig dazu befugt, wenn die Metropoliten aus einem andern unstatthaften Grund einem Bischoff die Konsecration verweigerten, wie Stephan V. in dem Fall eines Bischoffs von Langres. S. Nat. Alex. T. VI. p. 195. und *Baron.* ad. a. 885. nr. 21. Zuweilen aber glaubten sie auch dann schon dazwischen kommen zu dürfen, wenn die Metropoliten-Stelle in einer Provinz unbesetzt oder streitig war. Dieß war der Fall bey der Consecration des Bischoffs Erluin von Cambray, die Gregor V. verrichtete. S. *Mabillon* Annal. T. IV. p. 96.

§. II.

Es ist bereits bemerkt worden, daß sie sich in diesem Zeitraum auch mehrmahls herausnahmen, Absolutionen und Indulgenzen zu ertheilen, ohne einen Schatten von Recht dazu zu haben. Zu Anfang des eilften Jahrhunderts war es schon zur Gewohnheit geworden, daß Verbrecher von allen Seiten her nach Rom wallfahrteten, um sich dort durch den Pabst von dem Bann ihrer Bischöffe absolviren, oder einen Nachlaß der sonstigen Strafen, welche sie ihnen aufgelegt hatten, ertheilen zu lassen; zur Gewohnheit aber war es bloß dadurch geworden, weil man ihnen zu Rom beynahe damit entgegen kam. Einige Päbste absolvirten schon in den Tag hinein, und thaten es nicht nur, ohne mit den Bischöffen zu kommuniciren, oder ihre Berichte zu verlangen und abzuwarten, sondern thaten es zuweilen selbst gegen ihre ausdrückliche Protestationen. Nach den bestimmtesten, ältesten und heiligsten Gesetzen stand jedoch die Gewalt zu binden und zu lösen jedem Bischoff nur in seiner Diöcese, aber sie stand auch in jeder Diöcese nur dem Bischoff allein zu. Es war recht eigentlich

Ggg 3 eines

eines der leitenden Grund=Prinzipien des gan=
zen bisher angenommenen Kirchen=Rechts, daß
jeder nur von seinem eigenen Bischoff gebunden
und gelößt, oder daß wenigstens die von einem
Bischoff aufgelegten Strafen auch nur von ihm
wieder relaxirt werden könnten. Höchstens hät=
ten es sich dabey die Päbste als Suprema=
Recht anmaßen können, daß sie in Fällen, wo
etwas illegales dabey vorgefallen wär, durch
ihr höheres Ansehen dazwischen kommen dürf=
ten. Sie hätten sich als Obere herausnehmen
mögen, den unrechtmäßigen Bann eines Bi=
schoffs eben so gut zu kassiren, als er von
einer Synode kassirt werden könnte. Aber un=
möglich hätten sie dieß in irgend einem Fall
thun können, ohne vorher eine Untersuchung
angestellt und auch den Bischoff gehört zu ha=
ben: wenn sie also doch anders procedirten,
so mußten sie sich selbst auch eines andern
Grundes dazu bewußt seyn; und wo konnte
möglicherweise dieser Grund liegen, als in der
Vorstellung von ihrem allgemeinen Episkopat,
nach welchem sie auch in Beziehung auf jede
einzelne Kirche alle Ordinariats=Rechte ihres
eigenen Bischoffs auszuüben befugt seyen? In
                                        ihrer

ihrer eigenen Seele mußte sich wenigstens et=
was von dieser Vorstellung bereits entfaltet
haben; die übrige Welt aber mußte dann bald
durch ihre Proceduren selbst darauf geleitet
werden; denn zu welcher andern konnten sie
führen?

Kap. VI.

Wie weit die Ausübung dieser Rechte den Päb=
sten jetzt schon eingeräumt, oder noch strei=
tig gemacht wurde?

§. I.

Je sichtbarer es sich aber zu Tage legt, und
je stärker es auffällt, wie viel sich bereits in
der ganzen bisherigen Regierungs=Form der
Kirche verändert haben mußte, wenn man ein=
mahl die Päbste nach den Grundsätzen handeln
ließ, welche die angeführten neuen Anmaßun=
gen von ihrer Seite voraussetzten, desto weni=
ger darf es unbemerkt bleiben, daß man sie
doch

doch, in diesem Zeitraum noch nicht allgemein, noch nicht gleichförmig, oder wenigstens noch nicht immer ohne Widerspruch darnach handeln ließ. Die neue Ordnung der Dinge, welche sie damit einzuführen anfiengen, wurde also, wenn man will, noch nicht eigentlich gesetzmäßig, oder noch nicht ganz zum förmlichen Recht; aber sie befestigte sich doch schon so weit in der Praxis, und befestigte sich zum Theil selbst durch den Widerspruch, der zuweilen noch dagegen erhoben wurde, daß es mit ihrer Verwandlung in förmliches Recht kein Jahrhundert mehr anstehen konnte.

§. 2.

Was die erste neue Anmaßung, mit welcher sie auftraten, nehmlich die Anmaßung einer legislativen Gewalt in Beziehung auf die ganze Kirche betrifft, so gelang es ihnen zwar mehr als einmahl in diesem Zeitraum, eine mittelbare Anerkennung davon zu erschleichen, die sich jedoch meistens noch eine verwahrende Auskunft gegen die bedenklichsten der Folgen, welche sich daraus ziehen ließen, vorbehielt. Nicolaus I. hatte sie zum erstenmahl aus Ver-

anlaß

anlaſſung der unächten Iſidoriſchen Geſetz-
Sammlung in uneingeſchränkter Allgemeinheit
aufgeſtellt, denn er hatte von den franzöſiſchen
Biſchöffen verlangt, daß ſie auch die darinn
enthaltenen Decrete der Päbſte annehmen, und
zwar deßwegen annehmen müßten, weil ja überhaupt alles, was von einem Pabſt komme,
oder doch jede Entſcheidung und Verordnung
eines Pabſts eine für die ganze Kirche verbindende Geſetz-Kraft habe. Die franzöſiſchen
Biſchöffe ließen ſich dann würklich bey mehreren Gelegenheiten, wenn ſchon noch nicht durch
Nicolaus, dazu bewegen, daß ſie auch die
Decrete der Iſidoriſchen Päbſte förmlich genug
für ächt und zugleich für verbindend anerkannten: aber dabey dachten ſie am wenigſten an
jenen allgemeinen Grund, aus welchem es Nicolaus gefordert hatte. Eben ſo verhielt es
ſich auch überall, wo man ſonſt die falſchen
Decrete noch annahm. Niemand war es ſich
mit einiger Deutlichkeit bewußt, daß man ſie
deßwegen annehmen wollte, oder annehmen
müßte, weil ſie von Päbſten erlaſſen worden
ſeyen; ſondern man that es deßwegen, weil
man zum Theil ſelbſt ſeine Rechnung dabey

Ggg 5 fand,

fand; und weil man einmahl alles annehmen
zu müssen glaubte, was in einem alten kirchlichen Gesetzbuch enthalten war. Niemand
hatte also auch dabey die Absicht, eine uneingeschränkte gesetzgebende Gewalt der Päbste anzuerkennen; allein verwehren konnte man es doch
diesen auch nicht, wenn sie in der Folge die
Absicht hinein oder heraus erklärten.

§. 3.

Zum größeren Vortheil schlug aber dieß
für die Päbste aus, daß man sich überhaupt
darüber unvermerkt mehr daran gewöhnte,
alles, was von ihnen kam, mit größerer Ehrfurcht anzunehmen. Was man sich auch für
eines Grundes dabey bewußt seyn mochte,
warum man den Decreten der alten Päbste,
die in dem Codex von Dionys und Isidor gesammelt waren, eine verbindende Gesetz-Kraft
zuschrieb, so mußte es doch dazu mitwürken,
daß man von den Päbsten überhaupt eine höhere Idee auffaßte. Dieß mußte desto gewisser erfolgen, wo man sich, was am häufigsten der Fall seyn mochte, gar keines Grundes dazu deutlich bewußt war, aber es mußte

in

in jedem Fall stärker erfolgen, je mehr man die
päbstlichen Decrete in die neuen Gesetz-Samm-
lungen bekam, die nach der Isidorischen zu-
sammengetragen wurden. Da sich aber zu
gleicher Zeit die Vorstellung von dem kirchlichen Supremat der Römischen Bischöffe immer
weiter ausbildete, und der Begriff des Oberen
so viel bestimmter als vorher auf sie übertragen
wurde, so wurde man auch dadurch, ohne es
zu wissen, in dem Glauben an eine gesetzgebende Macht, die an ihrem Stuhl haften
müsse, weiter bestärkt. Indem man sich verpflichtet erkannte, dem Oberen zu gehorchen,
so räumte man ihm auch das Recht zu befehlen ein; und in dem unbestimmten Recht zu
befehlen lag wenigstens etwas von dem Recht
der Gesetzgebung schon eingeschlossen.

§. 4.

Doch gelang es ihnen fast noch vollständiger,
sich noch in diesem Zeitraum in den Besitz,
und auch nach einer Beziehung in den ausschließenden Besitz jener richterlichen Gewalt zu
bringen, welche sie über alle Bischöffe prätendirten; wiewohl man dabey fast noch mehr

Ursache

Ursache hatte, über das Neue der Prätension,
als bey jeder andern ihrer Anmaßungen, zu
erstaunen. Ihnen selbst war es noch nie vorher eingefallen, daß sie über fremde Bischöffe,
die weder in ihren Patriarchen- noch in ihren
Metropoliten-Sprengel gehörten, eine unmittelbare Judikatur in der ersten Instanz auszuüben befugt seyen; aber es war ihnen noch
weniger in den Sinn gekommen, daß sie allein
dazu befugt seyen, und doch zeigte man sich
mehr als geneigt, ihnen selbst dieß letzte einzuräumen. Von der Zeit an, da die französischen Bischöffe in der Sache des Erzbischoffs Arnulfs von Rheims sich gezwungen
gesehen hatten, es als neues Recht anzuerkennen, daß alle caulae epilcopales dem Pabst
vorbehalten seyen — also von dem Ende des
zehnten Jahrhunderts an — findet sich fast kein
Beyspiel mehr, daß noch eine andere kirchliche
Instanz als die ihrige das Kognitions-Recht
über Bischöffe ausgeübt hätte. Dazu kam es
noch zuweilen — jedoch auch immer seltener —
daß die Könige und Fürsten ihre ungeweihten
Hände an Bischöffe legten, und sich in ihrem
lehensherrlichen Verhältniß auch ein wahres
Straf-

Straf=Recht über sie herausnahmen; aber man
stößt auf keinen Bischoff mehr, der bey sei=
nem Metropoliten angeklagt, und gegen wel=
chen ordnungsmäßig von diesem procedirt, oder
der von seinen Mitbischöffen auf einer Provin=
zial=Synode gerichtet worden wäre [1]). Man
schien sich also schon stillschweigend darüber
vereinigt zu haben, daß Bischöffe in ihrem
kirchlichen Verhältniß nur von dem Pabst ge=
richtet werden könnten, und wenn es auch noch
nicht ausdrücklich in die Rechts=Theorie auf=
genommen wurde, so kam es doch in den
Rechts=Gebrauch, daß man keine andere In=
stanz mehr dazu aufforderte. Dieß schloß
aber eine thätliche Anerkennung des ausschlie=
ßenden

1) Hingegen stößt man auf Beyspiele, daß sich
zuweilen die Könige selbst an die Päbste
wandten, um das Absetzungs=Urtheil über
einen Bischoff durch sie sprechen zu lassen.
Am auffallendsten wurde dieß in dem Fall
des Erzbischoffs Herold oder Herolf von Salz=
burg, den Otto I. im J. 967. von Johann
XIII. auf der Synode zu Ravenna absetzen
ließ. S. Conc. T. IX. p. 674. *Calles* Annal.
T. IV. p. 457.

ßenden päbstlichen Rechts in sich; welche schon jede andere überflüssig machte.

§. 5.

Weniger Neigung zeigte man hingegen, den Päbsten jene Anmaßungen einzuräumen, welche sie als Folgen aus ihrem allgemeinen Episkopat abzuleiten schienen, so wie man sie auch die konstitutive Gewalt, welche aus ihrem Suprémat fließen sollte, wenigstens nicht immer nach bloßer Willkühr ausüben ließ. Nach dieser wollte man zwar, wie es schien, zugeben, daß das erste Regulirungs-Geschäft jeder neu-gepflanzten Kirche vorzüglich von ihnen abhängen müsse. Man wollte gern glauben, daß es zu ihrem Amt gehöre, in jedem für das Christenthum neu-gewonnenen Lande die ersten Bischöffe und Erzbischöffe einzusetzen, die Gränzen ihrer Diöcesen und Provinzen zu bestimmen, und eben damit die darinn gestiftete Kirche ordnungsmäßig zu konstituiren [2]. Aber wenn sie sich zuweilen auch herausnehmen woll-

---

[2] S. das Schreiben der Bischöffe der Salz-
burger Provinz an Johann IX. bey Hansiz
Germ. sacr. T. I. p. 177.

wollten, die schon einmahl bestimmten Gränzen eines bischöfflichen oder erzbischöfflichen Sprengels wieder zu verändern, so kam es nicht nur mehrmahls zu Protestationen, sondern es wurde selbst in einigen Fällen ein Widerstand dagegen erhoben, dem sie selbst nachgeben mußten. So kam das neue Erzbisthum, das die Päbste in Mähren einrichten wollten, nie zu einer dauernden Existenz, denn die Erzbischöffe von Salzburg, von deren Sprengel etwas dazu genommen werden sollte, bestanden darauf, daß sich die päbstliche Gewalt nicht so weit erstrecke, und die sämmtlichen deutschen Bischöffe erklärten bey dieser Gelegenheit, daß sie der nehmlichen Meynung seyen [3]. So weigerten sich auch die Erzbischöffe von Cöln eine geraume Zeit, der päbstlichen Disposition eine Rechtskraft beyzulegen, durch welche die Bremische Kirche zu dem Hamburgischen Erzstift geschlagen worden war, denn sie behaupteten, daß ihre Rechte durch die Veränderung verletzt

[3] S. das Schreiben des Erzbischoffs Hatto von Maynz und der deutschen Bischöffe an Johann IX. eb. das. p. 178. und in Hund Metropol. Salisburg. T. I. p. 44.

verletzt, und diese eben dadurch widerrechtlich geworden sey [4]. Wenn aber der Bischoff von Würzburg endlich darein willigte, daß ein neues Bisthum zu Bamberg aus dem seinigen zum Theil herausgeschnitten werden möchte, so geschah es gar nicht, weil er die Verfügung respektirte, die der Pabst deßhalb gemacht hatte, sondern weil er es nicht möglich fand, sich den Wünschen des Kaysers, dessen ganzes Herz an dem neuen Bisthum hieng, in die Länge zu widersetzen [5].

§. 6.

Höchstens wollte man also den Päbsten bloß einen solchen Gebrauch ihrer konstitutiven Gewalt

4) Harzheim Conc. Germ. T. II. p. 430. Quot et quae Synodi in causa Bremensis ecclesiae subjectae sub Coloniensi Metropolita celebratae fuerint?

5) Auch wohl deßwegen, weil sich endlich Heinrich zu einem Tausch=Kontrakt mit ihm verstand, der den 7. May 1008. gegen seine Cessions=Urkunde ausgewechselt wurde. Beyde Dokumente finden sich auch in der angeführten Abhandlung von Saur p. 19. 21.

Gewalt geſtatten, durch den kein fremdes Recht verletzt werden dürfte; aber noch viel weniger hatte man jetzt ſchon davon eine Vorſtellung, daß ihnen durch ihren allgemeinen Epiſkopat eine Gewalt zugewachſen ſeyn ſollte, welche mit den Ordinariats = Rechten der Biſchöffe jemahls in Kolliſion kommen könnte. Wenn ſie ja den Gedanken ſchon ſelbſt aufgefaßt hatten, daß ihnen deßwegen, weil die ganze Kirche ihre Diöceſe ſey, auch über jede beſondere Kirche Diöceſan = Rechte zuſtehen müßten, ſo war doch ſonſt noch niemand darauf verfallen; denn erklärten nicht die franzöſiſchen wie die deutſchen Biſchöffe noch im eilften Jahrhundert, daß der Pabſt nicht einmahl einen fremden Büßenden, der nach Rom komme, abſolviren dürfe, weil dieß nur von ſeinem eigenen Biſchoff auf eine gültige Art geſchehen könne?

§. 7.

Außerdem kamen wohl auch einzelne Fälle in dieſen Jahrhunderten vor, worinn man den Päbſten auch ſolche Rechte ihres kirchlichen

Supremats, die man ihnen ſchon mehrmahls eingeräumt hatte, wieder ſtreitig machte, oder die nehmlichen Anmaßungen, die man ihnen an einem Ort bewilligte, an einem andern abwieß, und zuweilen auf eine ſehr irreſpektuöſe Art oder mit äußerſt wenigen Umſtänden abwieß. Wagte es nicht der Erzbiſchoff Otmar von Vienne, einen neuen Biſchoff, den der Pabſt Johann VIII. für die Kirche zu Genf ordinirt und konſecrirt hatte, als einen eingedrungenen Kirchen-Räuber zu behandeln, weil derjenige kein rechtmäßiger Biſchoff ſeyn könne, der nicht von ſeinem eigenen Metropoliten konſecrirt ſey [6])? Wagte es nicht der Erzbiſchoff Willigis von Maynz, in ſeinem Handel mit dem Biſchoff Bernhard von Hildesheim der höchſten richterlichen Gewalt des Pabſts noch kühner zu trotzen? und findet ſich nicht ein Beyſpiel, daß in dieſer Periode von einer päbſtlichen Entſcheidung förmlich an ein allgemeines Concilium

6) Man weiß dieſe Thatſache aus dem eigenen Briefe Johanns an den Erzbiſchoff. Ep. 298. in Conc. T. IX. p. 208.

iclium appellirt wurde 7)? Allein wenn auch
solcher Fälle noch mehrere vorgekommen wären,
in denen man sich den Versuchen der Päbste, eine
würkliche Supremats = Gewalt auszuüben, noch
widersetzte, und nicht nur mit Nachdruck, son=
dern auch mit Erfolg widersetzte, so dürfte doch
nichts daraus geschlossen werden, als daß sich
nicht alles auf einmahl in die neuen Verhältnisse
hineinfügte, was sich ohnehin nie erwarten
ließ. Dabey bleibt es jedoch höchst sichtbar in
der Geschichte, daß und wie sich schon alles
dagegen hindrängte, ja wie selbst der wider=
strebende Geist der alten Verfassung unmerklich
durch

7) Eigentlich nur von der Entscheidung eines
    päbstlichen Legaten. Es war der Erzbischoff
    Giseler von Magdeburg, der im J. 1000,
    die Appellation einlegte; es ist aber auch noch
    ungewiß, ob es eine wahre Appellation an
    ein allgemeines Concilium seyn sollte; denn
    Dietmar L. IV. p. 357. erzählt nur "generale
    sibi dari Concilium postulavit", und der Säch=
    sische Annalist erklärt dieß dahin: "rem usque
    ad generalem Romanae ecclesiae Synodum dif=
    ferri callide precatur."

durch die Umstände hineingedrängt wurde; aus=
ser diesen Umständen, die aus der ganzen Zeit=
Geschichte hervorgehen, würkten aber noch be=
sonders einige Ursachen mit, denen man viel=
leicht das meiste dabey zuschreiben darf.

Kap. VII.

Mehrfaches Interesse, das die Bischöffe und noch
mehr die Erzbischöffe wegen ihrer Pallien bey
dem Steigen der päbstlichen Gewalt haben, wo=
durch dieses am meisten begünstigt wird.

§. I.

Einmahl mußten ja — darauf muß immer
besonders aufmerksam gemacht werden — die
Mehrheit der Bischöffe mußte nothwendig ihren
Vortheil bey einer Veränderung der kirchlichen
Regierungs=Form finden, durch welche mehr
würkliche Gewalt in die Hände der Päbste kam,

und

und sie mußten ihn nicht nur in ihrem kirch=
lichen, sondern auch in allen ihren übrigen
Verhältnissen dabey finden. Wären die Päbste
nicht dazwischengekommen, so würde zuverläßig
in jedem der einzelnen christlichen Staaten das
entschiedenste Uebergewicht der kirchlichen Ge=
walt in die Hände einiger großen Bischöffe ge=
fallen seyn, die durch ihre Lage begünstigt sich
von Anfang an den übrigen vorgedrängt hat=
ten. Jede einzelne National=Kirche würde —
gleich viel unter welchem Nahmen? — einen
oder ein Paar eigene Päbste bekommen haben,
unter denen sich die übrigen Bischöffe hätten
schmiegen müssen; diese National=Päbste aber
würden zuverläßig in ihrem kleineren Wür=
kungs=Kreise viel größere Tyrannen geworden
seyn, als es jemahls ein allgemeiner Pabst
werden konnte. Dieß wurde jedoch eben da=
durch verhindert, weil die Römischen Bi=
schöffe allmählig zu dem würklichen Supremat
über alle Kirchen gelangten, und dadurch mit
allen Bischöffen in das Verhältniß des Oberen
kamen, denn in diesem Verhältniß selbst muß=
ten sie jetzt den natürlichsten Antrieb finden,
ihre Macht und ihr Ansehen beständig zum

Schutz

Schutz der Schwächeren gegen die Stärkeren
zu verwenden.

§. 2.

Noch wohlthätiger zeigte sich die gestie-
gene Macht der Päbste für die sämmtlichen
übrigen Bischöffe in ihrem Verhältniß gegen die
weltliche Macht der Fürsten und Könige; nur
darf hier die wohlthätige Würkung nicht nach
demjenigen geschätzt werden, was jetzt schon
in einzelnen Fällen und zum Vortheil von einzelnen Bischöffen dadurch ausgerichtet wurde.
Dazu kam es jetzt noch selten oder niemahls,
daß der Pabst einen Bischoff gegen die Gewalt seines Landesherrn, dessen Unwillen er
sich verdient oder unverdient zugezogen hatte,
kräftig genug schützen konnte, wenn er sich
nicht, wie Nicolaus in dem Fall des Bischoffs
Rothab von Soissons, eigener besänftigender
Mittel dazu bediente, oder wenn sich nicht,
wie in der Sache des Erzbischoffs Arnulph von
Rheims, die Umstände besonders günstig dabey
fügten. Aber indem sich die weltlichen Fürsten unvermerkt daran gewöhnten, den Pabst
als

als das Oberhaupt der ganzen Kirche zu re=
spektiren, und dabey zugleich an die Vorstel=
lung gewöhnten, daß er in diesem Charakter
auch in den Angelegenheiten ihrer eigenen Lan=
des=Kirche etwas mitzusprechen habe, so ka=
men sie darüber allmählig aus der Gewohn=
heit, sich selbst als ihre Despoten zu betrach=
ten; sie faßten selbst schon die Idee von einer
Macht auf, durch welche die ihrige in gewissen
Fällen eingeschränkt werden könne; sie fiengen
schon an, sie zu fürchten, ohne sie noch genau zu
kennen, und dieß kam ihren eigenen Bischöffen
am meisten zu gut. Das dunkle Gefühl einer
heiligen Scheu vor einer in der Person des
Pabsts koncentrirten geistlichen Gewalt regte
sich jetzt immer bey ihnen, so oft sie auch mit
andern geistlichen Personen zu thun hatten.
Ohne sich der Ursache deutlich bewußt zu seyn,
machte sich jeder weltliche Herr jetzt weit mehr
Bedenken als vorher daraus, sich an einem
Bischoff zu vergreifen; schon mit dem An=
fang der nächsten Periode aber wurde es ih=
nen auch klar genug, daß sie wahrhaftig
Ursache hätten, sich vor einem Kampf zu

fürch=

fürchten, in den sie dabey mit den Päbsten
gerathen könnten.

§. 3.

Dabey darf freylich nicht daran gedacht
werden, daß die Bischöffe dieses Zeitalters auch
schon ein klares Bewußtseyn von demjenigen
gehabt hätten, was sie den Päbsten in diesen
verschiedenen Beziehungen zu danken hätten.
Kaum einigen von ihnen mochte durch die Erfahrungen, welche sie hin und wieder gemacht
hatten, ein Licht darüber aufgegangen seyn,
warum und in wie fern es ihr eigener Vortheil erfordere, daß der Pabst mächtiger seyn
müsse, als ihre Metropoliten. Die meisten
mochten höchstens nur eine Ahndung davon haben, daß ihnen auch um ihrer selbst willen
etwas daran gelegen seyn könnte: doch schon
damit war nicht wenig gewonnen. Wenn auch
weiter nichts dadurch bewürkt wurde, als daß
sie nur der steigenden Gewalt der Päbste und
ihren Fortschritten keine Hindernisse in den Weg
legten, so trug schon dieß etwas beträchtliches
aus; denn ihr Streben dagegen würde jetzt noch
ihre

ihre Fortſchritte würklich unmöglich gemacht
haben. Sie halfen alſo ſchon genug, indem
ſie nur nicht hinderten; aber wie viele halfen
nicht auch thätig, wenn ſie in einem beſondern
Fall, in welchem ſie den Schutz, die Verwendung oder die Hülfe des Pabſts bedurften, ihr eigener Vortheil dazu antrieb?

§. 4.

Noch mehr wurde jedoch die ſteigende
Macht der Päbſte durch einen zweyten beſondern Umſtand, nehmlich dadurch begünſtigt,
daß es ihnen ſo frühzeitig in dieſer Periode
gelang, eine andere Klaſſe von Menſchen in
ihr Intereſſe zu ziehen, und zwar gerade jene
Klaſſe von Menſchen, die das gröſte Intereſſe
dabey hatten, ſich ihrem Steigen am eifrig-
ſten zu widerſetzen, weil ſie ſelbſt am meiſten
dabey vorlohren. Dieſe Menſchen, die man
von Seiten der Päbſte ſo glücklich zu gewinnen wußte, waren keine andere als die Metropoliten; das Mittel aber, durch das man ſie
gewann, war kein anderes, als — ihre ſo-
genannte Pallien. Was und wie aber dieſe

dabey

dabey würkten? dieß erklärt sich nur aus demjenigen, was sie ursprünglich waren, und im Verfolg der Zeit wurden? Wenigstens die folgenden Momente aus ihrer Geschichte müssen also hier berührt werden.

§. 5.

Den ersten Ursprung der Pallien darf man nur in das vierte Jahrhundert, oder in die Zeit der ersten christlichen Kayser setzen, von denen er unläugbar sich herschreibt. Diese waren es unstreitig, welche einigen der größeren Bischöffe des Reichs, und zunächst den Patriarchen, das Privilegium ertheilten, daß sie zu ihrer besondern Auszeichnung ein Pallium nach der Form desjenigen tragen möchten [1], das eines der Hauptstücke des kayserlichen Ornats, oder der kayserlichen Ceremonien-Kleidung ausmachte.

[1] Dieß wird auch durch die schöne Donations-Urkunde Constantins im Gratianischen Decret bestätigt, denn es wird ja darinn auch wörtlich gesagt: quod pallium Papae romano tributum sit beneficio Imperatoris.

machte. Gewöhnlich mochten sie ihnen dabey selbst dieß Pallium als Geschenk überschicken [2]); aber sehr gewiß ist, daß es auch ursprünglich ganz anders aussah, und eine ganz andere Figur machte, als in späteren Zeiten; denn noch zu Ende des sechsten Jahrhunderts mußte es ein ganzes, und nach der Beschreibung Gregors des Großen [3]) sehr prächtiges Kleidungs-

[2) S. *Liberatus* Brev. c. 21. Er erzählt hier von dem Patriarchen Antimus von Konstantinopel, daß er bey der Niederlegung seines Amts dem Kayser Justinian das Pallium zurückgegeben habe, das ihm von diesem bey seinem Antritt gegeben worden sey.

[3) S. *Gregorii* M. Epist. L. VII. ep. 112. Jetzt ist das Pallium nichts als ein bloßer etwas breiter wollener Kragen, der über die Schultern geworfen wird, von welchen ein etwas längerer Streifen auf die Brust und ein anderer auf den Rücken herunterhängt, welche beyde mit einem rothen Kreuz gezeichnet sind. Dieß mußte es aber wenigstens schon im zwölften Jahrhundert geworden seyn nach Innocenz III. De myster. Miss. L. III. c. 63.

dungs-Stück seyn, das wahrscheinlich von Pur-
pur und mit Golde gestickt war.

§. 6.

So gewiß es aber ist, daß ursprünglich
die Kayser den Patriarchen das Pallium schickten, so gewiß ist auch, daß es hernach die
Päbste im fünften und sechsten Jahrhundert
mehreren Metropoliten bey dem Antritt ihrer
Aemter zuschickten; doch eben so gewiß ist zugleich, daß es auch von den andern Patriarchen
im Orient eben so gehalten, und das Pallium
ebenfalls von ihnen den Metropoliten, die unter ihnen standen, zugeschickt wurde [4]); daß
aber

4) Dieß blieb bis in das neunte Jahrhundert
fortdauernde und immer mehr befestigte Gewohnheit, so daß jetzt, wenn man wissen
wollte, in welchen Patriarchen-Sprengel eine
Provinz gehörte, bloß gefragt wurde, von
welchem Patriarchen ihr Metropolit das Pallium erhielte? Daraus erklärt sich, warum
Johann VIII. noch am Ende dieses Jahrhunderts mit dem Klerus der Kirche zu Salona
so

aber auch diese, wie die Päbste, die kayserliche
Einwilligung dazu haben, und jedesmahl be=
sonders nachsuchen mußten, so oft sie es ei=
nem neuen Metropoliten ertheilen wollte.
Darinn deckt es sich am deutlichsten auf, was
die Sache vorstellen sollte. Auch die Metro=
politen wollte man noch von andern Bischöffen
ausgezeichnet haben; um aber doch dabey zu
markiren, daß sie unter den Patriarchen stän=
den, wurde ihnen das unterscheidende Ehren=
zeichen durch die Hände von diesen mitgetheilt.
Daher durfte einerseits der Patriarch nur jenen
Metropoliten der Ordnung nach das Pallium
schicken, die unter ihm standen, und in seinen
Sprengel gehörten, und daher mußten sie
andererseits die kayserliche Erlaubniß nachsuchen,
so oft sie es einem ertheilen wollten, dessen
Vorgänger es noch nicht gehabt hatte, weil er
dadurch eine Auszeichnung erhielt, deren Er=
theilung

so angelegen unterhandelte, daß er doch das
Pallium für seinen Erzbischoff nicht mehr von
Konstantinopel, sondern von Rom kommen las=
sen sollte. S. Johann VIII. ep. 190. bey
Labbé T. IX. p. 123.

theilung nur dem Kayser zustehen sollte. Aus
den Beyspielen der Päbste 5) weiß man gerade
am gewissesten, daß dieß letzte gewöhnlich geschah, also wahrscheinlich feste Ordnung war,
wenn es auch schon nicht immer geschehen mochte; damit aber wird es vollends ganz außer
Zweifel gesetzt, daß die Erlaubniß, das Pallium zu tragen, ursprünglich nichts anders
als eine beehrende Auszeichnung war, die von
den Kaysern den größeren Bischöffen, oder
auch jenen, welche sie besonders begünstigen
wollten, ertheilt wurde.

§. 7.

Nachdem aber einmahl die Sache in den
Gang eingeleitet war, daß gewöhnlich alle
Metropoliten von ihren Patriarchen das Pallium empfiengen, so war es sehr natürlich,
daß mit seiner Ertheilung bald eine Neben-
Idee verknüpft wurde, die zuerst gar nicht
dazu gehört hatte. Die Patriarchen schickten
gewöhn-

---

5) S. *Vigilii* Ep 6. Conc. T. V. p. 319. *Gregor I.* Ep. L. VII. ep. 5.

gewöhnlich ihren Metropoliten das Pallium so
gleich bey dem Antritt ihrer Aemter, sobald
sie die Nachricht von ihrer Wahl erhalten hat
ten. Damit ließ es dann, als ob sie eben
dadurch die Wahl des Metropoliten konfirmir
ten, und so kam es, daß unvermerkt die Er
theilung des Palliums an die Metropoliten
als Bestätigungs=Actus ihrer Wahlen von Sei
ten der Patriarchen angesehen wurde. Dieß
wurde selbst im neunten Jahrhundert von der
achten ökumenischen Synode zu Konstantinopel
vom J. 872. sanktionirt, denn diese Synode
machte es förmlich zum Gesetz [6], daß alle
Metropoliten von ihren Patriarchen entweder
durch die Auflegung der Hände, oder durch
die Mittheilung des Palliums konfirmirt wer
den sollten: in den occidentalischen Kirchen aber
war durch einen Umstand, der vielleicht zuerst
nur zufällig dabey eingetreten war, auf einige
Zeit noch eine andere Ansicht der Sache ver
anlaßt worden.

§. 8.

---

[6] Can. XVII. S. Conc. T. VIII. p. 1137.

§. 8.

Die Päbste hatten schon im fünften Jahrhundert angefangen, einige der Bischöffe, denen sie das Pallium zuschickten, auch zugleich zu ihren Vikarien zu ernennen, und noch regelmäßiger hatten sie es im sechsten Jahrhundert bey jenen gallischen und spanischen Bischöffen gethan, für welche das Pallium von ihnen verlangt worden war: Darüber setzte sich hier die Vorstellung an, daß das Pallium das Unterscheidungs-Zeichen derjenigen Bischöffe sey, welche der Pabst zu seinen Stell-Vertretern, oder doch zu seinen beständigen Agenten und Korrespondenten ausgewählt habe. Man kann auch aus mehreren Anzeigen schließen, daß die Vorstellung von Rom aus sehr geflissentlich begünstigt und unterhalten wurde; aber daraus wußten in der Folge die Päbste die trefflichsten Vortheile zu ziehen. Durch diese Vorstellung zog man nehmlich in der Mitte des achten Jahrhunderts die größeren fränkisch-gallischen Bischöffe wieder am würksamsten in die Verbindung mit Rom hinein, aus der sie in den anderthalb Jahrhunderten der kirchlichen Anarchie, die bey ihnen geherrscht hatte, völlig

lig außetreten waren.   Indem man sie das
Pallium, das um diese Zeit der neue Primat
der deutschen Kirche, der heil. Bonifaz, beköm=
men hatte, als das beehrende Zeichen einer
näheren Gemeinschaft mit dem Pabst und als
das Symbol eines von ihm erhaltenen Auftrags
betrachten ließ, so machte man ihnen damit
auf einmahl begreiflich, warum man dieß
Pallium 7) nur von Rom aus erhalten könne,
und reizte sie desto stärker zu dem Wunsch,
die schöne Dekoration ebenfalls zu erhalten.
Der heilige Bonifaz war ohne Zweifel darauf
instruirt, diesen Wunsch aufzumuntern.   Der
damahlige Pabst Zacharias kam ihm mehr als
gefällig

---

7) Nach der Vermuthung von Marca L. VI.
c. 7. hatten nehmlich die gallischen größeren
Bischöffe im sechsten und siebenten Jahrhun=
dert dennoch auch ein Pallium gehabt, das
sie sich nicht von Rom schicken ließen.   Hätte
es jedoch mit diesem Pallio gallicano würklich
seine Richtigkeit, was sich noch sehr bezwei=
feln läßt, so müßte man dennoch voraus=
sezen, daß man hier selbst nicht recht wußte,
was es vorstellen sollte.

gefällig entgegen. Die neuen Metropoliten, die man damahls in der fränkisch-gallischen Kirche anstellte, ließen sich würklich dadurch bewegen, das Pallium von ihm zu verlangen, und damit war hier die Sache in einen Gang eingeleitet, der für die Päbste unendlich vortheilhafter wurde, als sie wahrscheinlich selbst voraus gehofft hatten.

§. 9.

Die neue Vorstellung von dem Pallio als von dem Zeichen oder Unterpfand einer näheren Verbindung mit Rom hatten sie hier bloß zuerst dazu benutzt, um den fränkischen und deutschen Metropoliten eine recht förmliche Anerkennung der Römischen Superiorität abzulocken. Man verlangte nehmlich von den ersten, die sich das Pallium wieder von Rom schicken ließen, daß sie bey seinem Empfang eine Akte unterschreiben sollten, in welcher sie dem Pabst kanonischen Gehorsam und Unterwürfigkeit geloben mußten, wozu sie sich auch nach einigem [8]) Bedenken verstanden hatten. Der Be- griff

---

8) S. *Bonifacii* Epist. p. 144. Die Thatsache selbst,

griff von einem päbſtlichen Vikariat, das ihnen
dabey übertragen würde, machte ſie ohne Zwei=
fel

ſelbſt, daß man von den neuen fränkiſchen
Erzbiſchöffen ein Verſprechen des Gehorſams
und der Unterwürfigkeit bey dieſer Gelegen=
heit forderte, iſt noch nie bezweifelt: aber
es iſt ſchon darüber geſtritten worden; ob
man es jetzt zum erſtenmahl bey dieſer Ge=
legenheit forderte? oder ob es ſchon vorher
gebräuchlich war, daß es von den Metropo=
liten, die das Pallium von dem Pabſt erhiel=
ten, ausgeſtellt wurde. Marca, Thomaſ=
ſino und von neueren Kanoniſten der gelehrte
Bartels behaupteten das erſte, auch Ruinart
in ſeiner Disquiſitio hiſtor. de Pallio. cap 16,
Hingegen Joh. Anton. Bianchi in ſeinem
Werk Della poteſta, e della polizia della Chieſa.
T. V. P. I. L. III. c. 3. und der polemiſche
Zaccaria ſuchte in einer eigenen Diſſertation:
De Jure jurando, quo Archiepiscopi pallio donati — obedientiam romano Pontifici pollicen-
tur — das andere darzuthun. Ihre Gründe
entſchieden aber weiter nichts, als daß die
Päbſte ſchon im ſechsten Jahrhundert ange=
fangen haben mochten, von den Biſchöffen,
welche die Conſecration von ihnen erhielten,

Jii 2   ein

fel dazu am geneigtesten; wenigstens konnten
sie es bey diesem Begriff am wenigsten be=
fremdend finden, daß sich der Kommittent von
seinen Delegirten Gehorsam versprechen ließ.
Sobald aber einmahl nur einige Bischöffe die
auszeichnende Decoration um diesen Preiß er=
kauft hatten, so wurden mehrere darnach lü=
stern, die bisher in gleicher Linie mit ihnen
gestanden waren. Alle Metropoliten beeilten
sich jetzt, das Pallium zu bekommen. Alle
unterschrieben unweigerlich die Akte, die man
ihnen dabey vorlegte [9]), und so war die Em=

pfangung

ein solches Versprechen zu fordern; daraus
folgt aber noch nicht, daß sie es auch schon
von allen Metropoliten, denen sie bloß das
Pallium schickten, gefordert hätten. S.
Franc. Ant. Zaccaria De rebus ad histor. atque
antiquitates eccl. pertinentibus Dissertat. latin.
T. II. Diss XIII. p. 264. folg.

9) Dieß konnte auch *Zaccaria* p. 294. leicht ge=
gen Joh. Ge. Pertsch außer Zweifel setzen,
der es bestritten hatte in seinem Tractat. ca.
non. de orig. usu et auctor. pallii archiepisco.
pal. Helmstad. 1754.

pfangung des Palliums förmlicher Rekogni=
tions=Akt der päbstlichen Oberherrschaft von
ihrer Seite geworden.

§. 10.

Schon damit war für die Päbste etwas
beträchtliches gewonnen; aber noch mehr ge=
wannen sie durch die Vorstellungen, welche sich
die Metropoliten selbst von den Würkungen der
Verbindung mächten, in welche sie dadurch mit
ihnen gekommen zu seyn glaubten. Nur dar=
inn kann man den Ursprung des seltsamen
Wahnes finden, den selbst der alte Hincmar
von Rheims aufgefaßt hatte, daß ein Metro=
polit von niemand anders als vom Pabst al=
lein gerichtet werden könne, denn es war un=
möglich, daß man auf einem andern als auf
diesem Wege dazu hätte gelangen können.
Sobald sie sich aber einmahl um ihrer Pallien
willen in dem Charakter seiner Bevollmächtig=
ten erblickten, so konnten sie sich leicht über=
reden, daß sie auch unmittelbar unter ihm
ständen, mithin für jede andere kirchliche Macht
unantastbar seyen, und so wie sie darauf im=

mer

mer mehr Werth setzen lernten, so glaubten
sie es auch selbst desto williger, daß er Ge=
horsam und Unterwürfigkeit von ihnen for=
dern könne.

§. 11.

Doch am vortheilhaftesten wurde für die
Päbste eine weitere Folge, die man durch eine
andere Wendung aus den Ideen ableitete,
welche man sich so allgemein von der Bedeu=
tung der Pallien gemacht hatte. Da man sich
nehmlich einerseits den Begriff von einer da=
durch mitgetheilten delegirten Gewalt in den
Kopf gesetzt hatte, auf der andern Seite aber
gewahr wurde, daß alle Metropoliten das
Pallium erhielten, so wurde man endlich durch
beydes zusammen auf die Idee geleitet, daß
es die Metropolitan = Gewalt selbst sey, die
den Erzbischöffen durch das Pallium mitge=
theilt werde. Man muß wohl glauben, daß
man sich dieß zuerst nur dunkel dachte, denn
es lag gar zu weit von allen Begriffen des
bisher angenommenen kirchlichen Staats = Rechts
ab. Wenigstens dachte man sich gewiß zu=

erst

erst die Folgen nicht deutlich, die daraus flossen; aber noch vor dem Ende des neunten Jahrhunderts durfte es doch ein Pabst bereits wagen, die Idee als schon befestigt vorauszusetzen. Johann VIII., der einem Erzbischoff zu Cöln das Pallium schon deßwegen verweigerte, weil nur der Unterwerfungs=Akte, die er nach Rom geschickt hatte, etwas an der gehörigen Form fehlte [10] — eben dieser Johann schrieb es auch schon ganz unverdeckt in die Welt hinein [11], daß sich kein

10) Dem Erzbischoff Wilibert. Der Pabst klagte aber dabey auch darüber, daß der Erzbischoff niemand nach Rom geschickt habe, der die Akte in seinem Nahmen hätte beschwören können. S. Conc. T. IX. p. 238.

11) Er schrieb es zuerst an den neuen Erzbischoff Rostagnus von Arles — Johann VIII ep. 94.; aber im J. 877. ließ er es auch in den ersten Canon einer Synode zu Ravenna einrücken, in welchem erklärt wurde, daß jeder Metropolit ohne weiteres als seines Amts entsetzt betrachtet werden sollte, der nicht innerhalb dreyer Monathe nach seiner

Wahl

kein Metropolit unterstehen dürfe, irgend einen
Aktus seines Amts auszuüben, ehe er sein
Pallium von Rom erhalten habe, und stellte
es also damit als unbestreitbaren Grundsatz
auf, daß jedem Metropoliten seine Amts=
Gewalt erst mit dem Pallio von dem Pabst
übertragen werde.

§. 12.

Wie sehr sich aber damahls die Vorstel=
lung würklich schon befestigt hatte, und wie
viel mehr sie sich noch im Verlauf des zehn=
ten Jahrhunderts befestigte? dieß erhellt am
sichtbarsten aus zwey besondern Umständen,
auf die man nun in der Geschichte der Pal=
lien stößt. Einmahl kam es jetzt mehrmahls
vor, daß sich die Könige selbst bey den Päb=
sten dafür verwandten, daß sie den neuen Me=
tropoliten, welche sie ernannt hatten, das
Pallium schicken möchten [12]), und dieß kam
bloß

Wahl die von seiner Seite nothwendigen
Schritte zu der Erlangung des Palliums ge=
than haben würde. S. Conc. T. IX. p. 300.

12) So verlangte es der Kayser Lothar von
Leo

bloß daher, weil sie jetzt auch selbst überzeugt waren, daß ihnen dieß Pallium unent-
behrlich sey, durch das sie erst zu ihren
Amts-Verrichtungen gleichsam habilitirt würden. Dann aber ließ man es ja auch schon
geschehen, und gewiß nur um dieses Glaubens
willen geschehen, daß die Päbste den Preiß
dafür immer höher steigern durften. Wahrscheinlich schon im zehnten Jahrhundert fieng
man zu Rom an, den Metropoliten, welche
das Pallium verlangten, eine Taxe dafür an-
zusetzen, welche an die päbstliche Canzley bezahlt werden mußte; zu Anfang des eilften
mußte aber diese Taxe schon ganz unnatürlich
erhöht worden seyn, denn der englische König
Canut hielt sich im J. 1027. bey seiner Anwesenheit in Rom verpflichtet, es selbst als
eine Landes-Beschwerde dem Pabst vorzutra-
gen, daß seinen Erzbischöffen so ungeheuer
viel

Leo IV. für den Erzbischoff Hincmar, Carl
der Kahle von Nicolaus I. für Egilo von
Sens, und Carlmann von Johann VIII.
für den Erzbischoff Theutmar von Juvavia
oder Salzburg.

viel für ihre Pallien abgenommen werde [13]).
Daraus mag man wohl ſchließen, daß ſie auch
ſelbſt ſchon über den Preiß gemurrt haben
mochten, der ihnen dafür abgefordert wurde;
aber der Aerger darüber hatte ſie doch nicht
zu der ſo natürlichen Frage bringen können:
wozu ſie dann die theure Waare ſo nothwendig brauchten? alſo mußte ja wohl der Glaube an ihre Unentbehrlichkeit recht feſt bey ihnen
eingewurzelt ſeyn.

§. 13.

Was kann man aber jetzt mehr bedürfen,
um es begreiflich, und mehr als nur begreiflich — um es dem ganz natürlichen Lauf der
Dinge völlig gemäß zu finden, daß die Gewalt der Päbſte von dieſer Zeit an immer höher

13) "Conqueſtus ſum coram Domino Papa, et
mihi valde diſplicere dixi, quod mei Archie-
piſcopi in tantum angariabantur immenſitate
pecuniarum, quae ab illis expetebantur, dum
pro pallio accipiendo ſecundum morem apoſtolicam ſedem expeterent." S. Cnuthonis Regis Epiſtola ad Proceres Angliae bey *Wilhelm.*
Malmesbur. p. 74. und Conc. T. IX. p. 862.

her stieg, ja daß es bereits recht eigentlich in ihrer Willkühr stand, und nur von dieser abhieng, ob sie jetzt schon die ganze Fülle der kirchlichen Macht ausschließend an sich reissen, oder die Welt noch etwas länger darauf vor= bereiten wollten? Wenn die Metropoliten es selbst anerkannten, daß sie ihre Amts=Gewalt und ihre Amts=Rechte nur von den Päbsten durch das Pallium erhielten, so erkannten sie damit nicht nur die Päbste auf das feyerlichste als ihre Obere, sie gestanden ihnen nicht nur das Recht zu, sie in ihren Aemtern zu bestä= tigen, sondern sie räumten eben damit ein, daß sie eigentlich selbst nur als Stellvertreter und Delegirte der Päbste zu betrachten seyen, die ihnen bloß den Auftrag ertheilt hätten, einen Theil ihrer eigenen über die ganze Kirche sich erstreckenden Gewalt in einem besondern Distrikt auszuüben. Freylich mochte sich jetzt noch diese Vorstellung in der Seele von keinem Metropoliten entwickelt — sie mochte sich wohl selbst in der Seele der Päbste noch nicht mit allen ihren Folgen entfaltet haben; aber wenn die letzten über kurz oder lang Anstalten mach= ten, sich völlig in das Verhältniß hineinzu=

rücken,

rücken, das dadurch zwischen ihnen und den Metropoliten fixirt wurde; wie könnten es diese noch hindern, wenn sie auch wollten?

So war es dieß Kinderspiel mit den erzbischöfflichen Pallien, aus dem nicht nur die Päbste jetzt schon die größten Vortheile zogen, sondern das auch zunächst ihr Aufsteigen zu der höheren Stufe von Macht vorbereitete, zu der sie sich in der nächsten Periode emporhoben!

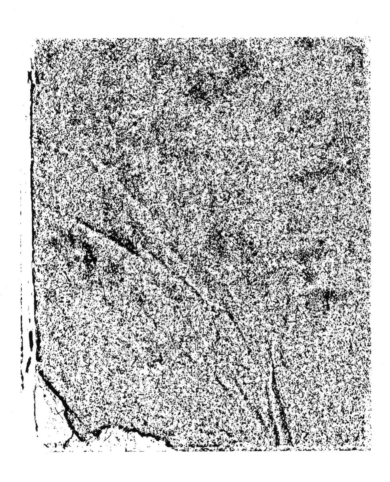